D1539792

PARADIS FISCAUX : LA FILIÈRE CANADIENNE

DU MÊME AUTEUR

« Gouvernance », Le management totalitaire, Montréal, Lux, 2013.

Paradis sous terre. Comment le Canada est devenu la plaque tournante de l'industrie minière mondiale, avec William Sacher, Montréal/Paris, Écosociété/Rue de l'Échiquier, 2012.

Faire l'économie de la haine. Douze essais pour une pensée critique, Montréal, Écosociété, 2011.

Offshore. Paradis fiscaux et souveraineté criminelle, Montréal/Paris, Écosociété/La Fabrique, 2010.

Noir Canada. Pillage, corruption et criminalité en Afrique, avec le concours de Delphine Abadie et William Sacher, Montréal, Écosociété, 2008.

Paul Martin et compagnies. Soixante thèses sur l'alégalité des paradis fiscaux, Montréal, VLB Éditeur, 2004.

PARADIS FISCAUX : LA FILIÈRE CANADIENNE

Barbade, Caïmans, Bahamas, Nouvelle-Écosse, Ontario…

Alain Deneault

Avec le concours de

Aaron Barcant, Catherine Browne, Mathieu Denis,
Normand Doutre, Chantal Gailloux, Gabriel Monette,
Stéphane Plourde, Ghislaine Raymond, Pierre Roy,
William Sacher, Alexandre Sheldon et Aline Tremblay

du Réseau pour la justice fiscale

LES ÉDITIONS
écosociété
MONTRÉAL

Coordination éditoriale : David Murray
Illustration de la couverture : Catherine D'Amours
Typographie et mise en pages : Yolande Martel
Cartes : Luciano Benvenuto
Illustrations : Mathieu Chartrand

Dépôt légal : 1ᵉʳ trimestre 2014

ISBN 978-2-89719-120-7

Catalogage avant publication de Bibliothèque et Archives nationales du Québec et Bibliothèque et Archives Canada

Deneault, Alain, 1970-

    Paradis fiscaux: la filière canadienne : Barbade, Caïmans, Bahamas, Nouvelle-Écosse, Ontario...

    Comprend des références bibliographiques.

    ISBN 978-2-89719-120-7

1. Paradis fiscaux – Canada. 2. Abris fiscaux – Canada. I. Réseau pour la justice fiscale. II. Titre.

HJ2337.C3D46 2014   336.2'06   C2013-942726-0

Nous remercions le Conseil des Arts du Canada de l'aide accordée à notre programme de publication. Nous reconnaissons l'aide financière du gouvernement du Canada par l'entremise du Fonds du livre du Canada pour nos activités d'édition.

Nous remercions le gouvernement du Québec de son soutien par l'entremise du Programme de crédits d'impôt pour l'édition de livres (gestion SODEC), et la SODEC pour son soutien financier.

Table des matières

Si nul ne sait ce qu'est vraiment la démocratie,
en revanche beaucoup savent ce qu'elle n'est pas.

– FRANÇOIS-XAVIER VERSCHAVE

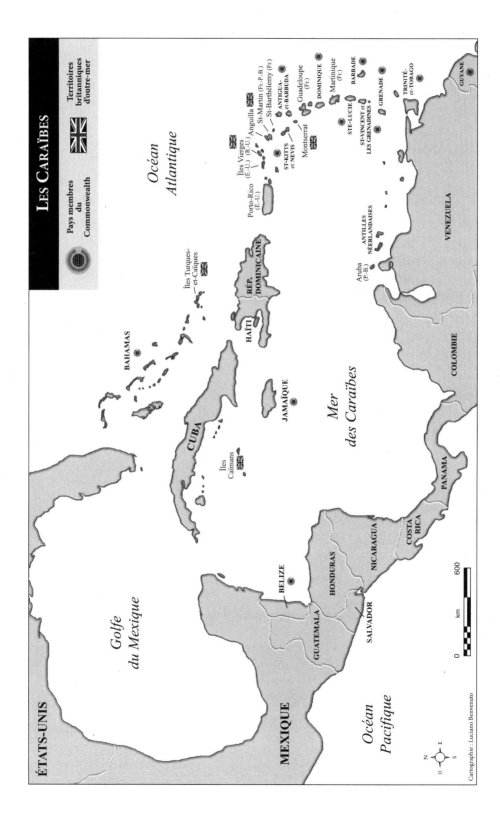

LES CARAÏBES

Pays membres du Commonwealth

Territoires britanniques d'outre-mer

ÉTATS-UNIS

MEXIQUE

Golfe du Mexique

Océan Pacifique

BELIZE

GUATEMALA

SALVADOR

HONDURAS

NICARAGUA

COSTA RICA

PANAMA

CUBA

Îles Caïmans

JAMAÏQUE

BAHAMAS

Îles Turques-et-Caïques

HAÏTI

RÉP. DOMINICAINE

Mer des Caraïbes

Océan Atlantique

Porto-Rico (É.-U.)

Îles Vierges (É.-U.) (R.-U.) Anguilla

St-Martin (Fr.-P.-B.)

St-Barthélemy (Fr.)

ANTIGUA-et-BARBUDA

ST-KITTS et NEVIS

Montserrat

Guadeloupe (Fr.)

DOMINIQUE

Martinique (Fr.)

STE-LUCIE

BARBADE

ST-VINCENT et LES GRENADINES

GRENADE

TRINITÉ-et-TOBAGO

Aruba (P.-B.)

ANTILLES NÉERLANDAISES

VENEZUELA

COLOMBIE

GUYANE

0   600
km

N
O   E
S

Cartographie : Luciano Benvenuto

La fuite en avant

Au moment de révélations mondiales sur les paradis fiscaux,
le ministre canadien des Finances accourt vers les Bermudes

Le 4 avril 2013, les membres du Consortium international des journalistes d'enquête (CIJE) annoncent simultanément dans plusieurs pays du monde qu'ils disposent de listes dénombrant plus de 100 000 titulaires de comptes bancaires dans les paradis fiscaux. Des journalistes de la Société Radio-Canada et de la Canadian Broadcasting Corporation font partie du CIJE et traitent du dossier au plan national[1]. Cette fuite est de loin la plus spectaculaire à ce jour sur les enjeux offshore, mais elle ne constitue pas un précédent. Quelques années auparavant, en 2008, un informaticien de la Banque HSBC de Genève, Hervé Falciani, transmettait à la justice française des données sur des milliers de comptes que leurs titulaires y avaient ouverts[2], et ce, après que le fisc allemand, la même année, ait intercepté des informations sur des fraudeurs fiscaux au Liechtenstein[3]. Bref, le secret bancaire, bien que les données rendues disponibles soient encore marginales, ne se présente plus comme étant aussi impénétrable qu'auparavant.

Le coup de tonnerre provoqué par le CIJE a coïncidé avec l'initiative d'États où se trouvent les principaux clients des banques offshore. En mars 2013, après des années de complaisance, les États-Unis adoptaient soudainement le Foreign Account Tax Compliance Act, FATCA pour les intimes. Cette loi oblige les banques partout dans le monde à traquer les fraudeurs du fisc américain «dans la totalité de leurs filiales et à les sanctionner pour le compte de l'administration fiscale des États-Unis[4]». La France créait pour sa part une instance judiciaire spécialisée dans la fraude fiscale internationale[5] et resserrait le contrôle sur le patrimoine des élus[6] tandis qu'au Royaume-Uni, prenant tout le monde de court, Londres se disait prête à contester le secret bancaire que défendent de nombreuses législations de complaisance relevant directement de la Couronne britannique[7].

Notre gouvernement ne pouvait pas rester indifférent à cet enjeu. En 2012, la part des investissements directs à l'étranger de Canadiens dans les sept premiers paradis fiscaux où ils se trouvent étaient de plus de 155 milliards de dollars[8]. Ces revenus manquants privent les citoyens du financement des services publics tout en rendant risible l'État en tant qu'autorité vouée à la défense de la chose publique. Comme ses voisins, le Canada a d'abord annoncé un programme de traque aux « fraudeurs » ou du moins y a-t-il prétendu le plus ostensiblement possible, en menaçant même de poursuites judiciaires les journalistes de Radio-Canada pour les contraindre à fournir les informations auxquelles ils ont eu accès. Il venait aussi de colmater à la marge quelques échappatoires au moment de déposer son budget[9] puis d'annoncer l'augmentation des fonds affectés au service destiné à coincer les évadés fiscaux[10]. Ottawa a poussé l'audace jusqu'à inscrire dans la colonne des actifs budgétaires, en vertu de telles mesures, des rentrées d'argent anticipées de l'ordre de 6,7 milliards de dollars sur six ans.

Mais toutes ces décisions ont surtout consisté à judiciariser le débat afin de conduire à sa dépolitisation. Il fallait détourner l'attention vers les fraudeurs pour éviter de tenir compte du fait que, depuis des décennies, le Canada légalise lui-même le recours aux paradis fiscaux en maintes circonstances, tout en s'inspirant d'eux quand vient le temps d'adopter ses propres politiques.

Au lendemain de ces révélations journalistiques sur les dossiers offshore par Radio-Canada et le CIJE, la véritable réaction du gouvernement fédéral a été de dépêcher aux Bermudes, précisément le 12 avril, le ministre des Finances Jim Flaherty afin qu'il y rassure la communauté d'affaires. La Business Bermuda, une association vouée à la promotion des investissements dans l'archipel, l'a accueilli à bras ouverts. Paradis fiscal parmi les plus ouvertement contestés mondialement, les Bermudes font partie des États signataires d'Accords d'échange de renseignements fiscaux (AERF) avec le Canada. Ces ententes, qui sont censées percer le secret bancaire des législations de complaisance dans de rares cas de figure, permettent surtout aux Canadiens d'y inscrire des actifs qu'ils génèrent depuis le Canada afin de les transférer ensuite au pays sous forme de dividendes exemptés d'impôts. Le stratagème est rendu possible par la façon qu'a Ottawa de concevoir ces AERF. Les Canadiens ont donc placé aux Bermudes près de 12 milliards de dollars en 2012[11]. Le voyage de Flaherty visait donc à consolider les liens commerciaux entre les castes financières des deux pays[12] et pendant sa visite, le ministre des Finances a notamment reconnu aux Bermudes le statut de « leader mondial » dans le domaine large de l'assurance[13]. On compte effectivement par centaines les sociétés de cette filière d'activité qui s'enregistrent aux Bermudes pour contourner le fisc et la réglementation de pays comme le Canada. Ainsi, le ministre Flaherty a banalisé ce jour-là la délocalisation d'un secteur aux rendements financiers colossaux ce qui, en pleine prise de conscience mondiale de la gravité du phénomène, équivalait à une provocation.

Il est devenu clair au printemps 2013 que la politique fédérale canadienne prétend *lutter contre la fraude fiscale...* en la légalisant. Selon l'État canadien, condamner les utilisateurs frauduleux des paradis fiscaux consiste à encourager ceux qui y recourent légalement, voire à favoriser leur sort. Il s'agit d'une illustration parfaite de l'image proposée par le sociologue Pierre Bourdieu, à savoir que la main gauche et la main droite de l'État agissent indépendamment l'une de l'autre. Les principes amenant le gouvernement à lutter contre la fraude fiscale se trouvent à l'évidence contredits par des mesures qui incitent les entreprises et détenteurs de fortune à profiter légalement des régimes législatifs et juridictionnels de complaisance. Il s'agit maintenant pour le Canada de légaliser en douce ce qui jadis passait pour frauduleux de façon à satisfaire la caste financière et industrielle dont il représente les intérêts à Ottawa.

Paradis fiscaux et législations de complaisance

On s'entend globalement pour définir un paradis fiscal comme un État prévoyant un taux d'imposition nul ou presque nul, possédant un système de lois qui n'est pas digne de ce nom et instituant un secret bancaire qui dissimule l'identité des ayants droit enregistrés chez lui, de même que la nature de leurs opérations. Aucune activité substantielle n'a lieu dans un paradis fiscal : il n'est utilisé que sur le plan comptable et légal afin d'éviter les lois et les règlements en vigueur ailleurs dans le monde. On peut donc le présenter comme un havre pour les entreprises ou acteurs fortunés qui cherchent, légalement ou non, à éviter le fisc.

Un « paradis » n'est pourtant pas que cela. Il en existe d'autres types qui, en plus d'avantages fiscaux, prévoient des privilèges de tous genres réservés à ceux qui y enregistrent leurs activités, notamment des avantages d'ordre réglementaire et judiciaire. Ces États ultrapermissifs neutralisent ainsi, au profit des banques, des entreprises ou des particuliers nantis qui s'installent chez eux, le droit, les politiques publiques ou les normes et réglementations en vigueur dans les États traditionnels. Appelons-les tous *législations de complaisance*, selon l'expression générique que nous avons suggérée dans un travail antérieur[14], aussi bien pour désigner les paradis fiscaux que les paradis judiciaires et réglementaires, les zones franches et les ports francs. Ces juridictions, que l'on compte par dizaines, permettent chacune à leur manière aux acteurs privilégiés qu'elles attirent de contourner les règles de droit en vigueur dans leur pays dans le domaine fiscal ou dans ceux de la haute finance, de l'assurance, de la comptabilité, des droits de propriété intellectuelle, du travail manufacturier ou du transport maritime, par exemple.

Il y a lieu de mentionner, outre toutes ces filières d'activité, les trafics criminels qui prospèrent plus aisément dans les législations de complaisance que dans les États traditionnels. La permissivité radicale dont les premiers font preuve, avec le concours des seconds, permet à la gangrène criminelle de se répandre. Sur le marché mondial, la souveraineté politique se présente désormais comme une marchandise. Pour l'économiste Raymond W. Baker : « La loi en ces territoires peut être achetée. [...] Ce qui est légal est commercialisé par les autorités et vendu comme produit. Plusieurs paradis fiscaux et enclaves jouent le jeu des créneaux dans ce marché de législation du subterfuge. Les avocats fiscaux font du shopping pour négocier la législation la plus favorable qui protégera certains types d'activités[15]. » L'un d'entre eux, Alex Doulis, parle même dans ses ouvrages du paradis fiscal comme d'une « juridiction dont le commerce est de créer de l'évitement fiscal[16*] ». La *gouvernance globale* place ainsi les États en concurrence les uns avec les autres en les contraignant à satisfaire le capital international par tous les moyens, y compris celui de la déréglementation outrancière et de la légalisation de ce qui passe ailleurs, selon l'esprit de la loi, pour des méfaits[17]. Experte en matière d'anti-blanchiment ayant longtemps travaillé pour l'ONU, Marie-Christine Dupuis-Danon a résumé la situation en disant de l'*offshorisation* de l'économie mondiale qu'elle amène « un nombre croissant d'individus et d'entreprises à ne plus se demander si un acte est répréhensible *par lui-même,* mais s'il existe un moyen de l'effectuer en toute légalité quelque part dans le monde[18] ».

On ne saurait donc réduire ces États à la caricature d'îles lointaines avec cocotiers et mer bleue où toute licence est permise. « Aujourd'hui, à l'image traditionnelle se substitue celle de pays possédant une législation et une administration fiscale efficaces [...] dans leur pouvoir d'attraction. La notion de paradis fiscal, comme les autres, évolue donc avec le temps[19] », écrit un collectif de comptables friands de l'activité offshore. Sur un mode moins jovial, Richard Gordon, fiscaliste signataire d'un rapport commandé par la Maison-Blanche au début des années 1980, a très certainement donné d'une législation de complaisance la définition la plus pertinente et la plus adaptée aux évolutions historiques, à savoir qu'elle est *une législation*

---

*   [NdÉ] À noter que toutes les traductions de ce livre qui ne sont pas tirées d'ouvrages officiellement traduits sont de Catherine Browne en ce qui concerne le chapitre premier et d'Anne-Marie Régimbald pour tous les autres.

considérée telle par ceux qui en profitent[20]. De ce point de vue, les paradis fiscaux ne se trouvent donc pas toujours là où on le pense. Pour les débusquer, il nous faut désormais suivre quels mouvements de capitaux et quelle concentration d'enregistrements administratifs trahissent aujourd'hui l'élaboration de législations insoupçonnées, surtout lorsque ces flux de capitaux ne concordent pas avec l'état de l'économie réelle.

Formellement, le Canada ne s'est pas constitué comme paradis fiscal au moment où, dans les années d'après-guerre, bien des dépendances et d'anciennes colonies britanniques transformaient leur législation en ce sens. Il s'est contenté de favoriser, voire d'organiser la conversion de certaines législations du Commonwealth, par le biais de différents émissaires et ressortissants qui s'y rendaient. Mais le pays n'a pas lui-même adopté de mesures globales garantissant le secret bancaire ou exonérant d'impôt tout acteur étranger s'enregistrant chez lui sans y mener d'activité économique réelle. Cela viendra par secteurs et par touches, notamment dans le domaine extractif. Durant ces années cruciales, le Canada arrivera plutôt à faire bonne figure, enjoignant aux mêmes entités et aux particuliers actifs chez lui de déclarer leurs opérations extraterritoriales[21].

C'est donc de mille manières (progressives, fines et indirectes) que le Canada a favorisé dans l'histoire récente les acteurs puissants et fortunés cherchant à contourner les contraintes publiques dans les paradis fiscaux. Ce sont de telles contraintes, pourtant, qui donnent de la consistance au principe des droits et des devoirs devant s'appliquer de manière équitable pour tous. Or, les lois et politiques publiques qui prévalent aujourd'hui dans notre pays ne concernent plus que les citoyens appartenant aux classes sociales n'ayant pas les moyens de se prévaloir des avantages conférés par les échappatoires que notre État complaisant met à la disposition des puissants.

Le Canada, pionnier des paradis fiscaux caribéens

Il n'est pas possible d'étudier le rapport qu'entretient aujourd'hui le Canada avec les paradis fiscaux sans l'associer directement à la création de certains d'entre eux. Parce qu'il a entretenu des liens commerciaux et bancaires avec les dépendances britanniques de la Caraïbe, bien avant que celles-ci ne deviennent les paradis fiscaux que l'on sait, le Canada a joué un rôle prépondérant dans leur changement de régime[22]. À partir des années 1950, sous l'impulsion de financiers, de juristes et de responsables politiques canadiens, ces législations se sont converties en États de complaisance parmi les plus redoutables du monde. Dès 1955, un ancien gouverneur de la Banque centrale du Canada a contribué à faire de la Jamaïque un pays à fiscalité réduite. Dans les années 1960, au moment où les Bahamas devenaient un paradis fiscal au secret bancaire impénétrable, le ministre des Finances de la législation siégeait au conseil d'administration de la Banque Royale du Canada (RBC). Un avocat de Calgary, ancien bonze du parti conservateur, a conçu les modalités ayant permis aux Îles Caïmans de devenir une législation offshore opaque. Ensuite, dans les années 1980, le gouvernement du Canada lui-même a fait de la Barbade le havre fiscal de prédilection des Canadiens. Notre pays s'est aussi imposé comme puissance impérialiste dans des États reconnus comme des plaques tournantes notoires du narcotrafic, tels que Trinité-et-Tobago.

Puis, le Canada s'est mis à subir l'influence de ses propres créatures. Le gouvernement de la Nouvelle-Écosse encourage dans les années 2000 l'arrivée chez lui de filiales de sociétés des Bermudes qui y assurent leurs menues tâches comptables, tandis que la Bourse de Toronto lie sa destinée à celle des Bermudes. Tout cela, sur fond de rumeur persistante d'une annexion directe de législations de complaisance telles que les îles Turques-et-Caïques au territoire canadien lui-même. Le Canada signe en outre un accord de libre-échange avec le Panama, qui est le haut lieu du blanchiment de fonds issus du narcotrafic dans le monde. Il cherche à faire de même plus largement ces années-ci avec tous les pays de la communauté politique des Caraïbes (CARICOM). Aujourd'hui encore, un collectif de paradis fiscaux de la région partage son siège avec le Canada dans les instances de la Banque mondiale et du Fonds monétaire international.

Il n'est pas étonnant qu'à force de complaisance, le Canada passe désormais lui-même pour un paradis fiscal. Il lui est devenu de plus en plus difficile de le dissimuler. Non seulement le taux d'imposition aux entreprises en vigueur au Canada compte parmi les plus bas du monde, mais certaines échappatoires qu'il prévoit justifient la délocalisation d'entreprises de l'étranger vers chez lui, exactement comme si on parlait du Luxembourg ou de Belize.

Premiers signes

Au tout début des années 1990, dans le cadre de l'émission *The Fifth Estate* de la chaîne anglaise de Radio-Canada ainsi que dans son ouvrage *Money on the Run* (*Le Blanchiment de l'argent au Canada*), le juricomptable Mario Possamai, proche d'une source de la Gendarmerie royale du Canada, fait état des premiers symptômes de l'intégration consommée du Canada au réseau mondial des paradis fiscaux[23]. Si on avait alors compris l'étendue du réseau qu'il décrivait, ce travail aurait eu l'effet d'une bombe, mais on l'a plutôt rapidement étouffé. Ce qu'il a révélé donne encore froid dans le dos. Lorsque le kleptocrate haïtien Jean-Claude Duvalier et son épouse Michelle quittent leur pays le 7 février 1986, des suites d'importants soulèvements populaires, ils mettent les comptes gouvernementaux à sec. Les Duvalier, dont la fortune étonne et scandalise d'autant plus qu'elle provient d'un pays d'une pauvreté inouïe, ponctionnent même des montants que doit l'État à des institutions étrangères. Dans les années 1980, le budget haïtien national de la santé est dérisoire[24] et neuf enfants sur dix sont mal nourris tandis que 200 familles locales deviennent progressivement millionnaires[25]. Les Duvalier, on le sait, placent une partie importante de leurs avoirs dans des banques suisses. Puisqu'il est déjà sous les feux de la rampe pour d'autres cas similaires, le gouvernement helvétique gèle à titre exceptionnel les comptes des intéressés dès avril 1986[26]. « Pour répondre à leurs besoins de liquidités, il leur fallait un système sans faille pour avoir accès à leur fortune bien dissimulée. Leur situation juridique devenait de plus en plus compromettante, ce qui compliquait les choses[27]. » Le couple se tourne alors vers le Canada. Le 23 septembre 1986, Mᵉ Alain Lefort, de l'étude Patry, Junet, Simon et Le Fort de Genève, se présente dans les bureaux torontois de la Banque Royale du Canada[28]. Il fait partie des conseillers qui sont parvenus à blanchir les quelques millions dont le couple et sa garde rapprochée avaient besoin pour se la couler douce en exil. Leur objectif est de transformer en liquidités des bons du Trésor canadiens possédés par leur fameux client pour une valeur de 41,8 millions de dollars, surtout « sans faire disparaître la provenance de ces fonds[29] ». Les bons du Trésor n'attirent pas l'attention des inspecteurs internationaux puisqu'ils suscitent le respect. C'est ainsi que la Gendarmerie royale du Canada et le US Drug Enforcement, dans une enquête conjointe, expliquent le passage des fonds par le pays[30]. Il n'y a plus de doute : la bonne réputation du Canada est à vendre.

Ces titres échappent alors à tout contrôle, à un point tel qu'il est admis internationalement qu'ils sont des instruments servant au blanchiment d'argent. « On connaît la facilité avec laquelle on peut acheter et vendre les bons du Trésor canadiens. C'est à cause de leur anonymat qu'ils sont si populaires à travers le monde. Les bons des Duvalier ont pu être achetés n'importe où[31]. » Lefort exploite la filière en compagnie de son collègue suisse Jean Patry et d'un avocat britannique, John Stephen Matlin du cabinet Turner et Co., dans un montage qui impliquera le plus de législations possible. Les fonds du dictateur transitent d'abord du Canada à l'Île de Jersey[32], où la Royal Trust Bank contrôlée par la Canada's Royal Trust Co. est prête à accueillir les fonds. Ceux-ci y auraient été inscrits dans un compte géré par la Manufacturers Hanover Bank of Canada, une institution financière sise à Toronto, à quelques pas de la Banque Royale du Canada, d'où s'est amorcé le mouvement. Le montage se complexifiera davantage par de nouveaux va-et-vient, en fragmentant les titres de propriété au passage, et impliquera la Banque de Hong Kong et de Shanghaï à Jersey, les bureaux londoniens de la Banque Royale du Canada de même que la Banque Nationale de Paris et quelques institutions suisses[33]. Malgré la directive enjoignant les banques à s'enquérir de l'identité de leurs clients, la Banque Royale du Canada s'en est tenue de son propre aveu à la réputation des avocats Le Fort et Matlin, qui pilotaient l'opération[34]. L'institution canadienne prétendra par la suite qu'elle aurait refusé les fonds si elle en avait connu les réels bénéficiaires[35]. « Cette situation met en relief les limites de la méthode utilisée par le gouvernement fédéral et les banques canadiennes pour combattre le blanchiment d'argent », constate Possamai[36]. Il ajoute qu'aucune banque canadienne n'aurait agi autrement que la RBC. Cela s'est produit avant la loi de 1989 « tentant de mettre fin à ces pratiques[37] ».

Un enquêteur états-unien de la firme Stroock & Stroock & Lavan, dépêché à Port-au-Prince en 1986 pour effectuer la vérification des comptes de l'État, n'a pas pu retenir ce trait d'humour noir : « Les Duvalier vivent probablement mieux dans l'exil que s'ils étaient demeurés à Port-au-Prince ; ils possèdent les avantages du trésor haïtien sans avoir le problème de gouverner le pays[38]. » Tandis que des représentants de l'État haïtien tentaient de traquer les fonds publics où ils le pouvaient, les techniciens de la finance à la solde des Duvalier « avaient camouflé d'énormes sommes d'argent dans un labyrinthe d'institutions et de comptes de banque, dont la plupart étaient canadiens[39] ».

Nous avions alors tous les éléments à disposition pour comprendre en quoi le Canada, à l'instar de bien des anciennes colonies, était tout à fait intégré à un réseau de paradis fiscaux qu'il a lui-même largement contribué à développer. C'est à ce travail que nous nous consacrons enfin. Ce livre étudie, chapitre après chapitre, de la fin du XIXe siècle jusqu'à aujourd'hui, le lien que le Canada a noué avec tel ou tel paradis fiscal de la Caraïbe britannique, en repère les acteurs puis analyse les stratagèmes offshore qu'ils y ont développés avec le concours des autorités locales avant que le Canada lui-même ne calque des pans entiers de sa législation sur ce modèle offshore.

Avertissement

Les chapitres de ce livre peuvent se lire indépendamment les uns des autres, ce au prix de quelques redites de l'un à l'autre. Tous les cas qui y sont cités, aux fins d'analyse d'une problématique globale, reposent sur des enquêtes des plus sérieuses et des sources officielles ou reconnues par les institutions de pouvoir elles-mêmes. Des rapports annuels de banques ou d'entreprises, des décisions de justice, des communiqués ministériels, des publications officielles d'organisations internationales, des circulaires de députés, des déclarations de sources policières, des reportages de journalistes en lien avec des instances publiques, des enquêtes d'État et des rapports parlementaires font la matière première de cet ouvrage. De toute manière, sur cette question, peu de textes réputés « secondaires », voire « critiques » ou encore « militants » s'offraient à nous. Bien des personnalités publiques, des institutions reconnues et des entreprises de marque s'y trouvent mentionnées. Nous ne sommes pas de ceux qui se targuent de « scientificité » dès lors que sont censurés les noms des acteurs responsables d'un modèle et de leurs bénéficiaires, qu'on n'évoquerait plus que par le biais de mots-valises approuvés par les instances subventionnaires de la recherche. Aussi, il n'est fait état des réactions des intéressés, quant aux faits qui leur sont attribués par ces sources, que du moment qu'à notre connaissance ils y avaient réagi formellement et publiquement. Ils ne pourront considérer diffamatoire cet ouvrage qu'au sens étymologique de *dif-famer*, soit de dire d'une chose qu'elle n'est pas glorieuse. Avis nécessaire donc à une catégorie restreinte d'avocats ou d'anciens avocats que l'on nomme juges : toute pratique intellectuelle n'est pas réductible à cette discipline régionale répondant de l'appellation du droit. Si les acteurs du domaine judiciaire ont à se sentir concernés par ce livre, c'est surtout en ce que leur corporation évolue dans les appareils de pouvoir qui, dans l'histoire récente, ont rendu possible la transformation d'États en législations de complaisance radicalement hostiles à tout principe démocratique. Puisse en cela cet ouvrage les éclairer, eux et leur clientèle.

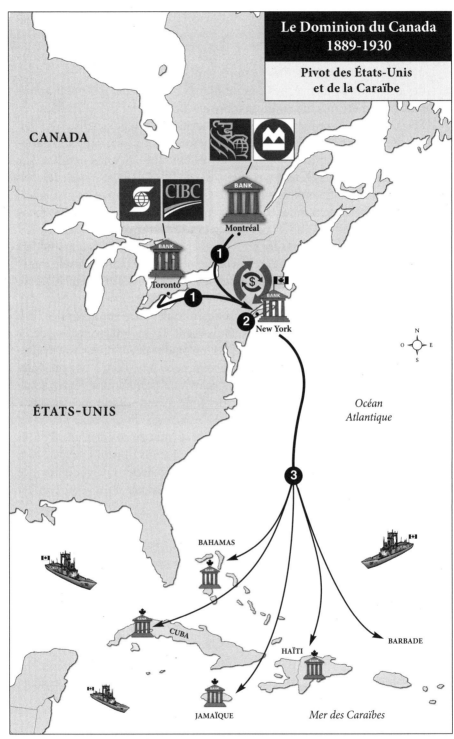

UNIVERS FINANCIER ATLANTISTE
1889-1930

CHAPITRE PREMIER

Le Dominion du Canada

Pivot bancaire des États-Unis et de la Caraïbe

*où la Scotia, la RBC et la CIBC se développent pour satisfaire
une clientèle états-unienne contrainte chez elle*

1889

Et si le Canada avait été lui-même un havre bancaire avant la lettre? Et si l'activité de banques canadiennes dans la Caraïbe britannique avait été le prélude à leur transformation en paradis fiscaux? Et si elles avaient pris une part active dans cette mutation?

Au début du xxᵉ siècle, les lois canadiennes régissant les sociétés privées sont si permissives que le quotidien français dirigé par Jean Jaurès, *L'Humanité*, s'en formalise et, dans une série d'articles parus en 1913, les dénonce. Le 16 octobre, le journal dépeint d'abord la législation canadienne en des termes dont on usera plus tard pour décrire les paradis fiscaux:

> En matière de sociétés, la législation canadienne est particulièrement élastique: elle permet les combinaisons les plus aléatoires; grâce à elles, les hommes d'affaires peuvent drainer l'épargne française au profit d'entreprises plus ou moins illusoires, fonctionnant à l'étranger[1].

Un scandale financier européen est à l'origine de cette attention particulière. En 1911, la Barcelona Traction s'enregistre à Toronto avec un capital-actions essentiellement fictif. Elle se tourne ensuite vers la Bourse de Paris pour y vendre des obligations. La Barcelona Traction a été «fondée au Canada par des cosmopolites américains, anglais et belges, à l'encontre des stipulations des lois françaises et en opposition avec elles, pour émettre 75 000 000 de francs d'obligations». La rédaction de *L'Humanité* n'en revient pas:

> Il a fallu aller jusqu'au Canada pour trouver une législation qui permet la constitution d'une société de 125 millions, dont pas un seul titre n'a été

souscrit en espèces, et dont les fondateurs et promoteurs se sont attribués, sans scrupules, 125 millions de francs d'actions. Or, où vont ces 125 millions ? Chez des brasseurs d'affaires, chez des aigrefins de la finance internationale[2]...

Les 21 octobre et 1er novembre, le quotidien parisien en rajoute, protestant cette fois contre l'obstacle que constitue cet enregistrement au Canada dans le cadre d'une procédure judiciaire engagée en France sur la Barcelona Traction. *L'Humanité* prend alors la défense des épargnants français «refaits de 75 millions grâce aux procédés d'outre-Atlantique» :

> À deux reprises déjà *L'Humanité* s'est occupée de l'affaire de la «Barcelona Traction», cette société dont le siège d'exploitation est en Espagne, mais dont les fondateurs ont placé le siège social au Canada pour profiter des lois canadiennes «plus commodes» [...]. L'affaire n'est pas étouffée, car la plainte des obligataires demeure. Et si d'aventure on l'étrangle, elle aussi, il reste une interpellation sur les applications de la législation canadienne auxquelles certains financiers se livrent en France, qui est déposée depuis plusieurs mois et que la Chambre aura bientôt à discuter. L'affaire de la «Barcelona Traction», quoi qu'on fasse, sera portée devant l'opinion. Elle et d'autres affaires canadiennes analogues, qui méritent vraiment d'être connues[3].

Bref, au début du XXe siècle, le Canada est connu à l'étranger comme l'équivalent de l'un de nos paradis fiscaux contemporains : une législation anonyme qui attire les sièges sociaux étrangers en raison d'avantages réglementaires n'ayant nulle part ailleurs leur pareil.

Un pavillon de complaisance

À peu près à la même époque, les armateurs canadiens inaugurent un procédé qui marquera fondamentalement les pratiques de gestion dans le transport maritime : le pavillon de complaisance. Tout comme les fondateurs de la Barcelona Traction, ils tirent avantage des écarts entre les législations. C'est la Prohibition aux États-Unis qui, cette fois, assure leurs profits : «Pour s'approcher des eaux territoriales américaines avec des tonneaux de rhum en cale, mieux vaut arborer un pavillon étranger. Celui du Canada fait souvent l'affaire, puisque le voisin du Nord n'a pas jugé bon d'interdire l'alcool[4].» Il arrive également que ces navires s'installent en eaux internationales non loin des États-Unis, de manière à pouvoir s'y implanter comme maisons de jeu et débits de boisson. Le Canada prendra goût à ces amoindrissements législatifs et réglementaires qui grisent la classe financière. De cette pratique maritime est d'ailleurs né le terme *offshore* (littéralement *au large*), pour qualifier les opérations ayant cours encore aujourd'hui dans diverses législations de complaisance[5]. À la même époque, un producteur de whisky, Samuel Bronfman, constitue sa fortune au Canada en exportant massivement sa production aux États-Unis avec la collaboration de contrebandiers mafieux[6].

Un paradis bancaire avant la lettre

Au xixe siècle, les hommes d'affaires et les banquiers actifs au Canada évoluent mentalement dans un espace indéfini, à la jonction de l'Empire britannique et des États-Unis. Pour eux, le mot *canadien* renvoie surtout au lieu d'enregistrement de leurs opérations. La Banque de Montréal, par exemple, est à l'origine une coentreprise réunissant des marchands états-uniens et les représentants montréalais de grandes maisons de négoce britanniques. Près de la moitié des capitaux souscrits en 1817 provient des États-Unis[7] et elle exporte dès sa fondation les actifs les plus précieux de la colonie vers les États-Unis (de l'or, des devises fortes, des traites du gouvernement colonial libellées en livres sterling). L'élite économique du Canada présente à l'étranger ses institutions comme étant britanniques ou états-uniennes. À n'être de nulle part, on est chez soi partout.

Ce Canada du xixe siècle est l'apanage d'une coterie d'affairistes, et le laxisme des lois canadiennes n'est guère surprenant quand on sait qui les a conçues. Les banquiers canadiens ont eux-mêmes rédigé la loi-cadre de 1871 concernant leurs activités ainsi que chacune de ses mises à jour subséquentes[8], tout comme ils élaboreront plus tard dans les îles caribéennes les dispositions qui en feront des paradis fiscaux. Les quelque 40 hommes qui gouvernent le système financier canadien au début du xxe siècle[9] sont bien conscients du pouvoir démesuré qu'ils exercent sur la vie politique du pays. Justement parce qu'ils sont peu nombreux, ils peuvent agir de façon concertée pour assurer leur hégémonie, comme l'explique ingénument en 1901 le président de la Banque Canadienne de Commerce (l'actuelle CIBC), observant que les banquiers états-uniens sont trop nombreux pour jouir du même avantage[10].

La caste dont nous parlons est prospère. Au début du xxe siècle, les banques canadiennes sont actionnaires de sociétés étrangères, placent des montants considérables dans les prêts à vue à New York et ouvrent des succursales à l'étranger tandis que les firmes d'assurance du Canada s'imposent sur les marchés internationaux et que les sociétés ferroviaires canadiennes se portent acquéreurs de milliers de kilomètres de voies ferrées aux États-Unis[11]. Si elles sont formellement canadiennes, ces institutions ne se consacrent pas du tout en priorité au développement de la colonie : en 1911, ces banques possèdent davantage de titres étrangers (surtout états-uniens) que de titres canadiens[12]. Depuis leur port d'attache colonial, elles se comportent d'emblée comme des entités multinationales.

La finance apatride qui y campe ne s'intéresse aux perspectives d'investissement qu'en fonction de leur rentabilité, selon la logique déjà observée plutôt par Karl Marx : « Lorsqu'on envoie du capital à l'étranger, on le fait, non parce qu'il est absolument impossible de l'employer dans le pays, mais parce qu'on peut en obtenir un taux de profit plus élevé[13]. »

Ces institutions financières s'installent au Canada en raison du caractère permissif de la législation. Elles y sont « *de facto* des banques américaines », les contraintes en moins, écrira Duncan McDowall, l'historien officiel de la Banque Royale[14]. En effet, les banques nationales états-uniennes ne peuvent légalement ni accepter les traites nées du commerce international ni, jusqu'en 1913, créer de succursales à l'étranger[15]. De ce fait, elles interviennent peu, même aux États-Unis, dans le marché des changes ou dans le financement du commerce extérieur[16]. Les banques canadiennes, quant à elles, brassent depuis toujours des livres sterling (principale monnaie du commerce international au XIXe siècle), achètent et vendent à New York des traites libellées dans des devises étrangères et sont autorisées par la loi canadienne à fonder des succursales à l'extérieur de la législation. En ce qui concerne le commerce international, elles deviennent par conséquent un rouage essentiel du système bancaire états-unien, finançant les exportations à partir de New York. Leur jeu est ni plus ni moins de tirer profit des différences entre les régimes bancaires canadien et états-unien. En 1874, des observateurs avertis estimaient déjà qu'elles allaient bientôt canaliser la part principale des sommes qui assurent le commerce extérieur des États-Unis[17]. Au début du XXe siècle, la haute finance canadienne croule sous les capitaux. Les banques à charte, dont les actifs se sont multipliés par quatre entre 1890 et 1910[18], ainsi que les sociétés d'assurance se trouvent « inondées de liquidités » et cherchent « désespérément de nouveaux débouchés pour le capital financier[19] ». D'après Mira Wilkins, en 1914 le Canada est le troisième pays récipiendaire de capitaux au monde, tout de suite après les États-Unis et la Russie[20]. Le Canada en exporte des quantités considérables vers les États-Unis[21]. La Banque Canadienne de Commerce finance vraisemblablement entre le quart et la moitié des exportations de coton états-uniennes[22], ainsi qu'une grande proportion des exportations de céréales, de bois, d'acier et de machines agricoles[23] de notre voisin du Sud.

Les banques canadiennes ont l'habitude de jouer sur plusieurs tableaux, tirant habilement profit des différences législatives. *Américaines* à l'étranger, elles sont étrangères aux États-Unis, ce qui leur donne droit dans certains cas à des privilèges fiscaux. Ainsi dans les années 1880, la Banque de Nouvelle-Écosse bénéficie avec l'État du Minnesota d'une entente officieuse qui réduit ses obligations fiscales. La crainte de perdre cet avantage sera un facteur important dans la décision de fermer la succursale de Minneapolis en 1892[24]. En même temps, les banques canadiennes constituent un rouage du système financier britannique : elles canalisent les placements britanniques vers les immobilisations en Amérique du Nord[25]. À la fin des années 1860, la succursale de la Banque de Montréal à Londres représente « le centre de coordination des investissements britanniques en Amérique du Nord[26] » et passe pour la banque « responsable de la moitié des investissements de portefeuille en provenance de la Grande-Bretagne, de 1860 à 1914[27] ».

L'élite *canadienne* aspire depuis toujours à faire partie d'une classe dirigeante englobant à la fois la Grande-Bretagne et les États-Unis. Elle en est le pivot. Londres, bien plus que le Canada, est l'horizon des possédants canadiens : vers 1900, la Banque de Montréal est forcée d'adopter un style de gestion collégial parce que ses hauts dirigeants ont l'habitude de décamper à tout moment pour devenir des lords anglais[28]. Des hommes nés en Grande-Bretagne deviennent millionnaires au Canada, investissent beaucoup d'argent aux États-Unis et terminent leur vie en Grande-Bretagne. Impossible de dire s'ils sont canadiens ou britanniques[29].

L'insertion des banques de l'Amérique du Nord britannique dans un système international comporte par contre un coût pour la population[30]. Ces banques que l'on considère aujourd'hui comme *canadiennes* ne sont pas plus attachées aux destinées du Canada que les banques étrangères sises aujourd'hui aux Bahamas ne s'éprennent de la population bahamienne et de son économie.

Le triangle Amérique du Nord - Grande-Bretagne - Caraïbe

Depuis qu'elle existe, la caste économique de ce qui deviendra le Canada a l'œil sur les Caraïbes, en particulier Halifax qui lorgne le *West Indies trade*. Depuis le xviiie siècle, les marchands de la ville s'enrichissent grâce à l'exportation de la morue séchée ou du bois vers les îles des Caraïbes et à l'importation du café, du sucre, de la mélasse et du rhum[31]. Le secteur bancaire en profite. En 1837, une banque de Halifax s'associe à la Colonial Bank de Londres, qui sera au centre du système bancaire de la Caraïbe tout au long du xixe siècle. La banque britannique confie à la Halifax Banking Company l'élaboration d'un système de compensation interbancaire qui pourra fournir de la liquidité aux succursales caribéennes de la Colonial. Elle demande également à celle de Halifax d'être en quelque sorte son cerveau financier en Amérique du Nord, analysant pour les gestionnaires caribéens l'état du marché monétaire et l'évolution des taux de change en regard des monnaies d'Europe, des États-Unis et des colonies britanniques nord-américaines[32].

La Halifax Banking Company connaît donc très bien la Caraïbe. Un corsaire l'ayant fondée, on pourrait même dire qu'elle sourd de son folklore. Vers 1814, des marins violents, autorisés par le gouvernement britannique à attaquer les navires marchands désignés comme ennemis, déplorent l'absence de services bancaires aux abords du port de Halifax. Les corsaires sont irrités de devoir s'adresser à des cambistes privés pour écouler les devises étrangères accumulées dans le cadre de leurs activités professionnelles. Le cambiste Enos Collins, lui-même un ex-corsaire, conçoit alors le projet de créer une véritable banque et parviendra à ses fins en 1825[33].

Si la Halifax Banking Company fait figure de précurseure en 1837, des banques canadiennes font une entrée massive dans les Caraïbes à la toute fin du XIXe siècle et au début du XXe. Au moment où elles s'y engagent, les grandes banques canadiennes sont des entités internationales aguerries ayant développé une grande capacité de flairer le profit qu'elles peuvent tirer de leur identité plastique. Le contexte de surabondance qui est le leur les y aide.

En 1889, la Banque de Nouvelle-Écosse ouvre le bal avec une première succursale à Kingston, en Jamaïque[34]. La Banque des marchands de Halifax (la Merchant's, actuelle Banque Royale) s'installe à La Havane en 1899[35]; l'Union Bank of Halifax apparaît à Port-d'Espagne, sur l'île de Trinité, en 1903[36]; la Banque Canadienne de Commerce se trouve à La Havane, à Kingston et à Bridgetown, capitale de la Barbade, en 1920[37]. Elles y sont désormais en position de force.

Le commerce canado-antillais ne justifie pas à lui seul l'arrivée des banques canadiennes dans les Caraïbes. Certes, le Canada continue d'importer du sucre, du rhum, des fruits et d'exporter de la farine, du bois, du poisson, mais le commerce entre le Canada et les îles, quelles que soient ses fluctuations, est toujours de proportions très modestes. En réalité, les banques y viennent principalement pour financer le commerce des îles avec les États-Unis. L'emplacement géographique des nouvelles succursales en témoigne : Cuba, Porto Rico, Haïti ou la République dominicaine intéressent la sphère d'influence états-unienne. L'historien Neil Quigley explique qu'en 1926, les banques canadiennes concentrent ainsi les deux tiers de leurs succursales étrangères dans les Caraïbes[38].

C'est un courtier en valeurs mobilières états-unien qui, en 1889, recommande au directeur de la Banque de Nouvelle-Écosse (Scotia) d'ouvrir une succursale en Jamaïque, car un consortium des États-Unis devrait bientôt y construire un chemin de fer. La banque suit le conseil du courtier et s'installe à Kingston quelques mois plus tard[39]. Le chemin de fer ne se fera pas, mais la banque se consacrera néanmoins au financement du commerce entre la Jamaïque et les États-Unis. En 1899, elle ouvre une succursale à Boston pour mieux desservir un important client, la pugnace United Fruit[40]. De même, la Banque Royale du Canada envisage de s'implanter dans les Caraïbes le jour où elle reçoit les encouragements de la banque Chase Manhattan de New York[41]. En 1902, une infusion de capitaux provenant des milieux industriels de New York et de Chicago lui permet d'acheter une banque cubaine[42].

Les banques canadiennes ont aussi dans les îles des succursales dont l'existence est motivée par la Grande-Bretagne et elles entretiennent, comme on le sait, des liens avec la Colonial Bank qui domine la Caraïbe britannique. La Halifax Banking Company, agissant comme l'agent de la Colonial depuis 1837, se trouve achetée en 1903 par la Banque Canadienne de Commerce. Celle qui deviendra la CIBC prend alors la relève. Après que la Royale ait envisagé d'acheter la Colonial en 1911, le financier canado-britannique Max Aitken en devient l'actionnaire principal entre 1911 et 1918, avant que la Banque de Montréal n'en soit à son tour une actionnaire importante dans les années 1920[43].

Grâce à leur identité flottante, les banques canadiennes se livrent dans les Caraïbes à des exercices de plasticité extraordinaires. L'historien de la Banque Royale l'admet sans détour : à Cuba, « dès le départ, les Canadiens se considérèrent comme une banque "américaine"[44] ». L'identité américaine procure la tranquillité d'esprit aux banquiers canadiens, car c'est la force militaire des Américains qui leur permet de poursuivre leur œuvre à Cuba, à Porto Rico et en République dominicaine, « douillettement protégés » par les interventions récurrentes d'un navire de guerre états-unien ou d'un contingent de *Marines*, ou bénéficiant de la stabilité politique offerte par un dictateur « impitoyable » de la trempe de Trujillo[45]. En même temps, comme l'explique le même historien, « dans les Antilles occidentales [la Royale] se présentait comme une banque "britannique" ». En Amérique du Sud, elle se démarque un peu plus, mais l'amitié qui lui tient à cœur est quand même celle de l'ambassadeur de la Grande-Bretagne[46]. La Royale n'est cependant pas seulement états-unienne ou britannique : en Guadeloupe, en Martinique ou en Haïti, elle s'affiche comme une banque… « française ». N'a-t-elle pas une succursale rue Scribe à Paris ? Et des employés canadiens qui parlent français[47] ? Dans les dédales des différents empires auxquels ils ont accès[48], la personnalité des banquiers canadiens se démultiplie.

La Banque Royale du Canada : à la guerre comme à la guerre

La victoire armée des États-Unis contre les forces espagnoles à Cuba, en 1898, favorisera elle aussi l'essor du secteur bancaire *canadien* dans la région. S'ouvre alors une période d'occupation militaire et politique qui est le prélude à des investissements massifs dans l'île de la part de nombreuses sociétés états-uniennes[49]. Quoi de mieux qu'une banque canadienne pour les soutenir? Edson Pease, le principal dirigeant des bureaux montréalais de la Banque des marchands de Halifax, se précipite à La Havane dès la signature du traité de paix pour mettre à profit les décombres de la guerre. Parcourant en calèche la ville dévastée, il remarque moins la détresse de la population que les installations portuaires, bâtiments, ponts et entrepôts à reconstruire. « Au-delà des ruines, Pease voyait se profiler un énorme potentiel », écrit froidement l'historien de l'institution en 1993[50]. Le banquier s'empresse de devenir « l'ami » du consul américain, auquel il a l'idée « brillante[51] » de confier le poste de codirecteur de la succursale ouverte à La Havane en 1899. Rebaptisée en 1900 d'un nom aux allures souveraines, la « Banque Royale du Canada » ouvre une agence à New York pour appuyer ses projets à Cuba en même temps qu'elle crée des succursales dans l'île, partout où point l'investissement états-unien[52]. De nouveau, la United Fruit est de la partie : déjà liée à la Banque de Nouvelle-Écosse en Jamaïque[53], elle devient cliente de la Royale à Cuba[54]. Cette dernière est également la banque des grandes sociétés états-uniennes qui contrôlent désormais la production de sucre à Cuba. Enfin, elle obtient dès 1902 le contrat de la distribution de la paie des soldats de l'armée cubaine. À partir de ce moment, elle jouit d'une relation privilégiée avec les gouvernements cubains, qu'elle finance avec impartialité « qu'ils soient d'inspiration démocratique ou dictatoriale[55] », comme le note avec sérénité son historien. Cette méthode fera florès tout au cours du XXᵉ siècle.

À titre d'exemple, le plus important client individuel de la Royale est la Cuba Company de Sir William Van Horne[56]. Parfait représentant de la classe d'affaires canado-américano-britannique, le richissime Van Horne est un ressortissant états-unien qui a fait fortune au Canada, à la tête du Canadien Pacifique. Sa résidence principale se trouve à Montréal. Naturalisé Canadien (et donc sujet britannique), il a été anobli en Grande-Bretagne. En 1900, il incorpore aux États-Unis la Cuba Company[57], avec des capitaux majoritairement états-uniens, mais aussi canadiens et écossais. La société se consacre à la construction d'un chemin de fer qui servira au transport du sucre produit et transformé à l'est de Cuba[58]. Ce développement ne concerne en rien l'activité locale, un réseau d'affaires soutenant depuis le Canada et la Grande-Bretagne les projets de la Cuba Company[59].

Par amitié pour la Banque Royale du Canada, Van Horne dessine la façade de sa succursale de Camagüey[60]. Il manifeste aussi son affection pour Cuba en se chargeant de rédiger pour elle une loi ferroviaire, basée sur le modèle canadien, qui sera adoptée en 1902 et permettra à sa compagnie d'exproprier un certain nombre d'ayants droit « déraisonnables[61] ».

À partir de Cuba, la Royale étend ses activités dans la Caraïbe et en Amérique du Sud[62]. Parmi les succursales étrangères de la banque, celles de Rio de Janeiro, de São Paulo, de la République dominicaine, de Colombie, du Honduras britannique (aujourd'hui le Belize) et de la Jamaïque génèrent tout au long des années 1920[63] les profits les plus élevés de l'entité.

Des banques vraiment impériales

Au cours des années 1920, le réseau international des banques canadiennes atteint son apogée. Près de 20 % de leurs avoirs se trouvent alors à l'étranger, où l'on dénombre 200 de leurs succursales[64].

Durant cette période, les banques canadiennes comptent très peu de concurrents dans les Caraïbes[65], et dans la mesure où elles en ont, elles s'emploient à les neutraliser par la formation de cartels. Ainsi, dans la Caraïbe britannique, elles s'entendent dès les années 1920 avec leur seule rivale, la britannique Colonial, qui deviendra en 1926 la Barclays, pour fixer auprès des épargnants les taux d'intérêt accordés et les frais bancaires prévus. La collusion prend même la forme d'une entente écrite dans les années 1950. Il y a tout lieu de croire que le cartel existait toujours dans les années 1970[66].

Il n'est pas abusif d'avancer que les banques canadiennes jouent un rôle colonial dans la région. Elles sont littéralement les banques du gouvernement. C'est notamment le cas de la Royale à Cuba[67] et de la Banque de Nouvelle-Écosse en Jamaïque[68]. La Royale, la Banque de Nouvelle-Écosse et la Banque Canadienne de Commerce fabriquent dans les Caraïbes les billets de banque libellés en livres ou en dollars qui servent de devise locale[69]. À Cuba et en Jamaïque, ces billets circuleront jusqu'à la fin des années 1930[70].

Dans les Caraïbes, les banques à charte canadiennes échappent dès le départ à toute réglementation. Les États-Unis, qui leur imposent un cadre juridique contraignant en territoire états-unien[71], sont indifférents à ce qu'elles peuvent faire ailleurs. La Grande-Bretagne n'estime pas non plus qu'il soit nécessaire de les encadrer dans la Caraïbe ; ne sont-elles pas intrinsèquement vertueuses, au même titre que les banques britanniques ? Fait notable, Londres impose au même moment une rigoureuse supervision à toute banque proprement caribéenne qui chercherait à se développer, les plaçant toutes hors concurrence. La liberté des banques canadiennes est donc entière jusqu'à la création de la banque centrale de la Jamaïque en 1961[72]. Mais même après l'ouverture de cette institution, du fait que les dépendances britanniques se trouvent incapables de coordonner des lois bancaires uniformes à une échelle régionale ou suprarégionale, les banques ont beau jeu de menacer une législation de leur départ, sitôt qu'elle tend à encadrer minimalement leur secteur[73].

Pour imposer des règles aux banques, il ne restera en fait que l'État canadien. C'est dire le désarroi des populations. Les institutions financières du Canada doivent leur existence aux chartes qu'Ottawa leur accorde en vertu de la Loi sur les banques. En Jamaïque, à Cuba, à Porto Rico, aux Bahamas ou ailleurs, le Canada est donc paradoxalement mieux placé que les autorités locales pour les régir. Il se trouve de ce fait à contrôler par défaut le secteur bancaire dans les territoires du Sud. « Même si les banques canadiennes sont des entreprises mondiales, la plus grande part de leur activité bancaire a lieu au Canada. Ainsi, d'un point de vue à la fois légal et réaliste, l'État fédéral a le pouvoir d'encadrer la conduite des banques dans la Caraïbe du Commonwealth[74] », observera plus tard le juriste Daniel Baum. Mais, égal à lui-même, le Canada agira à la manière d'un paradis bancaire. Il ne se prévaudra pas de son pouvoir juridictionnel et organisera par conséquent le laisser-faire[75]. Cela revient à donner un blanc-seing à toutes les banques canadiennes actives à l'étranger. Baum constate de la part de l'État canadien « une totale absence de toute forme de régulation, de restriction, de recommandation ou même de commentaire sur la façon dont les banques canadiennes exercent leurs activités à l'étranger[76] ». La passivité de l'État canadien assure ainsi aux banques un contexte d'anomie à l'étranger.

Dégagés de toute contrainte, les banquiers canadiens n'hésitent pas à faire affaire avec des régimes pratiquant la torture et l'assassinat. Au Venezuela, dans les années 1920, la Banque Royale est associée au dictateur Juan Vicente Gómez, avec qui elle partage les profits du pétrole du lac Maracaibo[77]. En 1933, le dictateur cubain Machado demande l'asile politique au Canada, qu'on lui accorde deux fois à titre temporaire, notamment pour qu'il puisse en 1935 « régler ses affaires avec la Banque Royale » à Montréal[78]. Le règne de terreur de Batista, dans la Cuba des années 1950, n'empêche en rien la Banque Royale d'augmenter le nombre de ses succursales au pays[79]. En République dominicaine, la dictature de Trujillo assure la « stabilité politique » qui garantit les profits des banques canadiennes[80], ce qui explique peut-être les « dizaines de millions de dollars » prêtés par la Banque de Nouvelle-Écosse au régime en 1958-1959[81]. Évidemment, rien de tout cela n'a à voir avec un quelconque penchant idéologique : la Banque Royale octroie des prêts à Machado, à Batista, à Trujillo et à Somoza, mais elle refusera, quelques années plus tard, de prêter un sou au gouvernement socialiste de Michael Manley en Jamaïque[82]...

Les banques ne publiant pas le contenu de leurs archives sur des questions de cet ordre, un silence feutré continue d'envelopper l'histoire de telles relations avec les dictateurs. Elles ne sont pas portées, non plus, à diffuser des renseignements sur les contestations anticoloniales dont elles ont fait l'objet, comme le souligne l'historien Peter James Hudson, qui a voulu documenter l'opposition des populations caribéennes à la Banque Royale : « Cette histoire ne peut être racontée dans son intégralité en raison de la quasi-impossibilité pour le public d'accéder aux archives de la Banque en banlieue de Toronto[83]. » La Banque Royale a pourtant fait face à des contestations, à des émeutes, à des bombes et à des braquages de succursales dont Hudson a pu dresser une liste sommaire :

- 1931 : Des adversaires du dictateur Machado font exploser une bombe dans une succursale de la Royale à La Havane.
- 1934 : Les paysans du district de Realengo 18 s'en prennent à la succursale de Santiago de Cuba pour protester contre l'éviction que fait subir à 5 000 familles une sucrière financée par la banque.
- 1948 : Des adversaires du dictateur Batista attaquent la succursale de La Havane.
- 1967 : Le Parti unifié des communistes haïtiens braque une succursale de Port-au-Prince en vue de financer une insurrection urbaine.
- 1968 : À Kingston, des jeunes attaquent la succursale de la Royale et d'autres institutions, pour protester contre l'expulsion de l'intellectuel de gauche Walter Rodney.
- 1970 : Au moment de la « révolution de février » à Trinité, des contestataires prennent d'assaut la Banque Royale à Port-d'Espagne[84].

Politiquement, du reste, le Canada n'a pas encore le souci de paraître comme une démocratie exemplaire, une représentation dans laquelle il se complaît aujourd'hui. Le Canada seconde alors les États-Unis dans la région sur le plan militaire. Il y dépêche plusieurs fois ses cuirassés, notamment pour soutenir des législations menacées par des invasions extérieures ou par leurs populations en colère : les Bermudes deux fois, au milieu des années 1910 et au début des années 1940, Sainte-Lucie de 1915 à 1919, les Bahamas, les Bermudes et la Jamaïque dans les années 1940 et la Barbade en 1966 ont été occupées par les forces canadiennes. Dans le même ordre d'idées, des Canadiens forment depuis les années 1970 les soldats de la Jamaïque et de Trinité-et-Tobago. « L'idée que le Canada a des tendances impériales dans les Caraïbes est largement répandue dans cette région », écrit l'historien Yves Engler en citant un diplomate canadien des années 1970 qui présentait le Canada comme l'agent, dans cette partie du monde, d'un « colonialisme de circonstance[85] ».

Le Canada ira jusqu'à militer pour l'annexion politique des îles de la Caraïbe britannique. Ne devrions-nous pas avoir nos propres colonies ? Ce projet, vivement débattu au Canada dans les dernières décennies du XIXᵉ siècle, connaît un dernier sursaut en 1917. Ottawa demande alors à Londres de lui accorder la Caraïbe pour le récompenser de sa participation à la défense de l'Empire britannique pendant la Première Guerre mondiale. Cependant, la démarche n'aboutit pas, en partie parce qu'elle ne fait pas l'unanimité au sein de la classe politique canadienne. Le premier ministre de l'époque, Robert Borden, craint notamment de devoir accorder aux populations noires des Caraïbes... le droit de vote au Canada[86].

Une ponction systémique de la richesse

Comme elles l'ont fait dans les provinces maritimes du Canada, les banques « canadiennes » drainent les capitaux des îles caribéennes et nuisent à leur économie[87]. Leurs placements dans la région ne sont pratiquement jamais faits à long terme. Une institution comme l'actuelle Scotia possède bien quelques débentures municipales de La Havane, mais des titres de sociétés telle la United Fruit sont le cœur de ses investissements[88]. Au chapitre des prêts, elle privilégie les grands exportateurs, s'employant à créer dans les Caraïbes le cadre financier nécessaire à l'investissement américain direct et au commerce. Idem pour la Royale. Les banques ne financent pas beaucoup la production, mais plutôt le transport, la mise en marché et la transformation des récoltes[89]. Après la Deuxième Guerre mondiale, on leur reprochera également de favoriser l'importation de produits de luxe et de biens de consommation destinés aux classes moyennes, au lieu de soutenir l'industrie ou la construction résidentielle[90].

En réalité, alors qu'elles peuvent maîtriser à elles seules les flux de capitaux des îles où elles interviennent[91], les banques canadiennes bannissent dans la Caraïbe le financement de projets proprement locaux. Sous prétexte de risques trop élevés, elles ne prêtent pas aux paysans ou aux petits producteurs de canne à sucre, même lorsque les demandes sont faites par l'intermédiaire de coopératives de crédit agricole régies par l'État[92]. Comme toute banque qui se respecte, elles prévoient des critères de solvabilité plus exigeants pour les pauvres que pour les riches[93]. Les dépôts des épargnants caribéens sont systématiquement plus importants que les prêts consentis dans la région[94]. Dans le cas de la Banque de Nouvelle-Écosse, l'excès des dépôts sur les prêts est à peu près constant[95], et quand elle prête localement, ce sont les grands producteurs qui en profitent : vers 1910 en Jamaïque, la United Fruit est à peu près seule à bénéficier de ses prêts[96].

Les profits réalisés par les banques canadiennes dans la Caraïbe sont transférés au Canada, aux États-Unis ou en Grande-Bretagne. Dans ses travaux d'historien, R. T. Naylor estime que les surplus de la Banque Royale générés dans la Caraïbe ne font à l'époque jamais escale au Canada, mais se trouvent directement destinés au marché des prêts à vue de New York[97]. Sinon, les surplus des banques sont généralement envoyés à Londres. Ces montants se trouvent ensuite redistribués aux emprunteurs jugés les plus solvables, où qu'ils se trouvent. Mis ainsi en concurrence directe avec l'ensemble des emprunteurs potentiels du monde convoitant leurs ressources, les petits emprunteurs caribéens ne font pas le poids[98]. Quant aux actionnaires auxquels les banques versent des dividendes, ils sont très rarement des Caraïbes.

L'expansion internationale des banques à charte canadiennes favorise au Canada la concentration bancaire. Sa prééminence à l'intérieur du pays revient aux quatre banques les plus actives à l'étranger, soit la Banque de Montréal, la Banque Royale du Canada, la Banque Canadienne de Commerce et la Banque de Nouvelle-Écosse, qui se constituent en oligopole au Canada entre 1900 et 1930 en avalant à peu près toutes les autres concurrentes du pays[99]. Leurs opérations lucratives à l'étranger leur ont permis d'acquérir les capitaux nécessaires pour financer ces acquisitions[100]. La croissance fulgurante de la Royale et de la future Scotia entre 1900 et 1914 et leur émergence comme grandes banques nationales et internationales sont directement liées à leur expansion dans les Caraïbes[101].

Quelle que soit la puissance des banques canadiennes, l'État canadien, lui, se caractérise par sa passivité. Il s'agit d'un État qui ne s'appartient pas. Les pays dont il relève, la Grande-Bretagne et les États-Unis, en usent pour permettre à des acteurs puissants de chez eux de bénéficier d'un régime de non-droit sans qu'ils aient à l'assumer eux-mêmes. Voilà qui explique l'indifférence d'Ottawa dans les Caraïbes, malgré l'imposante présence de ses acteurs financiers. Fait éloquent, lorsqu'en 1931 des rebelles cubains font exploser une bombe dans une succursale de la Banque Royale à La Havane, c'est un ministre britannique, et non canadien, qui proteste auprès du président Machado[102]. De manière générale, le Canada semble l'État le moins concerné par les agissements de ses propres banques à l'étranger. Il ne leur offre aucune protection[103]. Souvent, il n'a même pas de représentant diplomatique dans les pays où elles se trouvent[104]. Par conséquent, lorsqu'elles ont besoin de soutien, elles se tournent vers les gouvernements britannique et états-unien[105]. Selon les historiens Christopher

Armstrong et H. V. Nelles, c'est le gouvernement britannique qui est le plus secourable : « Le capital était peut-être apatride, mais le gouvernement de la Grande-Bretagne était son ami le plus constant[106]. »

Les aventuriers canadiens

Les banques à charte ne sont pas les seules entreprises canadiennes à débarquer dans les Caraïbes au début du XXᵉ siècle. La population de ces îles voit débouler dès 1897 des promoteurs canadiens en quête de concessions pour exploiter des services de tramways, d'électricité ou de téléphonie. Ces promoteurs ont créé des compagnies entièrement privées désignées abusivement par le terme *services publics*. Le monopole qu'on leur accorde leur garantit des profits mirobolants dans les premières années[107]. Ainsi, des sociétés incorporées au Canada ont la responsabilité de tramways, de trolleys, de centrales électriques et d'éclairage des rues à Kingston (Jamaïque), Georgetown (Guyana), Port-d'Espagne (Trinité), Camagüey (Cuba) et San Juan (Porto Rico)[108]. Les promoteurs canadiens mettent également sur pied des compagnies de services publics au Brésil, au Venezuela, au Salvador, en Bolivie, au Mexique et enfin à Barcelone[109]. Les rendements initiaux sont tellement élevés qu'entre 1900 et 1910, fidèles à leurs habitudes, les actionnaires canadiens investissent davantage dans les entreprises de services publics à l'étranger qu'au pays dans des entités semblables[110].

La présence d'acteurs canadiens dans l'exploitation de services de tramways et autres services publics dans le Sud s'explique par la rencontre entre des entrepreneurs ferroviaires canadiens à la recherche de nouveaux territoires à conquérir (ils ont déjà réalisé l'électrification des tramways au Canada[111]) et un nouveau type de financiers qui fait à ce moment son apparition au Canada[112]. Spécialisés dans les montages qui leur permettront d'empocher des profits rapides dès la mise en opération d'une entreprise, ils passent pour casse-cous par comparaison avec les banques à charte[113]. En effet, lorsqu'ils se chargent d'émettre des titres, ils sont payés non pas en argent, mais en actions ordinaires : ils se trouvent ainsi à spéculer sur l'appréciation de ces actions qui peuvent leur rapporter des profits immenses et pour lesquelles ils n'ont pas donné un sou[114]. Les actions en question ne correspondent à aucun investissement réel dans l'entreprise. On reconnaît ici l'escroquerie dénoncée par *L'Humanité* dans l'affaire de la Barcelona Traction avec son capital-actions en grande partie fictif. Et comme le constatait *L'Humanité*, les sociétés de placements établies par les financiers en vertu des lois canadiennes échappent à toute véritable réglementation[115].

Après quelques tentatives infructueuses du côté des villes états-uniennes ou britanniques, où ils se sont heurtés à un univers de normes, de réglementations et de concurrence[116], les promoteurs de *services publics* canadiens convergent vers les Caraïbes où ils découvrent avec un élan de joie la liberté que procure un régime entièrement colonial.

Les profits des promoteurs découlent avant tout de la force du monopole accordé par la municipalité ou l'État où ils sont implantés pour exploiter un service de tramways ou de production d'électricité. Rien d'étonnant, par conséquent, à ce que des avocats d'un *nouveau* genre, spécialisés en droit des sociétés, jouent un rôle essentiel dans la création de ces entreprises : ils négocient et rédigent les contrats. Leur ascension en Amérique du Nord est fulgurante au moment où se développent les grands conglomérats du début du XXᵉ siècle. Ces avocats ne se contentent pas de pratiquer le droit. Aux connaissances techniques qui leur permettent de concevoir les contrats s'ajoute pour eux l'accès facile à de puissants réseaux englobant des hommes d'affaires, des investisseurs et des hommes politiques[117]. Beaucoup plus souvent que leurs confrères européens, les avocats en Amérique du Nord deviennent eux-mêmes entrepreneurs et financiers, créant leurs propres sociétés de placements puis assurant la gestion des compagnies de tramways ou d'électricité[118]. Ainsi Charles Cahan, l'avocat de Halifax qui soutient les entreprises du financier Max Aitken, met sur pied la Demerara Electric Company à Georgetown (Guyana), se rend ensuite à Port-d'Espagne pour créer la Trinidad Electric Company et deviendra un peu plus tard vice-président au Mexique de la Mexican Light and Power dont il est lui-même un actionnaire important[119]. De même l'avocat torontois Zebulon Lash, encensé comme « le plus grand spécialiste canadien de son temps en matière de droit des sociétés », est le principal architecte juridique d'un éventail d'entreprises de services publics créées au Canada à l'instigation de l'ingénieur états-unien F. S. Pearson. Il est aussi vice-président de la Mexico Tramways, vice-président de la Brazilian Traction, Light and Power et vice-président de la Banque Canadienne de Commerce[120].

Au fil des ans, les entreprises de services publics canadiennes se font connaître auprès des populations du Sud pour leur cupidité et leur conception brutale des relations de travail. À Rio de Janeiro comme à São Paulo, de Mexico à Barcelone, le mot *canadien* est synonyme de l'étranger « exploiteur, réactionnaire et tyrannique[121] », particulièrement en période de conflit de travail. Les Brésiliens affublent du surnom de *pieuvre canadienne* la plus célèbre de ces compagnies, la Brazilian Traction, Light and Power[122]. En même temps, de nombreux observateurs étrangers, dont Jean

Jaurès et son équipe rédactionnelle, soulignent le côté cowboy des manœuvres financières canadiennes.

Pour assurer leurs profits, les nouveaux financiers créent un type d'organisation, le consortium, qui est associé à de nouvelles formes de délit financier[123]. La discipline secrète du groupe d'actionnaires qu'il constitue lui permet d'influer sur le cours des titres[124]. Le consortium accorde aussi à ses membres des actions gratuites[125] : cette pratique courante au Canada est illégale dans d'autres pays[126]. La surcapitalisation est une autre procédure fréquente : il s'agit pour les promoteurs d'attribuer aux entreprises une valeur de capital fictive qui est supérieure à la valeur réelle, ce qui leur permet de majorer le rendement auquel les actionnaires ont droit[127]. Enfin, la loi n'encadre pas la divulgation au moment de l'émission de titres et les transactions d'initiés sont très largement acceptées. L'historien Gregory Marchildon, qui a étudié la trajectoire canadienne du plus célèbre des financiers de ce type, Max Aitken (dit Lord Beaverbrook), conclut que ses pratiques lui vaudraient fort probablement la prison aujourd'hui[128].

S'ils amorcent au Canada leurs montages improbables, les nouveaux financiers constatent rapidement qu'il n'y a pas suffisamment d'investisseurs dans le Dominion pour soutenir leur ascension vers la stratosphère de la richesse. Ils se déplacent donc vers Londres pour accéder aux capitaux qui y abondent. La firme de Max Aitken s'y établit en 1910 et une douzaine de sociétés de placements canadiennes ouvrent des bureaux à Londres entre 1905 et 1912. En 1915, près de 60 organismes proposent des titres canadiens dans la City[129]. Les financiers canadiens, perçus comme des aventuriers par les banquiers britanniques, ont cependant un rôle à jouer dans la consolidation du pouvoir de ces derniers : ils confirment l'importance de Londres pour financer les titres des compagnies de services publics, renforcent ses liens avec le Brésil et le Mexique et y exportent les techniques du monde financier de l'Amérique du Nord[130]. Nous verrons les financiers et avocats canadiens reprendre leur rôle de soutien lorsque viendra le temps d'aider la City de Londres à créer les paradis fiscaux de la Caraïbe.

Les aventuriers canadiens s'intègrent de plain-pied à un ensemble politico-financier international et font fortune sur le marché financier de Londres. L'identité *canadienne* des compagnies de services publics dont ils vendent les titres est de plus en plus diluée. Il s'agit de compagnies qui embauchent des ingénieurs américains ou britanniques pour assurer le fonctionnement d'appareils fabriqués aux États-Unis ou en Allemagne[131]. Les actionnaires ne sont plus canadiens, mais britanniques ou européens et un conglomérat belge est propriétaire de sociétés ayant leur siège social à Toronto[132]. L'instance de décision suprême se trouve ainsi à Londres ou à Bruxelles, tandis que les décisions courantes sont prises sur le terrain, en Amérique latine ou à Barcelone[133].

La domiciliation au Canada consiste en une adresse de complaisance. En 1909, les sièges sociaux de la Demerara Electric, de la Porto Rico Railways et de la Camagüey Company se trouvent au 179 rue Saint-Jacques à Montréal, dans les bureaux de la Royal Securities Corporation de Max Aitken[134]. De même les sièges sociaux de la Brazilian Traction, de la Mexican Light and Power, de la Mexico Tramways et de la Barcelona Traction sont hébergés à Toronto, dans les bureaux du cabinet d'avocats Blake, Lash and Cassels, fief de Zebulon Lash. À partir de là, il suffit de deux ou trois employés pour gérer la correspondance officielle des quatre entreprises[135].

Mais l'identité *canadienne* de ces compagnies continue d'avoir quelque chose d'irréel, même lorsque leurs actionnaires sont canadiens. Comme le soulignent Armstrong et Nelles, leur lien avec le Canada était aléatoire depuis le début: «seuls le lieu de domicile des fondateurs et la permissivité du droit des sociétés étaient canadiens.» Pour les promoteurs qui ont créé ces compagnies, «le pays est quelque chose qu'on utilise et les pays sont interchangeables[136]».

Le modèle canadien

Les années 1920 marquent l'apogée de l'implantation des quatre grandes banques à charte canadiennes dans les Caraïbes et en Amérique latine. Après ce sommet, elles entrent dans une période de repli[137]. Mais malgré leur relative torpeur, elles ne quitteront jamais les Caraïbes[138]. Au cours de leur première expansion dans le Sud, elles ont acquis des habitudes qu'elles ne perdront pas. D'abord, elles ont appris à instrumentaliser complètement la législation canadienne. Le Canada en soi n'existe que comme outil. Les lois canadiennes permettent de créer des structures qui canalisent les capitaux étrangers. À partir de là, il est toujours possible de se faire passer pour un Britannique ou un États-Unien.

Ensuite, elles se sont habituées à accorder un appui indéfectible à la puissance hégémonique contrôlant l'endroit où elles se trouvent. Le sous-impérialiste a fatalement besoin d'un vrai impérialiste qui le protège. L'État canadien absolument passif reconnaît que les banques canadiennes sont libres d'intervenir à l'étranger, mais ne leur accorde aucune protection. Ces institutions sont donc nécessairement complices d'un pouvoir supérieur (États-Unis ou Grande-Bretagne), qui assure leur sécurité et la stabilité de leurs profits. Les relations avec ce pouvoir ont préséance sur toute autre considération. L'appui aux régimes dictatoriaux locaux s'inscrit dans la même logique de la prééminence du profit.

Enfin, toujours fidèles aux intérêts des possédants, elles sont indifférentes aux populations locales. Le bien-être de leurs actionnaires prévaut et cela ne concerne pas seulement la Caraïbe, mais aussi la population du Canada : en Nouvelle-Écosse, par exemple, les banquiers de Halifax ont cessé de financer les usines de la province parce qu'ils ont jugé plus rentables les marchés de Chicago et de la Jamaïque[139]. « Ils étaient fidèles en premier lieu non pas à leur région, mais à leur classe[140]. »

Quant au paradoxe d'un pays dominé par les capitaux étrangers, mais qui continue néanmoins de les exporter, il ne fait que s'accentuer au XXe siècle. À la fin des années 1950, au moment où certains intellectuels canadiens commencent à s'inquiéter de l'emprise des investissements américains directs dans l'économie du Canada, le pays lui-même est déjà un grand investisseur direct à l'étranger. En 1971, il est devenu le sixième exportateur de capitaux du monde, surpassé seulement par les États-Unis, les trois premières puissances économiques de l'Europe occidentale et la Suisse[141].

La relance des banques offshore

À la fin des années 1950, on voit apparaître les signes précurseurs d'un nouvel élan des banques canadiennes à l'étranger. Il se passe quelque chose de nouveau dans la Caraïbe, conséquence d'un événement crucial étant survenu à Londres un an plus tôt : la naissance du marché des *eurodollars*[142], premier pas vers un système financier mondial basé sur « [la] circulation des capitaux offshore sans contrôle public[143] ». C'est à travers leur rôle clé dans le marché des eurodollars que les paradis fiscaux vont devenir les protagonistes essentiels qu'ils sont maintenant. Les banquiers londoniens concentrent les premiers ces *eurodollars* générés par le Plan Marshall en Europe, ces dollars que les États-Unis jettent massivement sur le vieux continent après la Deuxième Guerre mondiale pour en permettre la reconstruction. Le marché des eurodollars apparaît en 1957 lorsque la Banque d'Angleterre accepte que les transactions réalisées à Londres en dollars, entre deux non-résidents, échappent à sa réglementation[144]. Pour la première fois dans la finance moderne, des banques manipulent dans un pays de très grands volumes d'argent libellé dans une devise qui n'est pas celle de leur État. Les montants en cause, astronomiques, deviennent cependant gênants dans la City de Londres. Voilà pourquoi les institutions financières les transfèrent massivement dans la Caraïbe britannique, où des banquiers canadiens s'apprêtent à les accueillir. Cela explique qu'à la fin des années 1950, les argentiers canadiens s'agitent de nouveau dans les îles caribéennes.

De manière concomitante, la mafia états-unienne, chassée de Cuba, déménage ses pénates aux Bahamas. Les différents trafics du crime organisé et le marché des eurodollars feront leur entrée au même moment. Cette législation ainsi que les Îles Caïmans sont particulièrement bien placées pour héberger et métisser hors la loi ces capitaux financiers, d'une part, et criminels, d'autre part[145]. Elles représentent chacune à leur manière une nouvelle jonction entre les systèmes financiers britannique et américain. Les banques canadiennes y trouvent naturellement leur place de pivot. Au début des années 1960, en partenariat avec les banques états-uniennes et britanniques, les institutions canadiennes s'affairent ainsi à transformer la Caraïbe en vecteur des eurodollars et de transactions illicites, amorçant ainsi le grand chantier de l'*offshorisation* du monde.

CHAPITRE DEUX

Les Bahamas

Repaire du crime organisé américain

*où la Banque Scotia fournit le conseiller de la législation et
où la Banque Royale trouve, comme administrateur, un ministre*

1960

Un réseau capable d'une rare « concentration illégale de pouvoir » établit ses quartiers aux Bahamas dans les années 1960[1]. Les autorités fiscales des États-Unis lui donnent le nom d'« organisation criminelle redoutable[2] » (*serious crime community*). Des personnages tels que Louis Chesler, Wallace Groves ou Meyer Lansky[3], chassés par la Révolution, arrivent donc de Cuba. Les casinos qu'ils y géraient blanchissaient jusqu'alors des capitaux issus d'opérations criminelles en sol nord-américain. Ils comptent maintenant poursuivre leurs opérations dans la colonie britannique. Blanchir des capitaux, c'est trouver une façon d'insérer dans l'économie licite des fonds acquis illégalement, c'est « se donner les moyens d'en justifier l'origine en intercalant un intermédiaire fictif dans le circuit[4] ». Si les vendeurs de drogue à la sauvette inscrivent les fruits de leur business dans les caisses enregistreuses de petits restaurants de quartier, et si leurs grands intermédiaires dissimulent le commerce interlope dans les comptes des sociétés d'import-export, les chefs de réseaux brassent de grands volumes d'argent sale à même la gestion des casinos ouverts aux Bahamas. Les infrastructures de l'archipel nécessaires à ces vastes opérations de blanchiment seront notamment créées au cours des années 1960 grâce aux prêts de deux banques canadiennes présentes dans l'archipel, la Banque Royale du Canada et la Banque Scotia.

L'histoire commence dès les années 1950 avec les projets ambitieux d'un homme d'affaires, juriste et courtier influent des Bahamas, Stafford Sands. Il est, comme on les appelle là-bas, un « Bay Street Boy[5] ». L'intéressé siège à l'assemblée de l'archipel depuis 1937 et a fait son entrée au Conseil exécutif en 1945[6]. Il prend alors la responsabilité du Bahamas Development Board, une organisation publique qui fait de lui le ministre du Tourisme[7]. Il détient aussi le ministère des Finances. Depuis cette double position, il se mêlera quelques années plus tard aux affaires bancaires canadiennes. Pour l'heure, il songe seulement à faire construire un casino et une station balnéaire à Grand Bahama, l'une des quelques îles habitées parmi les 700 qui constituent la colonie. Il cherche donc pour ce faire à obtenir du conseil exécutif bahamien la libéralisation du jeu[8].

Sands n'agit pas seul. Depuis les années 1930, Wallace Groves fait partie de son cercle restreint d'amis[9]. Ce juriste états-unien s'est enrichi grâce à des manœuvres répétées consistant à acheter, fusionner et vendre à prix fort des sociétés transformées aussitôt qu'acquises[10]. Ses stratégies de vente illicites l'exposent en 1938 à une poursuite intentée par la Security Exchange Commission (SEC), l'instance états-unienne de régulation boursière. Il vendait alors des actions de la General Investment Corporation à des cours indûment élevés, en touchant frauduleusement au passage d'importantes commissions[11]. Cinq des sociétés lui appartenant, dont deux sises aux Bahamas, ont également été condamnées dans cette affaire[12]. Ses manœuvres ont mené à son emprisonnement de 1941 à 1944.

Sitôt sa peine purgée, il quitte les États-Unis, épouse la Québécoise Georgette Cusson en secondes noces, en fait sa nouvelle partenaire d'affaires[13] et part à la conquête des Bahamas[14]. Il y retrouve Stafford Sands. Propriétaire de l'île Little Whale Cay, Groves cherche alors à en exploiter les ressources naturelles. Il se lance cette fois dans le secteur de la foresterie et procède à des coupes à blanc sur l'île de Grand Bahama. Il souhaite dès lors disposer d'un port franc lui permettant d'exporter à grand débit sa production[15].

Les astres s'alignent : Groves et Sands s'entendent sur un projet qui satisfait les deux manœuvriers. Fort de son influence au Conseil, Sands met tout son poids dans la balance pour qu'il entérine en 1955 le Hawksbill Creek Act, qui prévoit l'attribution d'une zone franche d'exploitation portuaire de 50 000 acres à Groves pour le montant tout à fait dérisoire de 2,80 dollars l'acre (soit un total de 140 000 dollars, en devise de l'époque[16]). L'étendue de la zone couvre près de la moitié de l'île[17]. Le journaliste Bill Davidson y verra l'une « des plus lucratives ententes jamais conclues entre un gouvernement et un individu privé[18] ». L'affaire fait de Groves un souverain sur son île. L'investisseur états-unien contrôlera seul[19] les installations portuaires capables d'accueillir des navires de 85 000 tonnes[20]. En vertu du Hawksbill Creek Act, les entreprises qui s'installent dans la zone franche du Port Authority se trouvent « exemptées jusqu'en 2054 de taxes à l'exportation et de droits de douane à l'importation sur des produits nécessaires à leurs tâches[21] ». Groves conserve cependant un droit à une forme d'imposition privée et il crée une société qui lui confère aussi celui de délivrer à tout partenaire les autorisations de s'implanter dans la zone portuaire, la Grand Bahama Port Authority[22]. « Ce privilège fit de l'entreprise un pouvoir constitué[23] », écrira le professeur en administration judiciaire de l'Université publique de Pennsylvanie, Alan Block. Qui plus est, ces exonérations fiscales feront augmenter la valeur même de sa propriété. Il ouvrira finalement le capital de la Port Authority pour en favoriser le développement, mais sa femme et lui en garderont 50 % des actifs[24]. La valeur de l'acre sera estimée à 2 800 dollars en 1960[25], soit une augmentation de 1000 % du prix d'achat !

L'ascenseur ne tarde pas à être renvoyé. Sans entrave, Groves laisse Sands promouvoir dans sa concession une maison de jeu et une station balnéaire[26]. Le projet est si convaincant que Groves met en veilleuse ses propres velléités d'exploitation forestière et adopte le plan d'affaires de son complice. Sands et Groves cherchent alors des associés pour créer un pôle touristique sur l'île[27]. Le territoire britannique attire déjà des visiteurs anglais et sa proximité avec la Floride en fait un lieu propice au développement touristique[28]. Mais ce n'est pas seulement cette honorable clientèle que les deux intrigants cherchent à séduire.

Une galerie de personnages interlopes

Le Canadien Louis Arthur « Big Lou » Chesler fait alors son entrée. Groves s'associe à lui en 1960 pour ouvrir un hôtel de luxe sur le site récréatif[29]. Pour y parvenir, les deux créent, en 1961, la Grand Bahama Development Company (Devco) et Chesler en devient le président[30]. Assez rapidement, ce dernier accaparera toutes les parts de l'entreprise par le biais de deux des sociétés canadiennes qu'il contrôle[31]. Courtier à la Bourse de Toronto, titulaire d'une firme de promotion minière au Canada, l'homme d'affaires a fourni dans le passé des capitaux à des investisseurs états-uniens proches du pouvoir à Washington[32]. Devenu millionnaire, il s'est ensuite livré à des activités criminelles dans le monde financier, comme la transaction d'actifs boursiers volés par le biais des centres financiers offshore de la Suisse et des Bahamas[33]. L'écrivain Alain Vernay décrit Chesler comme un « satrape de cent quarante kilos, comptant parmi ses amis autant de ministres et de financiers que de membres de la mafia[34] ». Journaliste à la CBC, Paul McGrath l'a cité parmi les « responsables de la corruption aux Bahamas en y introduisant, au début des années soixante, les casinos contrôlés par la pègre[35] ». Mario Possamai corrobore l'information dans les années 1990 : cet enquêteur pour une firme de juricomptabilité et consultant pour la

CBC, en lien étroit avec un informateur de la Gendarmerie Royale du Canada (GRC)[36], atteste que Chesler instaure «une industrie du jeu aux Bahamas reliée au crime organisé[37]». La Devco a également le pouvoir d'attirer sur sa part de la zone franche des commerçants et des résidents[38]. On l'a compris, sous couvert d'activités touristiques, l'entreprise consiste à attirer des trafiquants illégaux.

Groves et Chesler se voient donc accorder par le Conseil exécutif des Bahamas le permis de construire un hôtel de luxe dans la zone[39] ainsi que les certificats d'exception les autorisant à gérer un casino sur l'île de Grand Bahama pendant dix ans[40]. Ils créeront alors la Bahamas Amusement Limited en 1963[41]. Les maquignons ont payé cher l'obtention de ces passe-droits. Ils ont soudoyé sans retenue les responsables politiques grâce à des pots-de-vin financés à même les comptes de la Devco de Chesler ou du Port Authority de Groves[42]. Stafford Sands, qui a multiplié les efforts pour obtenir l'aval du Conseil, s'est vu octroyer des frais de service considérables[43]. «Sands a été payé une somme oscillant entre 519 000 dollars et 1 090 000 dollars en services juridiques [sic][44]», des émoluments présentés également comme de «soi-disant honoraires d'experts-conseils et contributions politiques[45]». L'intéressé déclarera, dans le cadre d'une commission d'enquête aux Bahamas en 1967, avoir été rémunéré seulement à hauteur d'un million de dollars «pour ses nombreux services», alors qu'on estimait le montant qu'on lui devait à près du double[46]. À ce prix, les intéressés ont obtenu satisfaction, leur projet recevant la faveur de cinq conseillers sur huit[47]. Les opposants au projet s'en formaliseront; «tout le monde savait que le casino était exploité par des membres de la mafia[48]». Seul compromis: l'activité des maisons de jeu serait soumise à l'impôt[49], mais pas les hôtels, qui ont même droit à l'exemption des droits de douane[50], ce qui permet de se livrer sans problème à des manipulations de comptes rendant officiellement les casinos déficitaires.

Chesler connaît un certain Meyer Lansky[51] et lui permet de s'introduire dans le groupe. L'homme a fait fortune à New York comme contrebandier des producteurs canadiens d'alcools forts au moment de la Prohibition[52]. Chassé de Cuba par la révolution castriste de 1959[53], il arrive avec un plan. Ce proche de Bugsy Seigel et de Charles Luciano a tiré des leçons des erreurs comptables qui ont permis à un tribunal fédéral états-unien de condamner Al Capone pour fraude fiscale en 1931. Après avoir d'abord blanchi au Canada puis à Cuba les capitaux générés par ses activités illicites dans les années 1930[54], Lansky développe des techniques variées de transfert de fonds illicites en Suisse et au Liechtenstein: valises de coupures de billets, chèques de voyage, prêts fictifs émis par des banques, investissements directs de sociétés fictives ainsi que l'exploitation de casinos cubains[55]. On lui attribue la paternité des premiers grands circuits internationaux de blanchiment de capitaux.

Ainsi, Sands introduit Groves qui introduit Chesler qui introduit Lansky... qui introduit pour sa part John Pullman, un allié à la mine patibulaire[56] ayant obtenu la citoyenneté canadienne dans les années 1950. Il a baigné dans les affaires les plus sordides du monde criminel new-yorkais au temps de la Prohibition. Au moment où Chesler émigre aux Bahamas pour s'occuper de casinos, Pullman, quant à lui, part pour la Suisse afin d'y créer une banque destinée à gérer des fonds mafieux, l'International Credit Bank (ICB)[57]. Lorsque les affaires du premier deviendront florissantes aux Bahamas, le second y ouvrira une filiale de son institution[58]. Pullman participera ultérieurement à des opérations si sulfureuses avec des contrebandiers sud-américains qu'il attirera sur lui l'attention des autorités fiscales des États-Unis (IRS) ainsi que celle de policiers canadiens[59].

Lansky collabore naturellement avec Chesler en vue de la construction du casino de Grand Bahama[60]. Il entretenait secrètement ce projet depuis longtemps avec des membres de sa coterie. Ces derniers, actifs antérieurement dans le domaine du jeu et de l'hôtellerie à Cuba[61], seront appelés à

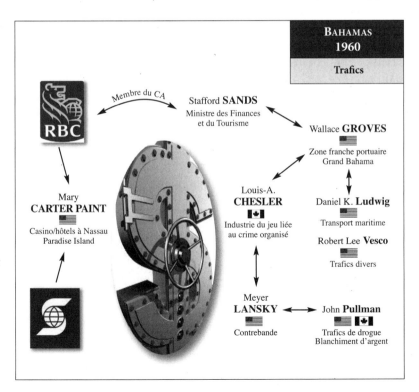

tenir la comptabilité de l'entreprise afin de faciliter le blanchiment des fonds criminels[62]. À l'époque, la police internationale (Interpol) soupçonne le clan Lansky de gérer le trafic de l'héroïne en Amérique ainsi qu'en Europe de l'Ouest, tout en s'intéressant à son implication dans le proxénétisme[63].

L'édification de l'hôtel à Grand Bahama va bon train. Une firme canadienne, l'Atlantic Acceptance Corporation, est chargée de financer les opérations en échange de 850 000 actions dans l'entreprise qui œuvre à sa construction. Groves et Chesler la plumeront en quelques années, au point de la contraindre à la faillite[64]. Ils font exploser les coûts des travaux, car la société Lucayan Beach Hotel and Development, qui s'occupe du chantier, leur appartient[65]. « Après quelques années à peine, l'inflation et la corruption étaient devenues manifestes ; la construction était bâclée et l'hôtel avait des allures de taudis. Les actions d'Atlantic dans la Lucayan ne valaient à la fin plus grand-chose[66] », expliquera Alan Block. D'autres firmes canadiennes, telles que la Montreal Trust, détiennent ces actions surévaluées, de même que le clan mafieux américain de Frank Nitti[67]. L'inauguration, tant de l'hôtel pourtant pas tout à fait terminé que du casino, aura finalement lieu le 11 janvier 1964[68].

Au printemps 1964, un rebondissement a lieu : Wallace Groves prend le contrôle de la Devco au terme d'une dispute avec Chesler, ce dernier lui cédant ses parts[69] et vendant vraisemblablement celles du Lucayan Beach Hotel and Development à l'homme d'affaires canadien Allen Manus[70]. Les larrons continuent néanmoins d'accourir. Attiré lui aussi par le secteur du jeu, Robert Lee Vesco fait partie de ces « investisseurs »[71]. Son biographe le place au « pinacle du crime à cravate[72] ». Le bruit court qu'il aurait corrompu le moindre résidant des Bahamas[73]. Investisseur très agressif, il préfigure les belles années de l'impitoyable financier Michael Milken. Jusqu'alors, sa technique consistait à acquérir à crédit des sociétés prospères à partir de l'une de ses entités sans prestige, puis à rembourser l'emprunt nécessaire à leur conquête en siphonnant les comptes et en liquidant les actifs des sociétés en question[74]. Au moment où en 1972 l'Investors Overseas Services (IOS) goûte elle aussi à cette médecine, il fait par exemple transiter 392 millions de dollars de ses comptes luxembourgeois vers ceux de sa propre banque des Bahamas[75]. Ses opérations prédatrices se trouvent protégées par les digues législatives des pays offshore d'où il opère : la Suisse, le Panama, le Luxembourg et, bien sûr, les Bahamas[76]. Les quelques centaines de milliers de dollars qu'il fournit à la campagne électorale de Richard Nixon ne nuisent pas non plus à sa quiétude[77]. On ignore alors à combien de centaines de millions de dollars se chiffrent ses actifs à la suite d'opérations aussi occultes[78]. C'est qu'il aurait touché à tout : trafic d'armes, contrebande d'appareils de pointe à Cuba, trafic de

LSD. Avec deux acolytes québécois, « Norman LeBlanc » (sic), un comptable aguerri formé à l'Université McGill de Montréal, et Conrad Bouchard[79], il se serait également lié à un important réseau de trafic d'héroïne au Canada[80] et en aurait organisé le marché jusqu'en Europe[81]. Flanqué de LeBlanc, non seulement Vesco en vient-il à multiplier les opérations frauduleuses pour détourner les actifs de sociétés privées, mais il crée en outre aux Bahamas le Columbus Trust, qui consignera à coups de millions de dollars les recettes du trafic de la cocaïne avec des Canadiens[82], entre autres opérations permises par la structure[83]. Vesco tentera en vain de prendre le contrôle de la Paradise Island des mains de l'homme d'affaires Howard Hughes afin de la transformer elle aussi en havre de jeu[84]. Mais les autorités états-uniennes mettront les Bahamas sous une pression énorme pour qu'elles neutralisent la société sulfureuse de Vesco[85].

Enfin, ce sera au tour de Daniel Keith Ludwig, le deuxième armateur privé au monde[86], de faire son apparition. Déjà bien au fait de la gestion du transport maritime offshore, il fait déjà battre pavillon libérien à ses bateaux tout en gérant ses activités depuis des holdings sis au Liberia et au Panama. Ces holdings lui assurent la propriété de mines de charbon, de puits de pétrole, de chantiers navals ainsi que d'entreprises de pêches[87]. Le port franc des Bahamas l'attire. Il y établit donc un point d'entreposage de ressources pétrolières[88] pour contourner les aires de service des États-Unis. Grâce à cela, à certains moments plus d'un million de barils de pétrole arrivent aux abords de l'île[89]. L'archipel dispose rapidement d'un port franc des plus achalandés, que la société Shell, notamment, adopte comme pavillon de complaisance pour plusieurs de ses pétroliers[90].

À la fin des années 1960, l'inclination mafieuse de la colonie est notoire. « Sir Stafford Sands, en tant qu'avocat de la Bahamas Amusement Ltd, négocia le droit de licence des casinos avec Sir Stafford Sands, le ministre des Finances », raille le célèbre *Saturday Evening Post* en février 1967[91]. D'autres publications états-uniennes, comme le *Times Magazine* ou le *Wall Street Journal*, ou encore des journaux britanniques y vont tour à tour de dossiers dévastateurs sur cette législation à la dérive. Mais le fisc états-unien (l'Internal Revenue Service – IRS) rate l'occasion de neutraliser ce réseau d'envergure pendant qu'il en est encore temps[92]. Les Bahamas ne servent de base pour opérer aussi intensément des croisements entre les filières criminelles et les activités économiques licites[93] que depuis le début des années 1960. Il est déjà trop tard lorsque l'IRS met sur pied l'Opération Tradewinds, entre 1963 et 1965, pour comprendre les liens financiers illicites ayant cours dans l'archipel[94]. Dans les mêmes années, les services fiscaux britanniques cherchent pour leur part à mettre en échec le secret bancaire, sitôt que des institutions financières actives en Grande-Bretagne échappent au contrôle gouvernemental. L'État a beau héberger en la City de Londres l'un des centres financiers offshore les plus opaques de la planète, dès lors que les institutions bancaires évoluent hors de ce cadre particulier, elles se trouvent passibles de poursuites. La Banque Royale du Canada (RBC) en sait quelque chose. Le fisc britannique (l'Inland Revenue Commissioners – IRC) lui a intenté un procès en 1972 en lien avec des transactions qu'elle a gérées dans les Bahamas[95]. Mais là aussi sans grande conséquence.

Le Canada adopte pour sa part une attitude complaisante envers les Bahamas. Les liens de proximité entre les deux législations sont si importants qu'à partir de 1967, Lynden Oscar Pindling, le nouveau premier ministre bahamien, songe même à mettre en veilleuse l'option indépendantiste qu'il défend, s'il est possible à l'archipel d'intégrer le giron législatif canadien. La tutelle canadienne est considérée depuis les Bahamas comme étant « encore plus tolérante » que la britannique[96]. Les liens entre les deux communautés sont étroits. Depuis l'arrivée des Canadiens au début du XXe siècle, les Bahamas se sont imposées comme un paradis fiscal avant la lettre. « Les filiales à large autonomie d'action des établissements les plus réputés du Canada » s'y sont d'abord établies, écrit Alain Vernay[97], en pensant à l'évidence au premier chef à la Banque Royale du Canada, présente dans l'archipel dès le début du XXe siècle, ou encore à la firme canadienne Lord Beaverbrook General Trust Company. Cette dernière a créé aux Bahamas les trusts qui favorisent l'évitement fiscal des Nord-Américains[98]. Le phénomène n'en deviendra que plus important au fil des années. À partir de 1930, alors que les autorités publiques états-uniennes haussent considérablement les impôts pour contrer les effets de la crise économique, les investisseurs découvrent massivement les attraits des Bahamas tels que développés par les banques de la Bay Street de Nassau que gèrent des Canadiens. Enquêteur pour Kroll Associates à Londres, William Brittain-Catlin en fait également état dans son ouvrage *Offshore* : les trusts qu'ils mettent à disposition de leur clientèle « assurent aux Américains fortunés une protection maximale face aux autorités fiscales offshore[99] ». Les services financiers mis en place s'accompagnent d'un dispositif de lois d'inspiration britannique qui, depuis 1866, permet aux entreprises non résidentes d'éviter la publication d'états financiers ainsi que la présentation nominale de leurs ayants droit.

Parlez-moi d'une Banque Royale

Investie par des hors-la-loi dans les années 1960, la législation bahamienne est hors de contrôle. Alan Block se rend à l'évidence : « Les Bahamas ont été infiltrées par la bande de criminels de profession la plus complexe que ce siècle ait produits[100]. » Le projet de casino de Grand Bahama fera tache d'huile : la culture du jeu et de l'hôtellerie de luxe s'implantera dans d'autres îles de l'archipel, dont la Paradise Island. On y retrouve Wallace Groves, en tandem avec la femme d'affaires Mary Carter Paint[101]. Nassau, la capitale, fait également l'objet de grandes manœuvres du même genre, grâce aux liens que le clan Lansky développe cyniquement avec le mouvement d'émancipation des Noirs bientôt au pouvoir[102]. De son côté, Louis Chesler développe ses propres projets sur la Berry Island, sous couvert d'agir dans le domaine immobilier[103].

Les réseaux criminels font des Bahamas une vaste lessiveuse d'argent sale. « Mêlés aux touristes, les gangsters, bardés de billets de banque, arrivaient par avion à Grand Bahama, faisaient un tour au casino et partaient le lendemain pour Nouvelle Providence [une autre île de l'archipel] déposer leurs dollars dans une banque privée[104]. » Souvent, ces fonds se trouvent aussitôt transférés en Suisse, de façon à déjouer « tous les efforts américains de détection de l'argent criminel[105] ». Les villas et appartements haut de gamme pullulent ainsi que les cliniques et les magasins de luxe[106]. Les hôtels poussent également[107], comme ceux de l'investisseur québécois Jean Doucet, plus tard actif aux Îles Caïmans[108]. Suivent bien entendu les banques, les cabinets d'avocats et les firmes d'experts-comptables. « Mais toujours pas de tribunaux[109] », observe Alain Vernay. Tout se règle au prix du trafic d'influence organisé par Stafford Sands, Louis Chesler, Wallace Groves et consorts : « Les Bahamas doivent être gérées, comme l'est une affaire de famille, par des hommes qui ont la pratique de la gestion des affaires », déclarera Sands, pince-sans-rire[110].

Pour leur part, des membres du réseau Lansky administrent aux Bahamas la Bank of World Commerce, entièrement dédiée à la capitalisation de ses activités criminelles[111], et seront imités en cela par le Canadien d'adoption Pullman qui y créera, en plus de la succursale de sa banque suisse, des filiales de sociétés et des trusts[112]. C'est alors que le capital financier traditionnel fait irruption dans ces affaires irrégulières, les banques canadiennes au premier chef. Non sans créer une certaine stupeur, Stafford Sands (désormais *Sir* Stafford Sands), l'initiateur même de toute cette aventure, se voit admis au conseil d'administration de la Banque Royale du Canada. Il y siégera du 13 janvier 1966 au 11 janvier 1968[113], et restera néanmoins membre du Conseil exécutif de la législation bahamienne au titre de ministre des Finances et du Tourisme. Sands cumulera ces mandats tout en agissant comme conseiller juridique auprès de la banque états-unienne Chase Manhattan et de la britannique Barclays[114]. Il est également propriétaire d'une compagnie d'assurance et s'intéresse au commerce de l'alimentation et de l'alcool[115] ainsi qu'à celui du gaz et du pétrole[116].

Il appert que la Banque Royale du Canada nomme Sands à son CA pour en faire son « représentant aux Bahamas[117] ». L'administrateur appointé sert donc formellement les intérêts de sa banque auprès des institutions politiques de son pays. Comme le dira Alain Vernay après l'avoir rencontré : « Il a la connaissance du monde pour avoir su représenter tant d'affaires internationales auprès de son gouvernement et son gouvernement auprès de tant d'affaires internationales[118]. » En clair, l'institution financière canadienne est en mesure d'influer directement sur la politique bahamienne. Les Bahamas se révèlent sans surprise d'une complaisance extrême envers les financiers étrangers et constituent un pôle politique taillé sur mesure en fonction de leurs seuls intérêts. « Nulle part dans le Nouveau Monde – et cela reste vrai – les grands investisseurs ne pouvaient trouver de législateurs mieux disposés à leur égard et plus désireux de les servir », écrit Vernay en 1968[119]. Les modalités d'encadrement aux Bahamas sont ubuesques : on peut effectivement tout y faire, même y créer une banque privée par correspondance moyennant un placement de quelques centaines de dollars avec un capital initial de cinq actions valant cinq cents chacune[120] !

La Banque Royale maîtrise très bien les arcanes de la législation permissive des Bahamas. Elle s'y trouve depuis 1908 et est restée la seule banque de la colonie jusqu'en 1947[121]. La RBC y a particulièrement développé ses activités à la fin des années 1950, au moment où les eurodollars apparaissaient massivement sur le marché londonien. Dans les pages de ses rapports annuels, elle relate le fait de sa présence dans les années 1960 aux Bahamas sur le mode entendu des seules considérations « économiques ». Ainsi évoque-t-elle pour la première fois en 1963, au chapitre de sa « division internationale », la libre circulation des capitaux dans les législations offshore :

> Au cours des dernières années, les principales monnaies du monde ont bénéficié d'une convertibilité accrue, il s'est formé de nouvelles associations de nations visant à faciliter les échanges commerciaux entre elles, le commerce mondial a généralement été libéralisé et le mouvement des fonds libres est devenu plus prompt à réagir [sic] devant l'évolution des conditions dans les principaux marchés financiers du monde[122].

Elle explique en ces termes pourquoi elle ouvre alors à Nassau, la capitale des Bahamas, un nouveau bureau régional pour l'ensemble de la

Caraïbe, tout en poursuivant son expansion au Honduras britannique (aujourd'hui le Belize), en Jamaïque, à Saint-Kitts-et-Nevis et à Trinité-et-Tobago[123]. L'année suivante, en 1964, la RBC ouvre deux nouvelles succursales sur ce territoire britannique pour en compter au total 18[124].

La Banque Royale du Canada s'engage en 1968 dans un projet connexe à celui du casino qu'on entend faire construire sur la Paradise Island, la voisine de Nassau. Avec Power Corporation, la Montreal Trust Company et quelques autres sociétés bancaires internationales telles que la Westminster Bank, elle fait partie des actionnaires du consortium de la RoyWest Bank[125]. Cette banque répondant du droit bahamien ne fournit pas seulement son hypothèque à une société appelée la Bridge Company, mais elle en détient également des parts[126]. Gérée par James Crosby, la Bridge Company a pour mandat de construire un pont reliant la Paradise Island à Nassau. C'est à la condition de faire construire ce pont que la femme d'affaires Mary Carter Paint, représentant « une chaîne de superdroguistes en mal de diversification[127] », a obtenu le permis d'exploitation d'un casino, au terme d'une réunion avec Stafford Sands[128]. En plus de s'engager à construire le pont en question, elle a dû, pour avoir droit à ce permis, inscrire le nom de Sands sur la liste des salariés de l'une de ses sociétés[129] et attribuer une participation minoritaire (les quatre neuvièmes) aux affairistes déjà présents à Grand Bahama[130]. En tout, Mary Carter Paint devra mobiliser 33 millions de dollars afin de financer les infrastructures permettant l'ouverture de sa maison de jeu aux Bahamas. Plus de la moitié de ces fonds, auxquels contribue la banque canadienne, proviennent d'actifs criminels[131].

Est-ce de l'humour noir ? Le directeur général de la Banque Royale du Canada écrit dans le rapport annuel de 1965, tout juste avant que Stafford Sands fasse son entrée au conseil d'administration : « RoyWest a été créée pour entreprendre [sic] le financement hypothécaire et de mise en valeur aux Bahamas et dans le territoire des Antilles britanniques, et nous avons la conviction qu'elle contribuera à répondre à un besoin qui existait depuis longtemps dans ces régions[132]. » Plus tard, dans les années 1980, le président de la Banque Royale du Canada, Rowland Frazee, déclarera pour sa part : « au moment où vous devenez patron de la Banque Royale, vous ne dirigez plus la banque sur une base quotidienne, car, dans les faits, vous *êtes* un homme d'État[133] ». Il est vrai qu'à au moins une occasion au cours de cette période, l'assemblée du conseil d'administration de la banque s'est tenue à Nassau, aux Bahamas[134]. De fait, il sera difficile pour la RBC durant ces années noires d'éviter toute allégation concernant des opérations de blanchiment d'argent[135].

La Banque Scotia dans la mire des États-Unis

Au fur et à mesure qu'elle élargit son réseau de partenaires, Mary Carter Paint voit de plus en plus grand. Pour obtenir d'un spéculateur foncier 75 % des terres de la Paradise Island au prix de 12,5 millions de dollars, elle mobilise 3,5 millions de dollars de ses propres fonds et « reprend une hypothèque de 9 millions de dollars détenue par la Banque de Nouvelle-Écosse[136] ». Cette dernière accompagne donc la Banque Royale du Canada dans l'aventure bahamienne. Usant à son tour des euphémismes qui siéent à la haute finance, la Scotia préfère expliquer ses activités caribéennes par le fait de son expertise et sa longue expérience[137], plutôt que par la disponibilité soudaine de capitaux dans des paradis fiscaux criminogènes où peut avoir cours le blanchiment d'argent.

Tout au plus le directeur général de la banque mentionnera-t-il sur un mode équivoque dans le rapport annuel de 1960 qu'« on devrait reconnaître en même temps le caractère fluctuant de nos dépôts bancaires[138] »... bien que la Scotia reconnaisse surtout le fisc et la justice des États-Unis qui sont à ses trousses. L'IRS soupçonne à la fin des années 1960 l'International Credit Bank (l'institution gérée par le Canadien d'adoption John Pullman au profit du crime organisé) d'avoir effectué des virements dans des comptes ouverts à la Banque de Nouvelle-Écosse (actuelle Scotia), de même que dans ceux d'une autre institution canadienne, la Banque canadienne impériale de commerce (CIBC)[139]. L'IRS s'intéresse de plus au prêt de 15 millions de dollars consenti par la Scotia à la filiale bahamienne de Resorts International Inc. en vue de financer un projet de casino à Atlantic City[140]. La curiosité des autorités états-uniennes ira croissant, jusqu'à culminer dans les années 1980. La justice américaine soupçonne cette fois les bureaux de la Banque Scotia à Miami d'ouvrir des comptes dans les filiales bahamiennes de la banque au profit de clients états-uniens[141]. Les Bahamas sont alors surveillées de près par les États-Unis, qui estiment que 50 % de la cocaïne circulant dans leur pays y transite[142]. Un rapport sénatorial de 1983 amènera les autorités fédérales à penser que les « erreurs et omissions » représentant des pertes de 75 milliards dans la balance des paiements aux États-Unis s'expliquaient largement par des opérations de blanchiment d'argent, en particulier dans les paradis fiscaux de la Caraïbe[143]. Le Sénat évoquait implicitement au passage qu'« une importante banque internationale canadienne a la ferme réputation d'encourager l'argent sale[144] ».

De loin la plus active de l'archipel, la Banque de Nouvelle-Écosse est celle qui a le plus à perdre de la marque d'attention des États-Unis. En 1982, ses activités « internationales » représentent 50 % de ses opérations globales[145].

L'année précédente, une cour états-unienne de Fort Lauderdale exigeait de la Banque Scotia la reddition de comptes qu'elle gère aux Bahamas, en lien présumé avec des narcotrafiquants[146]. À l'époque, le nom de la banque se trouve associé à nombre d'entre eux, tels que Salvatore Amendolito, Bruce Griffin ou encore Leight Ritch[147], sans oublier Carlos Lehder et son cartel[148]. Ce dernier inscrit au tournant des années 1970 et 1980 les recettes d'un trafic massif d'héroïne aux Bahamas dans les comptes de la Banque de Nouvelle-Écosse, sous couvert de gérer une marina dans l'archipel[149].

«Dans les années 1970 et 1980, les Bahamas devaient être un paradis pour les narcotrafiquants: Carlos Lehder possédait même une île de l'archipel», précise le criminologue Patrick Meyzonnier[150]. L'île, Norma's Cay, facilite le transit de la cocaïne[151]. Lehder est à la fois l'un des plus importants narcotrafiquants de son temps et le gérant d'entreprises depuis les Bahamas, telle que l'International Dutch Resources[152]. L'actuelle Scotia a vu passer sans broncher dans ses comptes 11,4 millions de dollars US en moins de trois ans. Un expert états-unien du blanchiment conclura que ses transactions étaient pour le moins suspectes[153]. Le juricomptable Mario Possamai écrit pour sa part: «Plusieurs de ces transactions tiraient avantage du vaste réseau international de la banque canadienne. Par exemple, des dizaines de milliers de dollars étaient couramment télégraphiés entre les succursales de la Banque de Nouvelle-Écosse à Nassau [Bahamas], Miami, Panama [un autre paradis fiscal] et New York[154].»

Bref, la banque permettait à l'argent de passer de l'ombre à la lumière. Pour sceller le tout, le premier ministre bahamien Lynden Oscar Pindling se trouve soupçonné de corruption dans le dossier Lehder[155]. Et la Banque de Nouvelle-Écosse, qui lui a accordé un prêt de plus d'un million de dollars et semble «ne pas vouloir embêter Pindling avec le versement des intérêts[156]», ne fait rien pour atténuer les soupçons. Cela n'empêchera cependant pas le principal intéressé d'accueillir en 1985 les premiers ministres des pays du Commonwealth, dont la Britannique Margaret Thatcher et le Canadien Brian Mulroney, dans le cadre du Sommet qu'organisaient les Bahamas cette année-là.

Citée à comparaître en 1981, cette fois quant à son rôle dans les affaires du narcotrafiquant Robert Twist, la Banque de Nouvelle-Écosse se montre récalcitrante à fournir à la justice des États-Unis des données bancaires pertinentes. Elle se dit contrainte par la loi des Bahamas sur le secret bancaire à taire toute information concernant ses clients de l'archipel. Recevant sur le territoire états-unien une amende de 500 dollars par jour en 1982, puis de 25 000 dollars par jour à partir de 1983, tant qu'elle ne collabore pas, elle finira par obtempérer[157]. Cette affaire ne lui aura pas seulement coûté plus de 100 000 $ en amendes[158], mais surtout un lourd prix symbolique. Les outrages au tribunal qui sont associés à son entêtement altèrent sa réputation.

En mars 1983, le fisc des États-Unis intente à l'encontre de l'actuelle Scotia une seconde procédure judiciaire. Elle concerne cette fois le trafiquant états-unien de marijuana Franck Brady[159]. « En janvier 1984, douze personnes sont inculpées d'avoir importé de la marijuana en Floride. Le chef du réseau déclare avoir constitué en Floride une entreprise aux Bahamas et blanchi les fonds à travers plusieurs comptes secrets dans des succursales de la Banque de Nouvelle-Écosse aux Bahamas et dans les Îles Caïmans[160]. »

La banque se défend en affirmant être prise entre l'arbre et l'écorce : elle doit respecter les injonctions des États-Unis qui contreviennent à la loi des Bahamas sur le secret bancaire. On a droit au même scénario que pour l'affaire liée au narcotrafiquant Robert Twist. Lasse de devoir payer une amende quotidienne de 25 000 dollars, elle accepte finalement de coopérer, en 1984. Elle venait alors de cumuler des amendes de l'ordre de 1,825 million de dollars US[161].

Le président de la Banque de Nouvelle-Écosse, Cedric Ritchie, présente dans les années 1980 son institution comme étant soumise aux contradictions du droit international et de la conjoncture historique. Il en devient touchant : « En raison à la fois de la nature de nos affaires dans les Caraïbes et de la vulnérabilité particulière de cette région face aux trafiquants de drogue, il était inévitable que des criminels tentent d'utiliser notre banque pour leurs infâmes desseins[162]. » À partir d'une telle prémisse, il ne lui restait plus qu'à plaider l'*innocence* : « Avec un certain recul, il ne subsiste aucun doute que certaines de nos succursales furent utilisées inconsciemment afin de blanchir des profits du trafic de la drogue[163]. »

Un Canadien errant

La Scotia s'est en effet trouvée, dans les années 1970 et 1980, coincée entre deux législations : l'états-unienne qui exigeait d'elle qu'elle produise des documents sur ses clients, et la bahamienne qui le lui interdisait en vertu de ses lois sur le « secret bancaire »[164]… Mais cet agencement, la banque elle-même l'a voulu. À la fin des années 1970, son représentant aux Bahamas, Donald Fleming, a incité le gouvernement local à instaurer les lois fiscales et mesures réglementaires les plus permissives et protectrices qui soient à l'égard des banques. Les mesures qui ont suivi ont fait des Bahamas un redoutable État offshore rivalisant avec l'ordre traditionnel des souverainetés politiques. Fleming connaît très bien les appareils d'État occidentaux et le droit constitutionnel, et sait par conséquent élaborer dans un paradis fiscal un droit négatif apte à les neutraliser. Il a été ministre des Finances du Canada de 1957 à 1962 sous John Diefenbaker[165], le tout premier secrétaire général de l'Organisation de coopération et de développement économiques (OCDE) en 1961[166], puis gouverneur à la Banque mondiale et au Fonds monétaire international dans les années 1960, avant de terminer sa carrière publique comme président de la Banque internationale pour la reconstruction et le développement (BIRD)[167]. L'intéressé a aussi prétendu aux plus hautes fonctions : il a tenté par trois fois, en vain, de devenir chef du Parti progressiste-conservateur fédéral[168]. Au terme de sa carrière politique, la Scotia lui propose en 1968 de le faire « administrateur délégué » de la Bank of Nova Scotia Trust Company des Bahamas[169], soit l'administrateur délégué (Managing Director) d'un groupe de trusts contrôlés par la Scotia à Nassau et tous situés dans des paradis fiscaux : aux Bahamas, en Jamaïque, à Trinité-et-Tobago, à la Barbade ainsi qu'aux Îles Caïmans[170]. Des bureaux ouvriront plus tard aux Îles Vierges britanniques et au Guyana[171]. Il siégera plus tard à Londres, au conseil de la Bank of Nova Scotia Trust Company. Spirituel, il confiera en 1977 au Prince Philip, de passage aux Bahamas : « J'ai découvert qu'être banquier à Nassau est plus rentable qu'être ministre des Finances dans la glaciale Ottawa[172] ». Le prince l'a trouvée bien bonne… Comme l'écrit le fiscaliste Édouard Chambost, également sur le registre de l'humour noir, Fleming « n'a pas perdu sa présence d'esprit en devenant président de la Bank of Nova Scotia Trust Company[173] ».

Son titre exact a le mérite de l'exhaustivité : « *general counsel to the Bank of Nova Scotia in executive, financial, public relations and other matters in the Bahamas and the islands of the West Indies and the Carabeans[174]* » (directeur général pour la Banque de Nouvelle-Écosse en matière de relations d'affaires, financières, publiques et d'autres questions relatives aux Bahamas et aux îles des Antilles anglaises et des Caraïbes). Dans ce « lieu à l'abri de l'impôt sur le revenu[175] » que sont les Bahamas, sa fonction ne consiste pas seulement à conseiller l'institution financière sur pratiquement tout, mais l'État des Bahamas lui-même. « Ce titre m'offrait une diversité infinie de fonctions. Parfois […], je rencontrais des ministres étrangers, donnais mon avis en matière de législation, étais consulté sur des questions de fiscalité », écrira-t-il dans son autobiographie[176]. Son rôle est encore bien plus actif que ne le laisse penser cette évocation. Il ne s'agit pas de simple lobbying. Avec l'avocat états-unien Marshall Langer, Donald Fleming compte en réalité parmi les concepteurs du paradis fiscal des Bahamas dans sa forme contemporaine[177]. Pour ceux qui suivent l'actualité offshore, il ne fait aucun doute que le discours public que prononce Fleming à Nassau en 1977 sur l'importance du secret bancaire et de

l'imposition nulle consiste à soutenir les Bahamas contre toute tentative
d'intrusion du fisc ou des tribunaux états-uniens dans les affaires qui s'y
trament. Selon Édouard Chambost, qui s'y connaît en la matière, l'« état
d'esprit » qui prévaut aux Bahamas, en tant qu'il « est opposé à celui des
États-Unis », est précisément ce qui a été « résumé par un discours de
M. Donald M. Fleming[178] ». Deux années auparavant, il faisait paraître
un panégyrique des Bahamas dans la revue *The Tax Executive*, intitulé
sobrement « The Bahamas (Tax) Paradise[179] ».

Mario Possamai reconnaît qu'« aux Bahamas, on accorde beaucoup
de crédit à l'ancien ministre des Finances canadien, Donald Fleming[180] ».
L'intéressé contribue durant toutes ces années à blinder le secret bancaire
des Bahamas, c'est-à-dire rendre quasi impossible « d'obtenir des informations confidentielles sur un client[181] ». Au début des années 1980, au moment
où les Bahamas sont dans la mire de la police antidrogue des États-Unis[182]
et que le fisc canadien commence timidement à « enquêter sur une affaire
fiscale[183] », c'est encore Fleming qui conseille les responsables politiques
des Bahamas. Le criminologue R. T. Naylor avance que « sur les conseils
d'un ancien ministre des Finances canadien maintenant résident, Donald
Fleming, les Bahamas ont adopté le *Bank and Trust Regulation Act*, qui
refermait la plupart des failles de la loi faisant qu'il était possible d'obtenir
des renseignements sur des clients[184] ». L'agent de la Scotia contribuera donc
à ce que s'érige aux Bahamas une muraille protégeant rigoureusement le
secret bancaire, avant que le président de la même banque n'aille se plain-
dre publiquement de ces lois du paradis fiscal le condamnant au silence
quand arrive le moment de collaborer avec la justice des États-Unis.

L'épreuve de force que le fisc états-unien fait subir aux Bahamas depuis
les années 1960 les met sur la défensive. À l'époque, il contraignait Stafford
Sands à sauver les apparences face aux scandales à répétition secouant la
colonie. « La seule chose qui nous préoccupe, déclara-t-il à Alain Vernay,
c'est de sauvegarder notre réputation d'honnêteté et d'efficacité[185]. » Certes,
la phrase résonne comme un lapsus ; la reformuler permet d'en rendre
compte... *Il n'y a que notre réputation et notre honneur qui comptent*, peu
importe qu'ils soient fondés ou non. Elle témoigne néanmoins d'un
embarras qui a pour source les transformations perverses des institutions
publiques des Bahamas. Même en voulant rassurer, c'est en autocrate que
Sands conclut : « Si quelqu'un risque de nuire à la réputation et à l'honneur
des Bahamas, je le chasse. Personne n'a à demander d'explication, cela
suffit[186]. » C'était là son chant du cygne : le politicien-affairiste a quitté la
colonie une fois pour toutes en 1967 après avoir été « accusé d'être parti
avec une enveloppe valant 1,8 million de dollars[187] ». Les États-Unis ont
néanmoins contraint les représentants de l'archipel à un travail minimal

de respectabilité[188], et amènent du même souffle les Bahamas à développer progressivement un programme de lutte contre le narcotrafic. En 2000, le criminologue Patrice Meyzonnier observait que «les États-Unis, qui fournissent à l'archipel 150 agents de la DEA [Drug Enforcement Administration] et autant des US Customs et de l'US Army [sic], ont maillé son territoire d'un réseau de détection radar à base de ballons captifs[189]».

Mais c'est également leur voisin du nord que les États-Unis embêtent, puisqu'ils incitent le Canada à encadrer minimalement son secteur bancaire eu égard à ses activités offshore. Les deux pays signent dès 1968 une entente en vertu de laquelle «les autorités canadiennes ont convenu de coopérer avec les États-Unis pour s'assurer que le Canada ne devienne pas un conduit de capitaux où les fonds seraient passés par ce pays en route vers de tiers pays, en vue d'éviter l'observation des directives des États-Unis[190]». La Banque de Nouvelle-Écosse dénoncera cet accord dans son rapport annuel[191].

Mais les charges des autorités états-uniennes envers les banques canadiennes ne dureront pas. Sous le règne du président ultralibéral Ronald Reagan, il devint aisé pour le lobby financier états-unien de convaincre Washington de donner libre cours aux activités bancaires canadiennes dans la Caraïbe. En 1981, Washington permettra aux institutions financières états-uniennes de créer elles-mêmes à l'étranger des «International Banking Facilities (IBFs)», à la canadienne[192]. On s'éloigne de l'époque où, aux États-Unis, un «sentiment antioffshore était encouragé par l'attitude rigide des grandes banques canadiennes et britanniques installées aux Bahamas et dans les Caïmans[193]». Les banquiers états-uniens peuvent désormais profiter des paradis fiscaux à partir de filiales d'entités qu'ils contrôlent dans leur pays.

Ô Bahamas, terre de nos aïeux

Avant tant de turpitudes, durant la première moitié du XXe siècle, deux investisseurs canadiens créeront aux Bahamas les premiers quartiers refuges pour millionnaires. Ces repaires dressent la haute muraille de «la hausse des prix», qui tient à distance les touristes de passage. Ils s'avèrent «un havre pygmée des fortunes gigantesques». «Le roi des mines canadien[194]», Sir Harry Oakes, le richissime découvreur de la plus importante mine d'or canadienne en 1912 à Kirkland Lake en Ontario, apprécie les avantages de l'île bahamienne de la Nouvelle Providence. Lorsqu'il s'y installe en 1935, elle lui permet d'éviter une facture fiscale annuelle de trois millions de dollars au Canada[195] ainsi que des droits de succession[196]. Cela n'empêchera pas le Musée d'histoire de Niagara Falls de voir en lui un grand philanthrope[197]. L'intéressé a continué à mener des affaires aux Bahamas jusqu'à ce qu'il soit mystérieusement assassiné à son domicile de Nassau, huit ans après son arrivée. Oakes avait été rejoint après la Seconde Guerre mondiale par l'investisseur Edward Plunket Taylor, dont la société, Argus, contrôlait alors quelques fleurons du capitalisme canadien, par exemple Massey Ferguson, Canadian Breweries, St Lawrence Corporation et Dominion Stores.

« Ce n'est pas par hasard si les deux plus grands propriétaires de la Nouvelle Providence sont canadiens », écrira Vernay[198]. Le gouvernement du Canada a lui-même établi à l'époque des règles avantageuses pour ses « non-résidants » dans le cadre d'une « convention de double imposition non canadienne[199] ». Ils ne paient aucun impôt sur leur revenu bahamien et 15 % seulement sur leurs revenus canadiens[200]. Un Canadien obtient tous ces droits dès lors qu'il ne détient pas de maison au Canada et ne siège à aucun conseil d'administration de sociétés canadiennes ; il peut séjourner au Canada jusqu'à 183 jours par année[201]... et bénéficier au pays des services publics.

Ces avantages feront long feu. En 1978, après avoir vendu la Siebens Oil pour 120 millions de dollars, le magnat du pétrole albertain Harold Siebens s'est précipité vers les Bahamas pour éviter le fisc canadien[202]. Dans les années 1980 encore, David Gilmour, ex-partenaire de Peter Munk au sein de l'aurifère Barrick Gold, élira également domicile aux Bahamas[203], tandis qu'Antoine Turmel, fondateur des supermarchés Provigo, y prendra une retraite dorée après avoir quitté la direction de son entreprise en 1985[204]. Dans *The Bahamas Investor*, l'ancien gouverneur de la Central Bank of The Bahamas de 1987 à 1997 et ex-ministre des Finances de 2002 à 2007, James Smith, explique que ces Canadiens fortunés « ont joué un rôle clé » dans le devenir politique de l'île[205]. Les mesures fiscales avantageuses qui leur étaient réservées dans les années 1930 ont permis à l'île de se développer progressivement comme havre fiscal pour particuliers nantis[206], qui bénéficient encore de nos jours de l'expertise canadienne en la matière. Le Canadien Farhad Vladi est un courtier d'un type particulier dans la mesure où il vend littéralement à des ultra-riches des îles de rêve dans des archipels offshore, principalement aux Bahamas. Il a négocié dans le monde la cession de plus de 2 000 îles[207].

Les banques se sont imposées après coup. Si la Banque Royale du Canada s'est installée à Nassau dès 1908, en accompagnant les troupes de conquêtes états-uniennes à la Havane[208], les institutions financières canadiennes s'y imposent seulement à partir des années 1950 comme institutions internationales gérant de nouveaux volumes d'activité. La RBC y est rejointe en 1956 par la Banque de Nouvelle-Écosse[209], en 1957 par la Banque

Canadienne de Commerce et en 1958 par la Banque de Montréal[210]. La Scotia s'est associée à des intérêts britanniques pour créer une société consacrée «aux opérations fiduciaires *offshore* qui ne peuvent être effectuées par une banque canadienne[211]». Cette institution répondant au nom de Bank of Nova Scotia Trust Company (Bahamas) ouvre ensuite des filiales à New York, en Jamaïque et à Trinité-et-Tobago afin de satisfaire sa clientèle états-unienne dans la Caraïbe. La CIBC a pour sa part fusionné ses opérations caribéennes avec celles de la Barclays en 2001[212], avant que cette dernière ne se départisse de ses parts en 2006[213]. Quant à la Banque de Montréal, elle crée d'abord la Bank of London and Montreal (Bolam) en partenariat avec la Bank of London and South America, la Bolsa[214], puis fonde en 1970 la Bank of Montreal (Bahamas & Caribbean) Limited, après s'être portée acquéreur à Nassau d'une institution financière publique[215]. Jusque dans les années 1980, les quatre banques canadiennes «contrôlaient plus de 80% du toujours plus lucratif marché intérieur des Bahamas[216]». Les institutions financières du Canada y convergent pour «s'intéresser particulièrement aux transactions internationales complexes qui ne se répètent pas», selon l'expression rapportée par Alain Vernay, qui résonne comme un mot d'esprit de Coluche[217]. Encore maintenant, la presse financière bahamienne affirme qu'«avec toutes les grandes banques de Nassau, les banques canadiennes sont une part intégrante du secteur des services financiers, offrant des services bancaires et des services de trust privés[218]». Aujourd'hui, la Scotia, avec six entités[219], la Banque Royale, avec quatre[220], et la CIBC avec deux[221] y sont toujours.

Un paradis fiscal qui coûte cher aux Bahamiens et aux Canadiens

L'existence des Bahamas comme paradis fiscal coûte cher aux Canadiens. Sous le regard bienveillant d'Ottawa, l'ancien ministre des Finances et émissaire de la Banque Scotia, Donald Fleming, a soutenu auprès du gouvernement bahamien un modèle de développement qui, essentiellement, offre une série d'échappatoires fiscales et légales pour les banques, les multinationales et les individus fortunés du Canada et d'ailleurs. Aujourd'hui, les Bahamas constituent l'un des paradis fiscaux les plus controversés de la planète. Ce pays confetti offre de nombreux modes d'enregistrement d'actifs, des banques aux trusts en passant par les sociétés-écrans. Il n'y a pas d'impôts pour les entreprises et détenteurs de fortunes arrivant de l'étranger. De plus, le pays dispose de sa propre Bourse, le Bahamas New Stock Exchange.

Les Bahamas restent également une plaque tournante pour la drogue dans la région[222]. C'est principalement par ses îles que les trafiquants convoient de la cocaïne vers les États-Unis[223]. On évalue à 50 % le trafic de cocaïne destinée à l'Amérique du Nord qui transite par les pistes d'atterrissage clandestines de l'archipel ou par l'un de ses 120 ports[224]. « Avec les Îles Caïmans et Panama, les Bahamas constituent toujours le triumvirat des paradis fiscaux[225]. » La fronde incessante des États-Unis depuis les années 1980 a néanmoins mené les Bahamas à faire disparaître le secret bancaire quant aux transactions qui les concernent. Ainsi, tout transfert vers les États-Unis qui excède 5 000 dollars doit être déclaré[226]. Il y a toutefois mille façons de contourner cette « contrainte ». Le criminologue Patrice Meyzonnier observe que « les banques bahaméennes [sic] sont toujours un important refuge pour les banques mondiales[227] », en particulier les Suisses. Ces dernières y ouvrent des succursales en continuant d'attirer chez elles les clients cherchant à profiter de la respectabilité que confère le régime helvétique. C'est sans surprise que les Bahamas se sont trouvées citées en 2000 dans les premières versions des listes noires de paradis fiscaux établies tant par le Gafi sur le trafic de la drogue, que par l'OCDE sur l'évasion fiscale et le Forum de stabilité financière sur l'activité boursière[228].

Plusieurs scandales financiers récents survenus au Canada ont révélé les liens étroits que bien des fraudeurs continuent d'entretenir avec les Bahamas. En 2000, la société de films d'animation Cinar, connue pour son litige l'opposant au créateur Claude Robinson dans une affaire de plagiat, a transféré 122 millions de dollars US dans une société des Bahamas au profit de ses dirigeants, et ce, à l'insu du conseil d'administration[229]. En 2003, la société Norshield a profité de l'étanche secret bancaire des Bahamas pour manipuler les comptes d'une de ses entités de façon à en surévaluer les actifs pour un montant de 300 millions de dollars[230]. En 2006, la firme bahamienne Dominion Investment de l'affairiste Martin Tremblay a participé à une opération de blanchiment d'argent s'élevant à un milliard de dollars US et elle a été jugée coupable en 2007 d'avoir fait transiter aux Bahamas 20 000 dollars US provenant d'agents doubles russes[231]. Tous ces intrigants ont été à même d'exécuter leurs desseins en ouvrant des comptes bancaires à la Banque Royale du Canada aux Bahamas. Revenu Canada a aussi avancé que Nick Rizzuto, associé à la mafia montréalaise, a pu ouvrir un compte auprès de la même institution[232]. Comment donc ? « Nous ne sommes pas les comptables de nos clients. » C'est ce que trouvait à répliquer le porte-parole de la Banque Royale, Raymond Chouinard, au quotidien La Presse en 2007, tout en vantant les « normes de contrôle très strictes » qu'observe son institution. Se voulant rassurant, il s'étonnait toutefois lui-même en entrevue qu'un mafieux comme Rizutto ait pu ouvrir un compte et contredire ces prétentions. « Il y a un manque de concordance entre ces principes et votre question[233]. »

En 2009, c'est Progressive Management qui se trouvait au centre d'une poursuite judiciaire pour fraude. La société fictive d'investissement aurait orchestré depuis les Bahamas une vaste escroquerie pour détourner de ses clients plusieurs millions de dollars[234]. En 2013, c'était au tour du propriétaire de l'entreprise de textile Gildan, Glenn Chamandy, de se trouver sur la sellette. L'Agence du revenu du Canada intentait une poursuite à l'encontre de la société relativement à des virements de plusieurs dizaines de millions de dollars dans une obscure entreprise des Bahamas. La Caisse de dépôt et placement du Québec détient 11 % des parts de l'entreprise, qui s'est également trouvée financée par le Fonds de solidarité de la FTQ jusqu'en 2003. La firme semble avoir tiré tout le profit qu'elle pouvait espérer de la mondialisation financière : son richissime propriétaire a été soutenu par des fonds publics pour gérer une entreprise faisant fabriquer ses t-shirts dans les ateliers de misère de zones franches en République dominicaine ou au Bangladesh, tout en inscrivant ses profits aux Bahamas de façon à éviter l'impôt[235].

Dans pratiquement chaque pays du monde, on pourrait recenser ainsi nombre d'affaires graves ayant été rendues possibles par les lois complaisantes des Bahamas. Le système, installé tout au long du XXe siècle, mais particulièrement développé depuis les années 1960 en grande partie grâce à des acteurs venus d'ici, lèse la population canadienne. Elle assume aujourd'hui les conséquences du régime bahamien : ou en comblant par une majoration de leurs taxes et impôts le manque à gagner dans le Trésor public occasionné par les fuites fiscales, ou en acceptant que les institutions de bien commun se déprécient et que les services publics se dégradent, ou encore en subissant la présence de trafiquants criminels devenus d'obscènes investisseurs, après avoir allègrement blanchi les fruits de leur commerce offshore.

Il en va de même pour la population bahamienne. Les citoyens souffrent depuis longtemps de ce colonialisme financier, car à l'abolition de l'impôt pour les sociétés s'ajoutent pour eux des droits de douane faramineux[236]. L'agriculture aux Bahamas est marginale, l'industrie se concentre dans la zone franche de Freeport et les principaux secteurs de l'économie se trouvent surtout abandonnés au profit du tourisme. La puissance coloniale canadienne a posé, comme indépassable horizon d'attente, la réalité que les habitants des lieux joueraient indéfiniment dans l'histoire le rôle de serviteurs volontaires des grands. Les Bahamiens se trouvent en situation politique de déréliction. Même le premier ministre Pindling qui, en

1967, a pavé la voie de l'archipel vers l'indépendance de 1973, ne s'est jamais opposé à la transformation de son pays en un paradis fiscal. Il s'est tout au plus contenté, lorsqu'il était dans l'opposition, de proposer aux banques d'accorder de meilleurs services de crédit aux insulaires[237] ! Le mouvement indépendantiste bahamien, soutenu par la communauté noire, n'a jamais vraiment inquiété l'establishment de banquiers étrangers sur les îles. « Le président d'un grand établissement financier canadien » très influent dans la région, que cite Alain Vernay, ne fera aucune distinction communautaire quant à qui occupe le pouvoir, ne préjugeant pas qu'« il se produise une relève de casuistes blancs de la fiscalité et de la loi par des casuistes noirs tout aussi qualifiés[238] ». Pindling s'est en fait trouvé lui-même impliqué dans des affaires louches, relatives notamment à des jeux d'écritures comptables frauduleuses autour d'une valse de sociétés, dont « le propriétaire réel, un financier canadien », restera inconnu[239]. Le premier ministre bahamien jouira également des faveurs de l'affairiste corrompu Vesco[240], qui le financera à certains moments à hauteur de 100 000 $ par mois[241]. Le magazine *Times* alléguait en 1964 qu'un des membres du parti d'opposition se réclamait même d'un établissement canadien : « Neuf des trente-trois sièges à l'assemblée de l'île sont occupés par le Progressive Liberal Party, composé exclusivement de noirs, parmi lesquels un homme ayant fait campagne, avant les élections générales de l'an dernier, en promettant de distribuer de l'argent de la Banque Royale du Canada à ses sympathisants[242]. »

La vérité sur cette affaire comme pour tant d'autres survenues aux Bahamas restera, comme il se doit, tue.

CHAPITRE TROIS

Les Îles Caïmans

Havre de la haute finance spéculative

*où le cabinet d'avocats MacDonald & Maples
jette les bases de la législation des* hedge funds

1966

Durant le processus de reconstruction de l'Europe d'après-guerre, le crédit abonde. Entre 1947 et 1951, Washington injecte 13 milliards de billets verts dans l'économie européenne afin de la relancer. Ressort de ce Programme de rétablissement européen, le Plan Marshall, une étrange monnaie, l'eurodollar. Comme les États-Unis n'envisagent pas, par crainte de l'inflation, de drainer chez eux les fruits de leurs investissements après avoir ainsi mis en branle les échanges en Europe, ces fonds circulent librement sur le Vieux Continent. Ils ne font l'objet d'aucun encadrement de la part des États[1]. Il s'agit là d'une première : des banquiers se trouvent à traiter des volumes d'argent massif libellés dans une devise qui n'est pas celle de leur pays. Ce qu'on appellera *la planète financière* prend alors son essor. L'expression désigne la part considérable d'actifs mondiaux que détiennent des institutions financières sans être encadrées par quelque instance publique que ce soit.

L'application du Plan Marshall et la désinvolture avec laquelle les États-Unis émettent des dollars à l'étranger font du dollar US une monnaie mondiale tout à fait volatile. L'abandon du principe de convertibilité du dollar en or par le président Richard Nixon, en 1971, confirme cet état de fait. « Les États nationaux n'avaient plus les moyens de lutter contre les marchés financiers, libérés de leur joug depuis la création des euromarchés », écrit Jean de Maillard dans un ouvrage collectif rédigé par des juges européens, gravement intitulé *Un Monde sans loi*[2]. Le journaliste économique Nicholas Shaxson renchérit. Avant cette métamorphose, écrit-il, « les taux de change étaient fixes mais ajustables ; les banques n'étaient pas

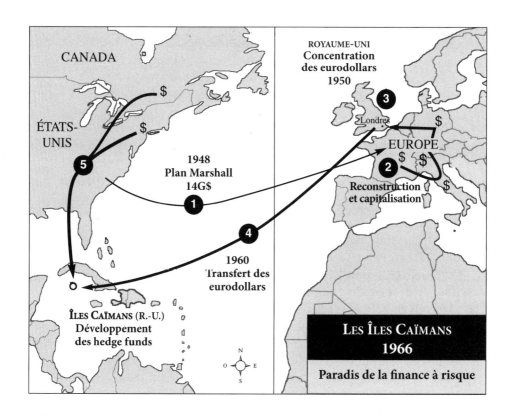

CANADA

ÉTATS-
UNIS

ROYAUME-UNI
Concentration
des eurodollars
1950

❸

Londres

EUROPE

❷

Reconstruction
et capitalisation

$

$

$

$

1948
Plan Marshall
14G$

❶

❺

❹

1960
Transfert des
eurodollars

ÎLES CAÏMANS (R.-U.)
Développement
des hedge funds

N
O ✦ E
S

LES ÎLES CAÏMANS
1966

Paradis de la finance à risque

censées prendre des dépôts ou effectuer des transactions en monnaies étrangères, sauf pour réaliser des opérations spécifiques avec leurs clients ; enfin, les gouvernements contrôlaient sévèrement les entrées et sorties de capitaux et leur vitesse de circulation dans l'économie[3] ».

Le marché lui-même développe alors en rafale une série de mécanismes complexes pour parer aux risques de la dérégulation. On vend par exemple des options d'achats sur des titres ou des devises à des taux fixés à l'avance, indépendamment des cours du marché. À leur tour, ces contrats deviennent l'objet de nouvelles transactions que l'on effectue en vertu de calculs extrêmement complexes. La présence massive de cette monnaie sans fondement donnera un nouvel essor aux paradis fiscaux. Selon Jean de Maillard, « les paradis fiscaux et bancaires, dans les années d'après-guerre, étaient des soupapes pour la politique, l'économie et la finance. En somme, de simples caisses noires. Mais l'ordinateur, les satellites et l'émergence des marchés financiers ont donné une ampleur sans précédent à ces places bancaires[4]. » Sous prétexte d'optimiser le système financier international, les spéculateurs miseront désormais l'épargne des populations à l'abri des États traditionnels. Échappent alors à tout contrôle les décisions du marché, soit vendre ou acheter massivement telle ou telle monnaie, tel ou tel titre boursier, quitte à déstabiliser l'ordre du monde, parce qu'on escompte ici des profits rapides en brassant à toute vitesse de grands volumes de capitaux, ou parce que l'on craint là des chutes soudaines.

Même son de cloche chez le criminologue R. T. Naylor. Les eurodollars et la dérégulation des marchés ont amené les entités économiques à se soucier davantage de ce qu'elles valaient aux yeux des spéculateurs, qui achetaient et vendaient dans des temps records leurs titres à la Bourse, qu'à dégager effectivement des profits sur la base d'une production industrielle ou tangible. Pire, elles ont pu développer des produits financiers à partir des eurodollars concentrés dans les paradis fiscaux afin d'éviter les règles élémentaires en vigueur dans leur secteur, par exemple celle de s'assurer de disposer d'un minimum de fonds propres. Le marché des eurodollars constitue pour les banques un instrument financier de prédilection pour profiter d'une réserve abondante de liquidités en dollars, à condition de l'orienter vers les paradis fiscaux, c'est-à-dire à l'abri de l'impôt et des structures monétaires traditionnelles. R. T. Naylor qualifie le manège de « non-sens[5] ».

Pour les financiers, l'époque est libidinale : la frénésie s'empare de la confrérie des courtiers comme elle le fit dans les casinos décrits par Dostoïevski dans *Le Joueur*. L'idée n'est pas tant de s'enrichir pour s'enrichir que de prendre plaisir à triompher du système en tirant profit de ses lacunes. C'est un jeu d'orgueil, et de distinction. On est loin de la mafia environnante, qui trempe dans mille affaires sordides. Les spéculateurs développent au contraire des formes pures d'enrichissement et, comme George Soros, ils poseront en « philosophes[6] ».

C'est d'abord à Londres que se concentrent les eurodollars, plus précisément dans son quartier des affaires, le périmètre de la City Corporation, qui forme littéralement un État dans l'État. En l'occurrence un paradis fiscal, contrôlé depuis près de mille ans par les commerçants puis les banques qui s'y sont établis, indépendamment du gouvernement britannique. L'instance particulière qui gère ce quartier de la finance confère aux banques un très grand nombre d'avantages législatifs et réglementaires[7]. La Banque d'Angleterre y agit en tant que lobby, ou comme « une sorte de garde prétorienne de la City de Londres et [...] de sa conception libertarienne du monde », écrit Nicholas Shaxson[8]. Le marché des eurodollars explose en 1957 lorsque la Banque d'Angleterre accepte que les transactions réalisées à Londres en dollars, entre deux non-résidents, échappent à sa réglementation[9]. Depuis la City, il devient alors possible de gérer et d'émettre des monnaies autres que la seule livre sterling britannique. Jadis marginaux[10], les volumes d'activité ainsi générés à partir des années 1950 submergeront le marché. Maniant soudainement en masse des dollars, les banques de la City enregistrent un milliard de dollars de dépôts bancaires en 1960, comparativement à 200 millions de dollars l'année précédente. En 1961, ce montant atteint 3 milliards de dollars. On les évaluera à 46 milliards de dollars en 1970 et à 500 milliards en 1980, jusqu'à perdre tout sens de la mesure après coup. À la fin du siècle, 90 % des prêts mondiaux se trouvent contractés par la voie de ce marché sans normes[11] ! Les pays du bloc de l'Est préfèrent placer leurs actifs libellés en dollars US en Europe plutôt qu'aux États-Unis tandis que les sociétés états-uniennes y convergent pour y récolter des taux d'intérêt supérieurs à ceux, plafonnés par la loi, qu'ils reçoivent aux États-Unis[12].

Mais surtout, les banquiers de la City sont en lien direct avec les territoires outremer et les colonies britanniques qui mènent en sous-traitance des opérations gênantes, par exemple celles qui relèvent du blanchiment d'argent et de l'évitement fiscal. Ils y développent de surcroît des produits financiers fantasques, tels que les euro-obligations, des obligations d'État d'un type particulier. Absolument dégagés de toute réglementation, strictement spéculatifs, ces titres émis offshore valent le prix que le marché leur attribue. L'absence de registre de leur titulaire en fait un vecteur de choix pour pratiquer l'évasion fiscale[13]. C'est pourtant par leur biais que des États européens contractent leurs emprunts[14]. Les banques développent enfin les eurocrédits, soit des prêts interbancaires à court terme qui les rendent interdépendantes[15].

L'un des principaux architectes du marché des eurodollars, George Bolton[16], noue un partenariat avec la Banque de Montréal pour soustraire ses activités à la livre sterling. Une année après avoir acquis la Bank of London and South America (Bolsa), en 1956, il en organise la fusion avec la Banque de Montréal pour créer la Bank of London and Montreal (Bolam). Cette dernière essaime alors dans les Caraïbes, ouvrant des succursales à Nassau, puis en Jamaïque et à Trinité-et-Tobago[17]. Grâce à ce partenariat, l'investisseur ultralibéral, étroitement lié à l'establishment financier canadien[18], se garde de se jeter à corps perdu dans le marché volatil des eurodollars. L'institution montréalaise lui donne accès à la devise canadienne[19] et lui permet « de resserrer les liens avec les États-Unis et avec le dollar[20] ».

Parmi les Canadiens, ce ne sont toutefois pas tant les banquiers qui joueront un rôle prépondérant dans le développement du secteur hyper spéculatif, et à terme dévastateur pour les économies[21] du système des eurodollars, mais plutôt un avocat déterminé à transformer les Îles Caïmans en l'un des centres d'investissement financier les plus hasardeux au monde.

Un avocat (au) fait (de) la loi

Les paradis fiscaux relevant de la Couronne britannique permettent aux banquiers de coordonner depuis Londres une pléthore d'opérations que n'autorise pas comme telle la City. Depuis le périmètre financier de la capitale, on gère du bout des doigts, offshore, ce qui doit rester dans l'ombre. Shaxson résume ainsi la situation :

> Du reste, l'ancien empire n'a pas complètement disparu : quatorze minuscules entités ont refusé l'indépendance et sont devenues des territoires britanniques d'outre-mer, avec la Reine pour chef d'État. La moitié exactement – Anguilla, les Bermudes, les îles Vierges britanniques, les îles Caïmans, Gibraltar, Montserrat et les îles Turques-et-Caïques – sont aujourd'hui des paradis fiscaux, activement soutenus par la Grande-Bretagne et intimement liés à la City de Londres[22].

Les Îles Caïmans, devenues en 1962 une colonie relevant directement de la couronne après que la Jamaïque, à laquelle elles étaient rattachées, ait acquis son indépendance, domineront haut la main le secteur des euromarchés et celui de la finance spéculative. De fait, les Caïmans permettront l'intégration de la finance déréglementée aux grands circuits économiques, l'évitement fiscal et le blanchiment de fonds criminels dont on ne veut pas s'occuper directement dans la capitale britannique[23].

Ce n'est pas une coïncidence si des banques canadiennes accourent aux Caïmans dans ces années-là[24]. En 1964, on n'y trouve que deux banques desservant la population de 8 612 habitants des trois îles de la législation[25]. Ainsi, quand la Banque Royale du Canada (RBC) s'installe aux Caïmans en 1965, ses activités concernent la consignation de petits revenus de marins ou de petites entreprises de l'archipel[26]. Les banques seront 126 en 1976[27] et 450 au début des années 1980[28] ! Quelque 250 d'entre elles sont des filiales de grandes institutions internationales. Les compagnies d'assurance voient le jour dans les îles et se comptent au nombre de 270 en 1983, tandis que des sociétés y apparaissent par milliers, jonglant avec des dizaines de milliards de dollars. Le secteur des euro-obligations et des eurodollars s'y développe à toute vitesse tandis que le blanchiment de fonds devient routinier[29].

On doit à Jim MacDonald, l'avocat de Calgary et politicien conservateur de carrière, la transformation des Îles Caïmans en un redoutable paradis fiscal. Le magazine *Canadian Business* souligne fièrement, dans l'entrevue que l'intéressé lui a accordée, intitulée « The Tax Haven That Jim MacDonald Built », qu'« il n'y avait aucune banque aux Îles Caïmans quand Jim MacDonald, un avocat de Calgary, les visita en 1959. Il rédigea une nouvelle loi fiscale qui y attira 250 banques et 9 000 entreprises[30] ». La ville de Calgary, où MacDonald a agi comme conseiller municipal de 1955 à 1959, avant de se porter en vain candidat aux élections législatives albertaines de 1959, le présente comme le premier avocat qualifié à s'être installé aux Caïmans. « Il a rédigé la loi sur les sociétés qui a fait [de l'île] de Grand Cayman un paradis fiscal », inscrit-on au nombre de ses hauts faits[31]. Le juri-comptable Mario Possamai corrobore l'information et attribue à MacDonald la rédaction de la législation caïmane sur le secret bancaire : « [MacDonald] transforma habilement les Îles Caïmans en l'un des plus importants paradis fiscaux de la région », et ce, « en s'inspirant des meilleurs éléments des paradis fiscaux voisins et rivaux[32] ». Avec, dans son creuset, des textes de loi des Bahamas et des Bermudes voisines, voire de l'État très permissif du Delaware aux États-Unis (un paradis fiscal à même le pays) ou même de l'Ontario, l'avocat canadien arrive assez rapidement à ses fins. « J'avais quelques idées philosophiques sur la manière de faire fonctionner un paradis fiscal. Il n'y a rien de bien sorcier là-dedans[33] », déclare-t-il au *Canadian Business* en 1979. La philosophie des affaires dans l'archipel se résume effectivement à peu de chose. Responsable de la Banque de Nouvelle-Écosse aux Caïmans dans les années 1970, Monte Smith présente son institution comme assurant de la confidentialité et du vide juridique. « Il n'y a pas de loi aux Îles Caïmans qui fait référence aux impôts parce qu'il n'y *a* pas d'impôts », disserte-t-il[34]. En effet, lorsqu'on fait disparaître toutes les formes de contrôle, de taxation et de régulations basées sur le principe d'équité, peu de choses restent à dire.

L'histoire de MacDonald aux Caïmans commence en 1960. Sans services d'électricité, de communications ou d'aqueducs, la vie dans ces îles est ingrate. Une seule rue est asphaltée et les nombreux moustiques rendent l'endroit notoirement inhospitalier[35]. « Le gouvernement colonial a facilement souscrit au plan de MacDonald visant à transformer les lieux en paradis fiscal international. Qui plus est, il ne se trouvait aucun avocat dans l'archipel[36] », relate le *Canadian Business*. William Brittain-Catlin, enquêteur chez Kroll Associates, le confirme dans l'étude qu'il consacre à la législation caïmane : « MacDonald fit des Bahamas le modèle des paradis fiscaux et les autorités des Îles Caïmans, percevant les possibilités pour leur futur, accueillirent ses idées à bras ouverts[37]. » Benson Ebanks, Lem Hurlston et Thomas Jefferson compteront au nombre des acteurs locaux qui le soutiendront[38].

MacDonald n'agira pas seul. « Il a été secondé, dans les deux dernières décennies, par une brochette d'avocats canadiens très doués[39]. » Nommément, selon le *Canadian Business*[40], Bill Walker (un « pionnier de la finance » aux Caïmans, qui y créa la firme Caledonian[41]), Roy Dunlop ainsi que les frères Don et Brian Butler, pour leur part actifs dans le secteur de l'immobilier[42]. Des institutions bancaires canadiennes sont également dans son sillage et ouvrent bientôt des représentations dans l'archipel. Trois des quatre principales banques qui arrivent en 1965 sont canadiennes, soit les fidèles Scotia, présente sous l'appellation de Bank of Nova Scotia Trust Company des Caïmans, la Banque canadienne impériale de Commerce (CIBC) et la Banque Royale du Canada (RBC)[43]. Ces particuliers et ces institutions forment « un véritable Canadian Club qui a transformé et désormais dirige l'économie des Îles Caïmans[44] ». André Beauchamp, auteur ces années-là d'un guide sur les paradis fiscaux, écrira à propos de la dépendance britannique : « Le régime fiscal des Îles Caïmans apparaît comme l'un des plus favorables au monde. En effet, il n'existe aucun impôt quel qu'il soit sur les revenus ou les profits, le capital ou la fortune, les plus-values, les propriétés, les ventes ou les héritages[45]. »

Dans son rapport annuel de 1968, la Banque de Nouvelle-Écosse (Scotia) dit y constater, dans un langage inimitable, une « poussée des affaires internationales[46] ». Elle souligne que « le développement de nos opérations concernant les devises étrangères est survenu surtout sur les marchés Euro-dollar outre-mer[47] ». La conjoncture permet à la banque d'offrir des prêts et de « fonctionner avec succès » sur la base des euro-dollars à des taux exceptionnels[48].

Les Îles Caïmans constituent l'exemple même du paradis fiscal créé sur mesure pour le capital. La fraude fiscale y est un jeu d'enfant. Un banquier confiera au *Canadian Business* : « Ce n'est pas à moi d'enquêter sur le fait que vous signalez ou pas ces revenus aux autorités fiscales canadiennes. Nous ne posons pas de questions et les autorités fiscales canadiennes ne peuvent rien découvrir[49].» MacDonald fonde aux Caïmans, avec le Britannique John Maples[50] – plus tard député conservateur au Royaume-Uni, de 1983 à 1992 puis de 1997 à 2010 –, le cabinet d'avocats MacDonald and Maples, lequel se spécialise non seulement dans les services financiers offshore, mais dans la configuration même de législations de complaisance. Le cabinet fait officieusement sa chose des Îles Caïmans. La législation ne vote donc pas des lois que le cabinet d'avocats observe, mais le cabinet d'avocats conçoit sur mesure les lois que les autorités locales entérinent. Les changements sont draconiens : «En 1966 et au début de 1967, le gouvernement a adopté des textes législatifs essentiels, entre autres la *Banks and Trust Companies Regulations Law*; de même elle a apporté d'importants changements à la *Company Law*, d'abord adoptée en 1960, à la *Trusts Law* et à la *Exchange Control Regulations Law*[51].» Selon le journaliste caïmanais Alan Markoff, MacDonald a collaboré avec Paul Harris (fondateur de la toute première firme de comptabilité des îles, une filiale de la britannique Pannel Fitzpatrick & Co.) à l'élaboration d'«un projet de loi majeur qui a permis la création de services bancaires extraterritoriaux et d'exempter les sociétés offshore[52]». Ce cadre législatif de rêve permet à tout gestionnaire ultralibéral de contourner les règles de droit dans son pays, et les avocats de l'étude MacDonald et Maples sont ensuite libres d'élaborer les *produits* financiers exclusifs leur convenant.

Un conservatisme pur

Le tandem formé par l'économiste Thierry Godefroy et le juriste Pierre Lascoumes voit en l'œuvre de MacDonald une réalisation optimale du paradis fiscal. «On y retrouve tous les ingrédients classiques des sociétés commerciales offshore : formalités minimales (constitution de sociétés coquilles en 24 heures), possibilité d'administration de l'étranger, absence d'impôt, absence de restriction aux mouvements de capitaux (pas de contrôle des changes), contraintes comptables minimales, etc. Cet appareillage est présenté comme un système "compréhensif et moderne" par les cabinets d'avocats locaux[53].»

La loi des Caïmans épargne ses entités de publication de comptes, de tenue d'un registre des actionnaires et de contrainte en ce qui regarde la composition et la répartition des fonds[54]. «Les fiducies [trusts] n'ayant pas de personnalités morales, elles ne peuvent pas être poursuivies, quels que soient les actes commis en leur nom[55].» Sinon, existent dans l'archipel des entreprises *non résidantes* qui peuvent être ouvertes sans qu'on en connaisse les titulaires ; le nom d'un juriste d'entreprise suffit. Les « sociétés exemptées » (*Exempted Companies*) sont encore plus prisées : elles peuvent obtenir un certificat d'exonération fiscale ayant force de loi nonobstant la façon dont le droit est appelé à évoluer[56].

L'originalité de la législation des Caïmans a consisté à faire profiter le capitalisme contemporain d'un droit vétuste. « Le lien entre les formes prémodernes de propriété et de contrôle et leur équivalent moderne est préservé[57]. » Certaines modalités d'enregistrement des sociétés sont rien de moins qu'archaïques, et on tient à ce qu'elles le restent. Aux Caïmans, les résidants et commerçants ont toujours été exemptés d'impôts : la légende veut que les insulaires aient sauvé du naufrage en 1794 une équipée dont faisait partie un cousin de George III – le roi les en aurait remerciés par un congé fiscal dont la tradition s'est à ce jour maintenue[58]. Forts de cette pratique, les Caïmans mettent dans les années 1960 le vieux droit britannique sur les trusts à la disposition de titulaires nantis voulant dissimuler leurs actifs à l'étranger. La légalité factice des Caïmans permet de soustraire la finance au temps lui-même : « C'est comme si le temps s'était arrêté sur le droit anglais quelque part au xixᵉ siècle, certainement avant l'apparition de l'État providence », explique, satisfait, un avocat du cabinet créé par MacDonald et Maples à William Brittain-Catlin[59]. La Common Law britannique avait développé une telle structure pour permettre à des détenteurs d'actifs de céder leurs biens à une entité de gestion au profit d'une tierce personne. Par exemple, des propriétaires fonciers confiaient à un trust des terres au profit de l'Église parce que celle-ci n'avait pas droit à la propriété[60]. Dans les Caïmans des années 1960, la structure du trust reste la même, mais sa vocation change complètement : elle permet à des détenteurs d'actifs de les dissimuler, de façon à contourner le fisc autant que toutes les instances de régulation, de contrôle, voire d'enquête dans leurs pays[61]. C'est une entité de ce type qui a attiré les fraudeurs fiscaux ainsi absous dans les années 1960[62], d'autant plus qu'aux Caïmans, les fiduciants qui transfèrent des actifs dans un trust peuvent être, incestueusement et au mépris du sens même des mots, secrètement les bénéficiaires de leur propre trust[63] !

Le droit caïman prévoit également la structure dite des *sociétés exemptées*. Ces entités provoquent une transformation des pratiques. Elles génèrent un sas financier permettant aux manipulateurs d'argent et de titres d'échapper entièrement à la sphère politique. Les sociétés en question, érigées comme des entités en elles-mêmes, séparées de leurs fondateurs et titulaires, sont placées hors de portée des autorités fiscales des États. La législation caïmane, selon Godefroy et Lascoumes, « assure l'opacité en séparant trois éléments : l'entité juridique, les représentants légaux et les bénéficiaires économiques[64] ». D'une part, les sociétés exemptées des Caïmans n'exercent aucune activité substantielle dans les îles et, d'autre part, elles servent strictement à neutraliser l'État là où se trouvent leurs titulaires[65]. Dans ce *no man's land* du droit, dans ces Caïmans reconnues comme l'archipel « oublié par le temps[66] », une entreprise parvient à se soustraire complètement aux responsabilités qui lui incombent dans sa collectivité sans pour autant appartenir à une autre. C'est la finance au stade du fantasme. Un tel retrait du monde passera aux Caïmans comme la précellence formelle de la finance, le terrain véritablement neutre du capitalisme (*thruly neutral ground*), selon l'expression sublime du président de Dow Chemical, une société états-unienne qui y accourra[67].

La vétusté du droit confère ici des allures d'authenticité à la loi. « Ce qui existe aux Îles Caïmans est une forme plus pure, plus essentielle du capitalisme, où le commerce n'est pas distordu par les impôts, et où les conditions pour conclure une transaction sont parfaites », philosophe Henry Harford, membre du même cabinet cofondé par MacDonald aux Caïmans[68]. Parvenue au stade idéal de la légalité libérale et de la réduction du droit au seul lien contractuel, la finance peut allègrement refouler les considérations collectives, culturelles et politiques qui lui incombent dans un État social.

Ce fantasme de pureté a aussi l'avantage d'occulter ce qui fait tache, l'activité criminelle. Le dispositif législatif conçu par MacDonald ne prévoit pas seulement la création d'entités favorisant l'évasion fiscale et l'esquive légale, mais aussi un secret bancaire des plus résistants[69]. L'accès aux données des clients d'institutions des Caïmans par les institutions fiscales et réglementaires des autres pays a longtemps été rendu impossible, et aujourd'hui encore la brèche est à peine ouverte. Jadis conseillère anti-blanchiment à l'Office des Nations unies contre la drogue et le crime, Marie-Christine Dupuis-Danon voit dans les Caïmans une législation exemplifiant à elle seule les « excès de la finance offshore[70] ». Le nombre d'institutions financières y est apparu hors proportion à partir des années 1990, car tout semblait possible. C'est là que la Banque de crédit et commerce internationale (BCCI) a géré en toute quiétude les fonds du narcotrafic du général panaméen Manuel Noriega. Conséquemment, dans les années 1990, les Caïmans ont été le premier paradis fiscal qu'a inspecté le Groupe d'action financière (GAFI), un organisme intergouvernemental créé en 1989 faisant la lutte au blanchiment d'argent[71].

De petites îles vers lesquelles converge le tout financier

La Banque d'Angleterre milite intensément pour la conversion des dépendances britanniques en paradis fiscaux et soutient tacitement les initiatives à la MacDonald. Le gouvernement de Londres observe pour sa part un devoir de réserve suspect quant à la transformation de l'archipel relevant directement de la Couronne[72]. Shaxson le souligne : « De la même manière que, dès 1955, la Banque d'Angleterre a encouragé dans l'ombre le développement de l'*Euromarket* tout en affichant une attitude officielle beaucoup plus prudente, la Grande-Bretagne a adopté à l'égard de son empire en gestation une politique faite à la fois de soutien discret et de profil bas officiel[73]. » La Londres financière tout comme la Londres politique sauvegardent l'impression que tout ce qui a lieu relève de la nature même de l'évolution du capitalisme[74]. Mais dans les faits, la nomenclature de lois signées MacDonald pousse l'affaire trop loin, même aux yeux de plusieurs Britanniques. « En 1973, un mémoire étranger confidentiel s'inquiétait. "Les Îles Caïmans ont créé en 1967 un paradis fiscal et adopté une législation appropriée, qui est allée beaucoup plus loin que ce que le trésor britannique était prêt à endosser", y déclarait-on. Le projet de loi a passé en douce après qu'un employé du gouvernement non identifié ait omis de le présenter à Londres pour adoption[75]. » Londres en est venue à redouter la créature de son propre régime politique, appréhendant que les largesses réglementaires, fiscales et législatives consenties aux Caïmans entraînent des saignées d'argent jusque dans le Trésor public britannique. « La Grande-Bretagne a colmaté comme elle le pouvait les brèches dans son propre code fiscal [...] laissant les élites d'Amérique latine, des États-Unis et du reste du monde libres d'utiliser les installations offshore des Îles Caïmans[76]. » Les paradis fiscaux de la Caraïbe britannique deviennent donc une arme clairement tournée vers les économies autres que celle utilisant la livre sterling.

De la même manière, les dispositions législatives des Caïmans ne manquent pas d'indisposer à terme les autorités états-uniennes. Ce rapport produit en 1970 par la Chambre des représentants ne s'embarrasse d'aucun détour :

Les institutions financières et les comptes bancaires étrangers secrets ont permis une prolifération de « crimes en cols blancs » ; ils ont servi de véhicules financiers aux opérations des organisations criminelles aux États-Unis ; ils ont été utilisés par les Américains pour frauder leurs impôts, faire disparaître illégalement leurs actifs et acheter de l'or ; ils ont permis aux Américains et aux étrangers de violer les lois et réglementations concernant la bourse et le commerce ; ils ont servi de mécanismes essentiels dans des fraudes, notamment aux dépens de l'État ; ils ont servi de réceptacle final aux bénéfices du marché noir au Vietnam ; ils ont servi de source discutable de financement pour les conglomérats, achats d'actions, fusions et prises de contrôle ; ils ont permis les manœuvres des détournements de fonds destinés à la défense et à l'aide étrangère ; et ils ont servi pour blanchir l'argent « chaud » ou obtenu illégalement[77].

Mais pour dérouter les enquêteurs fiscaux, certains banquiers canadiens et états-uniens ne sont pas à court de manigances : « Les banquiers américains recommandent leurs clients à leurs collègues canadiens, et ces derniers leur rendent la politesse[78]. » Cependant, la justice des États-Unis en vient à percer la muraille des Caïmans en matière de discrétion bancaire prévue par ces lois de 1966 et 1967[79], à l'instar de ce qu'elle a fait aux Bahamas[80]. Dans le contexte d'une poursuite judiciaire impliquant la Castle Bank des Caïmans, les tribunaux états-uniens convoquent par *subpoena* le directeur général de la Castle, le Canadien Anthony Field, pour qu'il divulgue les informations qu'il détient en raison de l'exercice de ses fonctions aux Bahamas[81]. La Castle Bank se révèle au fil des enquêtes une institution notoirement liée au crime organisé[82], largement engagée dans des opérations d'évasion ou d'évitement fiscaux aux États-Unis[83]. Bien entendu, la Castle favorise le blanchiment d'argent des milieux interlopes dans l'économie réelle[84]. Créée aux Bahamas, cette banque s'est en quelque sorte dédoublée aux Îles Caïmans en se rendant compte qu'elle était dans la ligne de mire du géant états-unien. La Banque canadienne impériale de commerce (CIBC) l'y aurait aidée, en abritant dans ses coffres des copies de ses archives[85]. Field plaide la nécessité du silence : il ne peut pas divulguer de renseignements sur son institution des Caïmans, sous peine de subir, dans ce petit pays qui sanctionne au pénal les violations à la loi sur le secret bancaire, des représailles judiciaires[86]. Le fiscaliste pro-offshore Édouard Chambost parlera alors d'un « acharnement des tribunaux » à contraindre « cet employé de banque de témoigner en dépit du fait que son témoignage aux États-Unis constitue une infraction pénale aux Îles Caïmans, son lieu de travail et de résidence[87] ». Chambost insistera en outre sur le fait que Field « est de nationalité canadienne[88] ». Bien qu'il soit parvenu à taire les informations dont il disposait, choisissant de demeurer reclus aux Caïmans sitôt que la chance lui a été donnée de quitter les États-Unis, Field a été le personnage central d'un épisode marquant dans l'établissement d'un rapport de force entre les deux législations.

MacDonald concevra de nouvelles mesures dans les années 1970 afin de consolider le bouquet de lois élaborées en 1966 et 1967. Les Îles Caïmans ne doivent en aucune façon « s'incliner[89] » devant les États-Unis. Il épaule en cela Godfrey Johnson, le président de la Cayman Islands Monetary

Authority (CIMA), l'instance officielle de régulation des marchés financiers de l'archipel[90]. Conséquemment, les Îles Caïmans votent le 13 septembre 1976 une loi qui étend le respect du secret bancaire à « toutes les informations confidentielles d'affaires ou de nature professionnelle » produites ou apportées dans les îles ainsi qu'à « toute personne » y séjournant ou les quittant « en possession de celles-ci[91] ». La Confidential Relationships (Preservations) Law pousse l'absurde jusqu'à évoquer toutes les circonstances imaginables dans lesquelles la législation caïmane peut interdire à un banquier de dévoiler des renseignements sur ses clients[92] ! Il n'est plus seulement interdit de divulguer des informations bancaires, mais même d'en demander la divulgation[93] ! Encore aujourd'hui, la paranoïa est de mise :

> La Confidential Relationships (Preservations) Law de 1976 fait une infraction criminelle de la divulgation de renseignements confidentiels ou du fait de volontairement obtenir ou de tenter d'obtenir des renseignements confidentiels relatifs à une société des Îles Caïmans. La loi impose une amende maximale de 5 000 $ KY et/ou une peine d'emprisonnement allant jusqu'à deux ans[94].

William Brittain-Catlin percevra à juste titre cette loi comme une *Charte du blanchiment d'argent*[95]. Elle stipule explicitement qu'aucune information bancaire ne saurait être divulguée à l'étranger en cas d'enquêtes menées dans d'autres législations, de façon à lui donner une portée extraterritoriale visant à neutraliser le droit en vigueur dans les États traditionnels jusque dans le traitement d'événements survenant sur leur sol ! Tout au plus recommande-t-on dans la loi de se tourner vers les autorités des Caïmans dans les cas d'enquêtes qui portent sur d'autres enjeux que ceux relatifs au fisc[96]. Cela aboutit dans les meilleurs cas à des enquêtes de nature criminelle en matière de blanchiment d'argent, mais portant sur des opérations et des titulaires de toute façon gardés secrets par la législation. Le citoyen ou passant qui s'enquerra au Registre général des Caïmans du rôle d'une société ne se verra vraisemblablement révéler que le lieu d'enregistrement, le nom de l'institution d'enregistrement, le type et le statut de l'entreprise. « C'est l'unique information que nous donnons[97] », se bornera à dire son agent. Brittain-Catlin conclura que « grâce à la nouvelle loi, les Caïmans codifient leur royaume secret et disent au reste de la planète de les laisser tranquilles et de s'occuper de ses affaires[98] ».

Les sanctions sévères que cette loi prévoit au pénal portent littéralement sur une catégorie infinie d'acteurs. Tout résident ou passager qui y trahirait le secret bancaire, par exemple, aurait à s'en expliquer à la justice criminelle et encourrait une peine d'emprisonnement de quatre ans[99]. Même l'*offsholâtre* Édouard Chambost trouve « aberrants[100] » les titres professionnels visés par cette loi sur le secret bancaire, les agents professionnels du commerce ou de la finance n'étant pas les seuls mentionnés, mais également tous ceux « entrant ou n'entrant pas dans les catégories précédentes, patentés ou non, habiletés ou non à agir en une telle capacité[101] ».

Les autorités financières des Caïmans présenteront elles-mêmes officiellement ces mesures légales comme une tentative d'immunisation du secret bancaire contre les autorités politiques états-uniennes, le président de la Cayman Islands Monetary Authority (CIMA) rappelant *a posteriori* en 2007 : « En 1976, la *Confidential Relationships (Preservations) Law* […] répondait aux mesures énergiques des autorités américaines de l'époque pour obtenir des renseignements des banques offshore[102]. » Chambost ajoutera, en 1980, sans se tromper : « Le secret bancaire est une donnée fondamentale aux Îles Caïmans et il y a tout lieu de penser que pour continuer à attirer les banques et leurs clients il continuera d'être défendu avec vigueur[103]. » Les Caïmans ainsi aiguillées par MacDonald tentent de prendre la relève d'autres centres financiers offshore éprouvés, notamment les Bahamas. « Les Îles Caïmans étaient encore de nouvelles venues dans le monde des services bancaires offshore, passant à l'action au moment où les Bahamas semblaient en difficulté financière et politique, et acceptaient des affaires auxquelles les centres offshore plus "respectables" ne toucheraient pas[104]. » Ce jeu de bras de fer législatif contre le géant états-unien tournera invraisemblablement en faveur de l'archipel. En 1982, dans une nouvelle joute légale, la britannique Barclays est ainsi parvenue à mettre les institutions judiciaires des États-Unis en échec, en faisant prévaloir le droit au secret bancaire aux Caïmans[105]. La même année, le holding bancaire états-unien Citicorp fait pour sa part valoir la préséance du droit bahamien relatif au secret bancaire sur les dispositions législatives votées à Washington[106].

Les démarches judiciaires que le fisc états-unien entreprend en 1982 à l'encontre de la Banque de Nouvelle-Écosse, cette fois pour des opérations menées aux Caïmans, tournent également court. L'actuelle Scotia est accusée de « participer à un système visant à escroquer le gouvernement états-unien à hauteur de 122 millions de dollars en réclamations bidon liées à des abris fiscaux » aux Caïmans[107]. Le gouvernement des États-Unis perdra toutefois cette cause en appel deux ans plus tard[108]. Ce genre de décisions de justice donne à croire que peu de choses ont changé depuis l'ère où les tribunaux favorisaient aux États-Unis l'essor d'une caste financière appelée les « barons voleurs[109] ».

Washington faiblit aussi politiquement. Les procédures contre la Castle Bank donnent à voir que les services secrets états-uniens de même que bien des responsables politiques et des multinationales marinent dans les mêmes eaux que la mafia bien servie par les banques canadiennes. «L'enquête de l'IRS [le fisc des États-Unis] avait mené à des mises en accusation et à des citations à comparaître pour évasion fiscale et blanchiment d'argent, suscitant des allégations qui disaient que la Castle Bank n'était qu'un écran pour la CIA et que dans les faits un grand nombre de fraudeurs offshore du fisc était de gros bonnets républicains et des amis du régime Nixon[110].»

Du reste, les Caïmans continueront d'*innover*. À la fin des années 1970, le législateur abolit la limitation relative au contrôle des changes[111], de sorte qu'en 1980, les Caïmans et les Bahamas réunies livrent conjointement une concurrence féroce au centre financier de Londres[112]. Des centaines de sociétés ont été attirées par la loi sur les assurances, votée en 1979[113], et qui permet à ceux qui les fondent… de s'assurer eux-mêmes! On compte aujourd'hui dans les îles 755 entreprises occupant ce secteur[114]. Le Harvard Medical Group a ainsi pu créer aux Caïmans la compagnie d'assurance qui la préservera des conséquences judiciaires relatives à des erreurs médicales[115]. «Aujourd'hui, à peu près la moitié de sociétés d'assurance captive aux Îles Caïmans sont des compagnies américaines spécialisées dans les soins de santé[116].»

À la même époque, le Fonds monétaire international prêtait assistance au gouvernement des Caïmans pour qu'il structure le secteur bancaire de façon à favoriser la transformation des îles en un paradis fiscal[117], et ce, au moment même où ses directives dans les pays du Sud allaient contraindre ces derniers à sabrer de manière aveugle leurs rares services publics[118].

L'année 1985 sera l'occasion d'une stabilisation de ces fronts. Les tribunaux changent de stratégie et visent des particuliers soupçonnés de pratiquer l'évasion fiscale. Ils leur enjoignent alors de lever la clause de confidentialité qui protège certains de leurs comptes. Dans un cas précis, cette approche «aboutit rapidement à la remise de documents à un tribunal de la Floride par la Banque de Nouvelle-Écosse[119]». Un compromis a résulté de cette mise sous pression : les Caïmans donneraient accès aux comptes bancaires sur des questions relatives au narcotrafic, mais ne collaboreraient en rien en ce qui concerne l'évasion fiscale[120]. Tout résonne comme si le secrétaire aux Finances des Caïmans pouvait mener l'empire américain comme bon lui semblait[121]. «Ceux qui habitent les îles libres d'impôt voient l'imposition comme "répugnante" en principe[122]», tout autant que les barons de la finance aux États-Unis, qui dictent sa ligne politique à Washington[123]. Les Bahamas résisteront également[124] et s'imposeront comme un paradis fiscal de choix.

La résistible ascension de Jean Doucet

Pendant que les institutions états-uniennes s'ingénient toutes ces années à limiter minimalement la portée perverse du droit caïmanais, le banquier montréalais Jean Doucet se démène pour en faire valoir les avantages[125]. En 1968, il fonde l'International Corporation of the Cayman Islands, qui sera en toute modestie rebaptisée plus tard l'International Bank, aussi appelée InterBank[126]. Il crée ensuite la Sterling Bank and Trust au début des années 1970[127], à temps pour attraper au vol les eurodollars qui déferlent en trombe sur les Caïmans[128]. Il s'agit des premières institutions financières des îles à informatiser les données des comptes bancaires[129], une initiative avant-gardiste dans les paradis fiscaux[130]. Son entreprise est le deuxième employeur en importance dans la colonie après le gouvernement[131]. Doucet a le sens du marketing. Partant de rien, il fait imprimer 20 000 exemplaires d'un livret d'informations vantant les mérites du droit fiscal caïmanais, qu'il destine à des investisseurs convoités. Il cherche littéralement à séduire, comme en témoigne l'embauche par son institution de jolies préposées présentées dans un décor correspondant au bon goût machiste qui sévit dans les îles, ou encore la réalisation d'un court-métrage sur les mérites de la colonie[132]. On doit à ce banquier postmoderne l'esthétique de pacotille qui accompagne généralement la représentation des paradis fiscaux : palmiers, fleurs, lingots d'or et désinvolture ostentatoire[133]. D'aucuns considèrent que Doucet a mis les Caïmans sur la carte[134] :

> Doucet, avec son ambition et un style qui lui étaient propres, était l'homme qui allait mettre les Îles Caïmans sur la carte du marché mondial des capitaux, qui briserait le moule du monde usé et collet monté de la finance et des banques et lui instillerait un peu du panache, de l'élégance et de la touche de glamour cosmopolite des paradis fiscaux [...] Il a rendu sexy le monde des capitaux offshore[135].

La chute du personnage est tout aussi spectaculaire que son ascension fulgurante. Doucet réunit en 1974 mille hommes d'affaires dans un hôtel de Grand Caïman pour célébrer la création d'une banque dédiée au prêt hypothécaire, deux mois seulement avant que sa Sterling Bank ne déclare elle-même faillite et qu'il ne déguerpisse vers Monaco ! La raison : ses déposants lui confiaient leurs fonds à court terme tandis que ses placements visaient le long terme. Les méthodes des fonds à risque n'étaient pas encore au point. Ce ratage a le mérite de donner l'heure juste sur le type d'opérations en vigueur aux Îles Caïmans. Aucune procédure de liquidation n'y est prévue, ce qui est fâcheux dans un contexte où la « Sterling n'était pas qu'une banque locale ; elle possédait des filiales et avait fait toutes sortes de placements. Sa structure, avec des entreprises partout dans le monde, était extrêmement complexe», comme le précisera le comptable agréé Michael Austin[136]. Doucet sera finalement extradé aux Caïmans pour y être condamné pour fraude et purger neuf mois de prison. Il y recevra régulièrement la visite de représentants de l'État... avant de rentrer au Québec[137].

Maples et les *hedge funds*

Malgré toutes ces vicissitudes, l'encoche est déjà faite. Au début des années 1970, quand MacDonald quitte sa firme d'avocats, son enfant se porte bien. La firme deviendra la Maples and Calder, du nom d'un autre partenaire arrivé en 1969, Douglas Calder[138]. L'étude, qu'on finit par nommer simplement la Maples, développe pratiquement seule l'industrie des fonds spéculatifs. *The Hedge Fund Journal* la présente à juste titre comme l'un des pionniers de la colonie offshore[139].

La firme s'impose dans une législation dont elle connaît tous les arcanes. Pourvoyant «l'expertise des Îles Caïmans[140]», elle se pose moins comme la rivale des autres cabinets que comme *la* partenaire indispensable lorsque vient le temps pour ceux-ci d'opérer offshore[141]. La croissance de la firme reflète celle de l'industrie financière qu'elle a générée aux Caïmans. «Il est évident que Maples joue depuis longtemps un rôle et a aidé à concevoir le prototype des fonds d'investissement offshore[142].» De fait, le pays est contrôlé par la société d'avocats. Jim MacDonald expliquait dans le *Canadian Business* dès les années 1970 comment il s'y est pris pour régler personnellement, sur un mode clairement discrétionnaire, une affaire de blanchiment d'argent impliquant un million de dollars[143]. Sans circonlocution, les responsables de Maples se prononcent aujourd'hui publiquement sur les affaires politiques des Îles Caïmans, par exemple sur leur réputation controversée ou les mesures qui y sont prises pour réguler et légaliser leur système financier... exactement comme s'ils en étaient les chefs d'État. «Le succès de Maples est en grande partie dû aux efforts de ces cabinets d'avocats et d'autres fournisseurs de services qui ont travaillé avec le gouvernement des Îles Caïmans pour garantir que leur régime juridique s'adapte aux normes requises, de même qu'à ceux des fonctionnaires gouvernementaux et des régulateurs qui commençaient à travailler dans des cabinets d'avocats des Îles Caïmans, et parmi lesquels on retrouvait d'anciens avocats de Maples[144].»

C'est ainsi que les Îles Caïmans sont devenues la législation accueillant le plus de *hedge funds* au monde; ils y étaient encore 775 en 2012[145]. Selon le *New York Times,* les Caïmans concentrent en réalité plus de capitaux que toutes les banques new-yorkaises réunies[146]. Le «mérite» en revient directement à Maples. Un sondage auprès des professionnels de la finance à risque travaillant dans les États traditionnels l'a désignée comme «*the #1 law firm*» travaillant offshore[147]. La firme est un membre actif de l'Offshore Magic Circle. Sans ce club sélect des quelques cabinets dont elle fait partie, les paradis fiscaux ne seraient jamais devenus si fonctionnels qu'ils le sont aujourd'hui[148].

Dévoyés à merci, les *hedge funds* ont largement contribué à dérégler l'économie des peuples. Les gestionnaires de ces fonds non conventionnels multiplient les stratégies, souvent risquées, pour parvenir à des rendements rapides, supérieurs à ceux qu'il est possible d'obtenir sur des marchés traditionnels. Leur nom se propose comme une «couverture» (*hedge*), dans la mesure où ils prétendent générer de la sécurité, par exemple dans la fixation à l'avance de prix sur certains biens ou titres financiers. Ils ont généré un marché de l'insécurité à la faveur de la déréglementation publique. Au cadre des échanges marchands, que fixaient jadis les autorités publiques pour que la collectivité puisse s'y retrouver dans ses relations économiques, se substituent maintenant des produits financiers garantis par des acteurs privés. Par exemple, le pétrole en telle quantité fixé à un prix x jusqu'à telle échéance, idem pour le blé ou le taux d'achat d'obligations d'un État... Puis on s'échange de main en main ces documents sur le marché, au gré des espérances, des calculs, des gageures. En réalité, les gestionnaires de *hedge funds* mathématisent de manière optimale une façon de continuellement tenter le sort.

Les législations «paradisiaques», les Îles Caïmans au premier chef, donnent toute latitude à l'imagination fantasque des financiers. «Les *hedge funds* cherchent à limiter au maximum les contraintes réglementaires pesant sur eux afin de bénéficier d'une grande liberté en matière de gestion. La volonté de minimiser l'impact fiscal est une autre motivation. Cela explique pourquoi une forte proportion des fonds ont une localisation légale dans une zone offshore, fréquemment dans des paradis fiscaux», écrivent à grand renfort d'euphémismes deux chercheurs actifs dans des firmes d'investissements[149]. Leurs concepteurs ne mesurent pas toujours la portée des méthodes qu'ils développent pour générer des rendements à très court terme et les courtiers eux-mêmes ne comprennent pas les algorithmes qui confèrent désormais au marché sa subjectivité[150]. Les effets pervers en sont retentissants. Ces fonds à risques posent fondamentalement problème en ce qu'ils donnent en gage à la spéculation boursière les actifs et le crédit bien réels de nos économies tangibles. Les dettes les plus improbables se trouvent ainsi transformées en marchandises et positivement *titrisées*, selon la terminologie d'usage, sous la forme de produits financiers *dérivés*. On concentre mille choses diverses et variées dans des lots vendus comme tels sur les marchés : des dettes hypothécaires en liasses, dont certaines de ménages non solvables, des droits d'achat à prix fixe sur du pétrole qu'on n'a pas encore acquis, des transactions aux fins de gains marginaux sur des denrées alimentaires, comme s'il s'agissait de simples jetons de poker, et des obligations d'États. Les stratégies de capitalisation sont également osées : on vend régulièrement des titres que l'on ne possède pas encore, dans le cadre de ce qu'on appelle les ventes à découvert. Les paradis fiscaux permettent ce déchaînement spéculatif sans entrave : nul État ne peut en établir les limites, par exemple en ce qui regarde la qualité et la quantité des richesses qui sont mises en jeu, les temps records où ces volumes d'activité se brassent ou les termes qui sont débattus.

Les familles s'approvisionnant en riz dans les marchés tangibles tout comme la classe moyenne occidentale qui aspire à la propriété immobilière voient ainsi être misés sur les marchés financiers par les *hedge funds* leurs éléments de survie et leurs dettes personnelles, dans un pur esprit de casino. « Ce qui est vrai du pétrole l'est de toutes les autres matières premières, des produits agricoles, des métaux rares ou précieux. Qu'un produit soit recherché sur un marché mondial et il se crée tout autour un marché financier fait d'instruments complexes, exotiques et ésotériques », résume le juge français Jean de Maillard[151]. Pire, ce qui se joue n'est pas même un rapport traditionnel de commerce mettant en cause une production que des vendeurs détiennent et cèdent à profit à des acheteurs, mais un jeu spéculatif sur l'évaluation projetée des cours, dont l'évolution est précisément affectée par la spéculation. Il s'agit de « stratégies d'arbitrage » entre le cours effectif d'une ressource (le riz, le pétrole, le coton…) et une option d'achat à un prix autre (une option d'achat sur du riz, du pétrole ou du coton pour un prix moindre que leur cours réel, par exemple). Cette spéculation sur l'avenir du cours des matières premières peut entraîner une augmentation de leur prix ; ainsi, le 22 septembre 2008, le cours du baril de pétrole a fait un bond invraisemblable, passant de 108 à 130 dollars[152]. De la même manière, la très influente firme de négociation Glencore a largement contribué à faire augmenter de 15 % en deux jours le prix du blé durant l'été 2010[153].

Les *hedge funds* des paradis fiscaux permettent aux banques de contourner la réglementation états-unienne interdisant la spéculation à partir de leurs propres fonds. Les banques sont donc libres de créer dans les paradis fiscaux des *hedge funds* dont ils deviennent les créanciers fondamentaux, les *prime brokers*. Marc Roche observe qu'« avant la crise, les fonds spéculatifs étaient des acteurs peu régulés sur lesquels les autorités nationales de supervision ne disposaient d'aucune information, en particulier sur les risques et sur l'effet de levier[154] ». François Morin les définit alors comme « des banques qui permettent aux *hedge funds* d'exercer leurs activités[155] ». Ces fonds ont pris tellement d'ampleur que leurs revenus sont parfois plus importants que ceux de leurs créateurs, comme au second semestre de 2010[156].

L'essentiel consiste à ruser afin de dégager artificiellement un capital toujours plus grand, de façon à faire augmenter le volume d'activité sur les marchés. Cet *effet de levier* effréné que se découvrent offshore les *hedge funds* se résume par « la possibilité offerte par certains produits ou certaines techniques financières de multiplier les gains ou les pertes pour un même investissement initial. Cela consiste, par exemple, à acheter un titre en ne possédant qu'une partie de la somme, puis à le revendre à un cours supérieur. On appelle alors effet de levier le rapport entre la plus-value ainsi réalisée et la somme de départ[157]. » Ainsi, un effet de levier à la puissance 100 permet à un investisseur qui engage un montant de 1 000 dollars de bénéficier d'un retour sur investissement équivalent à une mise de fonds de 100 000 dollars. Dans les Îles Caïmans, ce rapport devient exponentiel et frise la démence. « Sur ce marché, les effets de levier proposés vont généralement de 100 à 500[158]. » Ils se seraient stabilisés momentanément à 135 % en 2011 selon les Financial Services Authorities[159].

Une filiale financière de Maples, MaplesFS, met à la disposition de sa clientèle à Grand Cayman des administrateurs indépendants de fonds d'investissement capables de générer ces effets de levier[160]. Par les fruits d'une alchimie financière que produisent de complexes jeux d'écritures comptables, les sociétés ont accès à du capital mouvant qui leur permet de couvrir un territoire de propriété « plus grand que la somme de ses parties[161] ». Tout cela est rédigé sur le ton le plus sérieux, en vertu de lois sur les sociétés et sur les titres financiers des Caïmans, inspirées de la Common Law. La nomenclature légale des Caïmans sur les fonds, que Maples a contribué incestueusement à installer dans la colonie, a rendu la législation « populaire » auprès de gestionnaires de fonds[162].

Les Caïmans favorisent par ailleurs le développement de produits financiers assurant à l'un le plaisir de voir l'autre se casser le cou. Ces artifices d'apprentis sorciers ont largement contribué à la crise économique qui secoue l'Occident depuis 2008. En clair, il s'agit par leur entremise de s'enrichir en spéculant *contre* un titre. C'est le cas des *ventes à découvert* qui consistent pour un *hedge fund* à vendre selon sa valeur marchande un titre… que l'on ne possède pas, mais que l'on emprunte à un tiers, à qui on le rendra plus tard en le rachetant sur les marchés, en espérant qu'entretemps sa valeur aura diminué. Une jonglerie semblable a été développée dans le courant des années 2000, soit un CDO appelé *Abacus*. Un CDO (Collateralized Debt Obligation) se veut par exemple un ensemble de dettes fragmentées et cédées sous la forme de titres, à une structure *ad hoc* dont on vend ensuite les actions en bourse. Sitôt qu'il est créé sans scrupule, dans des législations ne veillant à aucun contrôle, tout et n'importe quoi peut entrer dans cette boîte d'actifs, dont l'emballage clinquant promet de bons rendements. Abacus se révélera le symbole le plus emblématique de la folie qui s'est emparée des marchés financiers dans les années 2000. En même temps qu'une institution comme Goldman Sachs vendait à ses clients des actions de cette entité caïmanaise, par l'entremise du *hedge fund* Paulson and Co., elle se trouvait à se procurer relativement à ses titres des contrats d'assurance en cas de débâcle boursière. Il est possible de se procurer une telle assurance, connue sous l'expression de CDS (Credit Default Swaps), pour des titres que l'on ne détient même pas. C'est comme de prendre des assurances sur la voiture d'un voisin, en espérant qu'elle passe au feu la nuit... et en aidant le sort au besoin. Lorsque ces CDO se sont effondrés en bourse, comme prévu, au grand dam de milliers d'investisseurs qui perdaient par le fait même leurs économies, Paulson and Co. engrangeait 3,7 milliards de profit, tout en occasionnant au passage la faillite d'une compagnie d'assurance – « un record en matière de bénéfices tirés de la misère d'autrui[163] ». Les Caïmans sont les plus importants protecteurs de ces fonds plaçant notamment l'épargne des membres de la classe moyenne des États traditionnels dans des projets hasardeux. En 2011 encore, il y en avait davantage là qu'au Luxembourg et à Dublin réunis, leurs principaux concurrents[164].

Une comptabilité fantasque, un droit ubuesque

Maples s'impose comme le gouvernement de cette législation de complaisance. L'Ugland House, l'immeuble de style colonial qui abrite ses bureaux, héberge officiellement près de 19 000 sociétés privées[165]. Durant sa campagne électorale de 2008, le président Obama en a fait un symbole de la fraude fiscale, présentant l'édifice comme étant « ou bien la plus grosse bâtisse du monde, ou bien la plus grande escroquerie liée aux impôts du monde[166] ». La journaliste Mélanie Delattre de l'hebdomadaire français *Le Point* ne résiste pas elle non plus à l'ironie : « La principale activité du cabinet, vous l'aurez compris, consiste à créer des coquilles juridiques de droit local dans lesquelles peut être logé tout et n'importe quoi[167]. » Tout s'y offre et s'y conçoit en effet : banques capables d'opérer dans le monde entier[168], compagnies d'assurance assurant leurs créateurs, sociétés-écrans couvrant on ne sait qui à l'étranger, holdings opaques, trusts à l'anglaise au bénéfice de leurs fondateurs, pavillons de complaisance pour les navires qui ne s'approcheront jamais des côtes, partenariats limités compatibles avec le modèle états-unien… Toutes ces structures sont caractérisées à des degrés divers par une imposition quasi nulle, une discrétion à toute épreuve, une absence quasi complète de réglementation et le soutien d'«autorités» de contrôle complaisantes. Les Îles Caïmans se veulent aujourd'hui un supermarché de produits financiers dégagés de tout contrôle, le modèle s'approchant le plus avantageusement d'un idéal-type offshore.

En 2011 encore, le cabinet Maples se disait «fier de la structure de fonds offshore que le cabinet a aidé à élaborer pour créer ces fonds spéculatifs aux Îles Caïmans, en étroite collaboration avec les autorités réglementaires locales[169]». Cette «autorité des marchés financiers des Caïmans» créée en 1996, la Cayman Islands Monetary Authority (CIMA)[170]… est évidemment elle aussi l'œuvre de Maples et Calder! «Elle reconnaît que sa collaboration très étroite avec le gouvernement et les régulateurs dans les Caïmans a contribué à sa réussite et au fait que les îles ont pu demeurer une juridiction de choix pour les gestionnaires de fonds spéculatifs[171].» Maples s'est d'ailleurs félicitée de constater le faible nombre de poursuites intentées sur l'île selon les lois qu'elle s'est données[172]. La firme déclare suffisant le contrôle qui y a cours, en indiquant que les «autorités financières» sur place sont «habilitées» à coopérer avec des agences de réglementation d'autres pays, si elles le veulent[173]. Le gouvernement fait lui-même la promotion des avantages fiscaux que représentent ses lois sur le secret bancaire[174]. Tout y tournant à l'envers, les opérateurs offshore mènent donc ces opérations avec le soutien des autorités financières, comme la CIMA[175], qui a pour président celui qui donne des conférences ayant pour titre récurrent: «Qu'est-ce qui fait des Îles Caïmans un centre de services financiers international[176]?» C'est elle qui doit veiller à l'application des mesures pénales nouvellement inscrites dans la loi! «Sous la Monetary Authority Law, la CIMA jouit d'une indépendance opérationnelle avec des droits d'accès à des renseignements pertinents détenus par des institutions financières qui concernent des clients. S'il n'y a pas de réponse à une demande dans les trois jours, le régulateur peut obtenir de la cour une ordonnance de divulgation[177].» On imagine déjà avec quelle fougue et quel zèle ces *autorités* financières nuiront à leur image en embêtant leur propre clientèle de marque…

Depuis la décennie 2000, l'Organisation de coopération et de développement économiques (OCDE) prétend encadrer les paradis fiscaux. Elle a établi d'abord, en 2000 puis en 2007, les *listes noires* et *grises*, répondant aux critères de classification des centres financiers offshore, selon qu'ils sont *coopératifs* ou non. Le juge suisse à la retraite Bernard Bertossa a vigoureusement discrédité ces listes internationales, lesquelles contribuent davantage à blanchir les paradis fiscaux qu'à les combattre. «Les États visés ont revu ou complété leur législation pour se conformer aux standards internationaux requis. Mais dans de nombreux cas, tout le monde sait qu'il s'agit avant tout de faire bonne figure à l'égard des organisations supranationales. Il n'y a jamais eu de véritable examen de la mise en œuvre concrète de ces lois. [...] L'épuration de ces "listes noires" s'est ainsi le plus souvent fondée sur des critères purement formels, ou plutôt purement politiques[178]. » En prétendant encadrer les paradis fiscaux, l'OCDE se trouve en réalité à les cautionner dans l'ordre économique mondial. L'évasion fiscale, l'évitement fiscal et les planifications fiscales abusives ne passent plus dans ce contexte pour des *opportunités* d'enrichissement controversées, ils sont maintenant des *nécessités* structurelles liées aux pratiques développées par les entreprises et les détenteurs de fortune. L'OCDE se donne ainsi l'autorité de distinguer, quelque peu arbitrairement, un paradis fiscal *légitime* d'un paradis fiscal *illégitime*. Devient légitime dans ce contexte un paradis fiscal signant avec des pays membres de l'OCDE une douzaine d'Accords d'échanges de renseignements fiscaux (AERF), théoriquement censés lever le secret bancaire en cas de demandes très circonstanciées de l'extérieur. Ainsi, en 2000, la liste noire initiale qui incluait 35 paradis fiscaux n'en contient plus aujourd'hui que trois, le reste des pays s'étant apparemment repentis[179]. Se sont ajoutées à ces ententes un ensemble de règles enjoignant vainement les banques à procéder elles-mêmes à des contrôles relatifs au blanchiment d'argent[180]... Pour l'instant, rien ne change, sinon qu'un léger malaise s'installe chez des gestionnaires qui, dans le monde du secret offshore, n'avaient pas l'habitude de faire l'objet de tant d'attention[181].

Le CIMA a beau se donner des règles de fonctionnement adaptées formellement à ces modèles internationaux, rien n'est fait pour les mettre en œuvre. Le régulateur des Îles Caïmans est tout simplement « incapable de comprendre ces montages financiers sophistiqués » que mettent en place les techniciens de la finance, constate le correspondant du *Monde* à Londres, Marc Roche[182]. On reste fidèle aux traditions : « Le contrôle du secret bancaire et des banques est assuré par l'"Inspector of bank and trust companies", lui-même soumis au secret bancaire », se félicitait Édouard Chambost dans les années 1980[183]. Il est interdit aux Caïmans de poursuivre en justice pour quelque motif que ce soit le directeur d'un *hedge fund*[184]. Les légères modifications législatives survenues dans les années 2000 pour lutter contre la criminalité financière ne dupent en rien la criminologue Marie-Christine Dupuis-Danon. Elle doute que les « moyens humains et financiers très importants pour assurer un contrôle effectif de toutes les institutions financières » y soient réellement mobilisés, afin que ces quelques mesures soient concrètement appliquées[185].

Du coup, que reste-t-il qui ne soit guère permis ? Les sociétés ont le loisir aux Caïmans d'inscrire leurs pertes dans des comptes « hors bilan[186] ». Cela leur permet d'enjoliver les résultats comptables qu'elles présentent aux actionnaires. « C'est d'ailleurs moins l'opacité des Caïmans qui attire les institutions financières – encore que ça ait son importance – que leur "souplesse". Quand les partisans des paradis fiscaux disent que ceux-ci rendent les marchés mondiaux plus "efficients", c'est de cela qu'ils veulent parler : au cœur de leur "efficience", il y a leur "souplesse". Comme nous l'avons vu, c'est surtout une question de mainmise politique du capital financier sur les autorités locales[187]. » En refoulant ainsi les mauvaises nouvelles, les gestionnaires de grands groupes fabriquent à longueur d'année des bombes à retardement[188]. Enron et Parmalat sont deux sociétés qui se sont trouvées au cœur de faillites retentissantes dans les années 2000 après avoir recouru aux méthodes hasardeuses que les avocats de Maples rendaient applicables[189]. Inutile, sinon, de se fier au statut des entreprises pour comprendre leur vocation. La sémantique se trouve abusée tous azimuts. Il n'est pas rare par exemple qu'une banque étrangère crée un trust caïman pour l'utiliser comme fonds communs de placement (exonérés d'impôts, comme le reste[190]) ! Les associations caritatives permettent les transferts d'actifs les plus improbables. Par exemple, les compagnies aériennes s'en servent pour contourner le fisc – « Airbus ne vend pas ses avions à Air France ou Qantas, mais à une association caritative de l'île qui les loue ensuite au transporteur concerné. » La journaliste française qui l'apprend cite un expert de Maples[191], expliquant que cette opération invraisemblable, qui consiste à transformer un courtier en aviation en une association de bienfaisance, permet à l'entreprise utilisant les avions de se les « louer » à elle-même et d'ainsi afficher des pertes dans ses comptes nationaux, afin d'entraîner de nouvelles déductions fiscales[192] ! Ce type de manœuvres est si courant que la banque BNP Paribas, qui s'est vantée de ne plus avoir de succursale dans les paradis fiscaux, a néanmoins tenu à assurer sa présence aux Caïmans. « C'est une place incontournable pour le financement des avions de ligne », a déclaré son directeur général Baudouin Prot[193].

Pour l'économiste Christian Chavagneux, « une donnée résume les activités douteuses des Caïmans : alors que la City de Londres ne gère que 3 fois plus de capitaux (5 670 milliards d'actifs contre 1 400 milliards), elle emploie 100 fois plus de personnes dans son secteur financier (360 000 personnes contre 3 650) ! Soit l'habitant des Caïmans est d'une productivité exceptionnelle, soit son "secteur financier" comporte peu d'activités réelles et sert plutôt à enregistrer des transactions fictives à des fins fiscales ou de prise de risques douteuses[194] ».

En matière d'«activités douteuses», les courtiers torontois actifs aux Caïmans et dans les paradis fiscaux environnants ne sont pas en reste. Ils ont mauvaise réputation même aux yeux du fiscaliste suisse Édouard Chambost, pourtant outrancièrement cynique à ses heures. L'intéressé parle même de «l'École de Toronto», pour désigner les filous qui y vont de manœuvres disgracieuses dans les paradis fiscaux. Il cite par exemple trois courtiers torontois qui, depuis l'île de Grand Cayman en 1993, vendaient frauduleusement un minerai rare à des Canadiens. «L'indium est un métal à usage peu clair se négociant aux environs de 5 dollars US l'once, qu'ils réussirent à vendre à 40 dollars à des gogos canadiens, puis à 90 dollars, cette fois en passant par une autre société-écran, jusqu'à ce qu'ils amènent leurs interlocuteurs crédules à émettre deux, voire trois fois leur chèque.» Il ajoute: «Dans la plupart des "magouilles" nord-américaines et caraïbes [sic], sur des actions, papiers valeurs ou marchés à terme, on trouve des personnages originaires de Toronto[195].» Il prend à témoin le Fonds Mutuel International (IOS) que dirigeait feu Bernie Cornfeld, qui réunissait à Toronto la «crème» de ses chefs vendeurs, qu'on avait l'habitude par la suite de retrouver devant des cours de justice[196]. Cette tradition s'est per-pétuée jusqu'à aujourd'hui, la Commission des valeurs mobilières de l'Ontario disant elle-même ne plus savoir où donner de la tête devant les opérateurs frauduleux de Toronto[197]. C'est par exemple depuis une firme des Caïmans que l'investisseur torontois Paul Eustace a fait perdre 200 mil-lions de dollars à des investisseurs, dans le cadre d'une escroquerie[198].

En 2013, dans un scénario à l'ancienne, le fisc américain (IRS) a intenté une poursuite aux États-Unis à l'encontre de la First Caribbean International Bank des Caïmans, à l'époque contrôlée conjointement par la Barclays et la Banque canadienne impériale de commerce, et aujourd'hui toujours la propriété de cette dernière. L'IRS soupçonne que des comptes bancaires de l'institution «ont peut-être été utilisés par des fraudeurs du fisc[199]».

Des Caïmans à Montréal

Les Îles Caïmans sont décriées comme l'un des paradis fiscaux les plus permissifs du monde. Cet ultralibéralisme est à tout le moins toléré poli-tiquement par les responsables du Nord, sinon sciemment soutenu. Un procureur new-yorkais s'est étonné récemment de ce que des États de droit permettent l'existence de juridictions vouées à marginaliser les règles dont ils se dotent eux-mêmes: «Pourtant les Îles Caïmans appartiennent à la Couronne britannique. Leur gouverneur comme leur ministre de la Justice sont nommés par Londres. Le Royaume-Uni a donc le pouvoir de mettre un terme au laisser-faire dans sa colonie, mais il n'en fait rien[200].»

L'époque folklorique où l'on voyait débarquer aux Caïmans des criminels déposant des palettes de bois de liasses d'argent issues de trafics sordides est révolue. Aujourd'hui, bien des opérations suspectes, délictueuses ou criminelles que ce paradis fiscal permet arborent les dehors de la haute finance et de la gestion des assurances. Un banquier des Caïmans expliquait à un comité du Sénat américain en mars 2001 que 100 % de ses activités concernaient les fuites fiscales[201]. Il est impossible pour le fisc de débusquer de tels fraudeurs, le nom des directeurs d'entreprise n'apparaissant sur aucun registre. Certains d'entre eux, anonymes, siègent formellement à plus de 100 conseils d'administration ! On ne peut donc pas identifier les acteurs et la suspicion de fraude sur le territoire offshore est elle-même illégale[202].

Les apparences sont toutefois sauves. Les Caïmans signent en 1986 avec les États-Unis un traité d'assistance mutuelle contre le narcotrafic qui leur permet d'enterrer la hache de guerre[203]. Dix ans plus tard, la législation de ce territoire britannique inscrit dans son code criminel des mesures opposées au blanchiment d'argent[204]. Soumise à la pression internationale alors qu'elle est citée dans les *listes noires* émises en 2000 par le GAFI, l'OCDE et le Forum de stabilité financière, et de nouveau présente sur la « liste grise » de l'OCDE en 2009, la législation des Caïmans a signé dans la dernière décennie des accords d'échange d'informations fiscales avec vingt pays, dont le Canada et les États-Unis[205], ce qui lui permet de disparaître des listes de l'OCDE[206] et de recevoir la bénédiction du GAFI[207]. Mais ces mesures sont de pure forme. Le blanchiment des fonds issus du narcotrafic était encore si important à la fin des années 1990 que les États-Unis ont inscrit les Îles Caïmans sur la liste des « pays à haute priorité[208] ». Elles disposent de « deux aéroports internationaux passoires » et le secret bancaire qui y prévaut convient tout à fait au blanchiment d'argent des acteurs de cette filière[209]. « De très loin, les Îles Caïmans constituent le territoire le plus riche de toute l'Amérique centrale et des Caraïbes[210]. » Malgré que les Bahamas ou les Îles Caïmans aient signé des accords bilatéraux (les Bahamas avec le Canada) pour contrer les transferts de fonds criminels sur les îles[211], ces mesures ne semblent pas donner de résultats concrets. Fin 2008, l'ex-juge suisse Bernard Bertossa citait toujours les Bahamas et les Caïmans parmi les quelques États offshore qui lui paraissaient les plus problématiques[212].

La création en 1997 d'une Bourse des Caïmans, la CSX[213] affiliée au London Stock Exchange International Equity Market, fait craindre le pire quant à ce qu'on peut y coter. Dix ans plus tard, « le nombre d'entreprises en activité a atteint le nombre de 84 500. La Bourse des Caïmans, la CSX, comptait 1 760 inscriptions pour un total de capitalisation boursière de

169 milliards de dollars US[214] ». Les Caïmans constituaient en 2009 le cinquième centre financier en importance au monde, immédiatement après Londres, New York, Tokyo et Hong Kong[215]. On comptait alors dans l'archipel 9 600 *hedge funds*, 268 banques et 780 compagnies d'assurances[216]. Les résultats des mesures à la MacDonald sont aujourd'hui probants : les Caïmans hébergent plus de 93 000 sociétés[217] !

Le Canada, quoique moins présent que jadis, continue d'entretenir des liens étroits avec ce pays offshore. Pis, le gouvernement de Stephen Harper reconnaît activement les vertus de cette législation de complaisance. Il a signé avec elle un Accord d'échange d'informations fiscales (AERF) qui est entré en vigueur le 1er juin 2011[218]. En principe, de telles ententes impulsées par l'OCDE visent à rendre accessibles sur demande circonstanciée les renseignements disponibles dans le territoire offshore. Mais à la canadienne, ces ententes débouchent sur de tout autres conséquences : elles permettent aux sociétés du Canada de profiter des largesses législatives et réglementaires d'un paradis fiscal qui les paraphe. Sans surprise, la firme Maples offre à sa clientèle de l'en faire bénéficier. Puisque les Caïmans ont acquis le statut de « pays désigné » par la signature de l'accord en question, les filiales d'entreprises canadiennes qui y enregistrent leurs profits peuvent les virer ensuite au Canada sans impôt, ce qui est une incitation ouverte à pratiquer la technique du prix de transfert. Les dividendes versés à une société canadienne à partir d'une entité enregistrée aux Caïmans sont automatiquement dégagés d'impôts. « En l'absence d'impôt sur les revenus ou sur les sociétés, sans droits de succession, impôts sur biens immeubles ou retenues d'impôt, les Îles Caïmans sont en bonne position pour que les entreprises canadiennes y engagent des investissements », indique Maples à sa clientèle[219]. Elle insiste : « Depuis de nombreuses années, Maples accumule l'expérience et les connaissances du milieu des affaires aux États-Unis et au Canada, et offre des conseils juridiques sur les lois en vigueur aux Îles Caïmans, en Irlande et dans les Îles Vierges britanniques aux clients nord-américains possédant des entreprises internationales à orientation mondiale[220]. » John Dykstra, formé en droit et en affaires à Toronto[221], est l'un des spécialistes de la firme qui aide des Canadiens à profiter des largesses législatives des Caïmans[222]. Il fait partie des nombreux courtiers canadiens ou employés d'entités canadiennes[223] à œuvrer dans les arcanes du pouvoir hors-la-loi et à faire subir aux différentes populations les soubresauts conséquents à leurs décisions.

Le Canada a tellement lubrifié les échanges financiers avec les Îles Caïmans que ses ressortissants y ont « investi » 25,8 milliards de dollars dans la seule année 2011. Ces flux financiers absolument disproportionnés eu égard à l'économie de l'archipel en font la quatrième destination de capitaux canadiens à l'étranger. Aujourd'hui aux Caïmans, la Banque Royale du Canada contrôle trois entités[224], la Scotia, une[225] et la CIBC, quatre[226]. On y trouve également la Banque commerciale nationale (NCB), dont l'actionnaire majoritaire est AIC Canada[227]. Le cabinet Maples a quant à lui ouvert un bureau à Montréal, avec le soutien du ministère québécois des Finances. La firme spécialisée dans la création d'entités offshore paiera sensiblement moins d'impôts. « Maples a obtenu le statut de Centre financier international (CFI), ce qui lui donnera droit à une exemption d'impôt provincial sur certains revenus et à une réduction de 75 pour cent des cotisations au Fonds des services de santé du Québec[228]. » Le président et directeur général du Centre financier international de Montréal, Jacques Girard, qui a encadré l'arrivée de la firme, s'est montré d'une naïveté déconcertante : « Je ne veux pas porter de jugement. Là, on porte des jugements sur des sociétés et ça, ça me paraît un peu gênant[229]. » Le ministre québécois du Revenu, Robert Dutil, a préféré de son côté se servir du paravent du droit : « Dans notre société, il faut donner la chance au coureur et permettre à ceux qui font des gestes légaux de s'établir[230]. » Pour sa part, le cabinet d'avocats a donné dans le registre de l'humour lorsque interviewé par Radio-Canada : « Maples and Calder précise que l'enregistrement des 18 000 sociétés clientes à leur adresse aux Îles Caïmans n'est pas fait dans le but de leur éviter de payer des impôts dans leur pays d'origine[231]. » MaplesFS, l'entité qui chapeaute les bureaux montréalais, insiste pourtant sur l'importance de sa présence offshore, dans l'un des deux seuls paragraphes par lesquels elle se présente : « Fonctionnant à partir des juridictions *onshore* et offshore, nous offrons des conseils experts et utiles prenant racine dans l'expertise juridique et l'expérience de notre équipe de professionnels[232]. » Elle y vante ses connaissances dans la création d'entités diverses, dont les trusts, implicitement ceux que des Canadiens ont conçus aux Caïmans quelques décennies auparavant.

CHAPITRE QUATRE

La Jamaïque

Zone franche industrielle

où l'ex-gouverneur de la Banque du Canada et les alumineries telle Alcan relèguent la colonie à une économie de zone franche

1974

Dès les années 1950, le gouvernement du Canada a mis tout son poids dans la balance pour faire de la Jamaïque l'un des premiers paradis fiscaux d'envergure de la Caraïbe. C'est un ancien gouverneur de la Banque du Canada, Graham Towers, qui conseillait formellement le gouvernement jamaïcain au moment où survenaient dans le pays de grands bouleversements structurels. La colonie britannique apparaissait ces années-là comme la pierre d'assise des banques canadiennes pour toute la Caraïbe. Dès 1889, la Banque de Nouvelle-Écosse avait ouvert une succursale à Kingston, la capitale, créant un précédent. Pour la première fois, une banque canadienne s'installait ailleurs qu'au Canada, aux États-Unis ou en Grande-Bretagne[1]. La Banque Royale du Canada l'imitera en 1914[2], avant que ne s'ajoute en 1920 la Canadian Bank of Commerce[3]. Mais les années 1955 et 1956 seront celles des grands remous.

Graham Towers connaît bien la région. Il a séjourné à Cuba dans sa jeunesse, de 1922 à 1929, comme employé de la Banque Royale du Canada[4], avant de devenir le tout premier gouverneur de la Banque du Canada de 1934 à 1954 et de siéger comme gouverneur suppléant au Fonds monétaire international (FMI) de 1946 à 1954. En 1955 et 1956, le gouvernement de la Jamaïque lui demande formellement de « revoir le rôle de l'institution financière jamaïcaine, pour noter s'il est possible de mieux mettre à profit les ressources de l'île dans une perspective de développement, et pour étudier s'il y a lieu de créer une banque centrale[5] », cela dans le cadre de l'Administration de l'assistance technique des Nations unies. Mais en réalité, tout le pouvoir politique d'Ottawa se met de la partie. La Banque

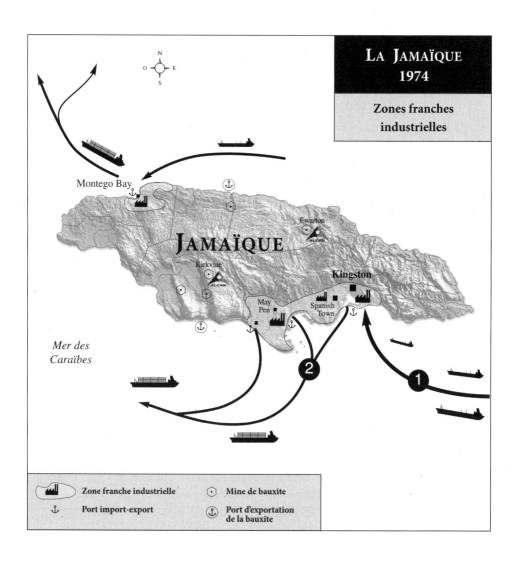

La Jamaïque 1974

Zones franches industrielles

N
O · E
S

Montego Bay

JAMAÏQUE

Ewarton
ALCAN

Kirkvine
ALCAN

Kingston

May
Pen

Spanish
Town

Mer des
Caraïbes

2

1

Zone franche industrielle   Mine de bauxite

Port import-export   Port d'exportation
de la bauxite

centrale du Canada, que Towers vient de quitter, ainsi que le ministère canadien des Finances soumettent leur avis dans des séances de « consultation » sur les réformes que la colonie jamaïcaine doit introduire[6]. Towers se trouve aussi épaulé par le conseiller des gouverneurs de la Banque d'Angleterre, J. L. Fisher[7]. En 1956, l'aboutissement de ce processus est un rapport[8] suggérant l'élaboration de modalités d'aménagement du système de crédit privé et public afin de favoriser l'investissement dans l'économie réelle de la Jamaïque.

Le Rapport Towers vise à circonscrire le champ d'action des autorités politiques pour laisser libre cours à l'activité bancaire. Il déconseille aux autorités locales de créer une banque centrale d'État leur permettant de peser sur les décisions économiques du pays[9]. Il fait passer pour judicieux que le gouvernement investisse dans certaines entreprises ou certains projets industriels sans pour autant participer à leur gestion[10]. Enfin, il soutient des propositions apparemment non désintéressées, comme l'invitation faite à la Jamaïque, colonie pour l'heure britannique, de contracter des prêts à l'extérieur de Londres, par exemple au Canada, aux États-Unis et dans le paradis bancaire qu'est la Suisse. En 1960, l'assemblée jamaïcaine adopte finalement la *Banking Law*, largement inspirée du droit canadien. Elle régit les activités des banques commerciales[11] et se veut le prototype de l'aménagement du secteur bancaire dans les autres États caribéens[12].

Mais surtout, dès l'arrivée de Towers sur l'île, la Jamaïque transforme radicalement sa réglementation en matière fiscale. On peut difficilement croire en une simple coïncidence. Le gouvernement colonial vote en 1956 deux mesures qui prévoient un allègement du coût du travail ainsi que des exemptions fiscales pour les entreprises étrangères[13]. L'une d'entre elles vise explicitement à soutenir les sociétés créant des pôles manufacturiers en Jamaïque, strictement aux fins de l'exportation de produits. Il s'agit en clair de faire de la Jamaïque une zone franche industrielle où le coût du travail sera quasi nul, les impôts dérisoires, les syndicats inexistants et les lois en matière sociale ou environnementale risibles. C'est au prix de telles humiliations qu'on entend attirer des entreprises et créer de l'emploi.

L'année 1956 marque également le moment où le gouvernement jamaïcain entame des négociations avec les alumineries, parmi lesquelles la canadienne Alcan, sur les termes d'un code minier à établir. Il se révélera outrancièrement avantageux pour les sociétés d'aluminium. Les sociétés ne paieront en tout et pour tout au gouvernement que 2,10 % de la valeur générée par leurs affaires entre 1960 et 1973, selon un arrangement voué à durer[14].

Enfin, toujours en 1956, l'assemblée jamaïcaine vote la loi 36, fondant un type de sociétés offshore appelées les *International Business Companies*.

Les entreprises ou actionnaires enregistrés dans la colonie en vertu de ce statut peuvent recevoir des fonds de l'étranger sans payer d'impôts. Cette loi de 1956 « est conçue pour encourager les organisations internationales influentes et les autres à établir leurs bureaux de gestion en Jamaïque », dira six ans plus tard une note gouvernementale signée par le ministre jamaïcain des Finances et qui en réitère le principe[15]. C'est une première dans la Caraïbe britannique. Les International Business Companies ouvrent l'île à des investisseurs étrangers qui bénéficieront d'avantages législatifs sans s'intéresser de quelque manière que ce soit à son activité économique réelle. Et si d'aventure c'est le cas, le taux d'imposition prévu par les nouvelles dispositions n'excède pas 2,5 % sur les profits déclarés[16]. Réduit à une lapalissade devant un si troublant mélange des genres, l'historien critique Yves Engler écrira dans son *Black Book on Canadian Foreign Policy* : « Ces lois, qui deviendraient des modèles pour le reste des nouvellement indépendantes Caraïbes, réjouissaient les banques canadiennes[17]. »

De manière concomitante, les banques déplorent au Canada des « surcharges fiscales » (*heavy taxation*), censées décourager la production[18]. Elles légitiment ainsi implicitement l'aménagement d'un paradis fiscal tel que celui de la Jamaïque afin de permettre au secteur bancaire et à sa clientèle de contourner la réglementation fiscale canadienne, voire celle de tous les États où la notion d'État social s'impose minimalement.

Son mandat terminé, Graham Towers intégrera en 1959 le conseil d'administration de la Banque Royale du Canada, pour faire profiter sa banque, on peut le supposer, de l'aménagement législatif qu'il a lui-même initié sur l'île[19]. En 1963, l'institution se découvre en effet une nouvelle vocation en Jamaïque : The Royal Bank of Canada International Limited, société entièrement contrôlée par la Banque, fournit par l'entremise de ses filiales des services de gestion et de fiducie en Jamaïque et sur l'île de la Trinité. Elle se propose ainsi d'accroître ses opérations dans ces domaines aussi bien que dans d'autres sphères de la finance internationale, annonce le directeur général de la banque, C. B. Neapole, dans le rapport annuel de l'institution[20]. Elle ouvrira en 1964 trois nouvelles succursales en Jamaïque, où on en dénombrera alors onze au total[21].

Même chose pour la Banque de Nouvelle-Écosse, qui compte 17 succursales dans la colonie en 1953 et 10 de plus en 1961[22]. En 1967, l'institution de Halifax créera une société par actions, la Bank of Nova Scotia Jamaica Limited, et portera à 37 le nombre de ses succursales établies sur l'île[23]. Selon la rhétorique bancaire qui consiste à annoncer en termes voilés la transformation de la Jamaïque en un havre fiscal[24], il s'agit d'un « développement naturel à la lumière du marché des capitaux en Jamaïque et de la force nationale qui s'y affirme de plus en plus[25] ». Depuis, les institutions financières n'ont jamais cessé d'occuper une place importante en Jamaïque[26].

Une autonomie inattendue

Les activités bancaires et industrielles ne tournent cependant pas aussi rondement qu'il y paraît sur l'île. Quelques désagréments politiques surviennent. En 1959, le peuple jamaïcain secoue le joug colonial et obtient la pleine autonomie gouvernementale. Les autorités publiques, contre l'avis de leur conseiller canadien, fondent deux ans plus tard une banque centrale, de façon à soutenir elles-mêmes le développement économique de l'île et une politique de plein emploi[27]. Elles en votent le principe en 1960 dans le cadre d'une seconde loi sur les structures économiques du pays, la *Bank of Jamaica Law*. C'est la première fois qu'une institution d'un pays caribéen soumet les banques canadiennes à son autorité[28]. Avant sa création, la Banque de Nouvelle-Écosse remplissait cet office[29], en plus d'agir à titre de banque du gouvernement[30] et d'établir l'état de la masse monétaire en Jamaïque. Recevant sous forme de dépôts les surplus de la balance des paiements de la colonie, elle se voyait en position de faire augmenter la masse monétaire en accentuant le nombre de prêts à l'échelle locale ou au contraire de la faire diminuer en investissant des fonds sur les marchés à court terme de Londres ou de New York[31]. L'économie jamaïcaine subissait ainsi les soubresauts des décisions d'affaires prises par l'institution canadienne indépendamment des considérations locales[32]. À partir de 1960, la situation se renverse, et la Banque de Nouvelle-Écosse se trouve désormais dominée par un ministre des Finances tout-puissant.

Maintenant doté de cette banque centrale, l'État jamaïcain ne collabore plus tout à fait avec les lobbyistes du Commonwealth. Au moment où des banquiers cherchent à soumettre la colonie britannique aux ambitions de la finance internationale, sa population va plutôt en sens contraire. Le mouvement d'émancipation nationale bat son plein ; la colonie acquerra son indépendance complète en 1962. La culture financière offshore peine à évoluer dans un tel décor, les autorités jamaïcaines donnant l'impression d'avoir suivi le modèle offshore à contrecœur et ne l'appliquant qu'à moitié. Même les politiques industrielles clairement libérales que reprennent à partir de 1962 les différents gouvernements indépendants[33] répondent d'un dessein autonomiste. Elles visent à faire produire sur l'île les biens de consommation courante, de façon à réduire les importations[34].

Pour l'establishment financier canadien, c'est un camouflet. Douglas Fullerton, le biographe de Towers, attribuera non sans ressentiment les difficultés économiques que connaît la Jamaïque par la suite au non-respect des préceptes de leur conseiller[35]. L'île aura essentiellement servi de laboratoire, car dans la deuxième moitié du xxe siècle, les banques canadiennes ne font plus du pays leur priorité et s'installent plutôt tous azimuts dans la Caraïbe britannique : les Bahamas puis les Îles Caïmans d'abord, et par la suite les îles Turques-et-Caïques, la Barbade, les Bermudes ainsi que Trinité-et-Tobago deviennent des destination de choix.

En 1972, l'avènement d'un gouvernement anticolonialiste de gauche en Jamaïque, celui de Michael Manley, jettera un grand froid sur tout le secteur bancaire. Manley cherche à encadrer l'activité économique, tel que le font les pays industrialisés. L'écrivain états-unien Russell Banks voit en lui une sorte de « chrétien démocrate » sensible aux enjeux d'équité sociale[36], mais ses politiques timides suffiront à le faire passer pour un socialiste déchaîné. Le face-à-face qu'il a instauré avec le grand capital international provoque un mépris parfois ouvertement raciste de la part des chantres des paradis fiscaux, notamment dans les différents « guides » qu'ils produisent[37]. Le fiscaliste Édouard Chambost qualifie l'île d'« enfer racial qu'il convient d'éviter avec le plus grand soin[38] » tandis que son pair André Beauchamp parle d'une « hétérogénéité ethnique très accusée[39] ». Pour lui, « la Jamaïque a une législation semblable à Antigua, la Barbade et Grenade, en ce qui concerne les *International Business Companies*, mais le gouvernement actuel [de Michael Manley] ne les accueille pas avec bienveillance et la loi n'a jamais été réellement mise en application[40] ». Il faudra donc casser ce nouvel État indépendant.

La politique d'Alcan

Malgré le peu de résultats auxquels elles aboutiront, les négociations de 1956-57 entre les instances jamaïcaines et l'industrie minière relèvent d'un bras de fer. Encore sous administration coloniale, la représentation politique jamaïcaine souhaite tirer profit de l'intérêt accru pour la bauxite dans le monde, minerai dont l'île regorge et à partir duquel on produit l'aluminium. Cette année-là, l'usine de Kirkvine d'Alcan produit 500 000 tonnes d'alumine[41], le produit obtenu à mi-parcours dans le processus de fabrication de l'aluminium. La Jamaïque maintient alors un impôt de 40 % sur les profits présumés par tonne, mais porte de 0,60 dollar US à 2,30 dollars US l'estimation moyenne de la valeur de la tonne[42]. Une fois les comptes soldés, l'imposition réelle des alumineries reste dérisoire, à savoir 35 cents la tonne[43]. Les alumineries ne paient par ailleurs pratiquement pas de redevances[44]. Le rapport de force qu'instaurent les autorités reste strictement symbolique : « Les revenus perçus par le gouvernement étaient relativement modestes », signale Robert Conrad de la Syracuse University, en citant des sources gouvernementales[45]. Du fait de ces mesures, le revenu annuel de l'État généré par l'impôt passe néanmoins de 6,9 millions de dollars US à plus de 29 millions de dollars US de 1957 à 1973[46]. Il reste malgré tout difficile de dire si l'industrie contribue vraiment au développement du pays, car il en coûte à la collectivité d'aménager un territoire qui permet à des entreprises privées, drainant énormément de ressources dans la mise en application de leurs plans d'exploitation, d'y opérer. La production d'alumine exige par exemple environ 30 % du pétrole importé par la Jamaïque[47].

Quoi qu'il en soit, les prétentions politiques du peuple jamaïcain ne sont pas du goût d'Alcan (actuelle RioTintoAlcan). Duncan Campbell, l'historiographe officiel de l'aluminerie, un ancien militaire devenu son responsable des relations publiques en 1945, ne manque pas de regarder de haut « les pays sous-développés ou en voie de développement », où se trouvent les gisements de bauxite dont Alcan se découvre « tributaire ». La société se voit « contrainte » au sortir de la Seconde Guerre mondiale « de traiter avec des gouvernements qui émergent à peine de la tutelle coloniale » afin d'y mener des travaux de prospection[48]. Recourrait-on à un lexique à ce point connoté si l'État en cause était les États-Unis ou l'Australie ? Au détour de maintes phrases, on perçoit des relents de racisme : autant l'évolution chaotique des marchés que les terribles fronts de la Seconde Guerre mondiale sont présentées comme des épreuves comptant parmi les hauts faits de l'histoire, autant les velléités provenant des pays du Sud passent pour des « convulsions politiques[49] », voire des « hurlements quasi hystériques » quand il s'agit par exemple des discours anticolonialistes du Guinéen Sékou Touré[50]. L'histoire, pour Alcan, tient du lien entre la matière inerte qu'il s'agit d'exploiter et « les changements politiques et économiques » qui viennent « malheureusement » le « bouleverser[51] ». Elle préfère donc le « défi intéressant » qu'offrait la Jamaïque lorsqu'elle était « endormie dans son colonialisme et son agriculture[52] », aux « graves remous sociaux » que provoquent les « exhortations au nationalisme noir » de la part de figures politiques qualifiées d'« activistes » ou de « démagogues » venus « dominer la scène politique » dans les années 1950 et 1960[53].

La rupture est en effet choquante. Les responsables d'Alcan se sont plutôt habitués dans le passé à mettre les pieds sous la table du ministre lorsque venait le temps de rédiger avec lui ses projets de loi. En 1943, en plein état de guerre, Alcan a mené ses premiers travaux d'exploration dans la colonie, évidemment sans s'embarrasser des formes.

Devenue une imposante multinationale dans les années d'après-guerre, à la faveur de la reconstruction des pays concernés, l'entreprise canadienne anticipe dès 1943 quelle sera la teneur des « futures lois minières de la

Jamaïque[54]» : celles-ci contraindront les alumineries à posséder les terres qu'elles veulent exploiter. Alcan décide dès lors d'en acquérir massivement sur l'île. Ce n'est pas que la société soit dotée d'un flair particulier, mais plutôt qu'elle participe à la rédaction de ces lois, laissant la concurrence en plan[55]. Dès 1946, le représentant d'Alcan dans la colonie, Bryn Davis, «passe de longues heures [sic] avec les autorités gouvernementales à élaborer une loi minière[56]», qui sera votée l'année suivante. En 1952 encore, avec l'états-unienne Kaiser Aluminium, Alcan est parvenue à maintenir le salaire minimum sur l'île à 26 cents de l'heure, des suites de négociations tendues finalement arbitrées par un Britannique[57].

Tout tourne rondement. Comme les propriétés foncières d'Alcan sont très nombreuses et que la loi l'oblige à s'assurer que leur exploitation ne se fasse pas au détriment de l'agriculture et de l'élevage, le géant canadien devient un acteur de premier plan dans ces domaines. En 1953, elle détient 28 900 acres et compte 5 000 locataires[58]. En réalité, le gouvernement jamaïcain presse l'entreprise de développer des activités agricoles sur les terres qu'elle possède[59].

Prise de court par les revendications populaires des années 1950, au moment de faire construire puis agrandir son usine de Kirkvine et d'inaugurer celle d'Ewarton, Alcan s'empresse d'épouser comme elle le peut cette cause inattendue. La voici donc qui s'essaie à la *jamaïquanisation*[60]. Inutile de se représenter les dirigeants d'Alcan dans les habits de Bob Marley. L'entreprise fait de l'expression un *orwellisme*, car la société ne s'adapte pas tant au pays qu'elle l'adapte à ses fins. Être «authentiquement jamaïcain», pour Campbell, l'idéologue de la firme, c'est «former les ressortissants jamaïcains [sic] et les aider à se développer aussi vite que la prudence le permet[61]»! Qu'on en soit à qualifier les citoyens d'un pays de *ressortissants* alors qu'ils sont chez eux en dit long, sans parler des autres termes de l'énoncé et du malaise dont témoigne sa structure alambiquée. L'expression *jamaïquanisation* signifie, entre autres choses dans l'esprit des Jamaïcains, la possibilité pour eux de se porter acquéreurs des infrastructures de développement du secteur de la bauxite[62]. La société minière procède pour sa part à une *alcanisation* de ces revendications politiques et tout au plus installera-t-elle quelques acteurs locaux dans des postes de prestige[63].

La rhétorique employée est plutôt insidieuse. La société canadienne ne ménagera en réalité aucun effort pour contrer le mouvement de lutte postcolonial. En 1961, alors que la Jamaïque a acquis l'autonomie gouvernementale et s'apprête à déclarer son indépendance, Bryn Davis, celui avec qui le gouvernement colonial de Kingston a élaboré les lois minières, devient le représentant d'Alcan à Londres. Sa mission ? Faire du lobbying auprès du gouvernement britannique concernant le sort à réserver aux territoires britanniques autonomes réunis dans la Fédération des Indes-Occidentales, ainsi que de voir à calmer « l'agitation de plusieurs colonies anglaises qui revendiquent leur indépendance[64] ». Sur le plan économique, Alcan cherche de même à conditionner les termes du marché international de la bauxite, de façon à dominer les États qui disposent de la ressource. À l'époque encore, « le tiers-monde n'était pas un lieu. C'était un projet », comme le résume avec justesse l'historien Vijay Prashad[65]. Ainsi, dans les années 1970, les pays producteurs de bauxite du tiers-monde créent l'Association internationale de la bauxite (AIB) afin de s'assurer une juste compensation pour l'activité d'extraction ayant cours chez eux[66]. À l'instar des pays producteurs de pétrole qui se sont associés sous l'égide de l'Organisation des pays exportateurs de pétrole (OPEP), ils entendent mettre un terme à la logique de concurrence qui les entraîne tous vers le bas. Ce front commun compte parmi le « nombre inhabituel d'incertitudes » auquel se dit confrontée Alcan en 1973[67]. Lorsque le gouvernement progressiste de Michael Manley, en poste depuis 1972, votera de nouveaux impôts destinés à l'industrie minière en 1974, Alcan ne ménagera aucun effort pour briser cette unité entre nations appauvries par l'histoire coloniale. Le temps presse. En 1971 au Guyana, la société a perdu pied, le gouvernement ayant nationalisé l'exploitation de la bauxite.

En pleine crise pétrolière, inflationniste et budgétaire, le gouvernement Manley destine aux alumineries un impôt supplémentaire qui fait augmenter de 11 dollars US la valeur de la tonne de bauxite jamaïcaine, pour un prix total de plus de 20 dollars la tonne[68]. « En plus d'indexer le prix de la bauxite à celui du produit fini, l'aluminium, le gouvernement jamaïcain a adopté le Tax Levy Act qui introduit une augmentation sensible des taxes à l'exploitation et qui permet à la Jamaïque de multiplier par six ses revenus provenant de ce minerai – passés de 24 millions de dollars en 1973 à 150 millions de dollars l'année suivante[69]. » Cet impôt est appelé à augmenter légèrement au cours des années suivantes[70]. Grâce aux nouvelles mesures, les revenus de l'État relatifs à ce secteur d'activité passent soudainement de 23 millions à 170 millions de dollars[71]. Le gouvernement local entamera ensuite des négociations qui s'étireront jusqu'en 1978, pour enfin obtenir des parts dans les entités jamaïcaines de ces grands groupes, visant en certaines circonstances à en prendre le contrôle[72]. Il obtient ainsi 7 % des parts des filiales d'Alcan[73].

Au début des années 1970, Alcan est l'une des alumineries qui détiennent d'importantes réserves minières en Jamaïque et qui contribuent au trésor public[74]. En 1974, ces nouveaux impôts représentent pour l'entreprise, prétend-elle, une dépense de 30 millions de dollars, soit cinq fois la somme qu'elle a déboursée l'année précédente[75]. Ne digérant pas le

« socialisme », la « mauvaise administration », ni l'« idéologie faussée[76] » du pays, la société canadienne cherchera à mettre en concurrence la Jamaïque avec la Guinée-Conakry, en Afrique de l'Ouest, là où elle est péniblement arrivée ces mêmes années à développer une concession. L'argument est double. La société prétend que les nouveaux impôts jamaïcains rendent son activité déficitaire en Jamaïque[77], mais son historien attitré ne cite aucune information chiffrée à cet égard. Il maille son argumentaire d'une autre considération, la seule qui importe, à savoir que le prix de la bauxite en Jamaïque « dépasse de beaucoup celui qui [...] est payé où que ce soit dans le monde à l'époque[78] ». Le « manque de réalisme[79] » qu'Alcan attribue aux dirigeants jamaïcains concerne une réalité qu'elle a, elle, le loisir de conditionner. Ce marché, ce prix, cette compétitivité entre les États, cette bourse qui réagit bien ou mal[80], Alcan les anime avec ses semblables, telles que Kaiser, Reynolds et Alcoa. Au « cartel » des États disposant de bauxite, qu'Alcan dénonce[81], s'oppose celui qu'elle forme avec les autres multinationales de l'aluminium. En maintenant les pays producteurs en concurrence les uns avec les autres, leur oligopole alimente le dumping du prix de la bauxite. Dire, comme le fera Alcan, qu'en Jamaïque « le résultat dans les dix ans qui suivent 1974 [sic] est presque identique à celui prédit par les chefs de l'industrie[82] », relève de la rhétorique. Leur politique de nuisance a tout simplement généré les suites escomptées. Les alumineries réduisent la cadence de leur production et délocalisent leurs opérations. Alcan en rajoute : « En dépit de leur appartenance à l'AIB [l'Association internationale de la bauxite], l'Australie et la Guinée sont plus lentes à augmenter [les impôts chez eux], ce qui contribue à leur attirer les capitaux [sic][83]. » Ultime pied de nez, l'historiographe d'Alcan laisse tomber que la « création de l'AIB » et « la hausse des taxes [sic] » a permis de faire croître le cours de la bauxite présente en Jamaïque, pour lui faire perdre les principales sociétés d'exploitation présentes chez elle[84]. Comme le résument le mathématicien Damien Millet et l'artiste François Mauger dans un ouvrage commun, « leur rancune est tenace[85] ».

Selon la politologue Bonnie Campbell, la Guinée-Conakry sortira gagnante de la compétition, notamment en raison de la qualité et de la densité des gisements qu'elle offre[86]. S'ajoute surtout à cela un régime fiscal avantageux, soit un impôt sur des actifs spécifiques et une taxe d'exportation des minerais plafonnée à 0,75 %[87]. Globalement, la stratégie de la division développée par les sociétés n'est un mystère pour personne. L'historien Vijay Prashad observe, parmi d'autres, que « les transnationales suçaient jusqu'au dernier sou les profits issus de l'extraction des minerais tels que la bauxite. Elles unissaient leur force contre des États qui eux se faisaient concurrence. La Guinée et la Jamaïque étaient ainsi rivales, pour le bonheur des firmes transnationales[88] ». Carlton E. Davis, conseiller et négociateur dans le dossier de la bauxite auprès du gouvernement jamaïcain, tire la même conclusion[89]. Encore aujourd'hui, les économistes orthodoxes considèrent que la Jamaïque, contrairement à la Guinée, n'exporte pas assez de bauxite au regard de son potentiel[90].

Sous la pression d'Alcan, le gouvernement jamaïcain a finalement abandonné son programme fiscal auprès d'elle en 1988[91].

Un FMI qui vous veut du bien

Les diverses résistances des officiels jamaïcains ne sont de toute façon pas du goût des oligarques internationaux, multinationales, diplomaties étrangères et institutions financières. La Jamaïque ne correspond plus à ce que les investisseurs et banquiers attendent d'un paradis fiscal et elle en paiera le prix fort.

Les États-Unis entreprennent ainsi dans les années 1970 de corriger le jeune État indépendant. Une documentation volumineuse fait état d'une vaste entreprise de « déstabilisation » du régime de centre gauche opérée depuis Washington, par exemple à travers l'armement des gangs en lien avec les trafiquants colombiens de cocaïne. Cette période trouble, criminogène et opaque a fait l'objet de travaux de la part du géographe Romain Cruse[92]. La prolifération incontrôlée de ces bandes, qui trouvent facilement à s'armer, place durablement le pays sous tension, les groupes armés rendant impossible la dissidence politique dans les districts qu'ils dominent par la violence. Signe éloquent, lors des élections jamaïcaines, le vote par secteur est absolument homogène. Dans une autre recherche, Cruse, en tandem avec Fred Célimène, avance que les multinationales de la bauxite ont activement participé à « l'instauration de la déstabilisation du régime Manley dans la seconde moitié des années 1970[93] ».

Les comptes de l'État tombés dans le rouge, le gouvernement Manley vote des impôts touchant la classe moyenne aisée, qui prennent la forme d'un contrôle fiscal de plus en plus accentué sur les petits commerçants. Ces derniers, las de ce fardeau, tendent de plus en plus à transférer leurs capitaux à l'extérieur du pays. Des banques canadiennes les y aident, si l'on en croit la fresque historique qu'a composée sur le pays l'écrivain Russell Banks. Il n'est pas rare qu'un entrepreneur quitte la Jamaïque, « abandonnant sur place ses propriétés immobilières et ses dettes pour rejoindre son argent – en monnaie américaine ou canadienne s'il avait de la chance, ou en bijoux parce que le dollar jamaïcain était sans cesse dévalué pour satisfaire aux conditions du Fonds monétaire international[94] ».

L'effondrement économique du pays conduit à l'aménagement, en 1976, de la *Kingston Free Zone*. Cette première zone franche, sise tout près d'un site portuaire de chargement de conteneurs, prévoit une exemption des droits de douane et une exonération fiscale permanente sur le revenu d'entreprises exportant leur production[95]. Le gouvernement jamaïcain s'engage même à subventionner la location d'aires industrielles auprès de certaines de ces entreprises étrangères[96]. Toutefois, le peu de fonds que l'État arrive à attirer dans le trésor public du fait de telles mesures se trouve détourné par la corruption ; la part discrétionnaire conférée aux ministres est considérable. La politique d'incitation à l'investissement « était en grande partie décousue et incohérente dans son application, et par-dessus tout, elle avait un caractère très discrétionnaire. Chaque ministère avait sa propre clientèle de grandes entreprises et déterminait l'éligibilité aux incitatifs ainsi que la durée *réelle* de la période d'exemption en se basant sur des critères qui étaient souvent en porte-à-faux avec ceux qu'utilisaient d'autres ministères[97] », écrit le fiscaliste jamaïcain Wayne Thirsk. L'incitation centrale de ce dispositif semble donc avoir porté davantage sur la corruption des ministres et des hauts fonctionnaires que sur le désir d'attirer de nouvelles entreprises.

Dans la foulée de cette crise et des suites de l'entreprise de « déstabilisation » par les tenants du grand capital, le parti ultralibéral d'Edward Seaga est porté au pouvoir en 1981. Le premier ministre fait immédiatement appel au Fonds monétaire international (FMI) pour qu'il finance une économie d'exportation. Le « plan d'ajustement structurel » que Seaga fait imposer au pays est dévastateur. « Il y eut un brusque changement d'orientation, des entreprises basées sur l'importation vers des entreprises basées sur l'exportation[98]. » Le FMI transforme le pays en une contrée où l'on brade les ressources et produit des biens de consommation à rabais pour les marchés du Nord. Dès lors qu'elle convient aux multinationales d'exportation plutôt qu'aux sociétés approvisionnant le marché intérieur, la Jamaïque devient une vaste zone franche. Il ne lui reste plus qu'à séduire les entreprises étrangères en leur accordant des exonérations fiscales et en autorisant le laisser-faire en ce qui concerne les conditions de travail et la protection de l'écosystème.

Pour rembourser la dette qu'elle contracte auprès du FMI, la Jamaïque votera dans les années 1980 des mesures d'austérité qui l'entraîneront dans une spirale infernale[99]. Elle se saborde elle-même en procédant à :

- l'abandon des subventions à l'achat de produits de première nécessité ;
- la réduction draconienne des dépenses publiques dans des secteurs dits *non productifs* tels que la culture, l'éducation, la santé, le logement et les infrastructures publiques ;

- la dévaluation de la monnaie locale ;
- la hausse des taux d'intérêt au détriment des commerçants locaux pour faire fructifier les capitaux étrangers ;
- l'appui aux exportations plutôt que la satisfaction des besoins des populations ;
- l'ouverture totale du marché intérieur de façon à mettre en concurrence les petites entreprises locales avec de puissantes multinationales ;
- une fiscalité ciblant les consommateurs et les travailleurs plutôt que les revenus des grandes entreprises ;
- la privatisation massive des entreprises d'État[100].

L'Unicef (Fonds des Nations unies pour l'enfance) sonne l'alarme. Le choc pour les populations est terrible. On constate l'apparition en Jamaïque du phénomène nouveau de la malnutrition tandis que les produits de consommation courante passent au rang d'objets de luxe[101]. « L'ouest de Kingston accueille notamment Garbage City, la ville poubelle, où chaque jour des centaines de personnes viennent avec un crochet fouiller une décharge à ciel ouvert, dans le but d'y trouver un reste de viande avariée, un fond de bouteille, un déchet réutilisable[102]. »

Il est difficile pour la Jamaïque de se défendre politiquement au sein des instances du FMI. Non seulement l'institution financière fait siennes les lois du libre marché qui profitent outrancièrement aux intérêts de sociétés privées comme Alcan, mais le pays lui-même n'y a pas sa voix propre. En fait, seuls les États-Unis, le Japon, l'Allemagne, la France, le Royaume-Uni, l'Arabie saoudite, la Chine et la Russie comptent sur leur propre délégation au FMI[103]. La Jamaïque fait partie d'un collectif d'États en partie caribéens dont le représentant est… un Canadien[104]. La supercherie ultime de toutes ces mesures consiste à faire porter aux États qui en sont victimes la responsabilité de l'échec. Ceux-ci se trouvent alors à financer pendant des décennies une dette dont personne n'a profité, transformant ainsi en rentières les banques qui sont parties prenantes[105].

La portée de ces mesures ultralibérales ne s'arrêtera pas là. Le débat pour radicaliser ou revitaliser les dispositions offshore de la Jamaïque continuera de traverser la société et de secouer l'Assemblée législative[106]. Désespéré d'obtenir des capitaux, le pays tend aujourd'hui à radicaliser sa politique de zone franche. Il cherche ainsi à attirer des entreprises dans ces zones où la loi défie la justice, d'abord à Kingston, la capitale située au sud-est de l'île, et à Montego Bay, au nord-ouest, en plus de développer celle de Spanish Town, près de la capitale. C'est à la création de telles zones que servent les fonds obtenus du FMI ! Là, de nouveau, les entreprises ne paient pratiquement aucun impôt, ouvrières et ouvriers travaillent au salaire minimum local et le droit pervers qui prévaut interdit que quelque syndicat y soit créé. La répression est totale : « Ceux et celles qui osent revendiquer pour l'amélioration de leurs conditions de vie sont inscrits sur une liste noire, leur interdisant à jamais l'emploi dans ces zones[107]. » Ces bagnes se trouvent physiquement aux abords des ports, de façon à faciliter l'entrée au pays de la matière qui sera transformée en usine pour être aussitôt exportée vers les marchés extérieurs. « Tout se passe comme si les marchandises se contentaient d'effleurer l'île, sans apporter de devises ni participer au développement de l'île[108]. » Beaucoup d'industries tout à fait étrangères aux pratiques professionnelles en vigueur à la Jamaïque s'y établissent à peu de frais. On compte aujourd'hui près de 3 000 de ces zones franches dans le monde, qui concentrent les nouveaux damnés de la Terre. Celles de la Jamaïque sont si permissives qu'elles ont fait l'objet de deux documentaires[109].

Une zone franche jamaïcaine, une échappatoire canadienne

Le 30 mars 1978, le Canada a intégré à son propre régime fiscal les avantages consentis par la législation jamaïcaine, en paraphant avec elle une entente dite de non double imposition. Ces accords factices consistent pour les autorités canadiennes en un engagement à ne pas imposer les fonds que des entreprises canadiennes transféreraient de la Jamaïque au Canada, sous le prétexte qu'ils auraient déjà été imposés en territoire jamaïcain, ce qui n'est évidemment pas le cas pour les sociétés opérant dans la zone franche. Ainsi, une société canadienne peut déduire de ses revenus imposables tout gain découlant de retours d'investissements directs en Jamaïque[110]. « Étant donné que toutes les filiales canadiennes non financières n'ont touché que des revenus d'entreprises exploitées activement, les dividendes qu'elles ont payés à des investisseurs canadiens directs n'avaient nullement été soumis à l'imposition fédérale canadienne », observe le fiscaliste James Wozny[111]. Il ajoute que les bénéfices issus d'activités gérées par des holdings en Jamaïque ne sont pas plus sujets à l'impôt au Canada[112]. Ces mesures font inversement du Canada le paradis fiscal de la Jamaïque : les revenus générés par l'activité d'entités détenues par des Canadiens en Jamaïque ne feront l'objet d'aucune imposition là-bas sitôt que les dividendes sont enregistrés au Canada, tout comme ils ne seront nullement imposés au Canada s'ils ont été générés en Jamaïque. Aujourd'hui, 16,5 % de la population jamaïcaine continue de vivre en situation d'extrême pauvreté et de dépendre de l'aide extérieure[113].

CHAPITRE CINQ

La Barbade

Refuge des firmes canadiennes offshore

*où le gouvernement fédéral d'Ottawa crée un corridor
d'amnistie fiscale vers le Canada*

1980

Comme la Suisse est le paradis fiscal de la France, de la même manière que le Liechtenstein a adapté sa législation pour devenir la doublure négative de l'Allemagne, la Barbade est devenue dans les années 1980 le paradis fiscal destiné à neutraliser le droit fiscal canadien. La petite île de moins de 300 000 habitants se révèle en effet la troisième destination des capitaux canadiens dans le monde, après les États-Unis et le Royaume-Uni. Les gens d'affaires du Canada y ont injecté près de 60 milliards de dollars en 2012 seulement, soit une augmentation de près de 80 % depuis 2007[1].

Il va sans dire que la Barbade n'offre aucun *marché* nouveau et qu'aucun chantier d'envergure n'y justifie la concentration de milliards de dollars de capitaux. Seules les modalités fiscales avantageuses pour les Canadiens l'expliquent. En ce sens, il est inutile d'éplucher les rapports abscons de l'Organisation de coopération et de développement économiques (OCDE) ou de consulter ses listes, la *noire* et la *grise*, pour savoir s'il s'agit d'un paradis fiscal. Les faits parlent d'eux-mêmes.

C'est un véritable effet de dominos qui sévit dans la Caraïbe des années 1960. On y voit les législations se transformer une à une en paradis fiscaux. La loi bancaire que la Barbade se donne en 1963 reproduit par exemple de nombreux passages de la loi jamaïcaine[2]. Foi du ministre barbadien des Affaires étrangères en poste en 1987, c'est vers le Canada que son pays s'est tourné, une fois l'indépendance proclamée en 1966, pour «poursuivre les intérêts de la Barbade en matière d'exportation[3]». Les politiques économiques consisteront alors en l'«attrait du capital d'investissement pour le développement industriel» et en la «promotion de la

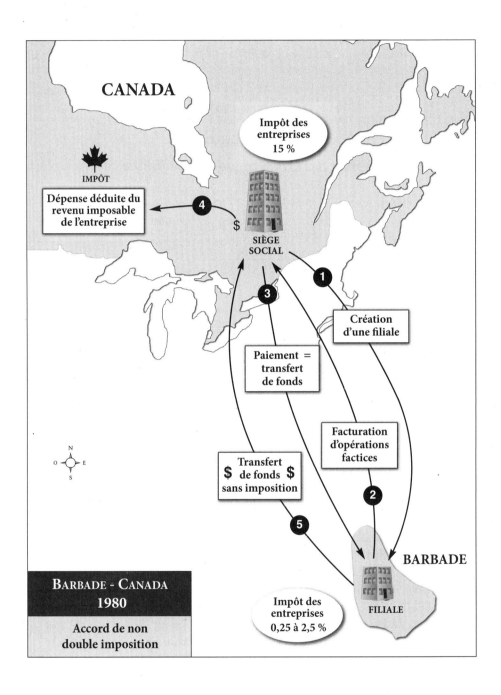

Barbade en tant que centre financier[4] ». La Banque de Nouvelle-Écosse le comprend avant tout le monde et développe sur l'île, en 1967, son service fiduciaire[5]. Elle y crée aussi une nouvelle succursale l'année suivante[6].

La Barbade se donne ces années-là les allures d'une zone franche, favorisant depuis 1974 l'implantation d'entreprises vouées à l'exportation, grâce à des réductions d'impôts sur les bénéfices[7]. S'y installent par exemple des usines ou fabriques dans les domaines de l'agroalimentaire, de la peinture, de la métallurgie, du raffinage de pétrole, de l'ameublement, de l'électronique[8]. Le statut de zone franche de l'île sera confirmé en 1980, par la création de la Barbados Industrial Development Corporation (BIDC). L'agence en question met alors en place trois zones industrielles de plusieurs hectares près des points de transport internationaux : celle de Grazette, tout juste au nord de la capitale Bridgetown, à cinq kilomètres du port, en eaux profondes ; une autre à Bridgetown même ; et une troisième à Pelican, près d'un aéroport que la BIDC a fait construire[9]. En tout, ce sont dix parcs industriels du genre qui ouvriront sur l'île[10], à Newton, Widley, Pine, Six Roads, St Lucy et de nouveau en banlieue de Bridgetown, jamais très loin de ces points de transport vers l'étranger. La BIDC compte aujourd'hui treize sites opérables[11]. Depuis 2001, les entreprises y délocalisant leurs opérations bénéficient d'exonérations fiscales pour des périodes variant entre onze et quinze ans[12], et elles peuvent, durant les neuf années subséquentes, déduire de leurs profits des pertes antérieures[13]. Elles versent aux travailleurs insulaires des salaires dérisoires, dont le taux est aujourd'hui à peine plus de trois dollars US par jour[14]. La loi est claire, « il n'existe pas de salaire minimum fixé par la voie législative à la Barbade[15] ». Tout au plus y a-t-il des mesures protégeant le personnel domestique et les employés de magasin, qui peuvent servir de référent général.

Les exportations de l'île sont principalement dirigées vers le Canada, les États-Unis et la Grande-Bretagne[16]. Comme la concurrence est âpre dans le secteur, et puisque les normes sociales font mondialement l'objet d'un dumping, ces zones franches nuisent aux travailleurs du monde[17], et cela convient parfaitement aux entreprises. D'ailleurs, même au Canada, les Barbadiens se voient confinés au rôle de main-d'œuvre bon marché. De source gouvernementale canadienne, « la Barbade participe au Programme canadien des travailleurs agricoles saisonniers (PTAS), un programme de mobilité de la main-d'œuvre qui permet l'entrée de travailleurs étrangers afin de satisfaire aux besoins saisonniers temporaires des producteurs agricoles canadiens. La Barbade participe au PTAS depuis 1967. Le programme du Canada à l'intention des travailleurs étrangers temporaires a donné lieu à des ententes entre la Barbade et plusieurs hôtels de prestige en Ontario ainsi qu'avec la chaîne de magasins Staples Business Depot, et le gouvernement de la Barbade souhaite élargir ces partenariats[18]. » La logique de la zone franche se répercute au-delà du territoire insulaire, au bénéfice du capital, où qu'il se trouve.

Une fois les zones franches établies, la Barbade s'emploiera à attirer directement les capitaux. Le gouvernement travailliste de Tom Adams a fondé en 1977, un an après avoir pris le pouvoir, le régime des *International Business Companies*, lesquelles existent essentiellement pour avantager les industries qui contestent le fisc au Canada. Si elles ne s'occupent pas de ventes et d'achats de valeurs mobilières, ces sociétés sont absolument libres d'impôt[19]. Lorsqu'elles gèrent des investissements, elles sont soumises à un taux d'imposition maigrelet, égal ou inférieur à 2,5 %[20]. En 1979, Adams fait voter l'Off-shore Banking Act et l'International Business Companies Amendment Act, confirmant la Barbade dans son statut de paradis fiscal. Tout porte à croire qu'on lui a soufflé quelques conseils depuis l'étranger[21]. Cela a permis « aux groupes d'affaires internationaux, non contrôlés par les résidants barbadiens, et fixant leur siège dans l'île – institutions bancaires, sociétés étrangères de portefeuilles, sociétés à vocation internationale – de bénéficier de facilités fiscales[22] ». Voilà le principe offshore dans sa proverbiale pureté : tant que vous ne nous pillez pas directement, il vous est permis de consigner chez nous les fruits du détournement ou du pillage commis ailleurs.

Les échappatoires canadiennes vers la Barbade

L'année suivante, en 1980, le gouvernement du Canada, sous le court règne du Parti conservateur de Joseph Clark, signe un traité controversé sur la non double imposition, permettant à des Canadiens d'enregistrer leurs actifs à la Barbade en n'y acquittant pratiquement aucun impôt, pour ensuite les transférer au Canada sans qu'ils y soient imposés non plus[23]. En fait, selon le type d'activité et les taux de profits déclarés, les impôts à la Barbade oscillent entre 0,25 % et 2,5 %[24]. Cette entente permet à toute entreprise canadienne active à la Barbade de ne payer d'impôt nulle part ailleurs que là, dans ce paradis fiscal. Ainsi, lorsqu'une entreprise canadienne crée une filiale à la Barbade, « il est imputé à cet établissement stable les bénéfices qu'il aurait pu réaliser s'il avait constitué une entreprise distincte et séparée exerçant des activités identiques ou analogues » [Article VII.2]. Le droit fiscal conséquent à l'entente permet au groupe commercial de faire comme si les entités qu'il contrôle dans les deux législations étaient scindées, et ce, même si dans ses rapports annuels il présentera sous un mode consolidé, c'est-à-dire cumulé, les revenus qu'il tire de toutes ses entités ainsi que les avantages fiscaux dont il jouit.

Au départ, l'entente bilatérale pouvait sembler justifiée : il s'agissait de ne pas permettre au Canada d'imposer des capitaux revenant d'un pays où ils auraient déjà fait l'objet d'une imposition. Surtout que la Barbade donnait l'impression, après 1979, de mettre en application une fiscalité responsable, même s'il n'en était rien[25]. Mais peu de gens sont en fait tombés dans le panneau. Le géographe Maurice Burac relève lucidement que ces conventions contre la prétendue double imposition signées entre la Barbade et le Canada et subséquemment 30 autres pays[26] visent en réalité à « favoriser les allègements fiscaux au bénéfice des sociétés tenues par les ressortissants de ces pays qui investissent dans l'île, et qui voudraient rapatrier leurs bénéfices[27] ».

En 1994, moins d'un an après sa nomination au poste de ministre des Finances, Paul Martin conforte la Barbade dans son rôle de paradis fiscal sélect pour les entreprises canadiennes. Qu'il soit l'actionnaire unique d'une société de transport maritime (la Canada Steamship Lines, à l'époque enregistrée dans le paradis fiscal du Liberia, en Afrique) le rend sensible aux intérêts qu'ont les détenteurs d'actifs de les enregistrer loin d'États de droit comme celui dont il a la charge. Il précisera et stipulera dans son budget de 1994 que les entreprises canadiennes ne peuvent rapatrier au Canada des revenus générés dans un pays étranger que si ledit pays a signé avec l'unifolié une convention fiscale basée sur le modèle de celle que le Canada a signée avec la Barbade en 1980. Suivons l'habile homme du regard : dès 1995, le trust chargé de gérer ses activités tandis qu'il est au pouvoir déménage la flotte internationale de la Canada Steamship Lines à la Barbade, comme le font de nombreuses autres entités canadiennes. Statistique Canada relèvera qu'à partir de cette date, l'augmentation des placements canadiens à la Barbade sera de l'ordre de 3600 % en quelques années, passant de 628 millions de dollars en 1988 à 23,3 milliards de dollars en 2001[28]. À la fin des années 1990, le Canada signera également un Accord sur la protection des investissements étrangers (APIE) avec la Barbade, de façon à consolider autrement les termes de cette entente fiscale. Cet accord prévoit notamment la « liberté de transfert des revenus d'investissement » de même qu'un mécanisme de règlement des différends inspiré de l'Accord de libre-échange nord-américain (ALÉNA)[29].

Signe qui ne trompe pas, l'avocat fiscal suisse et chantre des paradis fiscaux Édouard Chambost applaudit l'accord Barbade-Canada. C'est un fait « rare », écrit-il, qu'un État bafoue lui-même ses propres mesures « anti paradis fiscaux[30] ». Il se félicite qu'« avec ce pays [le Canada], une International Business Company sous contrôle canadien voie ses profits traités au Canada comme des surplus exonérés (*exempted surplus*) et distribuables en tant que tels dans ce pays sans y être soumis à l'impôt sur le revenu canadien[31] ». La Barbade a nettement pour vocation d'attirer les « resquilleurs » du Canada. C'est l'expression qu'utilise, plus critique, un comptable des Hautes études commerciales (HEC) de Montréal, Jean-Pierre Vidal[32]. Sans surprise, la part d'« investissements » provenant du Canada dans des paradis fiscaux qui ont signé des conventions fiscales avec le pays croît constamment depuis les années 1980. Entre 1987 et 2006, ils sont passés de 6,8 % des investissements canadiens à l'étranger à 16,5 %. « Cette croissance est en très grande partie expliquée par l'augmentation de la proportion des investissements canadiens vers la Barbade qui est passée de 0,7 % en 1987 à 7,7 % en 2006 », observe Vidal[33]. Aujourd'hui, des 603,2 milliards de dollars que les Canadiens investissent dans les 14 premiers pays où ils sont présents, 155,5 milliards le sont dans des législations de complaisance[34], soit un rapport de plus de 25 %. Devant ces données, Vidal s'ingénie à démontrer l'évidence : on ne peut expliquer tous ces flux d'investissements par des placements dans des projets industriels ou sociaux tangibles, tels que des immeubles ou des routes, entre autres infrastructures. Et encore, quand c'est le cas, car on ne sait pas si les placements ont été faits aux fins de fuites fiscales. Une réalité crève les yeux : les fonds canadiens à la Barbade sont sans commune mesure avec la situation économique du pays. « La Barbade a reçu en 2006 des investissements directs canadiens de l'ordre de 89 millions de dollars par kilomètre carré ou de 136 653 $ par habitant[35]. » C'est insensé. « À l'évidence, certains investissements ne servent pas à acheter des usines[36] », conclut l'auteur en allant au bout de sa lapalissade.

Ottawa n'avait jamais eu de politiques fiscales satisfaisantes concernant les enjeux internationaux, mais l'entente de 1980 entre le Canada et la Barbade vient radicaliser la politique canadienne du laisser-faire. Le gouvernement canadien s'était doté en 1972 d'un ensemble de dispositions sur les Revenus étrangers accumulés tirés de biens (REATB), qui « visaient à prévenir que des résidents canadiens détournent une partie de leur revenu au Canada vers des sociétés étrangères contrôlées, en particulier celles établies dans les paradis fiscaux[37] ». Un résident canadien qui détenait au moins 10 % des parts d'une entité à l'étranger était susceptible de payer des impôts sur son revenu au Canada. À cette loi s'ajoutait une autre réglementation sur les investissements étrangers et les trusts, visant elle aussi à étendre le principe fiscal à des entités passives à l'étranger[38], qui était cependant défaillante : le statut de société étrangère affiliée permettait déjà l'évitement fiscal[39]. Malgré cela, depuis cette année 1972, le gouvernement canadien n'a jamais produit d'études sérieuses sur les enjeux de fiscalité internationale[40]. Il s'est contenté de retouches superficielles à la loi par la voie de budgets. Tout au plus, son Comité technique de la fiscalité des entreprises ou le Groupe consultatif sur le régime canadien de fiscalité internationale confient-ils parfois à des groupes indépendants des études[41], mais elles relèvent du «bricolage», comme l'affirme le fiscaliste Brian Arnold[42].

De façon formelle, les échappatoires aménagées par le gouvernement fédéral ne couvrent que les entreprises. Les particuliers se trouvent, eux, sanctionnés par la loi. «Pour les citoyens canadiens, à titre individuel [...], il n'existe absolument aucun moyen de protéger de manière permanente (et légale) les investissements à l'étranger et les revenus d'entreprise de l'impôt sur le revenu du Canada. Les Sociétés commerciales internationales ([International Business Company] IBC) semblent représenter une solution de rechange viable et peuvent même se révéler efficaces pour mettre de l'actif à l'abri de l'impôt canadien. Cependant, l'Agence des douanes et du revenu Canada (ADRC) exige qu'il existe un "motif valable" autre que le simple évitement fiscal pour la création d'une IBC. Leur caractère légal pour les particuliers dans le contexte canadien est donc généralement douteux, et vous pouvez être certain de récolter la tempête si vous semez le vent et vous faites attraper par l'ADRC. Les trusts immigrants et émigrants, là où ils sont adéquatement structurés, fournissent une protection partielle et temporaire aux avoirs à l'étranger, et devenir un non-résident au Canada peut être une option. Mais en dehors de cela, il n'existe pas de véritable solution pour les particuliers[43].» De leur côté, les entreprises canadiennes jouissent de l'entente contre la *double imposition*, faisant plafonner les taux à 2,5% de leurs revenus, sans devoir payer lorsqu'elles ramènent les fonds au Canada. Cette mesure fait de la Barbade *le* paradis fiscal des firmes canadiennes[44], tandis que les particuliers doivent, ou bien à travers une majoration des impôts ou bien en subissant une perte de services publics, ou encore les deux, assumer le manque à gagner.

La vérificatrice générale du Canada, Sheila Fraser, a signalé dans son rapport de 2002 que la Barbade n'a eu de cesse d'adapter sa législation de façon à toujours mieux canaliser vers elle les fonds canadiens: «Nous avons remarqué que la Barbade et Malte ont modifié leurs règles fiscales de manière à contourner la législation canadienne, afin de faciliter les investissements dans les sociétés étrangères affiliées. Les arrangements fiscaux s'appliquant aux sociétés étrangères affiliées continuent donc de miner les recettes fiscales du Canada[45].» Jouant le jeu de la Barbade, le Canada a même étendu en 2010 à tout le secteur de l'assurance la possibilité de faire transiter des fonds par ce paradis fiscal de façon à contourner l'impôt[46].

Les fuites fiscales que le Canada et la Barbade permettent conjointement font désormais l'objet d'un business. Les mesures de 1979 sont à peine votées à la Barbade que déjà, la Banque Royale du Canada (RBC) s'y précipite. Elle y crée la Royal Bank of Canada (Barbados) Ltd. En cinq ans, l'institution ainsi que la britannique Barclays qui l'a accompagnée comme elle le fait si souvent totalisent toutes les deux déjà 1,5 milliard de dollars d'actifs[47]. Moins de dix ans après l'adoption de ces mesures, on compte déjà sur l'île cinq grandes sociétés bancaires spécialisées dans les transactions offshore et 260 sociétés d'affaires internationales[48]. Aujourd'hui, la RBC gère six entités à la Barbade[49]. Les autres institutions financières canadiennes présentes sur l'île sont la CIBC, qui y compte également six entités[50], la Banque Scotia, deux[51], la Toronto-Dominion, trois[52], la Banque de Montréal[53] et la Banque Nationale[54] fermant la marche avec une chacune. On y trouve également une institution financière créée par la société aurifère Barrick Gold[55].

Le *prix de transfert* et la *double déduction*

L'accord canado-barbadien favorise une technique d'évitement fiscal prisée par les entreprises : le *prix de transfert*. Dans un premier temps, la manœuvre consiste pour ces dernières à créer une ou plusieurs filiales dans les paradis fiscaux et, dans un deuxième temps, à entretenir avec elles des relations d'affaires comme s'il s'agissait d'entités tierces indépendantes. Finalement, il suffit de faire en sorte que lesdites transactions soient toujours à l'avantage de la filiale offshore, de façon à ce qu'autant de capitaux que possible s'y trouvent enregistrés et, dès lors, défiscalisés. La visée est donc de mener des opérations factices avec la filiale de façon à inscrire dans ses comptes offshore une partie importante des capitaux de la société, afin de les soustraire au fisc dans les pays où l'entreprise a des activités réelles et substantielles. Ou comme le résume le sénateur français Éric Bocquet, en actualisant sa compréhension du problème, « grosso modo, l'évasion fiscale consiste, pour les entreprises, à localiser les pertes dans les pays à forte fiscalité, où elles sont déductibles des impôts, et les bénéfices dans les paradis fiscaux, où les impôts sont faibles, voire inexistants[56] ».

La Barbade est une destination de choix pour ce type de capitaux en raison de l'entente sur la non double imposition que le Canada a signée avec elle. Comme l'expliquent de fins esprits, alors qu'en 1980 il n'existait aucune réglementation internationale sur le prix de transfert, « une entreprise mondiale peut tout simplement gonfler ou dégonfler la valeur de toute transaction passée entre sa société à la Barbade et la société canadienne connexe, de façon à ce que soient transférés les profits canadiens vers le territoire le moins imposé. Imaginez que la succursale de la Barbade vende une ampoule électrique pour 102 dollars plutôt qu'au prix coûtant de 2 dollars. Il en résulterait que la totalité du profit de 100 dollars serait transférée dans la compagnie à la Barbade. Le même résultat pourrait être obtenu en gonflant ou en dégonflant la valeur des services ou des biens intangibles circulant entre les parties liées[57]». Les occurrences de ce qu'on appelle la *mispricing* (facturation aberrante) sont à ce point grossières et d'autant plus faciles à réaliser que les marchandises en jeu ne sont pas échangées que virtuellement; les ampoules mentionnées plus haut ne quittent jamais les entrepôts des sociétés qui les cèdent artificiellement à leurs filiales. Il s'agit strictement de jeux de trésorerie. Le stratagème a fait long feu: à titre d'exemple, en 1995, une société canadienne du nom de Tregaskiss a créé à la Barbade sa semblable, la Tregaskiss International Corporation. Le fisc canadien en a pris connaissance et lui a reproché d'avoir transféré indûment plus de 14 millions de dollars à sa filiale barbadienne entre 1995 et 2000. Ladite entité ne comptait alors que quatre employés. La société concernée a plaidé devant les tribunaux qu'elle transférait ses activités à la Barbade pour profiter des lumières de son gestionnaire, qui était installé là-bas[58]...

Dès les années 1980, quelques comptables scrupuleux se sont inquiétés de l'aisance avec laquelle les entreprises se livraient au prix de transfert. Sans surprise, l'arsenal de lois existant au Canada pour prévenir le phénomène (la Loi de l'impôt sur le revenu, la Loi sur les douanes ou la Loi antidumping) ne fait pas le poids. «Malgré le ton véhément de ces règlements, le grand nombre d'options possibles pour arriver à structurer des sociétés financières multinationales confère invariablement un avantage aux entreprises», écrit en 1984 le fiscaliste Donald J. S. Brean dans une livraison consacrée à la fiscalité internationale du *Canadian Tax Paper*[59]. L'accord entre le Canada et la Barbade sacrifie en vérité les principes fondamentaux du fisc. Prévalait jusqu'alors dans la théorie fiscale internationale le principe de *neutralité*. D'un point de vue optimal, cela signifiait que les fonds circulant d'une législation à une autre devaient faire l'objet du même traitement fiscal[60]. On est désormais loin du principe d'équilibre. En fait, les traités contre la prétendue double imposition ont été l'occasion pour les États de pervertir complètement leur propre système de droit[61]. Brian Arnold relève qu'ils permettent de contourner les dispositions que le Canada s'est données sur les «Revenus étrangers accumulés, tirés de biens (REATB): les multinationales canadiennes ont utilisé les sociétés par actions à la Barbade comme des holdings internationaux ou des entreprises financières internationales. La société en question peut être utilisée pour rapporter des revenus intragroupes, qui ne sont pas soumis aux règles du REATB à cause du paragraphe 85 (2) (a) [de la Loi de l'impôt sur le revenu du Canada] et qui peuvent être rapatriés au Canada exempts d'impôt malgré le fait que le taux d'imposition à la Barbade soit très bas[62].» En rendant inefficace son propre système immunitaire contre les paradis fiscaux, le Canada prend fait et cause pour les sociétés privées, au détriment des citoyens appartenant aux catégories sociales qui auraient besoin d'un État se dotant des revenus nécessaires pour financer sa mission sociale. Donner facilement accès à des États de complaisance comme la Barbade, pour contourner ses propres lois fiscales, rendrait compétitives ces sociétés[63], mais compétitives face à qui, puisque tous les États du monde se voient entraînés dans la spirale et n'imposent plus en majorité que les salariés ? Au Canada, les entreprises ne contribuent qu'à hauteur de 12,7 % au budget national (soit 32,4 milliards sur un budget de 255 milliards de dollars en 2012), alors que l'impôt sur le revenu des particuliers représente près de la moitié des revenus de l'État (124,5 milliards ou 48,8 %). Le régime fiscal canadien affiche déjà depuis longtemps des taux d'imposition aux entreprises parmi les plus faibles de tous les pays dits industrialisés[64].

La vérificatrice générale du Canada, Sheila Fraser, faisait dans les années 1990 et 2000 le même constat qu'Arnold en 2009. En 2002, elle stigmatise les liens de complaisance qui unissent les deux pays à partir d'un exemple : « Une société étrangère affiliée d'une société canadienne sous contrôle étranger a servi à déplacer du Canada à la Barbade, en franchise d'impôt, des gains en capital de 500 millions de dollars. En 2000, les sociétés canadiennes ont reçu de leurs sociétés affiliées établies à la Barbade 1,5 milliard de dollars en dividendes pratiquement exonérés d'impôt (comparativement à 400 millions de dollars en 1990)[65].» Elle en débusque la cause : « deux dispositions spéciales, instaurées en 1995, constituent des dérogations à la règle générale. L'une d'elles prévoit que les dividendes provenant de sociétés d'affaires internationales de la Barbade ou encore d'autres sociétés semblables sont admissibles comme dividendes non imposables[66] ». Fraser constate que le gouvernement s'emploie ainsi à légaliser des méfaits qu'elle avait déjà relevés dans son rapport de 1992.

L'ouverture canadienne vers la Barbade permet également aux sociétés d'ici ayant des entités sœurs à l'étranger de déduire de leurs impôts les coûts relatifs aux prêts qu'elles s'octroient entre elles. Sheila Fraser avait aussi dénoncé le problème en 2002 et il est toujours d'actualité : une société A peut emprunter au Canada une somme x et placer l'argent dans sa filiale B de la Barbade. La filiale B prête ensuite la somme à une autre filiale de la même société, située aux États-Unis. Cette dernière investit l'argent et déduit de son revenu, aux États-Unis cette fois, les intérêts de l'emprunt[67]. « Pour un même investissement, l'entreprise A aura bénéficié de deux déductions d'impôts sur les intérêts et le Canada n'aura pu percevoir aucun impôt sur le revenu produit aux États-Unis avec l'investissement[68].» Pour un même prêt, les impôts auront été déduits deux fois! C'est la méthode dite de la double déduction (*double dip*). La relation triangulaire qu'elle implique entre une société canadienne, sa filiale dans le pays où elle investit réellement et l'entité offshore qu'elle a créée lui permet même d'engranger des capitaux[69]! Les revenus étant enregistrés à la Barbade, la société ne paiera pratiquement pas d'impôt sur les montants en jeu. Plusieurs sociétés étrangères s'enregistrent au Canada simplement pour profiter de ce tour de passe-passe. Cette seule lacune dans notre droit a entraîné des pertes de l'ordre de 3,5 milliards de dollars dans le Trésor public en 1994 seulement. Force est donc de conclure qu'en raison de ses relations avec la Barbade, le Canada se confond lui-même avec le réseau offshore et est utilisé à l'étranger comme un paradis fiscal en matière de prêts et d'investissements.

Le gouvernement fédéral s'est toujours moqué de telles prises de conscience. Certes, l'article 18.2 du budget de 2007 visait à rendre impossible, à partir de 2012, la technique de la double déduction[70], mais les entreprises, réunies dans un lobby formé par le gouvernement lui-même et baptisé le *Groupe consultatif sur le régime canadien de fiscalité internationale*, sont montées aux barricades en jurant que la perte d'un tel stratagème allait gravement nuire à leur «compétitivité» dans le monde[71]. Il y a des mots qui permettent de tout justifier... Ottawa a abrogé cette mesure deux ans plus tard, consentant à ce que les entreprises abusent de leurs prérogatives[72]. Les États-Unis et le Canada ont fait entrer en vigueur le 1er janvier 2010 un Cinquième protocole à la Convention fiscale entre le Canada et les États-Unis, censé freiner la pratique, mais selon des termes réputés faciles à contourner[73].

À législation complaisante, Cour suprême conciliante

La machination autour du prix de transfert est si grossière que les États sentiront le besoin d'intervenir minimalement. À partir des années 1990, une firme souhaitant alléger sa facture fiscale ne pourra plus négocier des seaux de plastique à 1 000 dollars l'unité ou du papier hygiénique à raison de 4 121 dollars le paquet de quatre rouleaux[74]. Pour donner un code de référence aux pays riches, l'OCDE décide alors de retoucher à des dispositions fiscales internationalement déficientes, qu'elle n'avait pas revues depuis 1984[75] ou auparavant, depuis 1979[76]. Elle fait paraître en 1995 les *Principes de l'OCDE applicables en matière de prix de transfert à l'intention des entreprises multinationales et des administrations fiscales*[77]. Le Canada s'en inspire et adopte en 1998 une mesure stipulant que des entités d'un même groupe doivent se facturer entre elles des services sur une base « raisonnable »[78].

Les entreprises raffinent cependant leurs tactiques pour pratiquer encore le *prix de transfert* et la *facturation aberrante*. Sitôt qu'elle ruse, une société peut encore allègrement transposer ses comptes dans des législations où l'institution fiscale est une farce. Par exemple, la filiale offshore d'une société canadienne peut se voir attribuer les droits d'exploitation d'une marque qu'utilise le groupe commercial auquel elle appartient. Elle peut ainsi facturer sa maison mère, qui utilise la marque concernée, à hauteur par exemple de plusieurs millions de dollars par année, de façon à soustraire les capitaux impliqués de sa déclaration de revenus. Les lois perdent dès lors tout mordant et, quand ce n'est pas le cas, les tribunaux canadiens se chargent de les édenter. Il revient à ceux-ci de distinguer les pratiques légales de celles qui ne le sont pas en ce qui concerne les transferts non déclarés faits par des Canadiens dans les paradis fiscaux, au moment même où ces transactions semblent devenir inextricables. Mais comme d'habitude, ce qui est *raisonnable* en droit l'est rarement sur le plan de la pensée critique ou même pour le sens commun. De 1990 à 1993, par exemple, la société canadienne Glaxo, elle-même une filiale d'une société britannique homonyme, a acheté un antihistaminique (de la ranitidine) à sa filiale suisse à un taux oscillant entre 1 512 et 1 651 dollars le kilogramme, soit un prix cinq fois plus élevé que celui du produit générique. L'Agence du revenu du Canada a estimé à 51 millions de dollars les pertes occasionnées au Trésor public par cette manœuvre[79]. Mais la Cour suprême elle-même a finalement débouté le fisc canadien au profit de l'entreprise. La transaction entre Glaxo et sa filiale suisse l'autorisait notamment à utiliser la marque Zantac et la société justifiait donc par ce détour le prix majoré.

Ce type d'argument, loin de constituer une réponse au problème, se révèle bien entendu le problème lui-même. Aux États-Unis, Glaxo, qui s'est livrée au manège de 1989 à 2000, a dû débourser 3,4 millions de dollars aux autorités fiscales de nos voisins du Sud dans le cadre d'une entente hors cour[80]. Une commission d'enquête sur l'évasion fiscale qu'a créée le Sénat français a elle aussi saisi l'enjeu des prix de transfert. Dans le rapport issu de ses travaux[81], elle cite l'économiste Christian Chavagneux décrivant le pouvoir discrétionnaire qu'ont encore les multinationales de se facturer à elles-mêmes certains services dont les taux ne sont pas clairement arrêtés sur les marchés. Que valent par exemple les droits d'utilisation d'une grande marque ? Que valent les droits d'utilisation de la marque *Google*, qu'elle-même a, selon toute vraisemblance, cédée à sa filiale des Bermudes ? « Ce droit, qui est extrêmement cher, devant lui être payé par toutes les filiales de Google, tous les profits peuvent être siphonnés vers les Bermudes où, évidemment, ils sont très peu taxés. Or quel est le prix international de l'utilisation de la marque Google ? Ce n'est pas facile à définir ! Par rapport à quoi le fisc peut-il se référer pour dire qu'un prix est trop élevé puisqu'il n'y a pas de marché mondial de la marque Google[82] ? » Des fonds colossaux de l'entreprise se trouvent inscrits dans ce paradis fiscal de la Caraïbe après être passés par l'Irlande et les Pays-Bas[83]. De nouveau en 2013, l'opinion s'étonnait d'apprendre que le géant de l'informatique Apple ait eu recours à des stratagèmes du même genre. « L'entreprise a préféré s'endetter pour financer des dividendes et des rachats de titres promis à ses actionnaires, avec un emprunt record de 17 milliards de dollars, plutôt que de rapatrier une partie des fonds aux États-Unis[84]. » Son président Tim Cook s'est trouvé convoqué au Sénat à Washington en mai 2013, dans le cadre d'une séance spéciale[85]. Dans son livre *La grande évasion*, le journaliste Xavier Harel a démontré qu'une liste impressionnante de grandes entreprises agroalimentaires (Chiquita, Fresh Del Monte, Dole…), minières (BHP Billiton), pétrolières (ExxonMobil) ou forestières (Danzer), par exemple, usent et abusent des procédés du prix de transfert[86]. À Washington, l'organisation Citizens for Tax Justice citait également Nike et Microsoft[87]. Ikea est ensuite apparue dans le décor[88]. Et Éric Desrosiers du *Devoir* a poursuivi la liste : IBM, Facebook, Pfizer, Johnson & Johnson, Citigroup étaient aussi mises en cause. Une question principale persistait dans son esprit : « La pression populaire sera-t-elle suffisante pour forcer les gouvernements à trouver une solution[89] ? » Le prix de transfert est devenu un problème si flagrant que l'OCDE a publié en juillet 2013 un livre blanc qui propose à ses États membres une façon de le contrer, de manière à jeter les bases d'une fiscalité internationale simplifiée[90]. La Cour suprême du Canada s'est donc trouvée à postuler le bien-fondé d'une transaction intragroupe sur les droits de propriété intellectuelle, alors qu'elle constitue précisément un stratagème pour contourner le sens de la loi… Et ce n'était pas tout à fait un précédent[91].

Dans la question connexe du magasinage juridictionnel (appelé dans la langue aseptisée de l'administration publique, *chalandage*, qui est pour une entreprise le fait d'inscrire sciemment ses opérations dans les paradis fiscaux les plus adaptés à ses besoins, de façon à contourner l'impôt canadien), les tribunaux ont été si favorables aux grands contribuables poursuivis par l'Agence du revenu du Canada que même le ministère des Finances s'en est montré découragé. Depuis 2006, les juges canadiens ont statué à trois reprises que la règle générale anti-évitement, censée sanctionner les stratégies abusives de transfert de fonds vers les paradis fiscaux, ne devrait pas empêcher des sociétés d'inscrire leurs actifs dans des paradis fiscaux tels que les Caïmans, le Luxembourg ou les Pays-Bas. La science juridique se contente de penser que « le choix d'un régime étranger par opposition à un autre n'a rien de foncièrement approprié ou inapproprié en soi[92] ». Ces cas (le fisc canadien contre MIL [Investments] S.A., Prévost Car Inc. et Velcro Canada) pèsent lourd dans la jurisprudence. Le ministère des Finances, dans un document, constate que « prises collectivement, ces trois décisions établissent de façon relativement claire que les tribunaux canadiens ne sont pas enclins pour l'instant à rendre des décisions défavorables aux contribuables lorsqu'il est question de chalandage fiscal[93] ». Il a ainsi lancé un vaste chantier visant à rendre la loi plus précise, sans pour autant être assuré que les juges de ce pays comprennent le poids qu'ont leurs décisions lorsqu'il s'agit de sanctionner un acteur nanti qui prive la collectivité de revenus en usant des paradis fiscaux.

De plus, ces décisions témoignent d'une confusion des tribunaux, nullement aidés par le législateur. Dans l'esprit des dépositaires des différents pouvoirs publics, la question des paradis fiscaux ne correspond à aucune axiologie précise, d'où l'impression de désordre. On neutralise un jour les avantages fiscaux relatifs aux trusts et on permet le lendemain la technique outrancière du prix de transfert. Il peut conséquemment arriver qu'un tribunal parte dans une tout autre direction que celle à laquelle nous sommes habitués, par exemple dans le cas d'un jugement signé par la juge Judith Woods de la Cour canadienne de l'impôt (CCI) en 2010 : elle a alors retiré le titre de sociétés étrangères à des trusts enregistrés par des Canadiens à la Barbade[94], une décision avalisée en 2012 par la Cour suprême[95]. Nonobstant ces prises de position encourageantes, il est encore facile de contourner le droit canadien par l'élaboration de montages plus sophistiqués croisant plusieurs législations à la fois, que ce soit pour les trusts ou d'autres structures[96]. Les fonds d'un trust seront aussi *imposés* dans un paradis fiscal si le mandataire ou le destinataire de l'entité démontre clairement qu'il n'est pour rien dans sa gestion, ce qu'ont manqué de faire les intéressés dans le jugement Woods. Il flotte donc encore une grande incertitude juridique. Diane Francis avance que « Revenu Canada considère toute distribution en espèces provenant de trusts offshore comme non imposable, même quand les sommes sont renvoyées à des résidents canadiens imposables au Canada, tant que ces particuliers n'ont rien à voir avec les trusts ou la manière dont ils sont gérés. Les tribunaux canadiens ont statué qu'il s'agit de distribution de capital, non de revenus, un point technique qui n'a jamais été corrigé par les législateurs canadiens[97]. » Chose certaine, pas même le législateur ne sait ou ne semble savoir formuler les choses de façon à rendre claire à l'avance l'application de la loi.

Dans le cas de la société Glaxo, on ne sait pas combien il en a coûté aux autorités fiscales canadiennes en frais d'avocats pour tenter en vain de récupérer les montants impliqués. On ignore également si les coûts qu'engendrent ces sagas judiciaires ne sont pas supérieurs, potentiellement, aux réparations que l'Agence souhaite obtenir. Comme le recherchiste de la Bibliothèque du parlement à Ottawa, Sylvain Fleury, on pourra toujours écrire que « la situation délicate dans laquelle se trouvent parfois les tribunaux » se justifie « en raison du manque de clarté de certaines dispositions fiscales[98] ». Il est aussi possible de penser que le rôle central de l'argent dans l'administration de la preuve, qui corrompt en profondeur le système judiciaire lui-même, ne pose manifestement aucun problème de conscience aux juristes d'entreprises, pas plus qu'au législateur.

Un problème mondial, un zèle canadien

Grâce à cette pratique courante concernant les prix de transfert, 40 % des transactions internationales ont aujourd'hui lieu entre des entités d'un même groupe économique. Des centaines de milliards de dollars contournent ainsi le dispositif fiscal des États de droit[99]. Les ramifications mondiales de la finance affectent directement les structures nationales du fisc et devancent de façon marquée les approches théoriques et législatives qui y réagissent. Une approche strictement nationale pour contrer le manque de recettes fiscales dans le Trésor public n'a dès lors aucune pertinence[100]. Aux investissements réels dans des projets économiques à l'étranger qui génèrent des revenus sur le territoire national s'ajoutent les placements offshore destinés à contourner le fisc et à jouir de l'opacité légale de ces aires législatives.

Les multinationales profitent de systèmes législatifs nationaux qui considèrent leurs filiales et leurs nombreuses composantes sises dans mille législations différentes comme des instances en soi, alors qu'elles sont en réalité absolument intégrées à l'entité principale. En fait, comme l'écrit l'avocate australienne Kerrie Sadiq, la structure de la multinationale constitue un tout autonome plutôt que la somme de ses parties[101]. On serait bien avisé de la considérer comme telle en droit. L'impôt devrait dès lors porter sur les comptes consolidés d'une société et non sur ceux de chacune de ses structures prises isolément. À l'heure actuelle, on en est plutôt à rafistoler un droit fiscal inadéquat qui donne fatalement au groupe commercial une longueur d'avance et lui laisse toute la latitude qu'il désire. Allant dans le même sens, Jomo Kwame Sundaram, auteur d'un rapport de la fondation allemande Friedrich Ebert Stiftung[102], de même que John Christensen du Tax Justice Network croient que le dossier des prix de transfert devrait échoir directement à l'ONU, avec une garantie d'indépendance[103]. L'accord fiscal entre le Canada et la Barbade ne fait donc que consolider une erreur historique.

La technique du prix de transfert constitue au Canada un véritable marché. Me Jonathan Garbutt, avocat fiscal, offre des conférences telle celle présentée auprès de la Banque Royale du Canada et intitulée de manière explicite : « Transfer Pricing & Tax Planning For Barbados Subsidiaries of Canadian Parent Companies (Les prix de transfert et la planification fiscale dans les filiales des sociétés mères canadiennes à la Barbade)[104]. » De même, des offres d'emplois foisonnent et laissent songeur, comme celle qu'a fait paraître à la fin de l'année 2011 la firme comptable Deloitte en vue d'attirer chez elle un analyste en matière de prix de transfert : « la pratique des prix de transfert par Deloitte est, à travers le monde, l'un de nos secteurs de services qui connaît la croissance la plus rapide », affirme l'entreprise avant de préciser que le spécialiste fiscal qu'elle cherche « doit gérer la complexité des diverses juridictions locales, en même temps qu'il planifie de manière stratégique le flux mondial des transactions[105] ».

Le phénomène risque de s'accentuer encore puisque la Barbade a décidé, dans son budget de 2012, de réduire pratiquement à néant l'impôt sur les entreprises financières internationales enregistrées chez elle. « Le budget propose de réduire le taux d'imposition des sociétés pour les sociétés d'affaires internationales, des sociétés à responsabilité restreinte et des banques internationales. Le taux passera de 1 à 0,50 % en 2012 et à 0,25 % en 2013[106]. » Dans son style inimitable, la firme de comptabilité KPMG écrit que « le budget propose l'instauration d'un permis d'entrée spécial afin d'aider les particuliers les plus fortunés et d'autres propriétaires de biens qui souhaitent investir à la Barbade[107] ». Ces derniers jouissent là de congés fiscaux absolus sur les dividendes et les plus values, sur la fortune et les droits de succession[108].

Les institutions financières canadiennes sont la cheville ouvrière de tout ce régime. Le gouvernement du Canada se vante lui-même de ce que « les entreprises canadiennes représentent environ 75 % des membres des milieux financiers internationaux à la Barbade[109] ». Il se contente par ailleurs de souligner la conformité des règles financières du Canada avec celles du pays caribéen, sans pour autant aborder le volet proprement fiscal[110].

Le contre-exemple français

Dans son rapport de 2012 sur l'exil fiscal, le Sénat français s'assure de faire de la question une affaire fondamentalement politique et considère l'évasion fiscale dans « un sens non technique[111] ». Cesse alors la distinction entre les « fuites » vers les paradis fiscaux, considérées comme des transferts légaux, et l'« évasion » fiscale, qui désigne les opérations contrevenant

à la loi[112]. «À l'évidence, ces deux processus ont entre eux des liens pratiques[113]» et la nuance entre les notions de légalité et d'illégalité perd de son
sens. Pis, elle tend à restreindre la portée de la réflexion aux seuls enjeux
juridiques visant les *fraudeurs*.

L'enjeu se trouve alors formulé en fonction de l'esprit de la loi. L'optimisation fiscale (*tax planning*) et les transferts de revenus (*income shifting*),
à propos desquels il s'agit de s'enquérir, posent en effet problème «si les
bénéfices réalisés à l'étranger incorporent un bénéfice qui aurait dû être
rattaché à la France[114]». On conçoit donc que les tactiques du *prix de
transfert* provoquent dans le pays une perte de souveraineté, parce qu'il ne
lui est plus possible de dégager correctement ses propres revenus. Les
sénateurs en reviennent alors aux principes fondamentaux de la pensée
politique: les sociétés sont amenées à payer des impôts en fonction de leur
lieu d'enregistrement parce que, dans le cadre d'opérations financières,
industrielles ou marchandes, elles doivent au cadre public institué la
possibilité de leur enrichissement privé. «Des valeurs sont présentes dans
un espace de souveraineté qui contribue à leur formation[115].» Lorsque les
États entrent en concurrence pour attirer les entreprises chez eux, indépendamment du fait qu'elles y mènent ou non une activité réelle, c'est la
structure politique telle qu'elle est traditionnellement instituée qui se
trouve mise à mal. *L'offshorisation* des États empêche la mise en place d'un
encadrement. «La loi fiscale doit être viable, et cette viabilité ne dépend
pas uniquement du souverain, car la concurrence fiscale des autres souverains limite sa puissance[116].» L'État lésé par de telles opérations doit donc
mettre en place de nouvelles dispositions légales pour empêcher ce genre
de stratagèmes. C'est en ces termes que le Sénat français a formulé le
problème après avoir consulté la population.

Il est donc entendu que si l'enjeu de la concurrence fiscale entre États
souverains est un champ de préoccupation en soi, «la concurrence fiscale
internationale est bien à la racine de l'évasion fiscale et les analyses qu'on
peut en faire ont un réel intérêt pour envisager les termes de l'action
conduite contre l'évasion fiscale internationale[117]». L'attention du législateur et des agents de l'État devrait dès lors, par exemple, porter sur le cas
d'entreprises qui affichent des profits faramineux dans des filiales de
paradis fiscaux où elles ne comptent pas d'employés du tout au titre d'évasion fiscale. Il s'agit de cas où la délocalisation des activités n'a plus trait
«aux conditions transnationales de l'activité des groupes[118]» ni à «la
nouvelle division internationale du travail[119]», mais à «un effet de pure
optimisation[120]». Ce qui ne veut pas dire que la concurrence entre États,
lorsqu'elle implique des activités substantielles, et donc en théorie *légi-
times*, ne pose pas problème. Mais ce questionnement autour du dumping

des contraintes étatiques et du nivellement par le bas fiscal relève d'un autre débat.

Considéré sous cet angle, le problème de l'évasion fiscale causé par les planifications opportunistes se révèle considérable. Dans le budget de l'État français de 2007, ce sont paradoxalement les plus grandes entreprises, celles comptant 2 000 employés et plus, qui ont le moins contribué au Trésor public. Seulement 4,1 % de l'assiette fiscale leur sont impartis, alors que les entreprises embauchant moins de 250 personnes y ont contribué à hauteur de 47,4 %[121]. Moins de 50 % des 1 132 500 entreprises ont effectivement payé des impôts cette année-là et seules 500 des plus importantes sociétés (il y en avait alors 12 100) ont alors payé des impôts sur le revenu[122]. La fraude fiscale prive le trésor public français de 60 à 80 milliards d'euros par année. L'ensemble des pays européens perdrait pour sa part jusqu'à 2 000 milliards d'euros par année[123]. Ces données produites par la commission sénatoriale française n'ont pas leur pendant au Canada. Bien que des associations civiques lui en aient fait la demande[124], notre pays se refuse à faire de telles estimations.

Qui est en cause ? Certainement les prestataires de conseils auprès des entreprises, qui « vendent des schémas d'optimisation fiscale, au mieux, d'évasion fiscale, au pire[125] ». Ces sociétés jouant des avantages des différentes législations souveraines qui se livrent concurrence entre elles, dans le contexte d'une « totale hétérogénéité fiscale[126] », se trouvent à permettre aux sociétés de *construire* elles-mêmes leur taux d'imposition[127], ce qui fait d'elles des souveraines absolues dans le cadre actuel de la mondialisation économique et financière. Le Sénat aurait pu citer la firme experte en délocalisation d'entreprises, France Offshore, qui présente à ses clients, parmi les paradis fiscaux où bénéficier d'abris fiscaux de type offshore, nul autre que le Canada[128].

En France, la commission sénatoriale a donc entrepris d'entendre des témoignages sur les firmes contrevenant à cette règle civique élémentaire qu'est le paiement de l'impôt. Elle travaille également à une loi sur le « mitage de l'impôt sur les sociétés » prévoyant une imposition minimale des sociétés résidentes. Cette attitude contraire à l'approche canadienne montre bien que notre pays agit par choix et non par fatalisme.

Battre pavillon de complaisance

L'entente de 1980 entre le Canada et la Barbade a également eu des répercussions dans le secteur maritime. À l'instar des Bahamas, la Barbade a développé à la fin des années 1970[129] un pavillon de complaisance qui en fait un port franc redoutable pour les États de droit. Puisque les armateurs doivent observer en eaux internationales les lois qui prévalent dans le pays d'enregistrement de leur navire, enregistrer celui-ci dans un port franc, qui est au transport maritime ce qu'un paradis fiscal est à l'impôt, est une façon de garantir leur impunité. Faire battre pavillon de complaisance à un navire, au Liberia, à la République de Malte ou à la Barbade garantit de fait l'affranchissement de toute réglementation étatique sérieuse. Là, il n'est bien sûr plus besoin de déclarer ses recettes ni de payer des impôts. La sécurité au travail ainsi que les conditions d'emploi des marins sont à peine réglementées et la loi sur la protection des écosystèmes est nulle. Il s'agit à nouveau de strictes questions d'écritures comptables : un bateau inscrit à la Barbade n'abordera que très rarement les côtes de l'île. Et contrairement aux premiers pavillons de complaisance (comme le Liberia), la Barbade et les autres législations des Caraïbes offrent, en tant que nouveau type de paradis fiscal, leur cadre de comptabilité offshore[130]. Le principe consiste à permettre l'enregistrement chez elles de flottes maritimes qui vogueront partout sauf le long des côtes de leur territoire, tout en faisant bénéficier les armateurs du vide législatif et réglementaire du territoire en question.

L'entente canado-barbadienne de 1980 comporte un volet touchant au transport maritime et prévoit que les armateurs canadiens profiteront eux aussi des largesses législatives de l'île. « Les bénéfices qu'une entreprise d'un État contractant tire de l'exploitation, en trafic international, de navires ou d'aéronefs ne sont imposables que dans cet État », stipule la clause 2 de son article VIII. On reconnaît là les termes qui permettent à un État de constituer chez lui un port franc. Le Canada s'est ainsi trouvé à légaliser et même à encourager l'enregistrement de bateaux industriels de transport loin de sa législation de façon à en favoriser les propriétaires, sans que cette mesure n'ait quelque pertinence en ce qui regarde le bien commun dont il a officiellement la garde.

Le ministre canadien des Finances, Paul Martin, en a plus tard personnellement tiré profit. Tout membre du gouvernement qu'il fût, de 1993 à 2002, qui plus est responsable du budget dans le gouvernement de Jean Chrétien, il se trouvait également l'actionnaire unique d'une société de transport maritime, la Canada Steamship Lines. Les armateurs tels que la CSL sont surtout attirés offshore par les avantages réglementaires en matière de travail : « Dans les pays à pavillon de complaisance, l'absence de toute réglementation sociale rend les coûts de personnel beaucoup plus faibles encore. D'autant qu'on n'y impose pas non plus la règle de la nationalité des équipages, à laquelle se sont longtemps accrochés les syndicats de marins occidentaux, avec l'énergie du désespoir[131]. » La société du ministre a justifié la délocalisation de sa flotte par la concurrence internationale[132], comme s'il s'agissait là d'une conjoncture qu'aucune politique ne saurait pondérer, et surtout comme s'il était question d'un état de fait mondial que les institutions politiques n'avaient pas contribué à générer. Gérer formellement la flotte maritime depuis les paradis fiscaux permettait à la CSL de faire fi des normes du Canada en matière de traitement des déchets toxiques, de sa réglementation en ce qui regarde l'entretien des navires, de ses lois sur la sécurité au travail et sur les conditions minimales de rétribution, en plus d'éviter les services fiscaux qui ont pourtant relevé du ministère de Paul Martin pendant dix ans[133]. Martin a lui-même confirmé l'effet de dumping qu'entraîne la réalité offshore sur les juridictions du Nord.

La Fédération internationale des ouvriers du transport (ITF) estimait en 2001 que pas moins de 63 % de la flotte internationale battaient pavillon de complaisance[134]. Les États de droit comme la France, le Royaume-Uni par l'entremise de l'île de Man plus près de chez elle, la Norvège ou le Japon développent des pavillons à réglementation quasi nulle pour éviter de perdre la flotte de navires alors enregistrés chez eux[135], obéissant à l'effet de dumping.

L'Amoco-Cadiz, un bateau libérien ayant provoqué une marée noire sur la côte bretonne en 1978, qui n'a été que la suite logique de beaucoup de négligence, annonçait l'avenir sombre du transport maritime en matière de protection environnementale. Les désastres écologiques de l'Erika, toujours le long des côtes de la Bretagne en 1999, du Probo Koala près de la Côte d'Ivoire en 2006 ou de la plateforme pétrolière de BP dans le golfe du Mexique en avril 2011, tous provoqués par un maillage d'entités inscrites dans plusieurs ports francs et paradis fiscaux, sont par la suite venus confirmer les pires appréhensions.

« La mer couvre les deux tiers de la planète, et ce "no man's land" est le fonds de commerce de la marine marchande[136]. » Mais le fait est aussi que le transport maritime à faible coût favorise la délocalisation des entreprises. En effet, parce que le travail des équipes maritimes coûte très peu et parce que l'entretien des navires est négligé, les entreprises occidentales trouvent encore un sens à fabriquer dans les zones franches de Chine, d'Indonésie ou de la Jamaïque, plutôt qu'en Amérique du Nord ou en Europe, des objets de première utilité bas de gamme.

Un accès à tout le réseau offshore

Pendant longtemps, le corridor Barbade-Canada s'est révélé, pour l'establishment et la petite entreprise du Canada, la porte d'accès aux régimes offshore. Non seulement nos détenteurs de capitaux jouissent-ils légalement et allègrement des avantages consentis par la Barbade, mais ils accèdent par ce havre au réseau mondial des paradis fiscaux. C'est ce que donne à comprendre le conseiller financier Alex Doulis : « Mon entreprise à la Barbade peut mettre en place pour nous un trust aux îles Turques-et-Caïques et il sera exonéré d'impôt[137]. » Ainsi, tant que des fonds ont été d'abord localisés à la Barbade, ils peuvent depuis là atterrir dans les comptes d'une fiduciaire des îles Turques-et-Caïques, puis passer chez un courtier dans les îles Anglo-normandes, transiter par la suite aux îles Caïmans, avant de revenir enfin légalement au Canada en passant à nouveau par la Barbade. Ce paradis fiscal se révèle donc pour les Canadiens la tête de pont d'opérations occultes. La Barbade facilite donc l'aller-retour des capitaux canadiens dans et hors le système financier offshore en toute légalité. Le Canada se trouve alors connecté à l'ensemble du réseau. Comme le résume Alex Doulis : « En réalité, je paie 2,5 % au gouvernement de la Barbade et rien au Canada, mais j'ai l'usage de l'argent ici. Je pourrais être en mauvaise posture face à l'impôt avec un pays non-signataire du traité quand j'essaierais de récupérer l'argent. Il serait probablement imposé à taux plein[138]. »

Jean-Pierre Vidal va dans le même sens. L'argent placé dans un premier temps par des Canadiens à la Barbade, afin de le soustraire au fisc, est « redirigé ailleurs, là où des activités substantielles sont ensuite véritablement déployées[139] », hors de tout contrôle pourrait-on ajouter. Les fonds peuvent être mobilisés dans des opérations boursières périlleuses que gèrent les *hedge funds* des Caïmans ou dans le narcotrafic du Panama, pour ensuite revenir légalement au Canada par le corridor de la Barbade. Cela permet de parer au fait que le secret bancaire n'est pas aussi bien protégé à la Barbade qu'ailleurs. On préfère que les manœuvres douteuses soient effectuées par des sociétés et des banques sises autre part dans les Caraïbes. Peut-on se surprendre que la Barbade ait longtemps été « en plein développement[140] » et ait compté plusieurs sociétés import-export soupçonnées d'irrégularités par l'Union européenne[141] ? À quoi s'ajoutent les étranges manipulations d'argent de Norshield, l'entreprise impliquée dans une vaste fraude qui, au début des années 2000, a fait transiter 60 millions de dollars à des tiers sans motif formel à partir d'une banque de la Barbade[142].

L'émulation

Il suffirait d'abroger l'entente entre l'île caribéenne et le Canada pour mettre fin à ce fléau. Aujourd'hui, au contraire, le cas barbadien fait école. Les conservateurs canadiens au pouvoir cherchent à développer depuis 2009 maints corridors du même type entre le Canada et d'autres paradis fiscaux, et ce, sur le mode le plus insidieux qui soit. Pressé par l'Organisation de coopération et de développement économiques de signer avec des États offshore des ententes d'Accord d'échange de renseignements fiscaux (AERF) visant officiellement à mettre à mal le secret bancaire qui y prévaut, le gouvernement canadien a fait preuve de duplicité. Ces ententes consistent en principe à permettre aux agents fiscaux des pays en cause de mener des enquêtes sur des fraudeurs potentiels dans le pays cosignataire, à certaines conditions, mais par rapport aux autres ententes en vigueur dans le monde, l'AERF à la canadienne comporte une particularité. Le budget de 2007 du gouvernement canadien indique que les investisseurs canadiens qui placent leurs actifs dans un des paradis fiscaux signataires avec lui d'une telle entente pourront ensuite rapatrier leurs avoirs au pays sous la forme de dividendes sans avoir à payer d'impôts. Il s'agit par cette stupéfiante mesure d'« encourager davantage les pays à conclure un AERF avec le Canada[143] », *dixit* le ministère des Finances, c'est-à-dire de stimuler l'activité offshore sous couvert de lutte contre les paradis fiscaux! La directive fédérale est on ne peut plus claire : « Si les dividendes sont versés par une société étrangère affiliée qui exploite une entreprise dans un pays avec lequel le Canada a une convention fiscale en vigueur, ils sont généralement exonérés d'impôt au Canada. La politique du Canada à l'égard des AERF consiste à accorder cette même exonération à l'égard des dividendes versés par les sociétés étrangères affiliées qui exploitent activement une entreprise dans un État avec lequel le Canada a un AERF en vigueur. » Et ce texte de référence d'ajouter : « Cet avantage peut avoir comme effet de rendre les États signataires d'un AERF ou d'une convention plus attrayants pour les investisseurs canadiens[144]. » Ainsi, le modèle de la Barbade se répand.

Du reste, les accords visant à accéder aux informations protégées par le secret bancaire n'ont pas de portée réelle. Un ex-procureur général de Manhattan aujourd'hui présent aux Caïmans défend ce point de vue : « Même quand [les îles Caïmans] coopèrent pour mettre fin à une fraude, ça prend tellement de temps que, lorsqu'on finit par refermer la porte, le cheval a été volé et l'écurie est en cendres[145]. » Le député français Vincent Peillon, président d'une commission parlementaire en 2000 sur les paradis fiscaux, dressait lui aussi le constat : « Combien de magistrats, pour des affaires qui ne relevaient pas de la bénigne et banale évasion fiscale, mais bien de la criminalité transnationale, se sont trouvés confrontés à des situations où, ignorant le numéro exact du compte, ils étaient arrêtés dans leurs enquêtes par la rigidité des banquiers et des autorités judiciaires nationales? Poussé à l'extrême, ce refus d'autoriser les enquêtes de cette nature conduit à n'accorder l'assistance que lorsque les preuves sont déjà en possession des enquêteurs[146]!»

Loin de diminuer les flux financiers qui partent vers les juridictions offshore, ces mesures créent plutôt une infrastructure économique où il devient légal, voire nécessaire, de faire usage des structures permissives que les paradis fiscaux mettent à la disposition des entreprises. Le Canada n'est pas en reste. S'il demandait à la Suisse, avec laquelle il a signé un AERF, l'accès à des informations bancaires sur un présumé fraudeur canadien, il devrait préalablement fournir une panoplie d'informations sur les opérations bancaires du sujet en question. Ces informations sont pratiquement impossibles à obtenir, considérant que l'AERF exclut l'échange de renseignements lorsque est concerné un secret «commercial, d'affaires, industriel ou professionnel ou un procédé commercial». Gilles Larin, titulaire de la Chaire de recherche en fiscalité et en finances publiques de l'Université de Sherbrooke, constate, en citant l'exemple helvétique, que «les autorités fiscales canadiennes, malgré le discours officiel, risquent de ne pas trouver leur compte dans le processus d'échange d'informations conclu avec le Conseil fédéral suisse[147]». La Banque Royale du Canada se montre fière d'opiner en ce sens: «les AERF ne devraient avoir aucun effet sur la confidentialité accommodante», assure-t-elle dans une circulaire produite par un de ses experts du paradis fiscal de Guernesey. En effet, les seules informations que ces accords peuvent l'amener à divulguer aux «autorités concernées» relèvent du «revenu gagné par un trust» (une structure dont on ignore généralement les ayants droit dans les paradis fiscaux) et le moment «où une distribution est faite à un bénéficiaire dans une juridiction donnée», soit une information strictement temporelle qui est de peu d'intérêt[148].

Les paradis fiscaux se sont donc bousculés au portillon pour bénéficier des avantages de cette entente à la canadienne, attirant à coup sûr chez eux des fonds fuyant le fisc. Anguilla, les Bahamas, les Bermudes, les Îles Caïmans, Dominique, Sainte-Lucie, les Antilles néerlandaises, Saint-Vincent-et-les-Grenadines, San Marino, Saint-Kitts-et-Nevis et les Îles Turques-et-Caïques ont signé de telles ententes. Elles réduisent à néant les précautions que prend par ailleurs le gouvernement contre les paradis fiscaux[149] et rendent officiel le rôle de passoire que joue le Canada.

Plutôt que de fermer le corridor d'amnistie fiscale permanente qui existait entre la Barbade et le Canada, le gouvernement conservateur s'est contenté de le dupliquer de façon à satisfaire la concurrence. Les représentants de la Barbade ont publiquement regretté la perte de leur monopole et le pays a alors décidé de diminuer le taux d'imposition minimal des sociétés internationales. La présidente de la Barbados International Business Association (BIBA), Melanie Jones, s'est félicitée de cette décision faite en « réponse à la perte de son avantage concurrentiel sur le marché canadien, en raison de la prolongation du traitement du surplus exonéré aux filiales établies sur le territoire de l'AERF[150] ». La logique du dumping s'applique désormais implacablement partout.

CHAPITRE SIX

Le Québec

Minéralo-État

*où le code minier conforte le Canada
dans son rôle de colonie*

1985

Si au Québec les sociétés minières contribuent fort peu au financement des institutions publiques, les institutions publiques, elles, participent considérablement au financement des sociétés minières. Alors qu'elle esquive toute forme significative d'imposition et de taxation, l'industrie minière bénéficie d'un territoire aménagé sur mesure pour elle : villes et villages, ponts et chaussées, électricité, aqueducs. Elle profite aussi d'institutions d'enseignement et de recherche de pointe : éducation générale, formation professionnelle, subventions à la recherche et au développement technique. Son personnel jouit de la présence de services de santé : hôpitaux, centres de soins communautaires, programmes médicaux. L'activité minière tire aussi avantage de la présence d'autorités de police et de justice, et la liste pourrait s'allonger. De plus, l'État québécois met le trésor public à sa disposition et se montre fort peu contraignant à son endroit en ce qui a trait à la préservation des écosystèmes. Bien que ce soit en milliards de dollars que se calcule la valeur du minerai qu'elle extrait chaque année du sous-sol québécois, cette industrie échappe complètement aux logiques démocratiques.

Appelons *minéralo-État* une telle législation, qui prend fait et cause pour l'industrie extractive présente chez elle, indépendamment du bien commun et des intérêts de sa population. Le Québec fait plus que répondre à l'appellation. Il est le modèle, la référence, si ce n'est l'incarnation du concept. La belle province émerge de décennies de largesses envers les sociétés minières de façon à ressembler à l'idéal type du minéralo-État, comme si l'État québécois, au fur et mesure qu'il cumulait les mesures publiques, avait exploré tous les moyens de les satisfaire. De manière diachronique, la

législation aura tout permis : la mobilisation des fonds publics, l'accès facilité aux sites d'exploration et d'exploitation, une loi conférant la suprématie des intérêts miniers sur toute autre question de société, des échappatoires fiscales transformant l'État en gruyère, des redevances plusieurs fois inférieures à l'équivalent d'un pourboire, des dispositions au secret administratif qui neutralisent le débat public, l'accès bon marché au potentiel énergétique et hydraulique, le droit tacite de polluer au mépris de la santé publique des membres des Premières Nations, des communautés touchées ou des cohortes de travailleurs, l'externalisation des coûts de traitement des résidus miniers, l'absence d'obligation de rendement en ce qui concerne la création d'emplois et, enfin, la spectacularisation des processus de consultation confinant la parole publique à un exercice futile. Ces attributs de la législation québécoise, selon les périodes, caractérisent l'*idéal type* du minéralo-État, soit le référent parfait que les lobbyistes miniers ont en tête lorsqu'ils interviennent auprès des autres législateurs de la planète. Longtemps, on les a entendus dire : *nous voulons chez vous ce que nous pouvons trouver au Québec*, rêvant des caractéristiques cumulées dans l'histoire récente du modèle québécois.

Le plan d'exploitation minière du gouvernement en place depuis 2012 à Québec n'est qu'un nouvel emballage dans lequel insérer le projet qui le précédait. Qu'il s'agisse du *Plan Nord* du gouvernement de Jean Charest, lancé en 2011, ou du *Nord pour tous* présenté par celui de Pauline Marois en mai 2013[1], l'État subordonne dans les deux cas ses décisions et activités aux intérêts d'une industrie dominante.

Neuf caractéristiques fondamentales permettent de reconnaître le modèle de référence du minéralo-État :

1. Il couvre un territoire ayant un fort potentiel géologique.
2. Ses institutions, qu'elles soient formelles ou informelles, privilégient le transfert des richesses minérales publiques et les profits qui s'en dégagent vers une minorité de possédants ou de sociétés privées.
3. L'accès illimité à ses ressources est garanti aux acteurs privés (par la loi ou, le cas échéant, par la force militaire).
4. Il finance un réseau d'infrastructures permettant l'acheminement des ressources matérielles, la mise à disposition des ressources humaines et les moyens d'exportation du minerai, de la manière la plus rapide et dans les conditions les plus sécuritaires qui soient.
5. Encore selon des procédés formels ou informels, il facilite également le transfert des profits générés chez lui dans les paradis fiscaux.
6. Sa législation réduit par la suite au minimum pour les sociétés les contraintes relatives au respect des écosystèmes et des travailleurs.
7. Il garantit également un accès bon marché à son potentiel énergétique et hydraulique.

8. À travers un jeu d'influences bien orchestré, il offre à l'industrie minière un droit de regard sur les décisions de nature publique que doivent prendre les autorités politiques.

9. Il invite enfin les investisseurs étrangers ou nationaux à placer massivement leurs capitaux dans le secteur des mines, présenté avantageusement comme une des bases de l'économie du pays.

L'histoire d'une capitulation

Au Québec, l'hydroélectricité, la forêt boréale et les gisements d'or, de cuivre, de zinc, d'uranium, de nickel, de platine, de palladium, de fer ou même de diamants représentent tous des promesses d'exploitation de calibre mondial. Doté d'un énorme potentiel géologique, le Québec connaît une activité minière industrielle d'envergure depuis l'installation des grandes mines d'amiante à la fin du XIXᵉ siècle. Au cours des décennies suivantes, la consommation croissante des matières premières dans un Occident en reconstruction et en voie de surindustrialisation permettra à l'industrie minière d'entamer une période prospère, notamment au Québec avec l'exploitation des immenses gisements de l'Abitibi. Le bradage institutionnalisé que mettra en place au milieu du XXᵉ siècle le régime permissif de Maurice Duplessis se résumera en une expression : *un minerai à un cent la tonne*.

La Révolution tranquille, avec l'arrivée au pouvoir de l'équipe de Jean Lesage en 1960, héraut du fameux *Maîtres chez nous*, appelant les descendants de colons blancs à diriger les destinées de la législation, ouvre une ère d'interventionnisme du gouvernement. La création de la Société générale de financement (SGF) encouragera alors l'investissement dans les sociétés québécoises, celle de la SIDBEC (Sidérurgie du Québec) poussera l'État vers le développement de l'industrie de l'acier. La mise en place de la SOQUEM (Société québécoise d'exploration minière) viendra stimuler l'exploration dans ce domaine, la fondation d'Hydro-Québec permettra la nationalisation du secteur hydroélectrique et, bien sûr, la création de la Caisse de dépôt et placement du Québec donnera à la législation son fonds souverain. Dans les universités et les cégeps, la mise en place de départements de géologie et de programmes de formation professionnelle permettra l'essor d'une nouvelle classe de techniciens et d'ingénieurs québécois. L'émergence de ces structures favorisera aussi l'apparition d'une nouvelle catégorie de mineurs et d'ingénieurs, qui créeront alors leurs entreprises d'exploration, dites des *juniors*. Mais celles-ci ne conduisent pas vraiment aux postes-clés dans les sociétés d'exploitation, les *majors*, qui demeurent l'apanage des Anglo-canadiens et des étrangers. La mise en place rapide d'institutions ne permet pas non plus la création de grandes entreprises minières nationales au Québec[2].

Cette révolution, tranquille, ne durera qu'un printemps, et l'État bradera bientôt l'un après l'autre les actifs industriels miniers dont il s'était doté pendant cette période. La société québécoise Cambior[3] détenue par la SOQUEM s'est trouvée privatisée en 1986 « pour des miettes[4] », et se verra rachetée par la torontoise IamGold en 2006. L'année suivante, la société Alcan, fleuron québécois de l'aluminium, a intégré le patrimoine du géant anglo-australien Rio Tinto. Alcan est la société qui détient des droits sur un potentiel hydroélectrique de 2 700 MW[5] que des générations de Québécois ont financé via des tarifs préférentiels consentis par Hydro-Québec.

Un engagement (contre le) public

Dans l'État démocratique que le Québec prétend être, les organismes gouvernementaux manipulant les fonds publics devraient logiquement être soumis à un contrôle actif par la population. Favoriser un tel contrôle supposerait par contre que celle-ci puisse librement s'informer des mouvements de capitaux générés par l'activité qui s'exerce au sein de ses institutions. Dans le domaine minier, c'est le contraire qui se produit : le gouvernement n'a eu de cesse depuis des décennies de créer et de gérer dans une opacité totale les budgets des instances de financement public au service des entreprises, lesquels se chiffrent en dizaines de millions de dollars.

- La Société d'investissement dans la diversification de l'exploration (Sidex), une société en commandite dont la mission est « d'investir dans les entreprises engagées dans l'exploration minière au Québec » est dotée d'un fonds de capital-risque dont les commanditaires sont le gouvernement du Québec (70 %) et le Fonds de solidarité de la Fédération des travailleurs et travailleuses du Québec (FTQ) (30 %)[6].
- Les sociétés de développement des entreprises minières et d'exploration (Sodemex et Sodemex II) sont des sociétés de capital-risque publiques appartenant à la Caisse de dépôt et placement du Québec. Elles financent les sociétés d'exploration dont le capital est inférieur à 125 millions de dollars[7].
- La société d'exploration minière, Soquem Inc., filiale d'Investissement Québec, a soutenu financièrement des « travaux d'exploration hors chantier », ce qui représentait, certaines années, « environ 10 % de l'ensemble des investissements en exploration sur le territoire du Québec[8] ».
- La Société de développement de la Baie-James (SDBJ) possède également un fonds d'investissement dans le secteur de l'exploration minière.

- Investissement Québec (IQ) fournit des conseils, notamment en matière de financement pour les crédits d'impôt, des garanties à l'investissement et accorde des prêts aux entreprises québécoises et internationales[9].

Des informations chiffrées et fiables concernant ces sociétés restent difficiles à obtenir. Même aujourd'hui, le site internet officiel de la SOQUEM se réduit à une simple page ne contenant aucune donnée sur les montants qu'elle a investis. Quant à la Sodemex, c'est la Caisse de dépôt et placement du Québec et la SOQUEM qui la financent. Un labyrinthe de filiales et de prises de participation croisées complique sérieusement la tâche du citoyen curieux de la destination des fonds publics. Ces instances ne se contentent pas de les canaliser vers les sociétés privées ou de fournir à ces dernières un soutien logistique ou scientifique. Certaines leur offrent également, contre tout sens commun, des services en matière d'évitement fiscal, tout en facilitant leurs opérations de lobbying. Investissement Québec (IQ), qui en 2010 a intégré dans son giron la Société générale de financement du Québec (SGF), se définit certes comme « une institution financière et une agence de développement économique » qui « cherche à attirer les investisseurs de l'extérieur du Québec en faisant la promotion du Québec comme lieu privilégié d'investissement[10] ». Mais sa vocation l'amène sans complexe à accueillir chez elle des sociétés minières pour leur expliquer quelle est la meilleure façon de se soustraire ici à l'impôt, c'est-à-dire de contribuer le moins possible au financement des institutions publiques dont pourtant elles usent. Investissement Québec fournit également un appui financier aux minières pour s'assurer l'indispensable confiance de leurs actionnaires[11].

Dans les rapports annuels d'Investissement Québec ne figurent que les chiffres subdivisés par secteurs ou par régions. Il est impossible de connaître les entreprises destinataires des services et les montants qui leur ont été alloués. On apprendra tout de même en 2009 que la firme publique a injecté 50 millions de dollars dans les comptes du géant de l'aluminium Alcoa[12] et qu'elle a accordé un prêt de 175 millions de dollars à Rio Tinto Alcan[13], des sociétés se disant mises à mal par la crise financière de 2008. Pendant ce temps, le gouvernement sert à la population le discours de la *juste part*, pour excuser l'augmentation de la tarification des services publics, notamment dans les domaines de la santé et de l'enseignement supérieur.

En avril 2012, IQ met sur pied Ressources Québec, une filiale disposant d'un budget annuel de 1,2 milliard de dollars en vue de soutenir l'investissement minier au nord du 49e parallèle[14]. À ce soutien financier et logistique incomparable, il faut ajouter tout un ensemble de programmes gouvernementaux du ministère des Ressources naturelles (MRN) visant à apporter une aide financière directe et logistique pour l'exploration et les travaux préparatoires à l'exploitation minière (dépenses d'évaluation, subventions universitaires, garanties de remboursement, paiements de l'intérêt d'un prêt, subventions de formations, garanties du taux de change), ainsi qu'une aide financière de base pour les infrastructures minières[15].

Une *Loi des mines*

Les sociétés minières sont très sensibles à la légitimité de leur présence sur les territoires qu'elles exploitent. N'ayant pas toutes la possibilité de s'imposer par la force, elles choisissent d'investir en premier lieu dans les pays qui garantissent une caution légale à l'occupation des terres qui accompagne leurs campagnes d'exploration et leur installation éventuelle dans le but d'extraire les richesses du sous-sol.

Comme dans la plupart des autres provinces canadiennes, la législation minière québécoise est basée sur un droit quasi illimité d'accès au sous-sol. Ainsi, la *Loi sur les mines* du Québec reste toujours fondée sur le principe du *free mining*, une règle qui tire son origine des lois minières californiennes établies à l'époque de la ruée vers l'or au milieu du xixe siècle. Pour un prospecteur, le *free mining* représente la garantie d'accès à une portion majoritaire du territoire, le droit de s'approprier la ressource minérale convoitée à l'aide d'un titre minier aisément obtenu et, enfin, celui d'effectuer des travaux d'exploration et d'exploitation d'un éventuel gisement rentable[16].

Dans la hiérarchie des droits consentis aux sociétés, la loi québécoise sur les mines trône au-dessus des autres. Elle confère la préséance aux activités minières sur la création de nouvelles aires protégées[17] et menace les droits individuels à la propriété privée, les droits communautaires à un aménagement adéquat du territoire et le droit collectif à un environnement sain[18]. Selon la Coalition Pour que le Québec ait meilleure mine (ou Québec meilleure mine, son diminutif), les différents titres miniers (*claim*, bail minier, droit d'accès) que peut obtenir une société selon le stade d'avancement de son projet auraient priorité sur « presque tous les usages du territoire[19] ». Résultat : on compte aujourd'hui, incluant les *claims*, 207 862 titres miniers actifs au Québec, couvrant une superficie de 9 654 762 hectares, soit près de 6 % du territoire québécois[20], tandis que le secteur minier aurait préséance sur 85 % du territoire encore disponible pour l'exploration ou l'exploitation minière. Lorsque les zones se trouvent *claimées*, il est impossible pour l'État d'y établir des aires protégées[21].

Aux nombreuses critiques qui lui sont faites, l'industrie minière répond par une rhétorique libérale qui ne craint pas les sauts d'échelle. Dans une lettre envoyée au quotidien *Le Devoir*, le directeur de l'Association de l'exploration minière du Québec, Jean-Pierre Thomassin, affirmait sans complexe en mai 2008 que le concept du *free mining* « n'accorde aucun privilège à l'industrie. Au Québec, tout citoyen peut obtenir un titre minier [...]. La loi donne la même chance à tous. Le *free mining* est démocratique et équitable[22] ». Selon l'auteur, le Québec serait donc un immense casino où chacun a sa chance. Les sociétés plus importantes semblent pourtant attirer la chance plus facilement que les petites. En effet, un *claim* « peut être renouvelé indéfiniment à condition d'y réaliser des coûts d'exploration [...]. Cependant, les coûts des travaux d'exploration prévus pour un site peuvent être répartis sur d'autres sites et s'appliquer à d'autres périodes de renouvellement. Les grandes et moyennes compagnies minières utilisent donc ces lois pour conserver, sur une longue période, leur droit sur les claims qui n'ont pas fait l'objet de travaux[23] ». Les sociétés minières productrices de la province étant torontoises ou même suisses, la souveraineté économique du Québec dans un domaine aussi important que le secteur minier s'avère donc sérieusement compromise.

Depuis 2009, l'Assemblée nationale a dû s'y prendre par quatre fois pour modifier la loi de 1880[24], et ce, même si les avancées faites sont à l'évidence minimales (consultations plus fréquentes, pouvoir des municipalités à définir des « zones incompatibles » et meilleure protection juridique des citoyens) et incomplètes (maintien du *free mining*, abandon du dossier des Premières Nations et absence de perspective économique)[25]. Le lobby minier semble régner sur les hautes sphères du pouvoir législatif au Québec. Le mélange des genres est en tous les cas chose courante. Cas emblématique, Pierre Corbeil, ministre des Ressources naturelles et de la Faune entre le 18 février 2005 et le 18 avril 2007, a siégé au conseil d'administration de la Golden Valley Mines[26]. Quant au géologue Daniel Bertrand, député libéral dans Rouyn-Noranda-Témiscamingue de 2003 à 2007, il devient au lendemain de sa défaite électorale vice-président d'Entreprises Minières Globex, puis, en mars 2008, d'Exploration NQ. Lorsque élu de nouveau en 2008, il reprend le témoin puisqu'il est choisi comme adjoint parlementaire du ministre des Ressources naturelles, du 15 janvier 2009 au 9 février 2011. Il occupe ensuite le même poste aux des Affaires autochtones, du 10 février 2011 au 1er août 2012, les deux ministères étant bien entendu directement liés au domaine extractif[27]. Il ne se représente pas aux élections de 2012, mais s'occupe plutôt de l'Association de l'exploration minière et agit comme lobbyiste à Québec[28].

Des infrastructures aux frais des contribuables

Depuis le milieu du xxᵉ siècle, le gouvernement du Québec a aménagé son territoire de façon à satisfaire l'industrie minière. Pour faciliter l'accès aux sites, des routes sont prolongées, des infrastructures ferroviaires développées, des aéroports aménagés ou des projets de ports en eau profonde mis à l'étude. Le réseau hydroélectrique qui s'est déployé depuis sa nationalisation et la mise en place d'Hydro-Québec dans les années 1960 ne cesse de fournir la ressource essentielle à l'exploitation des mines, l'électricité, à des cours en deçà du prix coûtant. Pour répondre à leurs besoins, la Société de développement de la Baie-James (SDBJ) a été mise en place dans les années 1970. Son mandat initial consistait à construire, en 1971, une route de 720 km reliant les barrages du Complexe La Grande de la Baie-James aux routes du sud, de même que l'aéroport La Grande Rivière. À cela s'est ajoutée la mise en place des infrastructures de la localité de Radisson qui accueillait avec leurs familles les travailleurs de l'ensemble des aménagements hydroélectriques du Nord-du-Québec, regroupés sous l'appellation « Projet de la Baie-James[29] », quitte, selon la conjoncture, à absorber des pertes. La SDBJ, dont le mandat a été révisé à plusieurs reprises, a ainsi été rapidement contrainte à des « dévaluations et radiations comptables » afin de répondre aux nouvelles orientations gouvernementales. « Celles-ci totalisent 68,9 millions de dollars et sont reliées à des coûts de développement (infrastructures, développement régional et protection de l'environnement), à des dévaluations d'actifs miniers visant à refléter la cession éventuelle de ses actifs (Somine et Fer Albanel limitée) ainsi qu'à des radiations d'actifs miniers à la suite de l'abandon des projets. La démobilisation se poursuit en 1985 avec la fermeture du bureau de la SDBJ à Montréal et l'abolition de tous les postes permanents. La SDBJ vend ses intérêts dans Sotel inc. à son coactionnaire Télébec moyennant la somme d'un dollar[30]. »

Cette année 1985 marque le moment où l'État québécois, bradant les actifs de la Société de développement de la Baie-James, en faisant ainsi une coquille vide, se retire complètement de la filière minière et laisse l'entreprise privée manœuvrer à sa guise. Toutefois, il faudra qu'une commission parlementaire soit tenue en 1993 pour constater que la transparence et la reddition de comptes ne font pas partie des pratiques de la société. Ainsi, la SDBJ confirme à cette occasion avoir cédé à la Campbell Resources pour 2,5 millions de dollars la mine Joe Mann, dans laquelle la société d'État avait investi 14 millions de dollars. Dans le contexte de la transaction, la SDJB accepte également d'abandonner 3 millions de dollars en capital-action pour un siège au conseil d'administration[31].

Alcan, quant à elle, a été exemptée des dispositions de la nationalisation de l'électricité « puisque, explique le député de Jonquière, Sylvain Gaudreault, c'était une compagnie canadienne, qu'elle créait de l'emploi dans la région et qu'elle utilisait l'essentiel de l'énergie fournie par le Saguenay pour la production d'aluminium[32] ». Malgré cet avantage hors du commun, Alcan réussit à décrocher en décembre 2006 un contrat léonin avec le gouvernement du Québec concernant l'implantation d'une aluminerie au Saguenay–Lac-Saint-Jean. Le texte de l'entente, publié en 2007, prévoit un prêt sans intérêt sur 30 ans, des avantages fiscaux de 112 millions de dollars, des tarifs préférentiels d'électricité et la location des forces hydrauliques de la rivière Péribonka jusqu'en 2058[33]. Cette socialisation des coûts de construction des infrastructures, qui sont donc en amont de la production, est consentie en sus des autres avantages fiscaux accordés aux minières.

Un secret bien gardé et des échappatoires à s'y perdre

L'activité minière est génératrice d'énormes profits. Parmi les 17 sociétés *majors* les plus importantes au Québec, six figurent dans le palmarès des mille entreprises mondiales générant le plus de revenus, établi par le *Globe and Mail* en 2012[34]. La raison d'être d'une entreprise étant avant tout la maximisation de ses profits, les minières s'assurent que la charge fiscale soit minimale dans la législation où elles s'installent. Au Québec, une batterie de mécanismes mis en place au sein de la structure étatique elle-même permet l'évitement fiscal en toute légalité, exactement à l'image de ce qui se passe dans un paradis fiscal. L'industrie minière, quant à elle, n'a de cesse de louer la « fiscalité compétitive » de la province et la « politique visionnaire d'encouragement à l'investissement », comme le signale Françoise Bertrand, présidente et directrice générale de la Fédération des chambres de commerce du Québec[35].

Au Québec, les sociétés minières sont, en théorie, imposables selon trois types d'intervention : l'impôt sur le revenu des sociétés, la taxe sur le capital (impôts auxquels sont généralement soumis tous types d'entreprises) ainsi qu'un impôt spécifique au secteur, soit les redevances minières (aussi appelées *droits miniers*)[36]. En principe, les redevances permettent aux sociétés minières de compenser l'État pour les pertes du bien collectif, en raison du fait qu'elles extraient des ressources non renouvelables du sous-sol.

Un rapport du vérificateur général du Québec Renaud Lachance, publié en avril 2009, a confirmé la permissivité du régime fiscal québécois auquel a longtemps été « soumise » l'industrie minière. Ses résultats sont à l'époque accablants pour le ministère des Ressources naturelles et de la Faune de l'époque. « Les compagnies bénéficient de plusieurs mesures et allocations qui leur permettent de réduire leur profit, voire de le ramener à zéro », ce qui expliquerait le fait que « pour la période allant de 2002 à 2008, quatorze entreprises n'ont versé aucun droit minier [à l'État] alors qu'elles cumulaient des valeurs brutes de production annuelle de 4,2 milliards de dollars. Quant aux autres entreprises, elles ont versé pour la même période 259 millions de dollars, soit 1,5 % de la valeur brute de production annuelle (17,1 milliards)[37]. »

Il faut alors prendre en compte un point qui a son importance : au Québec, les redevances ont été jusqu'en 2013 calculées à partir du profit des entreprises (elles ont été augmentées à 16 % du profit annuel), ce qui implique que les minières n'en paient pas ou peu si elles ne déclarent pas ou peu de profits. Et si elles affichent de bons rendements, rien ne garantissait qu'elles paieraient effectivement cet impôt minier minimum, fut-il modeste, si l'on se réfère aux multiples avantages auxquels fait référence le vérificateur. Parmi ceux-ci, on compte les crédits de droits miniers remboursables pour pertes, les crédits de droits à la mise en production ainsi que l'allocation additionnelle pour une mine nordique, l'allocation pour amortissement (déduction sur acquisitions d'immobilisations et autres biens), l'allocation pour exploration, la mise en valeur et l'aménagement minier, l'allocation additionnelle pour exploration et l'allocation pour le traitement du minerai[38]. Dans un rapport de recherche confirmant la disparité flagrante entre les innombrables avantages que prodigue l'État québécois au secteur et les maigres bénéfices qu'en retire l'ensemble de la population, la chercheure Laura Handal affirme que, de cette liste d'avantages fiscaux, seuls les montants associés aux crédits remboursables pour pertes sont publiquement disponibles[39]. En 2013, le législateur a fixé un seuil d'imposition minimal oscillant entre 1 % et 10 %.

Le manque à gagner sur les redevances minières documenté alors par Renaud Lachance et son équipe n'est pas le seul cadeau que le gouvernement québécois offre à l'industrie minière. À ces infinies offrandes, il convient d'ajouter une série d'incitatifs fiscaux, lesquels expliquent également pourquoi le Québec s'est si longtemps mérité les compliments de l'ultralibéral Institut Fraser pour la compétitivité de son régime fiscal. Le rapport Lachance révèle en effet qu'au cours des six dernières années, le montant des coûts liés aux avantages fiscaux concédés par le gouvernement est au moins 1,5 fois supérieur à celui des redevances perçues (jusqu'à 7 fois pour l'année 2004). Parmi ces privilèges, mentionnons entre autres les avantages fiscaux relatifs aux actions accréditives, qui permettent aux investisseurs dans le domaine minier de déduire de l'impôt à payer jusqu'à

150 % du coût de leur investissement[40]. En la matière, la fiscalité provinciale se révèle encore plus profitable que sa contrepartie fédérale ou que celle des autres provinces canadiennes[41]. Un autre avantage notoire consenti aux sociétés, soit les crédits d'impôt relatifs aux ressources qui leur permettent de déduire de leurs impôts leurs frais d'exploration, prive le gouvernement québécois de revenus substantiels.

Les sociétés d'exploitation elles non plus ne sont pas en reste. Elles peuvent également, ou ont pu, compter sur un nombre impressionnant d'avantages comme le crédit d'impôt remboursable pour les ressources, le crédit d'impôt remboursable pour les dépenses d'exploration, des exonérations du paiement des taxes, le crédit pour l'allocation des ressources, le crédit sur les droits pour les coûts de mise en production d'un gisement, l'allocation-équipement pour traiter les résidus miniers, des déductions de l'impôt sur le capital, des incitations fiscales pour les nouvelles sociétés minières[42], etc.

À la liste des innombrables avantages fiscaux, il convient d'ajouter aujourd'hui encore bon nombre de dépenses fiscales assumées par l'État[43]. Elles consistent notamment à consentir des allègements fiscaux à des groupes déterminés d'entreprises[44]. En 2007-2008, le montant total des dépenses fiscales déclarées par l'État s'élevait à 102,8 millions de dollars. Ajoutons à cela que d'entre toutes les provinces canadiennes, c'est le Québec qui a le taux d'imposition sur le revenu minier le plus bas, avec un maigre 8,55 %, suivi de près par l'Ontario avec 9 %[45].

Enfin, signalons que le relâchement en matière de contrôle fiscal permettrait éventuellement le détournement de ces avantages aux fins de l'évasion fiscale. La vocation des entreprises d'exploration consiste dans sa première phase à sonder le sous-sol en quête d'un gisement rentable, non en vue de son exploitation, mais d'un enrichissement rapide à la bourse sur la base de la spéculation. Là encore, les actionnaires récoltent au passage d'importantes déductions d'impôt. Le scepticisme est permis à l'égard de la bonne foi du procédé lorsque l'on considère les noms hermétiques de sociétés d'exploration au Québec, tels que 173714 Canada Inc., 2329-1677 Québec Inc., 3421856 Canada Inc., et 170364 Canada Inc., qui, pour certaines d'entre elles, peuvent très bien ne compter officiellement qu'un seul actionnaire[46]. Depuis le début de la décennie, l'intensité des avantages fiscaux concédés aux sociétés minières n'a jamais faibli : dans le discours sur le budget du 30 mars 2004, le gouvernement du Québec a en effet prolongé indéfiniment l'ensemble des avantages fiscaux relatifs aux actions accréditives[47]. Dans un document sur l'évasion fiscale préparé par le ministère des Finances du Québec en 2005, le gouvernement reconnaissait le recours abusif aux crédits d'impôt comme l'un des principaux mécanismes d'évasion fiscale. Il est donc au fait des risques que comporte l'utilisation d'incitatifs fiscaux.

De surcroît, à l'instar du secret bancaire qui entoure les paradis fiscaux, règne au Québec le secret minier. Pour les contribuables, il est impossible de savoir quelle société contribue au trésor public. Malgré des demandes répétées du quotidien *Le Devoir* et quel que soit le gouvernement en poste, le ministère des Ressources naturelles refuse de divulguer, au nom de la Loi sur l'impôt minier, les noms des minières et les sommes qu'elles ont payées en redevances en 2011 et en 2012. On indique tout au plus que «le montant est estimé à 245 millions pour 2012-2013. Pour la dernière année, soit 2011-2012, il serait de 334 millions. Pour la même année, la valeur brute des ressources minérales extraites par les minières atteindrait plus de neuf milliards de dollars[48]». L'industrie se dit cependant prête aujourd'hui à lever le secret administratif[49].

Des crimes écologiques et du génocide industriel des peuples autochtones

Près de 300 millions de litres de résidus miniers et liquides ont été déversés dans des lacs et des rivières du Québec entre 2007 et 2012[50]. La Coalition Québec meilleure mine, qui soutient cette estimation, ajoute qu'«aucune pénalité n'a été portée contre les minières fautives[51]». Comme il n'y a pas plus d'inspecteurs environnementaux pour le secteur minier au Québec que pour le traitement des ordures dans un port franc, il n'y a rien là de bien surprenant. «Le ministère de l'Environnement compte l'équivalent de cinq inspecteurs à temps plein au contrôle environnemental de 24 mines, de dizaines de projets en développement et de centaines de projets d'exploration, sans compter les dizaines de sites miniers abandonnés[52].» Cela permet à une société minière (dont Québec meilleure mine tait le nom) de recevoir 99 avis d'infractions environnementales et plus de 1 170 plaintes depuis 2009, et d'en rire.

Québec meilleure mine a également relevé que les projets miniers au Québec «ne [sont] pas automatiquement assujettis à la procédure d'évaluation environnementale et de consultations publiques, alors que des projets d'éoliennes et d'aires protégées – pour ne nommer que ces deux exemples – le sont[53]». La réglementation récemment amendée ne soumet une société minière à la procédure que si elle traite plus de 2 000 tonnes par jour. Jusqu'à maintenant, à peine 30 % des entreprises minières se sont pliées à la réglementation[54].

Le bilan de l'industrie minière au Québec est aussi sombre que ceux des autres provinces ou que celui du Canada dans son exploitation controversée des continents africain, asiatique et sud-américain. Le savoir-faire minier québécois à l'œuvre au cours du siècle passé a donné lieu à des catastrophes environnementales et humaines en série. N'ayant en aucune façon tiré les leçons du modèle de développement dévastateur du passé, le Québec s'apprête à appliquer la version moderne et encore plus prédatrice du développement industriel aux derniers territoires vierges de la province. Ce sont les populations québécoises et autochtones soucieuses de leur environnement et de leur souveraineté économique qui en feront les frais, tandis que les motifs d'ordre écologique ou l'enjeu autour de la juste répartition des profits tirés de l'extraction des minerais sont, eux, considérés avec négligence. Préoccupé de voir s'appliquer une vraie démarche de contrôle permettant au ministère de remplir sa mission, qui est de tenir « compte des principaux coûts et bénéfices associés aux interventions publiques dans le secteur minier[55] », Michel Samson, le vérificateur général par intérim, constatait en février 2013, à la veille du Forum sur les redevances minières, que le gouvernement du Québec ne possédait toujours pas les données permettant d'évaluer ces coûts et bénéfices[56].

À 850 km au nord de Montréal, dans le pays d'Eeyou Astchee, se trouve le village cri d'Oujé-Bougoumou Eenou. L'histoire récente de ce peuple est une suite aberrante d'abus de tous ordres : expropriations à répétition (7 fois en 50 ans), destruction environnementale et brimade culturelle. La douzaine de mines actives sur le territoire au cours des dernières décennies, de même que les coupes à blanc effectuées dans la forêt boréale, ont durablement détruit l'habitat des animaux et le mode de vie des Cris. Après leur départ, les minières ont inévitablement laissé des *parcs à résidus* dont certains s'avèrent toujours extrêmement dangereux. Tout près de là en juin 2008, à Chapais, un accident a d'ailleurs occasionné une pollution au cuivre, au fer et au zinc[57].

Depuis 1989, cette communauté crie de 600 personnes est installée sur les rives du lac Opémisca. Les études sur les dangers de l'exposition des populations aux nombreuses substances toxiques présentes dans les résidus miniers sont rares, mais une analyse rigoureuse du jeune chercheur états-unien Christopher Covel a révélé des risques potentiels de contamination généralisée des écosystèmes du pays Eeyou Astchee. La présence de poissons déformés (il leur manquait par exemple les yeux) fréquemment pêchés par les Cris dans les lacs, les morts suspectes de nombreux animaux et les récits faisant état de morts et de maladies incurables chez les résidants ont alarmé le jeune scientifique qui a décidé de faire des analyses approfondies de l'air et de l'eau d'Oujé-Bougoumou[58]. Au moins trois mines abandonnées se situent dans le voisinage immédiat du territoire cri. Des échantillons prélevés dans les bassins sédimentaires des sols et du fond des rivières aux alentours des mines montrent des concentrations d'arsenic, de chromium, de cadmium, de cyanure et de zinc jusqu'à 2 000 fois supérieures aux doses normales. Tous ces contaminants sont rejetés dans le réseau hydrographique qui parcourt, jusqu'à la baie James, tout le territoire cri[59]. Toutefois, le rapport Covel accrédité par l'Environnemental Protection Agency aux États-Unis a été accueilli avec scepticisme par le gouvernement du Québec; il y répondra par une autre étude d'«experts» qui se presseront et s'évertueront sans doute à discréditer les résultats du scientifique états-unien. Le peuple d'Oujé-Bougoumou subit toujours la spoliation de son habitat[60].

Des résidus miniers traités par l'État

Par rapport au minerai extrait, les proportions de déchets générés par les minières sont phénoménales. Au Canada, une mine de taille moyenne ne retient que 2 % des matériaux extraits, les 98 % restants constituant les roches stériles (42 %), les résidus de traitement (52 %) et les déchets provenant de l'usine de traitement (4 %)[61]. Dans le cas des mines à ciel ouvert, la production quotidienne de déchets se compte en dizaine de milliers de tonnes. Au Québec, un grand nombre de dépotoirs miniers a échoué à la charge du gouvernement à la suite de la faillite (parfois très opportune) des entreprises exploitantes. Et comme toujours, ce sont les contribuables québécois qui paient la note. À cette contamination progressive, il faut ajouter les accidents, par exemple des ruptures de digues contenant des déchets miniers pouvant polluer de manière brutale le réseau hydrographique à l'échelle régionale, comme à Chapais en 2008. Étant donné l'ampleur des projets miniers actuels, on peut légitimement s'inquiéter de l'héritage que nous nous apprêtons à léguer aux générations futures.

Car même si la Loi sur les mines stipule que la société exploitante doit couvrir 70 % des coûts de restauration estimés, le vérificateur général du Québec a mis en lumière les limites de cette garantie financière, notamment en ce qui concerne les délais du versement en cause, les aires polluées concernées par la garantie ainsi que la mollesse du ministère des Ressources naturelles et de la Faune (MRNF) en matière de contrôle des sites et de respect de l'échéancier des paiements[62]. En 2008, un bilan de 679 sites miniers abandonnés a été dressé au Québec, portant la facture de restauration pour les contribuables à 1,2 milliard de dollars[63]. Au Canada, 10 000 sites miniers auraient été abandonnés, selon une évaluation partielle issue des chiffres de 5 des 13 provinces et territoires du pays[64].

Le nombre de sites orphelins laissés derrière elles par les minières une fois l'exploitation terminée, de même que les mandats toujours limités du

Bureau d'audiences publiques sur l'environnement (BAPE) quant à la faisabilité de projets extractifs dans le respect des lois environnementales en vigueur et des communautés locales, témoignent du parti pris des ministères des Ressources naturelles et de celui du Développement durable, de l'Environnement, de la Faune et des Parcs (MDDEFP) à l'égard de l'industrie extractive.

Des consultations de pure forme

Les *mégamines* à ciel ouvert en exploitation ou en développement dans les pays d'Afrique ou d'Amérique du Sud sont souvent l'aboutissement de l'exportation du savoir-faire canadien à l'étranger. Aujourd'hui, après avoir massivement développé le procédé dans le Sud au cours des deux dernières décennies, les minières réinvestissent au Québec en imposant la même méthode dévastatrice. Pour les habitants de la province, il s'agit d'un violent retour de bâton.

Les discours sur la création d'emplois et l'extraction « propre », largement favorisés par une *fabrication du consentement* à laquelle les grands médias québécois ne se lassent pas de contribuer, ont permis par exemple à la société Osisko d'obtenir en Abitibi l'aval d'une partie importante de la population. Bien entendu, ce sont les actionnaires de Toronto qui profitent pleinement et en dernière instance de la mine, qui ne semble pas générer l'activité économique diversifiée et durable qu'on prétend qu'elle stimule. Une fois encore, la manœuvre employée par le gouvernement suit à la lettre la stratégie de la gouvernance[65], ce mode de conduite des affaires publiques qui permet de gagner du temps pour mieux diluer les forces organisées résistant à la mise en œuvre du projet.

L'Abitibi a récemment été le théâtre de telles stratégies dilatoires ; la région n'a pas fini de livrer ses ressources en pâture à l'industrie minière. Les prix de l'or, du cuivre ou du zinc ayant atteint des sommets inégalés, les sociétés minières y sont revenues en force ces dernières années pour exploiter son sous-sol, même quand celui-ci contient du minerai en concentration très faible. Les gisements *forts tonnages, faibles teneurs*, nécessitant le creusement de mines à ciel ouvert aux cratères gigantesques, sont la cible nouvelle d'une industrie qui ne sait plus où chercher un métal dont les veines s'épuisent. Jadis fleurons industriels, les mines seraient aujourd'hui des fleurons technologiques. Et on estampillera volontiers ces entreprises dévastatrices de l'incontournable sceau du *développement durable*, dont le sens n'en finit plus de se diluer.

Sur papier, le BAPE permet à la population d'être consultée afin que ses « préoccupations et [ses] opinions soient considérées dans la prise de décision du gouvernement[66]». À Malartic cependant, Osisko est entrée dans sa phase de développement[67] avant même que ne surviennent les conclusions de la consultation menée par le BAPE. Osisko évalue actuellement des plans de contournement de la route 117 pour engager la phase d'exploitation du projet ainsi qu'une phase d'agrandissement. Pourtant, l'Abitibi n'a déjà que trop goûté aux impacts de l'industrie minière sur son environnement : une autre ville abitibienne, Rouyn-Noranda, cernée par six importants parcs à résidus miniers, séquelles des exploitations passées, symbolise bien le lourd passif environnemental de l'industrie minière québécoise.

Des conditions de travail difficiles, des emplois peu nombreux, des communautés locales laissées pour compte

L'industrie minière offre des possibilités de travail dans une région donnée pendant la durée d'exploitation de la mine. Toutefois, ces «régions-ressources» sont aux prises avec des problèmes importants liés à la croissance rapide du nombre de travailleurs qui affluent pour profiter des emplois bien rémunérés. Ainsi, les communautés locales doivent prendre à leur charge les coûts additionnels causés par des besoins accrus en infrastructures (logements, rues, trottoirs, aqueducs, déchets) et en services publics (cliniques, écoles, garderies, sécurité). Aux problèmes sociaux de toxicomanie, de décrochage scolaire et de prostitution avec lesquels les populations locales doivent composer s'ajoutent les inégalités sociales croissantes entre les résidants. Pour ceux qui travaillent directement dans le secteur minier, le revenu est augmenté, ce qui permet de compenser les hausses du coût des aliments et du logement causées par l'inflation, mais les autres sont laissés pour compte. C'est ce qui se produit dans une ville comme Sept-Îles[68]. «On risque de ne plus avoir la main-d'œuvre nécessaire pour maintenir l'activité économique locale. Si on ne planifie pas, on risque de se retrouver avec des municipalités encore plus dévitalisées», déclare le président de la Fédération québécoise des municipalités (FQM), Bernard Généreux[69]. Ainsi, les effets de la fièvre minière imposée par la croissance des pays du BRICA (Brésil, Russie, Inde, Chine et Afrique du Sud) se font ressentir à Fermont, Port-Cartier, Sept-Îles ou Schefferville.

L'argument toujours servi par le secteur des mines, évidemment parce qu'il est à son avantage, est celui des emplois créés, qui restent cependant limités en nombre et dans le temps, puisqu'ils sont largement tributaires du cours des matières premières. À une certaine époque, expliquent les économistes Marc-Urbain Proulx et Pierre-Luc Vézina, «on croyait que le Nord-du-Québec pourrait être peuplé et qu'on verrait des villes comme

Chibougamau émerger un peu partout, ce n'est pas le cas. Les sites miniers ne créent plus autant d'emplois. La technologie permet d'extraire de plus en plus de minerais, avec de moins en moins d'hommes[70] ».

À cette réalité s'ajoute la soif de revenus des actionnaires des minières du Québec qui n'ont souvent de canadiennes que leur inscription à la Bourse de Toronto. Les employeurs n'hésitent pas à rationaliser les opérations au sein de leurs usines ou mines. À Alma, en 2012, la direction de Rio Tinto Alcan (RTA) a mis en lock-out les salariés de son usine afin d'en arriver à ce que le syndicat qui les représentait accepte que des employés de sous-traitants puissent produire hors usine ce qui était fabriqué dans les installations de l'aluminerie d'Alma. RTA s'objecte ainsi à ce qu'un plancher d'emploi soit garanti dans le contrat de travail de ses salariés. Trouvant toujours un moyen de tourner la situation à son avantage, le leader mondial de l'industrie de l'aluminium a pu regarnir ses coffres durant le conflit grâce à une note de bas de page contenue dans une entente intervenue en 2007 entre Alcan et le gouvernement, qui indiquait que ce dernier s'engageait à acheter à l'entreprise ses surplus d'électricité. Le manque à gagner durant le conflit de travail a ainsi été amoindri par les sommes que lui a versées Hydro-Québec en vertu de l'entente. Malgré les promesses faites par le gouvernement, la situation est inchangée à ce jour, comme l'indique le directeur québécois du Syndicat des Métallos, Daniel Roy : « Il faut impérativement revoir les dispositions qui permettent à Rio Tinto Alcan de vendre à profit ses surplus d'électricité en période de conflit de travail[71]. »

Un accès bon marché au potentiel énergétique et hydraulique

Le Québec permet à l'industrie minière d'exercer auprès de l'administration publique une influence imparable. Son lobby a réussi à profiter de l'espace médiatique et politique qu'on a ouvert lors du Forum public sur les redevances en mars 2013, alors que se mettait en place le nouveau régime de redevances minières, lequel s'est conclu à l'avantage des sociétés, bien entendu en deçà des attentes et des annonces en matière de redevances faites par le Parti québécois depuis 2011[72].

Les investisseurs étrangers ou nationaux sont évidemment invités à investir massivement dans les mines, présentées avantageusement comme l'une des bases de l'économie du pays. Il est toutefois connu que l'industrie extractive contribue pour moins de 5 % au PIB du Québec[73], que la main-d'œuvre employée directement n'était, en 2008, que de 16 398 travailleurs, soit sensiblement le même nombre qu'en 1999[74], et que les possibilités de développement dans le domaine sont infimes. Au contraire, nous assistons maintenant à des opérations de rationalisation, telle la fermeture de l'usine de transformation de Rio Tinto à Shawinigan en novembre 2013[75], et à des reports de mise en œuvre de chantiers.

Et on n'en finit plus de consentir des avantages à l'industrie minière : dans une lettre d'opinion publiée par *Le Devoir*, le 3 janvier 2009, Marc-Urbain Proulx dénonçait « une entente secrète conclue entre le gouvernement du Québec et la corporation Alcan » permettant à la compagnie Rio Tinto « de fermer actuellement sans pénalités quatre usines au Québec[76] ». Ainsi, après avoir autorisé au nez et à la barbe des Québécois le bradage de l'exploitant d'aluminium Alcan au profit du géant Rio Tinto, les responsables politiques n'hésitent pas à sceller des contrats à l'abri des regards, laissant ainsi penser que le principe du bien commun au Québec n'en ressort pas grandi. Aussi, on passe souvent sous silence qu'une ressource indispensable à l'industrie minière, l'eau, lui est ici offerte gratuitement[77]. Cela représente indéniablement une autre forme de soutien de la part du gouvernement, bien que difficile à documenter. Il suffit de rappeler qu'une mine d'or de taille moyenne nécessite un débit supérieur à 100 litres d'eau par secondes (!) pour se rendre compte de l'importance d'un tel cadeau.

Des mines au gaz et au pétrole

En tant que législation minière attractive, le Québec rivalise avec les nations du Sud riches en ressources naturelles, et sur lesquelles les investisseurs canadiens jettent souvent leur dévolu étant donné les promesses de rentabilité record qu'elles représentent. Les conditions offertes ici aux opérateurs miniers sont idéales à bien des égards et font du Québec un modèle de colonie minière.

Selon un document émanant de la firme SNC-Lavalin, les conditions recherchées par l'industrie minière pour investir dans une région donnée sont « une législation minière claire, simple et transparente dans son application ; un processus d'approbation de projet relativement rapide et transparent ; le libre rapatriement des profits et la libre convertibilité des devises ; la stabilité et l'équité fiscale ; la stabilité sociale, politique et économique ; un rôle discret de l'État dans les activités minières ; un potentiel géologique intéressant ; l'existence et l'accès facile à l'information géologique[78] ». Il faudrait ajouter à ces conditions un réseau d'infrastructures permettant un accès facile aux gisements et à une énergie abondante et peu coûteuse. Il semble que le Québec satisfasse à tous ces critères. Voilà ce qu'il faut comprendre quand Serge Simard, ministre délégué aux Ressources naturelles et à la Faune sous le gouvernement Charest, annonce que la province est reconnue «comme le milieu au monde le plus favorable à l'investissement[79]».

Le Québec ne se comporte pas seulement comme un État du tiers-monde, il a le premier inspiré et réalisé les politiques que le Nord impose au Sud. À l'image de nombreux pays du Sud riches en ressources naturelles où la Banque mondiale ou l'Agence canadienne de développement international (ACDI) ont imposé leurs fameux «codes miniers», le Québec invite l'investisseur étranger le plus offrant à venir piller ses ressources. La ruée naissante vers les gaz de schiste, un secteur également encadré par la Loi sur les mines (jusqu'à l'élaboration d'une loi sur l'exploitation pétrolière et gazière, annoncée pour bientôt) montre que toutes les ressources naturelles non renouvelables sont concernées par ce pillage.

La connivence entre les deux premières ministres du Québec et de l'Alberta, Pauline Marois et Alison Redford, en ce qui regarde l'exploitation des richesses naturelles laisse présager une intégration continentale de mauvais aloi. Le Québec se présente comme un partenaire de la province de l'Ouest pour faire transiter sur son territoire le pétrole des sables bitumineux qu'on extrait dans des conditions très polluantes[80]. Le régime albertain comporte, au chapitre de l'exploitation, des avantages fiscaux et réglementaires qui le rendent lui aussi comparable à un paradis fiscal : le plafonnement du taux d'imposition au particulier à 10 %, un impôt de 3 % seulement aux sociétés actives générant au moins 500 000 dollars de profit sur son territoire et des taxes foncières sensiblement inférieures à celles qui prévalent ailleurs au Canada[81]. Au Québec, le gouvernement a cédé à l'entreprise Pétrolia les droits qu'il détenait sur les ressources pétrolières de l'île d'Anticosti par l'entremise d'Hydro-Québec[82]. Tout au plus Hydro-Québec a-t-elle vendu au prix de 460 000 dollars les informations sismiques qu'elle détenait sur le site. L'entente qui la lie à la pétrolière prévoit des redevances qui sont de l'ordre du taux d'imposition en vigueur à la Barbade, soit de 1 % sur les trois premiers millions de barils, de 2 % sur les sept millions de barils suivants et enfin de 3 % sur les barils subséquents. On ne connaît pas les conséquences environnementales des méthodes qu'utilisera Pétrolia pour prélever les trente milliards de barils qu'elle souhaite extraire de l'île[83]. Le Québec rivalise ainsi avec l'Alberta au chapitre des États bonasses, la province albertaine étant elle aussi incapable de profiter d'une manne pétrolière qui expose également sa population à de graves dangers écologiques[84] ; alors qu'en 1978, 40 % du budget albertain provenaient des redevances de ce pétro-État, ce taux est mystérieusement tombé à 15 % en 2006[85]. Le gouvernement fédéral approuve quant à lui ces politiques, qu'il présente comme des éléments de la «superpuissance énergétique» que le Canada est censé constituer[86].

Le Plan Nord imposé à tous

Qu'il arbore l'étiquette de « Nord pour tous[87] » plutôt que celle de « Plan Nord », que l'instance chargée de gérer l'exploitation des gisements québécois se baptise « Secrétariat au développement nordique » plutôt que la « Société Plan Nord[88] », ces retouches cosmétiques n'ont que des effets publicitaires et ne changent rien au fait que le gouvernement du Québec continue d'aménager une zone franche[89] d'exploitation minière au profit des sociétés. Les caractéristiques définissant le minéralo-État demeurent. Le nouveau projet de colonisation de l'actuel gouvernement du Québec facilitera cette fois le pillage des ressources minières et hydroélectriques encore inexploitées du Grand Nord québécois. Il ouvre l'ère du parachèvement de la destruction de la forêt boréale et de l'habitat autochtone.

Un examen des rapports annuels du MRNF avance que le Nord-du-Québec vit déjà une invasion de sociétés *juniors*. De 2002 à 2007, le nombre de projets d'exploration a presque triplé, passant de 90 à plus de 250. Pour ce qui est de l'accessibilité à ces lointains territoires, il appartiendra aux contribuables québécois de la financer. C'est le sens qu'il convient de donner au récent déblocage de 106 millions de dollars pour la construction de 15 aéroports au Nunavik et sur la Côte-Nord[90]. Comme d'habitude, le gouvernement justifie ces dépenses en promettant un avenir meilleur aux peuples autochtones et une exploitation des ressources dans le respect de l'environnement. Des formules telles que le *partenariat avec les Premières Nations* ou l'inépuisable *développement durable* sont mises de l'avant. Mais les vraies raisons du développement, par exemple de projets d'aéroports, sont ailleurs : comme par hasard, ils concernent les régions prometteuses et où une intense exploration minière a déjà été effectuée au cours des dernières années, notamment les fosses du Labrador et d'Ungava au Nunavit[91]. Dans sa *Stratégie Minérale*, Québec confirme d'ailleurs le déblocage de 350 millions de dollars au cours des cinq prochaines années « afin d'améliorer ou de construire de nouvelles infrastructures routières et aéroportuaires[92] ». L'Assemblée des Premières Nations du Québec et du Labrador (APNQL) ne s'y trompe pas quand, par la voix de son chef Ghislain Picard, elle affirme que « pour l'instant, les mots sont vides de sens[93] ». Les Premières Nations seront les premières touchées par l'exploration et l'exploitation des terres du Nord, et notamment les Innus du Nitassinan, les Cris le long des rivières Rupert et La Grande, les Inuits sur toutes les côtes du Nord-du-Québec.

C'est aussi pour répondre aux besoins en énergie gargantuesques des minières, dont à lui seul le secteur représente près de 20 % de la consommation totale d'énergie industrielle[94], que les projets de travaux hydroélectriques sur la rivière la Romaine en Basse-Côte-Nord et la finalisation de celui de la rivière Rupert[95] à la Baie-James ont été lancés. Ils signifient l'achèvement du harnachement et donc de la destruction du cycle naturel des dernières grandes rivières québécoises.

Comme dans un contrat de sous-traitance, le personnel volant (*fly-in, fly-out*), transporté par avion au loin sans s'intégrer à la communauté, réduit à presque rien les retombées économiques dans des régions nordiques par ailleurs pillées. En effet, les postes créés par ce Plan Nord minéral ne permettront pas aux populations déjà précarisées d'améliorer leurs conditions de vie[96]. Avec des emplois volants et un mode de développement exogène dirigé par des entreprises étrangères, il y a fort à parier que les hommes blancs du Sud viendront accaparer les postes les mieux rémunérés de même que les postes décisionnels, desquels seront par conséquent écartés les autochtones et, plus encore, les femmes. En effet, bien que celles-ci représentent 47 % de la population active au Canada, les femmes autochtones, victimes de double discrimination, n'occupent que 14 % des postes dans l'industrie minière[97].

Quant aux retombées financières attendues de ces faramineux investissements de l'État, le pire est à craindre. En effet, les entreprises minières éviteront le plus possible de verser à l'État québécois des redevances sur les minerais qu'elles extraient du sous-sol. Aidée par la permissivité des lois fiscales du Québec et du Canada et accompagnée de l'aide-conseil des sociétés d'État, une firme exploitant une mine québécoise pourra en toute légalité céder les droits d'exploitation de sa marque de commerce ou la propriété de ses machines à une société inscrite dans un paradis fiscal comme la Barbade ou les Bermudes. Cette filiale pourra ensuite facturer à l'entreprise québécoise des frais pour l'utilisation de la marque ou la location d'équipements requis sur le site d'exploitation. Grâce à la technique du prix de transfert, ce groupe industriel parviendra ainsi dans les paradis fiscaux à encaisser des millions de dollars des suites d'opérations factices visant à soustraire des fonds des colonnes comptables de l'entreprise au Québec. De tels scénarios ne sont pas invraisemblables lorsqu'on considère qu'un géant minier tel qu'Arcelor Mittal possède des entités à Londres et au Luxembourg tandis que Rio Tinto est sise directement dans le comté de Zoug en Suisse.

Le projet de colonisation du Grand Nord québécois est la fuite en avant d'un modèle de développement qui ne considère pas du tout les impacts dont on sait qu'ils seront catastrophiques pour l'environnement et les populations directement touchées. Comme toujours, les dividendes que les actionnaires encaisseront depuis leur villa californienne, leur résidence secondaire en Suisse ou leur condominium en Floride ne porteront pas la trace de toutes ces externalités.

Un minéralo-État qui fera des émules

Dans le domaine minier, aucun État n'offre un climat aussi favorable à l'industrie minière que le Québec pour capitaliser en paix. Il faut voir le minéralo-État québécois comme un *standard* que l'industrie aimerait voir se dupliquer à l'échelle de la planète. Cette volonté est relayée par la journaliste du *Financial Post,* Diane Francis, dans un article apologétique qui invite « toutes les provinces et territoires à imiter le Québec, pour que le [Canada] tire un maximum de profit du "supercycle" que connaissent actuellement les matières premières en raison de l'industrialisation de l'Asie[98] ». Diane Francis fait aussi référence aux sept provinces canadiennes qui se sont classées parmi les dix premières places au monde sur la liste établie par l'Institut Fraser en 2009[99].

On comprend bien que l'industrie minière a tout intérêt à ce que le modèle québécois se généralise, notamment en matière de fiscalité, de régulation environnementale et de soutien du gouvernement. Dans un rapport d'audit commandé par le gouvernement congolais sur la réforme de son code minier à la firme québécoise SNC-Lavalin International, on apprend que « l'expertise du Québec en matière de gestion des ressources minérales est mondialement reconnue et les pays d'Afrique y ont fréquemment recours via des échanges au niveau gouvernemental ou par l'intermédiaire de cabinets d'avocats québécois[100] ». Ainsi, quand vient le temps de refondre les codes miniers des pays dont le potentiel géologique est avéré (une tâche dont se sont chargées la Banque mondiale et l'ACDI dans de très nombreux pays d'Afrique et d'Amérique du Sud au cours des 20 dernières années), mais dont les législations ne répondent pas aux exigences formulées par l'industrie, la législation québécoise est une source d'inspiration.

Malgré sa position de leader au Canada, le minéralo-État québécois n'existerait pas sans une structure minéralo-étatique installée à l'échelon fédéral et sans la subordination du Canada lui-même au secteur minier. On retrouve au fédéral un grand nombre des caractéristiques du système québécois, tant du point de vue des incitations fiscales que des soutiens financiers directs apportés au secteur. Sur le plan du bilan environnemental comme sur celui de la destruction de l'habitat et des cultures autochtones, on trouve dans le reste du Canada des dizaines de cas apparentés à celui d'Oujé-Bougoumou.

Le Canada, lui aussi une ex-colonie, suit le même chemin que les territoires de la Caraïbe britannique, qu'il a accompagnés tel un grand frère dans leur conversion offshore. Il rend possible sur un mode permissif à souhait l'exploitation des richesses du sous-sol. En cela, le Québec apparaît comme un révélateur de la situation canadienne dans son ensemble. L'État québécois ne joue en rien un rôle de régulateur et d'opérateur, mais plutôt celui de promoteur et de prestataire de services pour l'industrie minière. Sous la contrainte de la Banque mondiale, du Fonds monétaire international ou de l'Organisation mondiale du commerce, le même sort est réservé aux pays du Sud. Leur président, souvent corrompu, est réduit dans le jeu de la *gouvernance* au simple rôle de courtier vantant des ressources que pourront pratiquement piller les investisseurs étrangers qui ont été ainsi attirés dans le pays. Avec sa juridiction qui laisse libre cours à un dépeçage du territoire, ses avantages fiscaux béants, son panel de sociétés d'État qui fournissent aux minières une aide financière directe, des garanties ou des conseils et les aident à maximiser leurs profits, le Québec a offert à travers son histoire un climat de rêve pour les sociétés venues abuser de son formidable potentiel géologique. Les entreprises sont désignées comme les *partenaires* d'un gouvernement faisant uniquement figure de gestionnaire des conséquences fâcheuses de l'exploitation que subit sa population. Et comme le Québec, le Canada dans son ensemble voit son peu de souveraineté en matière économique s'éroder toujours davantage.

CHAPITRE SEPT

Les Îles Turques-et-Caïques

Onzième province canadienne en perspective

où le Parti libéral et le Parti conservateur promeuvent
un tout-en-un du monde interlope

1986

De prime abord, les îles Turques-et-Caïques ne semblent pas un endroit très recommandable. En 1985, leur premier ministre, Norman Saunders, a été arrêté à Miami par les autorités états-uniennes et condamné à huit ans de prison fermes pour complot relatif à la contrebande de cocaïne aux États-Unis[1]. Il était accompagné de Stafford Missick, ministre du Commerce et du Développement[2]. Qu'importe, cela n'a pas empêché conservateurs et libéraux canadiens de lancer plusieurs ballons d'essai à partir du milieu des années 1980 pour que l'archipel, une législation britannique de quelque 30 000 habitants, devienne une onzième province canadienne, un quatrième territoire, si ce n'est une simple dépendance.

Le flirt fiscal entre le Canada et le groupe d'îles dure depuis 1917[3]. Mais *officiellement*, c'est en 1974 que les îles Turques-et-Caïques se montrent disposées à entrer dans le giron canadien. À l'époque, même le Nouveau Parti démocratique se met de la partie. Son député Max Saltsman dépose alors un projet de loi pour en soutenir l'intégration à la fédération, ce que la Chambre des Communes refuse[4]. On chuchote au parlement qu'une telle entente entraînerait une immigration massive de la population insulaire vers la contrée nordique[5]. Mais dans son *Guide des secrets bancaires* de 1980, Édouard Chambost présente encore les Turques-et-Caïques comme de nouvelles candidates au titre de «futur Canada des Caraïbes[6]». Le deuxième gouvernement libéral de Pierre Elliott Trudeau déclinera finalement l'offre, mais après tout de même six ans de délibération[7].

Le milieu d'affaires tente en 1986 de parvenir à ses fins en se livrant à un travail de lobbying intense[8]. Dan McKenzie, le député conservateur de

Winnipeg, s'allie alors avec Ralph Higgs, du Turks & Caicos Islands Tourist Board, et Delton Jones, un économiste de formation appelé à devenir dans les années 2000 ministre des Finances du gouvernement de ces îles, pour faire des représentations auprès des cinq députés formant le Sous-comité du Parti progressiste-conservateur aux affaires extérieures. Leurs pressions n'auront toutefois que peu d'effets[9], le président du comité, David Daubney[10], se contentant d'encourager un rapprochement entre les deux législations sur la base d'une *aide* accrue et d'un soutien à l'investissement privé[11].

Higgs et Jones reviennent à la charge en 1987, cette fois sous la houlette de la Turks & Caicos Development Organization, dans le but de créer un effet d'émulation au sein de la population canadienne. Au terme de sa carrière de député en 1989, McKenzie partira en mission aux Turques-et-Caïques pour y produire un document intitulé *Rapport concernant les mesures concrètes qui peuvent être envisagées pour augmenter les échanges commerciaux, l'investissement et la coopération économique entre le Canada et les îles Turques-et-Caïques*[12], sans pour autant achever son œuvre, puisqu'il décède subitement d'un infarctus[13].

Une décennie plus tard, élu député conservateur d'Edmonton-Est, Peter Goldring reprend le dossier[14]. Il dit voyager régulièrement dans les îles caribéennes, mais sur le mode privé et « à partir de [ses] fonds propres[15] », précise-t-il. L'ancien vice-président du Canada-Caribbean Parliamentary Committee[16] vante régulièrement le projet d'annexion des îles dans une circulaire parlementaire intitulée *Turks and Caicos update*. La même année, les jeunes libéraux fédéraux lui apportent du renfort, en se prononçant pour l'intégration de l'archipel au Canada. Les associations civiques *A Place in the Sun*, fondée par les hommes d'affaires Brad Sigouin et Richard Pearson et dont Goldring joindra les rangs, et *Canadians for Tropical Province* voient le jour dans un effet évident de mise en scène[17]. Toutes demandent à l'unisson au gouvernement de créer cette « onzième province » afin de donner aux Canadiens leur zone balnéaire récréative ! Au milieu des années 2000, la mouvance proannexion donne un nouveau coup de barre au projet. Le député Goldring dépose en novembre 2003 une motion à la Chambre des communes stipulant que « le gouvernement devrait entreprendre des discussions exploratoires en vue de déterminer s'il y a une volonté sociale et économique pour que les Îles Turks et Caicos (sic) s'unissent au Canada et en deviennent la onzième province[18] ». L'année suivante, il dirige une mission exploratoire dans l'archipel[19] avant de devenir officiellement, à l'automne 2004, le critique de l'opposition conservatrice en matière d'affaires étrangères pour les Caraïbes. La même année, les trois partis représentés à l'Assemblée législative de la Nouvelle-Écosse, toujours aussi épris de relations offshore, votent à l'unanimité l'intégration des îles Turques-et-Caïques à leur province[20]. Le député conservateur Bill Langille parle alors d'une « union naturelle » entre la province des Maritimes et l'archipel, préférant chanter leurs « relations commerciales historiques » plutôt que de faire état des nombreuses controverses qui donnent mauvaise réputation à la législation caribéenne.

Ce militantisme à des fins purement touristiques n'a résolument rien à voir, prétend-on, avec les transferts de capitaux en direction d'îles à fiscalité réduite. Brad Sigouin travaille dans le secteur financier depuis 1996 et agit aujourd'hui comme gestionnaire de fortunes pour le compte de la Banque Royale du Canada (RBC), plus précisément dans un cabinet de la RBC Dominion Securities à Ottawa[21]. La Banque Royale le présentait en 2004 à ses clients comme étant « rompu en matière de marché et de tendances économiques, y travaillant étroitement avec des analystes financiers, des spécialistes des titres à revenu fixe et des fiscalistes[22] ». Étonnamment, Richard Pearson, cité par le journal britannique *Tax-News.com*, un site consacré aux paradis fiscaux, prétend ne voir dans le projet d'intégration que des avantages relatifs à l'économie réelle : « Les îles Turques-et-Caïques deviendraient non seulement un point de vente pour les entrepreneurs canadiens fournissant des produits aux Caraïbes, mais aussi un formidable point de transit pour les produits canadiens envoyés dans la région[23]. » Dans un trait d'humour tout aussi surprenant, le député Goldring indiquait en 2004 qu'il y aurait eu tout avantage pour le premier ministre Paul Martin, par ailleurs actionnaire unique de la Canada Steamship Lines, une société de transport maritime ayant inscrit sa flotte internationale à la Barbade, à se montrer en faveur du projet : « Cela donnerait à la Canada Steamship Lines l'occasion d'enregistrer sa flotte dans un coin du Canada[24]. »

Le premier ministre Martin, ainsi que le chef de l'opposition qui allait lui succéder moins de deux ans plus tard, Stephen Harper, se sont à tout le moins déclarés disposés à rencontrer le premier ministre de l'archipel, Michael Misick, pour en discuter[25]. Ce dernier avait indiqué l'année précédente à l'hebdomadaire français *L'Express international* que la « discussion » avait déjà lieu entre le gouvernement de l'archipel et l'exécutif canadien en vue de « négociations[26] ».

Pendant ce temps couve aux îles Turques-et-Caïques le plus grand scandale de leur histoire. Au mois de mars 2009, le premier ministre Misick fuit au Brésil, accusé d'avoir tiré un bénéfice indu de la vente de propriétés publiques. Annonçant la menace d'extradition du Brésil qui plane sur Misick, le journal londonien *The Telegraph* commentera dans un article de 2013 : « Le scandale de corruption, le plus important de l'histoire des îles Turques-et-Caïques, a laissé les îles, dont la population compte seulement 31 000 habitants, au bord de la faillite, et le gouvernement britannique a dû fournir une garantie de prêt de 260 millions de dollars[27].» Mais à l'époque, plutôt que d'inquiéter les autorités canadiennes, la révélation d'un état endémique de corruption sur les îles semble au contraire relancer l'opération charme. En juin 2009, le député libéral Massimo Pacetti dépose une nouvelle motion à la Chambre des communes, appuyée par le conservateur Goldring, suggérant au gouvernement de «nommer immédiatement deux députés, un du parti au pouvoir et un du parti de l'opposition officielle, pour entamer des discussions avec des représentants des îles Turks et Caicos [sic] en vue d'établir un cadre de travail pour déterminer les secteurs propices à la création de partenariat amélioré pour le développement commercial, social et économique[28]». Le mois suivant, le premier ministre canadien Stephen Harper mandate Goldring pour qu'il organise une rencontre entre lui et le tout nouveau premier ministre de l'archipel, Galmo Williams[29]. Mais la classe politique entière de l'archipel est si manifestement corrompue que, quatre mois plus tard, en août 2009, le pouvoir britannique met l'exécutif des îles Turques-et-Caïques sous tutelle. Il confie directement la gestion du territoire au gouverneur pour une période de deux ans, comme à l'époque coloniale, et met fin aux velléités canadiennes[30]. De nouvelles élections n'auront lieu dans les îles qu'en novembre 2012.

Entre-temps, Brant Hasanen de la Chambre de commerce de Kamloops, en Colombie-Britannique, a estimé que l'annexion des îles Turques-et-Caïques au Canada rapporterait automatiquement au Canada des bénéfices de l'ordre de neuf milliards de dollars. Sur quelle méthodologie repose cette spéculation? On l'ignore. Il n'empêche, «cette conclusion encourageante mérite certainement qu'on y donne suite[31]», écrit le député Goldring, fasciné par ce qu'il estime être le sens de l'histoire.

Mais même si le projet d'annexion des Turques-et-Caïques est reporté *sine die*, le Canada en vient à coloniser l'archipel sur un plan économique. C'est par exemple la canadienne FortisTCI qui y fournit l'électricité[32] et la firme de soins privés InterHealth Canada qui en gère l'hôpital[33]. De son côté, la Gendarmerie royale du Canada (GRC) affecte ses deux plus hauts fonctionnaires en matière de sécurité aux affaires de la législation[34], et cela sans parler des gens d'affaires canadiens qui y possèdent en grand nombre hôtels, restaurants et centres de loisirs, ou du secteur de l'immobilier dans lequel ils s'imposent[35]. De plus, de nombreux Canadiens s'installent sur ces îles, non seulement pour se soustraire à leurs obligations fiscales au Canada, mais pour permettre à d'autres d'en faire autant, en y fondant des cabinets d'avocats ou des firmes comptables[36].

Mille et une arrière-pensées explosives

Le projet touristique n'est pas pour autant qu'un alibi. Les casinos de la colonie tireraient en effet profit d'une présence canadienne massive : les prix des déplacements aériens s'en trouveraient amortis pour les comptables qui font souvent l'aller-retour et la présence de nombreux voyageurs briserait sûrement la monotonie qu'on y observe. Il reste que les îles Turques-et-Caïques devraient évoquer pour les Canadiens une imagerie tout autre que celle d'un refuge balnéaire pour la classe moyenne. En mars 1989, *Le Figaro magazine* présentait l'archipel comme des « îles désertes pour milliardaires », flanquées d'entreprises qui y mènent des opérations criminelles. C'est là que le fonds d'investissement canadien Portus Alternative Asset Management a détourné entre 2003 et 2005 quelque 35 millions de dollars, à partir des 800 millions que lui avaient confiés 26 000 épargnants au Canada. On devait comprendre par la suite que la société orchestrait une vaste fraude pyramidale. Ce fonds d'investissement spéculatif n'offrait qu'en apparence « la croissance la plus rapide au Canada », jusqu'à ce que la Commission des valeurs mobilières de l'Ontario s'enquière de transferts de capitaux par millions vers l'étranger[37].

On peut aussi créer aux Turques-et-Caïques des sociétés exonérées (*exempted companies*) qui ont des exigences administratives et des contraintes « minimales[38] ». Les titulaires d'actifs n'ont pas à révéler leur identité. Le métissage des fonds criminels et des actifs de sociétés se fait sans scrupule. Comme le fiscaliste Grégoire Duhamel le constate : « De nombreux avocats fiscalistes nord-américains et canadiens accueillent le visiteur avec bonhomie. La question de l'origine des fonds est, semble-t-il, assez largement laissée de côté[39]. » Qui plus est, observe cette fois Édouard Chambost, depuis 1994, aucune société des îles ne fait l'objet d'encadrement. « Il n'est plus nécessaire de rédiger un objet social, car la société peut tout faire[40] ! » Il s'agit également de l'un des repaires des investisseurs en assurance vie : entre 1 000 et 2 000 sociétés en titre y sont enregistrées, qui peuvent poursuivre leurs opérations, par l'entremise de filiales aux Turques-et-Caïques, en négligeant les contraintes en vigueur dans une économie sensée. Elles n'hésitent donc pas à « réduire les provisions (réserves) et les taux de capitalisation qui sont exigés dans les pays réglementés[41] ».

Les îles Turques-et-Caïques attirent ainsi des actifs, opérations et transactions des plus suspects. Même Grégoire Duhamel, auteur du guide *Les paradis fiscaux*, met ses lecteurs en garde contre « l'argent douteux » qui y transite et leur attribue la mauvaise note de 12/20, l'archipel servant de relais important au trafic de la drogue provenant de Colombie. Membre de la Police judiciaire en France, Patrice Meyzonnier en donne un exemple : «Le 24 février 1999, une opération tripartite États-Unis/Grande-Bretagne/ Bahamas permettait d'arraisonner le cargo *Nicole* immatriculé au Honduras et qui devait livrer aux États-Unis du ciment chargé dans le port de Barranquilla en Colombie : 2 [tonnes] de cocaïne, pour une valeur de 200 à 300 millions de dollars, étaient découvertes. Aux Turks et Caicos [sic], 1 500 entreprises bénéficiaient du statut *offshore* à French Cay, Grand Turk et Provinciales[42].» La législation met à la disposition des armateurs de navires de 150 tonnes ou moins un pavillon de complaisance, lequel facilite l'intégration du trafic de la drogue au transport maritime.

Les îles Turques-et-Caïques ont naturellement blindé le secret bancaire. Il «est jalousement protégé par une loi qui se veut concurrente de celle des Îles Caïmans par les sanctions, puisque la loi de 1979, connue sous le nom de "Confidential Relations Ordonnance", prévoit pour les violations du secret bancaire commises par des personnes physiques une amende pouvant aller jusqu'à 10 000 US dollars et un emprisonnement pouvant atteindre trois ans (ce qui est inhabituel en matière pénale bancaire) ainsi qu'une amende pouvant aller jusqu'à 50 000 US dollars pour les personnes morales[43]». On compte en tout plus de 10 000 sociétés exemptées dans l'archipel[44].

Mais il y a pire. Les îles se sont spécialisées dans la *réassurance*. C'est là leur vocation. «Aux îles Turques-et-Caïques, plus de 70 % des compagnies de réassurance du monde sont impliquées dans le secteur des services financiers du pays, et la réassurance représente le deuxième pôle d'investissement, après l'industrie touristique[45].» L'archipel dispute en ce domaine la première place aux Bermudes. Ces sociétés ne s'y concentrent pas par centaines pour assurer les barques des petits pêcheurs insulaires, mais pour mener des opérations de grande envergure qui ne sont pas forcément autorisées ailleurs, l'encadrement étatique y étant minimal. La réassurance consiste pour une société n'agissant pas nécessairement dans le domaine de l'assurance à s'assurer elle-même. Elle fonde pour ce faire une société «captive» afin de «créer des polices d'assurance sur mesure», «de couvrir des risques difficilement ou non assurables sur le marché» et «de réduire les frais généraux des contrats», tel que le rédige la firme française Aon, spécialisée dans la question[46]. En clair, une société d'assurance captive se trouve gérée directement par la société assurée, cette dernière s'autoassurant donc en contrevenant bien entendu ainsi à l'esprit de la loi prévalant chez elle. Les sociétés captives «couvrent les risques du groupe auquel elles appartiennent et que celui-ci ne peut ou ne veut pas faire couvrir par un assureur traditionnel. La constitution d'une captive permet de diminuer la charge globale des frais d'assurance d'une entreprise et de profiter de la souplesse fiscale et réglementaire du pays de domiciliation. Si aucun sinistre ne survient, l'entreprise peut récupérer son investissement[47] ». Elle autorise enfin l'assuré à s'octroyer à lui-même, on s'en doute, des primes avantageuses.

La filière de la réassurance peut également consister pour une société à couvrir comme telles d'autres sociétés d'assurance enregistrées dans les législations conventionnelles[48]. Cela permet aux deuxièmes de transposer une partie de leurs responsabilités sur la première société, celle qui les réassure, et de dégager ainsi des fonds pour signer plus de contrats que le nombre auquel leur capital les autoriserait vraiment. Dans ce cas, les sociétés de réassurance jouent donc le même rôle pour les compagnies d'assurance que celui des *hedge funds* pour les banques, à savoir activer des effets de levier pour leur permettre d'opérer sur des échelles toujours plus larges et plus risquées. L'inscription de cette pratique dans les paradis fiscaux favorise le contournement de la réglementation en vigueur dans les États conventionnels. De même, les méthodes comptables en jeu favorisent le blanchiment d'argent. Le Forum sur la stabilité financière et la Banque centrale européenne (BCE) s'inquiètent formellement de l'instabilité financière qui en résulte dans les paradis fiscaux[49]. Aujourd'hui, les îles Turques-et-Caïques affirment encadrer rigoureusement ces pratiques controversées[50].

Bases militaires et zone franche ?

Mais que vont donc faire les Canadiens dans cette galère ? Au fur et à mesure qu'il déploie son argumentaire, le député Goldring trahit en réalité un nombre impressionnant d'arrière-pensées. S'il se félicite que les Îles « Turques-et-Caïques [aient] actuellement une des économies les plus prospères dans toute la région des Caraïbes[51] », c'est pour vanter sourdement ce que Grégoire Duhamel rappelle, à savoir que « l'activité d'investissement offshore en est la seule responsable[52] ». Par ailleurs, le député albertain imagine sur l'archipel des sites potentiels pour d'éventuelles bases militaires favorisant l'intervention de l'armée canadienne dans des pays tels que Cuba ou Haïti[53]. Le passé est garant de l'avenir, se félicite-t-il : « En mars 2004, les îles Turques-et-Caïques ont donné l'autorisation au Canada d'organiser ses troupes avant d'atterrir à Haïti[54] », comme à la belle époque où le Canada envahissait les dépendances britanniques pour y protéger ses monopoles commerciaux et industriels. Et le voici qui vante aussi le potentiel portuaire des îles : ce sont des eaux profondes qui pourraient accueillir des transporteurs maritimes de conteneurs[55], et donc favoriser implicitement la transformation de l'île en zone franche. Il insiste enfin pour que les Turques-et-Caïques, dans l'optique de cette intégration, acquièrent d'office le statut de province, et pas seulement celui de territoire[56], afin de pouvoir disposer d'un maximum de leviers législatifs et de s'imposer comme paradis fiscal à l'intérieur même du Canada, à l'instar du Delaware aux États-Unis[57]. Goldring tient coûte que coûte à ce rapprochement, quitte à le réaliser par des voies détournées, par exemple un accord de libre-échange entre les deux juridictions[58].

Pour l'heure, les Canadiens se comportent toujours en souverains dans ce chapelet d'îles. Dans une intrigue de blanchiment d'argent issu du trafic de stupéfiants au Canada, des officiers de la GRC ont mené en 1999 un raid à Grand Turk contre l'homme d'affaires ontarien présumé coupable Richard Hape, créant un émoi dans la communauté d'affaires. Les Canadiens démontraient ce jour-là pouvoir s'ingérer tant qu'ils le souhaitaient dans les affaires intérieures des deux îles, illustrant également qu'ils n'avaient l'intention d'intervenir auprès d'une horde de fraudeurs fiscaux potentiels qu'en des circonstances exceptionnelles[59].

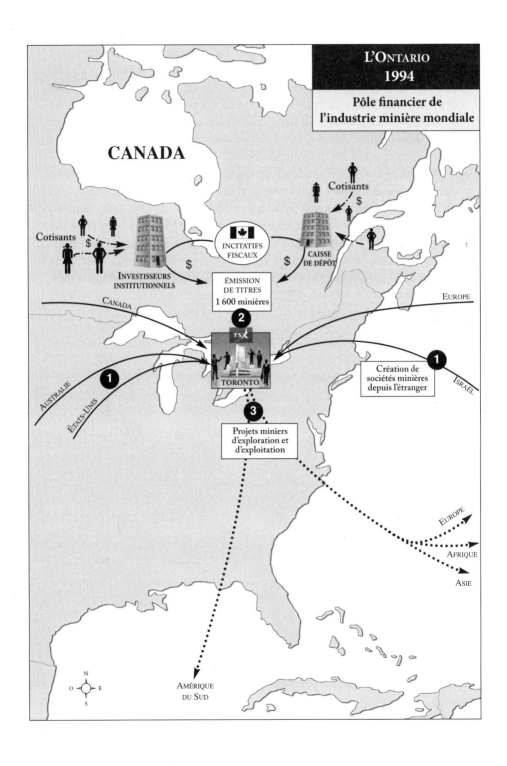

L'Ontario 1994

Pôle financier de l'industrie minière mondiale

CANADA

Cotisants

Cotisants

INCITATIFS FISCAUX

INVESTISSEURS INSTITUTIONNELS

CAISSE DE DÉPÔT

ÉMISSION DE TITRES 1 600 minières

EUROPE

CANADA

2

TSX

TORONTO

AUSTRALIE

ÉTATS-UNIS

1

Création de sociétés minières depuis l'étranger

1

ISRAËL

3

Projets miniers d'exploration et d'exploitation

EUROPE

AFRIQUE

ASIE

AMÉRIQUE DU SUD

N
O   E
S

CHAPITRE HUIT

L'Ontario

Pôle financier de l'industrie minière mondiale

où la majorité des sociétés extractives mondiales s'inscrivent
pour jouir d'incitatifs fiscaux en matière de placements

1994

L'ingénieur belge René Nollevaux, gestionnaire d'une mine de cuivre au Congo, l'affirme sur le ton de l'évidence : « de manière générale dans l'industrie minière, les capitaux à risque viennent du Canada. » Il s'adresse alors à Thierry Michel, un réalisateur montrant au grand jour les relations néocoloniales belges dans la région des Grands Lacs africains[1]. On le sait, le Canada est la législation de prédilection des minières : 75 % des sociétés minières mondiales choisissent le Canada comme lieu d'enregistrement et 60 % de celles qui émettent des actions en bourse s'inscrivent à Toronto, loin devant le London Stock Exchange, sa concurrente directe. En 2011, 90 % des actions émises par le domaine minier dans le monde ont été administrées par le Toronto Stock Exchange (TSX) et Toronto a financé par actions le secteur minier à hauteur de 220 milliards de dollars entre 2007 et 2011[2].

La romance autour de la bonté universelle du Canada, liée en partie à la création des *Casques bleus,* jure aussitôt qu'on la confronte aux piètres dossiers environnemental, social, politique, sécuritaire et fiscal de l'industrie extractive que le pays héberge. De par le monde, commissions parlementaires, cours de justice, panels d'experts de l'ONU, observateurs indépendants, spécialistes de l'économie du Sud ou encore reporters chevronnés ont témoigné des injustices, sinon des crimes que commettent ou soutiennent massivement des sociétés minières canadiennes actives dans les pays du Sud. Il n'est pas question ici de détails anthropologiques, mais de crimes : corruption, évasion fiscale, pillage institutionnalisé, pollution massive, atteintes à la santé publique, expropriations violentes, meurtres de manifestants, complicité dans l'assassinat d'opposants aux projets miniers, poursuites bâillons et criminalisation de la contestation politique, trafic d'armes, collusion avec des seigneurs de guerre entre autres belligérants engagés dans des conflits autour du contrôle de gisements miniers, sont cités. Il suffit pour se convaincre des faits de consulter la documentation pléthorique qui étaye de manière tout à fait crédible les très nombreuses allégations qui pèsent contre cette industrie[3].

Le gouvernement fédéral présente l'industrie extractive comme un « moteur » de « la prospérité canadienne[4] », et fait subir toutes les entorses imaginables aux principes proverbiaux qu'il promeut sur toutes les tribunes internationales qu'on lui laisse. Avec le concours du gouvernement ontarien, il a fait de Toronto le centre névralgique du paradis minier qu'il est devenu à l'échelle planétaire. Les sociétés minières « canadiennes » elles-mêmes n'ont souvent pas d'activités substantielles au pays. Elles viennent d'ailleurs et exploitent ailleurs, en s'enregistrant toutefois au Canada afin de jouir des avantages réglementaires, judiciaires et fiscaux que le pays leur aménage. Ainsi, un nombre anormalement élevé de gestionnaires du secteur minier venus expressément d'Australie, d'Israël, de Suède, de Belgique, des États-Unis, etc., convergent vers l'Ontario pour y créer leurs sociétés d'exploration ou d'exploitation. Elles s'activeront dans les concessions qu'elles ont acquises en Équateur, au Chili, en Zambie, en Haïti, au Burkina Faso, en Indonésie, en Roumanie ou ailleurs. Près de la moitié des projets miniers cotés au TSX se trouvent en dehors du Canada et de nombreuses sociétés inscrites à Toronto ne possèdent aucune concession dans le pays.

La Bourse de Toronto est d'abord une institution canadienne favorisant la spéculation effrénée dont l'industrie est friande. Avec une facilité notoire, une société peut coter et mettre en valeur à Toronto des gisements présumés. Une très grande majorité des 1 600 sociétés minières de Toronto sont des *juniors*, donc se consacrent exclusivement à l'exploration et à la découverte de nouveaux gisements. La petite taille de ces sociétés, qui ne possèdent pas les ressources financières, techniques, humaines et politiques requises pour exploiter elles-mêmes les mines, les amènent à tirer leurs profits de la spéculation boursière. L'intérêt pour elles consiste à découvrir des gisements et à en marchander la vente auprès de sociétés *majors*, seules à même de les exploiter, tandis que le prix de leurs actions augmente à la bourse. Ces entreprises investissent parfois davantage dans des campagnes de marketing auprès d'éventuels investisseurs que dans la véritable recherche minière.

En leur permettant, plus que partout ailleurs, de cultiver l'ambiguïté autour du potentiel réel de leurs gisements miniers, l'institution boursière torontoise va dans le sens des intérêts des minières. Elle favorise tant la divulgation des *réserves* que celle des *ressources* d'une mine. Les premières se veulent une estimation circonstanciée et précise du potentiel exploitable d'un gisement tandis que les secondes, celles qui posent problème, constituent une estimation grossière de tout ce qu'il contient. La dernière donnée, essentiellement basée sur des interpolations de résultats d'études géologiques, fait miroiter auprès des investisseurs un potentiel d'exploitation plus élevé que le potentiel réel, dès lors par exemple que les cours d'un minerai évoluent à la hausse ou que les techniques d'exploitation se raffinent. La divulgation des *ressources* favorise ainsi la spéculation boursière à la hausse autour de la valeur des titres miniers.

On ne s'étonnera donc pas outre mesure que la bourse torontoise ait été, tout au long de son histoire, le théâtre de fraudes et de scandales[5]. Se souvient-on encore de l'affaire Windfall dans les années 1960, après qu'une *découverte* de cuivre, d'argent et de zinc ait mis la bourse torontoise sens dessus dessous alors qu'il s'agissait en réalité de rumeurs sans fondement? Ou de l'escroquerie de Bre-X dans les années 1990? La société d'exploration avait alors salé d'or ses échantillons de roches pour faire croire en l'acquisition d'un gisement de grande qualité. Toronto se révèle un véritable temple de l'économie casino, et ce, au dire des conseillers financiers eux-mêmes. En effet, il est impossible de savoir exactement ce que le sous-sol recèle avant d'avoir réellement creusé une mine. Acheter des parts d'une société *junior* revient à miser sur un numéro à la roulette, tant les résultats dépendent d'une multitude de critères : la géologie réelle du terrain, l'accessibilité à celui-ci, la fluctuation des cours mondiaux, les avancées technologiques, le climat politique local, etc. Les spécialistes du secteur estiment généralement les possibilités de succès à une chance sur 500 à 1 000. L'exploration minière est donc une entreprise risquée et par essence spéculative, et les Français l'ont appris à leurs dépens ces dernières années. La société publique Areva a en effet acheté en 2007 la torontoise UraMin, pour découvrir que les réserves évaluées par cette *junior* se révélaient bien plus difficiles à exploiter que prévu. Elle constatait de surcroît que le gisement phare de la société avait été surévalué de 20 %, le tout dans un contexte où le cours de l'uranium baissait. Combien exactement aura coûté cette erreur de jugement aux contribuables français? On sait seulement qu'après avoir acquis UraMin pour 1,8 milliard d'euros, Areva a procédé en 2010 à une dépréciation d'actifs de l'ordre de 426 millions d'euros.

Selon William J. McNally et Brian F. Smith, deux économistes de l'Université Wilfrid Laurier de Waterloo en Ontario, la Bourse de Toronto et la Commission des valeurs mobilières de l'Ontario (Ontario Security

Commission, OSC), censée la surveiller, font preuve de négligence en ce qui concerne les cas de délits d'initiés. Ils font rarement l'objet d'enquête, contrairement à ce qui se produit aux États-Unis. En fait, les faiblesses de la régulation torontoise préoccupent les investisseurs eux-mêmes. Le gouverneur de la Banque du Canada, David Dodge, a indiqué en 2004 s'être fait présenter Toronto par ses interlocuteurs de New York, Boston ou Londres comme un *Far West* de la finance, tellement la réglementation est de fait peu contraignante. En 2006, le professeur de droit à l'Université Harvard, Howell Jackson, observait que l'efficacité des mesures au Canada ne se vérifiait pas du tout en comparaison avec les États-Unis. L'année suivante, même le ministre des Finances Jim Flaherty y allait des mêmes réserves sur l'impuissance des agences de régulation au Canada[6]. En 2007 toujours, le président du fonds de retraite Teacher's, Claude Lamoureux, et Barbara Stymiest, l'ancienne dirigeante de la Bourse de Toronto, alors éminente représentante de la Banque Royale du Canada, ont déploré à leur tour que la loi sur les délits financiers ne soit tout simplement pas appliquée au Canada[7]. Lors des rares occasions où les coupables sont arrêtés, il arrive que les sanctions financières prévues représentent une somme moins élevée que le fruit du délit. « Près de la moitié des firmes qui achètent ne signalent pas leurs acquisitions à l'OSC[8] », font remarquer les économistes McNally et Smith. Le gendarme ontarien des marchés financiers n'a en effet rien de bien terrifiant : la Commission des valeurs mobilières de l'Ontario a prévu récemment un mécanisme qui permet de sanctionner les fraudeurs… sous le sceau de la confidentialité[9]. Il est vrai que l'OSC est particulièrement compatissante. Elle a eu pour président des personnes particulièrement indulgentes envers le secteur financier, tel que David Wilson entre 2005 et 2010, un investisseur qui avait auparavant occupé les fonctions de vice-président de la Banque Scotia[10].

Un système connecté aux paradis fiscaux des Caraïbes

Les actions d'une société cotée en bourse à Toronto peuvent très bien se trouver échangées en Ontario, tout en étant détenues par des titulaires de comptes ouverts aux Bahamas, aux Îles Caïmans, à la Barbade ou aux Îles Turques-et-Caïques. Si la Bourse de Toronto, le gouvernement ontarien et le gouvernement fédéral travaillent à faire en sorte que les sociétés extractives s'enregistrent au Canada, y créent des filiales ou y cotent leur titre en bourse, ils ne font cependant rien pour que ces entreprises thésaurisent leurs profits dans le pays où elles vendent leurs actions ou dans ceux où elles mènent des travaux d'exploration ou d'exploitation.

C'est souvent depuis des paradis fiscaux caribéens que les entreprises minières canadiennes ont négocié l'acquisition de concessions minières. Le secret bancaire qui y prévaut rend impossible toute enquête sur la portée de cette pratique, mais quelques documents ont valeur de sondage. Au terme de la terrible guerre des Grands Lacs africains, en 2003 selon la datation officielle, le député congolais Christophe Lutundula a été mandaté par le parlement de son pays pour enquêter sur la valeur des contrats miniers signés en temps de conflit. Il lui a alors semblé que de nombreuses acquisitions minières, autour desquelles venait de sévir une guerre ayant fait des millions de victimes, avait été signées par des belligérants de son pays et des filiales de sociétés installées dans les paradis fiscaux. Selon la Commission présidée par Lutundula ou des organisation indépendantes, la société Kinross a ainsi inscrit son partenariat d'affaires dans les Îles Vierges britanniques[11], le Lundin Group, depuis des filiales des Bermudes[12], tandis que la montréalaise Emaxon du magnat israélien du diamant Dan Gertler se trouvait gérée depuis le Panama[13]. Les ententes entre l'État congolais et les sociétés minières canadiennes, comme dans le cas d'Anvil Mining (0 % d'impôt), se sont révélées si avantageuses du point de vue de l'imposition qu'elles faisaient du Congo lui-même un paradis fiscal. On a alors parlé de *contrat léonin* pour désigner la réalité de ce bradage des ressources au profit d'entités offshore dans le contexte d'un conflit où les combattants étaient à la recherche à la fois de financement et d'armes. Il arrive aussi que d'autres cas remontent à la surface, comme le premier contrat industriel qu'a négocié au Mali le président Moussa Traoré : sa partenaire canadienne, la société d'exploration AGEM, a formellement réglé l'affaire depuis sa filiale de la Barbade[14].

Ce phénomène peut aboutir à des situations obscènes. Des décideurs congolais ont par exemple signé une entente avec une entreprise, la Vin Mart Canada, dont on ne connaît ni les titulaires ni même le lieu d'enregistrement ultime[15]. Les sociétés extractives prisent la législation en Ontario parce qu'elles peuvent y lever aisément des capitaux sur la base de la spéculation boursière, un mode de financement n'ayant toutefois rien à voir avec les profits qu'elles enregistrent à proprement parler. Elles peuvent par conséquent n'être presque pas imposables au Canada.

Dans ce genre d'opération, il devient très facile pour les sociétés, dès qu'elles le souhaitent, de corrompre leurs partenaires du Sud. L'homme d'affaires en Afrique et consultant diplômé de Harvard, Raymond W. Baker, évaluait à l'époque du conflit des Grands Lacs, à la fin des années 1990, que les dépenses liées à la corruption politique privaient les pays pauvres de 20 à 40 milliards de dollars par année. Il constatait de plus que la Banque mondiale et le FMI ne contraient aucunement le phénomène de la corruption et du blanchiment d'argent : c'étaient à l'évidence les fonds qu'ils octroyaient eux-mêmes aux pays du Sud qu'on détournait dans les paradis fiscaux. Associer la corruption au corrompu permet d'oublier le corrupteur. Et rien n'a encore été fait pour sanctionner les acteurs occidentaux à l'origine de ces malversations. « Pour la Banque mondiale et le FMI, les discussions sur les transferts transfrontaliers illicites concernent presque exclusivement les pays en développement et en transition, et à l'occasion les centres financiers offshore ; elles ne touchent pratiquement jamais les banques et les entreprises occidentales[16]. » James Henry du Tax Justice Network renchérit sur le site internet de l'organisation :

> Nous évaluons le montant des fonds détenus à environ 11,5 mille milliards de dollars, avec une perte annuelle en recettes fiscales provenant de l'impôt sur ces actifs d'environ 250 milliards de dollars. La somme représente cinq fois ce qu'en 2002 la Banque mondiale estimait nécessaire pour atteindre les Objectifs du Millénaire pour le développement de l'ONU afin de diminuer la pauvreté mondiale de moitié d'ici 2015. Tant d'argent pourrait aussi servir à financer la transformation des infrastructures énergétiques de la planète pour s'attaquer aux changements climatiques. La Banque mondiale a rendu compte des recettes tirées des flux transfrontaliers liés aux activités criminelles et de l'évasion fiscale entre 1 et 1,6 trillion par année, dont la moitié venant d'économies de pays en transition ou en développement[17].

Un grand nombre de documents sérieux déplorent depuis dix ans le tort que causent les paradis fiscaux dans les pays du Sud. En 2009, Oxfam International évaluait le manque à gagner des pays en développement en raison des activités offshore à 124 milliards de dollars. « Cet argent pourrait servir à financer des services de santé et d'éducation publics, à se protéger contre l'incidence profonde d'une crise économique, par exemple en créant des programmes de protection pour aider les gens qui ont perdu leur emploi et protéger les plus pauvres, déjà affectés par les changements climatiques. Seize milliards de dollars par année seraient suffisants pour fournir à chaque enfant une place à l'école et 50 milliards sont nécessaires pour aider les pays défavorisés à protéger leurs citoyens contre les changements climatiques[18]. »

Une absence d'encadrement au Canada

En 2011, l'OCDE a reproché au Canada de renier ses engagements en matière de lutte à la corruption. De chez lui, le Canada n'a en effet sanctionné qu'une société pour motif de corruption politique à l'étranger, bien qu'il attire, comme le souligne l'OCDE elle-même, la majorité des sociétés minières, lesquelles participent notoirement à l'international au trafic d'influence[19].

Un employé d'une entreprise canadienne a néanmoins fait état, sous le couvert de l'anonymat, de «la tentation de la corruption» des entreprises canadiennes à l'étranger[20]. En vrai paradis judiciaire et réglementaire, le Canada couvre l'industrie minière inscrite chez elle relativement à ses méfaits à l'extérieur des frontières canadiennes.

Des experts onusiens ont demandé aux autorités politiques canadiennes d'enquêter sur le rôle de sociétés canadiennes au Congo, après les avoir dûment citées sur une liste d'entreprises ayant contrevenu aux «principes directeurs à l'intention des entreprises» promus par l'Organisation de coopération et de développement économiques (OCDE)[21]. «Les principes directeurs de l'OCDE offrent en outre un mécanisme qui permet de porter à l'attention des gouvernements des pays d'origine, c'est-à-dire des pays où ces entreprises sont enregistrées, les violations, par elles, de ces principes. Les gouvernements dont la juridiction s'exerce sur ces entreprises se rendent coupables de complicité en ne prenant pas les mesures correctives nécessaires», écrivent sans équivoque les observateurs onusiens[22]. Pour toute réponse, le gouvernement conservateur de Stephen Harper a émis une directive intitulée *Renforcer l'avantage canadien* qui prévoit pour l'industrie minière la mise à disposition d'un «conseiller en éthique» explicitement privé de tout pouvoir[23].

Nommément, les règles sur la divulgation d'information financière au Canada obligent les sociétés à rendre publique toute information relative aux crises morales, à l'instabilité politique et aux bouleversements écologiques qu'elles provoquent au Sud, mais seulement si ces faits sont de nature à affecter la valeur de leur action en bourse[24].

L'Oxford Pro Bono Publico s'étonne des difficultés que rencontrent les citoyens cherchant à poursuivre au civil les sociétés canadiennes en lien avec des cas d'abus allégués à l'extérieur des frontières nationales[25], alors qu'aux États-Unis existe l'Alien Tort Claims Act, qui permet les poursuites dans des cas graves. Il est à espérer qu'un précédent survenu en 2013, la plainte de Guatémaltèques contre la canadienne HudBay, reçue par un juge de la Cour supérieure de l'Ontario, modifie durablement la donne[26].

Une colonisation du Sud par des politiques minières

Au cours des 20 à 30 dernières années, les grands pôles de consommation de minerais que sont actuellement la Chine, l'Europe et l'Amérique du Nord se sont engagés dans une véritable course pour le contrôle des métaux, qu'ils soient de base (phosphate, aluminium, cuivre, zinc, fer, etc.), plus rares (lithium, tantale, molybdène, etc.), mais aussi précieux (or, argent, platine, etc.). Tandis que les pays de l'OCDE en maintiennent une consommation élevée et stable, la Chine a multiplié la sienne par 17 au cours des 20 dernières années. C'est donc avant tout la croissance chinoise qui est à l'origine du véritable *boom minier* actuel. L'Union européenne, de son côté, est probablement le plus grand importateur net de minéraux, soit environ 750 000 tonnes produites pour 16 000 000 de tonnes consommées[27] en métaux de base : cuivre, aluminium, plomb et zinc. Ces composants entrent dans la conception de nos produits de consommation courante, des gadgets électroniques à l'automobile, de même que dans la production d'énergie, de l'énergie nucléaire à l'armement.

La logique concurrentielle à laquelle la Banque mondiale, le FMI de même que l'Organisation mondiale du commerce (OMC) soumettent les États du Sud les contraint à ouvrir leurs frontières. Dans les pays du Sud, les *juniors* ont bénéficié de ces politiques pour implanter le système du *free mining*, qui garantit aux sociétés minières un accès illimité au sous-sol des territoires. Ce principe s'inspire largement du modèle colonial de l'histoire canadienne. Une fois un gisement rentable découvert par une *junior* et cédé à fort prix à une *major*, cette dernière tend aujourd'hui à mettre en œuvre des mégaprojets d'exploitation.

La croissance exponentielle de la demande, d'une part, et la dégradation de la qualité des gisements, d'autre part, appellent le développement d'un modèle d'exploitation qui entraîne la production annuelle de centaines de millions de tonnes de déchets et l'utilisation massive de réactifs de traitement toxiques. C'est le cas, par exemple, du cyanure pour l'extraction de l'or. Le recours à la technique de l'exploitation minière à ciel ouvert, qui suppose que l'on creuse des cratères de plusieurs kilomètres de diamètre et de centaines de mètres de profondeur est l'un des stigmates les plus représentatifs de ce gigantisme. Le façonnage de paysages lunaires et l'accumulation de déchets qui en résulte auront des conséquences en matière d'environnement et de santé publique pour des dizaines, voire des centaines d'années à venir. Dans tous les cas, les dégâts environnementaux et sanitaires que l'on peut anticiper et les témoignages qui nous viennent des abords de sites d'exploitation sont alarmants : destruction d'écosystèmes, disparition d'espèces, pollution massive des sols, de l'air et des ressources en eau, cancers et maladies respiratoires, avortements spontanés, etc.

À l'égard de cette longue série d'enjeux graves, le Canada se présente au secteur minier international comme un paradis réglementaire se permettant d'agir en toute impunité dans les pays du Sud. La diplomatie et les diverses agences de coopération canadiennes ne ménagent aucun effort pour mettre sous pression les autorités politiques des pays où agissent les sociétés canadiennes afin qu'elles participent aux dépossessions nécessaires à l'activité minière industrielle en expropriant, violemment au besoin, les populations présentes sur des concessions souvent acquises de manière peu nette ; pour qu'elles créent des codes miniers façonnés sur mesure ; qu'elles aménagent aussi le territoire de manière à convenir à leurs intérêts, c'est-à-dire en leur donnant accès aux ressources énergétiques et hydrauliques ainsi qu'aux réseaux de transport du pays.

L'Agence canadienne de coopération internationale (ACDI), aujourd'hui fusionnée au ministère des Affaires étrangères et du Commerce international, a ainsi financé la réforme du code minier au Pérou et en Colombie, de même que la construction d'un grand barrage au Mali, lequel alimente en énergie les exploitations minières de l'ouest du pays. Entre 2011 et 2013, l'ACDI s'est également lancée dans le financement de projets étiquetés *développement* dont la vocation se résume à compenser les communautés abusées par les grands projets miniers. Dans les années 1990, la Haute-Commissaire canadienne en Tanzanie a par exemple insisté auprès des représentants de ce pays pour qu'ils exproprient les populations présentes sur des terres qui avaient été cédées à la société Sutton. Il s'en est suivi une éviction massive de la population de Bulyanhulu et des cas allégués d'enterrement vif de dizaines de mineurs artisanaux[28]. Des documents divulgués par le délateur états-unien Edward Snowden indiquant que le Canada aurait mené des opérations d'espionnage auprès du ministère brésilien des Ressources naturelles[29] attestent encore aujourd'hui du lien étroit entre le gouvernement canadien à l'étranger et l'industrie minière.

Un pôle de financement boursier

En 1994, le lobby minier et le gouvernement canadien entreprennent d'attirer encore plus de capitaux à la Bourse de Toronto en envoyant tous les signaux imaginables pour séduire les investisseurs étrangers. « Les marchés boursiers sont une importante source de capital pour l'industrie minière en général, mais, à toutes fins utiles, ils sont la seule source de capital pour les petites sociétés minières[30]. » Les fonds de retraite, les compagnies d'assurance, les banques, c'est-à-dire les institutions auxquelles les épargnants canadiens confient leurs avoirs, de même que les particuliers canadiens fortunés et moins fortunés seront appelés à investir massivement dans les actions émises à Toronto par les entreprises minières. Des gens d'affaires de toute provenance se trouveront ainsi à constituer à Toronto le bas de laine de l'industrie minière, où qu'elle agisse dans le monde. Le secteur minier saura donc qu'il est facile d'obtenir à Toronto des capitaux de risque. Quelque 185 sociétés actives en Afrique, 286 en Amérique latine,

315 en Europe et 1 275 aux États-Unis passent par Toronto spécifiquement pour financer leurs projets, souvent controversés[31]. Le gouvernement canadien soutient d'ailleurs déjà activement les investissements dans le secteur minier, notamment en puisant dans le fonds de retraite de ses employés ou dans les budgets de ses agences publiques de développement.

En fait, le lobby minier est clairement le meneur du jeu. En 1994, le gouvernement canadien se trouve tellement dominé par cette imposante industrie qu'il finit par la laisser parler à sa place dans ses propres communiqués. C'est l'année où le secteur minier met à plat l'encadrement public et juridictionnel, en des termes que le pouvoir politique avalisera. Les principales voix du lobby minier au Canada, soit l'Association minière du Canada et l'Association canadienne des prospecteurs et entrepreneurs du secteur minier, organisent alors sur le mode de la « bonne gouvernance », dans le cadre de ce qu'ils appellent l'Initiative de Whitehorse, une ronde de discussions avec différents partenaires sociaux. Ce mode spécieux de délibération politique, que cautionne le gouvernement canadien et auquel il participe, consiste de fait à laisser les décisions politiques se prendre au nom d'un « partenariat » entre différents acteurs de fait inégaux[32]. L'État n'est plus, dans un tel cadre, qu'un partenaire parmi les autres. Sous la forme obligée d'un « consensus », l'industrie minière cherche à obtenir l'adhésion de représentants « des gouvernements fédéral, provinciaux et territoriaux ; des entreprises, notamment des banques ; des groupes autochtones ; des écologistes et [du] monde ouvrier[33] » aux principes, mesures et directives qu'elle promeut.

Le gouvernement canadien se fond au processus et assimile le discours des minières au point d'en perdre toute autonomie. L'industrie devient même le sujet énonçant des déclarations gouvernementales, le ministère fédéral des Ressources naturelles indiquant dans sa représentation que « l'industrie minière a conclu qu'elle avait besoin de soutien, d'aide et de conseils dans un climat de coopération, afin d'élaborer une nouvelle vision stratégique et de trouver des solutions pratiques pour le XXIe siècle[34] ». C'est donc l'industrie qui tranche et qui prend l'*initiative*, comme l'affirment formellement les pouvoirs publics eux-mêmes. Le discours politique s'incline devant les logiques implacables du marché mondialisé : les « défis » auxquels se trouve confrontée l'industrie « échappent au contrôle canadien ». « Nous ne pouvons fuir la réalité de la concurrence mondiale », écrit encore le ministère canadien des Ressources naturelles en entretenant l'équivoque sur ceux que désigne ce *nous*. « De nombreux pays riches en ressources minérales ont libéralisé leurs systèmes économiques et politiques de manière à attirer l'investissement[35] », ajoute le ministère – ou le lobby minier qui le fait parler – en guise de justification. En ce qui concerne les affaires intérieures, ces échanges sont notamment l'occasion d'un accord au Canada entre les autorités publiques et les peuples autochtones sur la question minière. En réalité, comme l'observe un groupe de recherche britannique et uruguayen, «ces délibérations semblent ne pas être allées au-delà de la manœuvre de l'industrie[36]», soit d'«étendre» son emprise le plus possible sur le territoire canadien, comme le lâchera John Carrington, vice-président de la Noranda Minerals[37].

Un an plus tard, en 1995, en pleine commission parlementaire, un représentant du ministère des Ressources naturelles, Keith Brewer, renchérira en s'exprimant exactement comme le ferait un lobbyiste du monde minier. Il dira placidement : «Le régime fiscal du Canada constitue une pénalité à l'investissement minier au Canada[38].» Le gouvernement fera ainsi siennes les revendications de l'industrie : «améliorer le climat de placement pour les investisseurs» et «rationaliser et harmoniser les régimes de réglementation et de fiscalité[39]» deviendront ses mots d'ordre. Au cours de cette séance, une participante a pourtant fait état de deux programmes de déductions fiscales exorbitants, celui des «frais d'exploration canadienne» (FEC) qui permet de déduire à 100% des frais d'exploration et certains coûts d'aménagement ainsi que celui des «frais d'aménagement canadien» (FAC) qui prévoit que 30% des coûts d'aménagement et certains frais d'exploitation soient soustraits à l'impôt[40]. Mais le gouvernement n'a d'oreilles que pour l'industrie.

Il existe par ailleurs un programme du gouvernement fédéral dit des *actions accréditives*, des mesures fiscales qui incitent les investisseurs à placer leurs actifs à la bourse spécifiquement dans le secteur des mines ou, pour le dire autrement, de subventionner indirectement la spéculation boursière autour des titres des sociétés *juniors*. Les *actions accréditives* permettent en effet aux sociétés minières de faire profiter leurs actionnaires de déductions fiscales auxquelles elles n'ont plus à recourir lorsqu'elles parviennent à déduire plus de 100% de leur revenu[41], tellement les abris fiscaux que le Canada a prévus à l'avantage des actionnaires sont nombreux. Il s'agit d'inciter les grands autant que les petits épargnants à soutenir les titres miniers. On est loin de pouvoir justifier cette mesure comme on le faisait en 1954 lorsqu'elle est apparue, avec pour objectif de stimuler l'investissement dans le secteur minier. Elle permet aujourd'hui aux sociétés minières, gazières et pétrolières d'émettre en bourse des actions qui sont totalement déductibles d'impôt au Canada. En effet, un investissement dans une compagnie minière au Canada implique une déduction au même titre qu'un don à un organisme de charité.

En l'an 2000, le gouvernement fédéral, jugeant qu'il y avait un ralentissement de l'investissement dans le secteur minier, a bonifié le programme, qui devient celui de *super actions accréditives*. Il accorde alors un crédit d'impôt supplémentaire de 15 % aux investisseurs possédant des parts dans une compagnie d'exploration minière enregistrée au Canada. La majorité des provinces canadiennes ont à leur tour octroyé un crédit d'impôt supplémentaire, le Québec faisant ici exception[42]. De plus, ce programme canadien amélioré n'exige pas que les projets d'exploration et d'exploitation soient réalisés en sol canadien. Pour les investisseurs qui gagnent leur vie en jouant à la bourse, voilà qui représente une rare opportunité d'évitement fiscal. Grâce au double programme d'actions accréditives, les dépenses en exploration minière sont passées de 300 millions de dollars vers la fin des années 1990 à 1,72 milliard de dollars en 2006, et la découverte de nouveaux gisements a grimpé de 15 en 1999 à 268 en 2005[43]. Sans contredit, de tels encouragements fiscaux plaisent aux spéculateurs tous azimuts, sans pour autant que les travaux entamés mènent à des projets d'exploitation. De plus, ce mode d'organisation du capital entraîne d'importants dommages sociaux et environnementaux, tels que ceux de Barrick Gold en Papouasie-Nouvelle-Guinée qui a motivé le retrait de sa capitalisation de la part du gouvernement de la Norvège et du Mouvement Desjardins au Québec[44].

Du reste, les entités canadiennes vouées à l'exploitation de richesses minières à l'extérieur du pays sont de véritables passoires fiscales. Il leur suffit de se constituer en fiducies de revenu pour ne payer ici aucun impôt. En principe, la facture fiscale échoit aux bénéficiaires. Dès lors que ces derniers enregistrent comptes et entités dans les paradis fiscaux traditionnels, plus personne ne paie d'impôt. Il s'agit d'une particularité du modèle canadien que le Canada a adopté en 2011. Les fiducies de revenu sont taxées comme toute autre entité, sauf lorsqu'elles ne possèdent pas d'actifs au Canada[45].

Ainsi, la rhétorique canadienne ne se distingue plus de celle des paradis fiscaux caribéens qu'elle a tant contribué à développer. Leur rapprochement paraît tout à fait logique : le Canada, en tant que juridiction offrant aux sociétés minières une couverture juridique et leur aménageant des canaux financiers ouverts vers les paradis fiscaux des Caraïbes et d'ailleurs, ressemble davantage aujourd'hui aux souverainetés offshore qu'il ne s'en distingue. L'ordre international offshore rend possible, même aujourd'hui, pour des marchands d'armes nationaux ou étrangers, par exemple, de fonder au Canada une société minière. Il pourront ensuite signer, depuis l'une de leurs filiales des paradis fiscaux, un contrat léonin avec un État du Sud, gérer de là l'évasion fiscale, les frais de corruption politique, le trafic d'armes, puis transporter de la marchandise ou des minerais dans les deux sens sur des bateaux battant pavillon de complaisance, et éventuellement faire effectuer le traitement des matières premières dans des zones franches. Ils auront aussi le loisir, grâce à des jeux d'écritures offshore ayant cours à l'abri de toute loi, de gérer et de comptabiliser le commerce de matières dangereuses ou stratégiques, comme l'uranium. Les populations qui s'estiment lésées à l'étranger trouveront cependant au Canada fort peu de recours pour contester la présence d'une société semblable chez eux, tandis que son titre pourra être en croissance à Toronto.

CHAPITRE NEUF

Le Canada

Paradis fiscal

*où le gouvernement fédéral, à l'instar des paradis fiscaux,
revoit à la baisse les impôts des entreprises*

1998

Sylvain Fleury, recherchiste à la Bibliothèque du Parlement canadien affecté aux affaires internationales et aux finances, pointe sans détour les contradictions des dirigeants canadiens dans leur prétendue lutte contre «l'évitement fiscal abusif». Il écrit en 2010: «Le gouvernement fédéral canadien entend participer à la lutte internationale contre les paradis fiscaux, mais ne prévoit pas modifier ses outils législatifs pour lutter contre l'évitement fiscal abusif. Pourtant, certains experts jugent qu'il pourrait être mieux outillé à cet égard[1].» C'est qu'Ottawa perçoit les tactiques d'évitement fiscal des entreprises comme un problème tout en les défendant comme un moyen d'assurer leur «compétitivité[2]». Au point de présenter sa propre législation, dans certains documents, comme une zone franche ou encore d'aménager sa loi sur les fiducies de façon à calquer sans nuance celle des paradis fiscaux.

Fleury se voit donc dans l'obligation de renverser la proposition, et de rappeler aux autorités que c'est précisément une fiscalité forte qui permet au pays le financement d'une autorité politique et de services publics qui sont, quant à eux, nécessaires à «sa compétitivité économique sur la scène internationale[3]». On est loin du compte: Ottawa entend «mettre fin aux mécanismes d'évitement fiscal» seulement lorsqu'ils sont jugés «inappropriés». Il y aurait donc pour le gouvernement fédéral des fuites fiscales *appropriées*, celles qu'il concourt précisément à rendre possibles au bénéfice des entreprises dont il souhaite qu'elles soient concurrentielles! Cela justifierait même qu'il se conforme à la logique en vigueur dans les paradis fiscaux. Le ministère des Finances se dit en effet «conscient que les entreprises canadiennes doivent, dans notre économie moderne, être concurrentielles à l'échelle internationale. Aussi, le Canada doit-il se doter d'un régime fiscal qui, en ce qui a trait à son impact global, est généralement conforme aux régimes des principales administrations avec lesquelles il est en concurrence[4]. » La situation nous rappelle l'histoire du Docteur Frankenstein. Ce n'est plus le Canada qui transforme en paradis fiscal les territoires britanniques des Caraïbes, mais ses créatures qui le contraignent à affaiblir sa propre législation. Plutôt que de lutter contre les paradis fiscaux, le Canada rend donc son régime « conforme » à celui de ses redoutables concurrents. Qu'importe que même son Agence du revenu présente en 2008 les planifications fiscales abusives « au nombre des cinq principaux risques d'inobservance fiscale au Canada[5] ».

On explique ainsi que le Canada se place lui-même en situation d'impuissance chaque fois qu'il doit se prononcer sur l'enjeu des paradis fiscaux. Sa rhétorique consiste fatalement à mettre en opposition le principe de lutte à l'évitement fiscal avec celui de la « compétitivité » de ses entreprises, en s'assurant bien sûr que le second prévale sur le premier. Même quand tous les pays du G20 entreprennent en bloc de « réduire leurs pertes fiscales, notamment en s'attaquant plus activement aux paradis fiscaux, en resserrant leurs lois pour mieux lutter contre l'évitement fiscal abusif sur leur propre territoire ou les deux[6] », le Canada reste sur la touche. Tout au plus le Parlement canadien parvient-il à mandater le Comité permanent des finances pour qu'il mène des travaux sur la fraude fiscale et le recours aux paradis fiscaux. À cette occasion, de nombreux intervenants sociaux font état de l'érosion de l'assiette fiscale canadienne en raison des transferts offshore. Malgré cela, ces séances déboucheront sur un rapport insignifiant[7], dont les membres de l'opposition préféreront se dissocier[8]. Le Comité ne formule aucune recommandation visant à évaluer le manque à gagner fiscal causé par l'évasion. De l'aveu même du Directeur parlementaire du budget, « le Canada fait cavalier seul dans ce domaine : 14 pays de l'OCDE, dont les États-Unis et le Royaume-Uni, calculent leurs manques à gagner fiscal[9] ». On divulgue seulement que les actifs des Canadiens enregistrés dans les paradis fiscaux sont de l'ordre de 170 milliards de dollars, selon une étude de Statistique Canada publiée en 2013[10].

Par ailleurs, le Comité reste muet sur la nécessaire mise en œuvre à l'échelle internationale d'un mécanisme de transmission d'informations automatique entre pays, pour remplacer les inefficaces Accords d'échange de renseignements fiscaux (AERF)[11]. Rien n'est fait non plus pour contrer la pratique du prix de transfert, alors que de nombreux témoignages à l'échelle internationale ont porté sur ce subterfuge aujourd'hui employé à grande échelle[12] ; les États-Unis, le Royaume-Uni, l'Europe, la Chine se sont tous engagés à en combattre la pratique. Le Comité se trouve finalement à recommander au gouvernement qu'il lance des initiatives d'ordre propagandiste pour masquer son inaction, à savoir « que le gouvernement fédéral continue à maintenir le moral des contribuables en faisant diffuser des messages sur les efforts déployés pour assurer l'équité et la transparence du régime fiscal[13] ».

Sur ce thème, le gouvernement canadien ne rate aucune occasion de manifester ses contradictions. En même temps qu'il annonce tambours battants, lors du dépôt du Budget 2013[14], son intention de doter l'Agence du revenu du Canada (ARC) des moyens de s'attaquer à la fraude fiscale, il supprime 3 000 postes au sein de la même agence et ferme son centre de divulgation volontaire de Montréal, pourtant voué à accueillir les déclarations de fraudeurs repentis[15] ! Le Canada se montre en revanche zélé quand vient l'heure de rendre ses entreprises « compétitives » sur le plan fiscal. Un rapport publié en 2012 par l'agence de vérification KPMG[16] avance que parmi les 14 législations étudiées[17], notre pays possède le deuxième taux de taxation le plus faible sur les sociétés. Avec un Index fiscal total[18] de 59,1 %, le Canada arrive tout juste derrière l'Inde, première au classement avec un taux de 49,7 %. De plus, parmi la quarantaine de villes de deux millions d'habitants et plus considérées par l'étude, trois villes canadiennes se rangent parmi les six plus clémentes fiscalement ! Seules des villes chinoises et indiennes sont capables de leur faire concurrence. Une autre étude publiée en 2012, cette fois par PricewaterhouseCoopers (PwC), va dans le même sens : sur 185 économies, le Canada se classe au 8e rang dans le monde quant à « la facilité de payer taxes et impôts » pour les entreprises types de taille moyenne[19]. Le Canada étant passé en deux ans du 28e au 8e rang, la firme a félicité le Canada pour ses avancées dans cette course vers le bas. Une tendance qui semble d'ailleurs se confirmer, si on se fie rapport annuel *Paying Taxes* 2014 de PwC (tableau 9.1).

Les conditions d'accueil sont si avantageuses au Canada que des investisseurs chinois comptent ouvrir d'ici peu à Laval un centre de commerce mondial afin de permettre à quelque mille entreprises de chez eux de vendre leur production au détail en Amérique du Nord sans passer par des intermédiaires locaux. Roger Pomerleau et Martin Cauchon, ex-députés fédéraux respectivement du Bloc québécois et du Parti libéral, de même que l'ex-premier ministre Jean Chrétien, au nom du cabinet d'avocats Heenan Blaikie, seraient actifs dans le dossier[21].

TABLEAU 9.1 Facilité de payer taxes et impôts dans les pays du G8[20]

Pays	Classement global	Nombre de paiements	Nombre d'heures consacrées à l'observation	Total du taux d'imposition (%)
Canada	8	8	131	24,3
France	52	7	132	64,7
Allemagne	89	9	218	49,4
Italie	138	15	269	65,8
Japon	140	14	330	49,7
Russie	56	7	177	50,7
Royaume-Uni	14	8	110	34
États-Unis	64	11	175	46,3

Source : PricewaterhouseCoopers, *Paying Taxes 2014 : Sommaire pour le Canada*, 2013, <www.pwc.com/ca/fr/tax/paying-taxes.jhtml>.

Le Canada est en réalité en concurrence directe avec certains des paradis fiscaux les plus reconnus. Le classement global de PricewaterhouseCoopers permet d'en prendre la mesure, comme on le constate dans le tableau 9.2.

TABLEAU 9.2 Classement global tiré du rapport *Paying Taxes 2014*

Pays	Classement global	Nombre de paiements	Nombre d'heures consacrées à l'observation	Total du taux d'imposition (%)
Émirats arabes unis	1	4	12	14,9
Qatar	2	4	41	11,3
Arabie saoudite	3	3	72	14,5
Hong Kong	4	3	78	22,9
Singapour	5	5	82	27,1
Irlande	6	9	80	25,7
Bahreïn	7	13	36	13,5
Canada	8	8	131	24,3

Source : PricewaterhouseCoopers, *Paying Taxes 2014 : Overall ranking and underlying data*, 2013, <www.pwc.com/gx/en/paying-taxes/data-tables.jhtml>.

Occupant donc le huitième rang mondial, le Canada se trouve à devancer des paradis fiscaux notoires, soit le Luxembourg (15e), la Suisse (16e), les Seychelles (19e), la République de Malte (27e), la Malaisie (36e) ou le Belize (48e). Quant aux États-Unis, selon la même étude, ils se situent au 69e rang.

Inutile de rendre la législation canadienne plus compétitive, elle l'est déjà ! Sa largesse envers les entreprises est notable au point qu'elle passe, aux yeux de certains planificateurs étrangers, comme un pays tout à fait intégré au réseau des paradis fiscaux. Notre pays se classe parmi les législations offshore citées dans leurs sites spécialisés. On retrouve en France d'étonnantes mentions telles que : « Le Canada peut être présenté comme une nouvelle juridiction offshore, certaines provinces seulement du Canada offrent un statut similaire à l'offshore par une imposition quasi inexistante (5 % seulement) si l'activité est réalisée hors du Canada. » Ou encore : « Le Canada n'est pas un pays offshore mais l'image de ses banques qui sont toutes très bien cotées, et les traités avec les USA permettent de faire des affaires avec peu de restrictions[22]. » Sans oublier ce délicieux : « Le Canada n'est pas un pays offshore mais nous savons rendre une société créée au Canada offshore[23]. »

Un taux d'imposition paradisiaque

Pour maintenir ou attirer les investisseurs au pays, la stratégie fiscale canadienne fait en réalité miroiter, d'une part, des avantages en matière d'imposition de l'ordre de ceux que l'on retrouve dans les paradis fiscaux et, d'autre part, une accessibilité sans pareil à tous les marchés offshore.

On comprend des mesures fiscales canadiennes, sans avoir à les citer toutes, qu'elles favorisent globalement la fluidité des fonds ainsi que la capitalisation des détenteurs de fortune et des grandes entreprises[24], dont le taux d'imposition réel au Canada est particulièrement bas. En témoigne une recherche du Laboratoire d'études socio-économiques de l'Université du Québec à Montréal (UQAM) portant sur 99 des plus grandes entreprises canadiennes ayant affiché des profits de 2009 à 2011 (voir tableau 9.3).

TABLEAU 9.3 Liste partielle des plus grandes entreprises canadiennes rentables classées par taux effectif d'impôt pour les exercices financiers compris entre 2009 et 2011

Entreprises	Bénéfices avant impôt (millions de dollars)	Taux effectif d'impôt
Corporation Cott	193,20 $	-14,50 %
Emera Inc.	639,20 $	-7,00 %
Chemin de fer Canadien Pacifique	2 199,00 $	-4,70 %
Molson Coors Brewing Company	2 420,70 $	-1,90 %
Canadian Oil Sands Limited	2 762,00 $	0,00 %
TransCanada Corporation	5 914,00 $	1,70 %
Québecor inc.	1 822,20 $	3,80 %
Rogers Communications Inc.	6 192,00 $	5,10 %
Enbridge Inc.	4 764,00 $	5,30 %
Groupe SNC-Lavalin Inc.	1 567,70 $	6,20 %

Source : Présentation adaptée d'un tableau tiré de Frédéric Rogenmoser, Martine Lauzon et Léo-Paul Lauzon, *Le réel taux d'imposition de grandes entreprises canadiennes : du mythe à la réalité. Analyse socio-économique de 2009 à 2011 des plus grandes entreprises*, Laboratoire d'études socio-économiques, Université du Québec à Montréal (UQAM), octobre 2012, p. 8-10.

La moyenne des impôts qu'elles ont réellement versés est de 19,5 %[25]. Les politiques fiscales canadiennes qui les encadrent leur auront ainsi permis de minimiser leur taux d'imposition et, dans certains cas, de l'annuler ou même de profiter de remboursements.

Pourtant, les autorités publiques n'en finissent plus de brandir la menace d'un exode possible des sociétés présentes au pays et clament l'impossibilité de taxer davantage le grand capital.

Qu'on ne s'y trompe pas. Le Canada est le pays du G8 présentant le taux d'imposition des entreprises le plus bas, passé au fédéral de 37,8 % en 1981 à 15 % en 2012. La fiscaliste Brigitte Alepin indique que, de 1961 à 2009, « le fardeau fiscal des particuliers (c'est-à-dire la part qu'ils supportent dans tous les revenus du gouvernement) est passé de 33 % à 42 % » tandis que « le fardeau des entreprises est passé de 14 % à 11 %, au cours des dernières années[26] ». De plus, en 2006, le gouvernement fédéral a éliminé la taxe sur le capital, qui horripilait les milieux d'affaires. Elle était fixée à environ 0,125 % pour tout capital excédant 50 millions de dollars, que ce soit pour un particulier ou une société[27]. Les milieux bancaires l'ont activement combattue, puisque techniquement cette taxe nuisait à leur volonté de morceler des dettes qu'ils avaient à charge pour une myriade de produits financiers et de titres boursiers hasardeux[28], soit les *produits dérivés*. Sa suppression a donc permis aux banques canadiennes d'être actives sur les marchés internationaux de ces produits[29] qui ont lourdement contribué à la crise financière de 2008.

Pour justifier l'adoption de ces mesures, on prétend qu'en imposant moins les entreprises, on leur permet de réinjecter des capitaux dans l'économie et, par conséquent, de créer des emplois. Cette théorie reste cependant tout à fait contestable. Selon Statistique Canada, les dépôts bancaires des entreprises s'élevaient en 2013 à 544 milliards de dollars[30]. Selon l'économiste et sociologue Éric Pineault, en 2009, le tiers de ces fonds étaient libellés en devises étrangères. « Il n'y a plus de relation significative entre les liquidités dont disposent les entreprises canadiennes et leurs investissements dans l'économie réelle des biens et services[31]. » Même appréciation du côté de l'économiste Jim Stanford : l'impôt fédéral sur les revenus des entreprises est progressivement passé de 22,1 % à 15 % de 2007 à 2012 sous prétexte d'alléger le capital. Or, les investissements faits par des acteurs ayant joui de ces réductions d'impôts ont eux-mêmes décliné[32]. Deux poids, deux mesures : l'idée n'est nullement venue au gouvernement de soumettre ses diminutions d'impôts à une obligation d'investir, de la même manière qu'il conditionnait par exemple les prestations d'aide aux chômeurs à l'obligation pour eux de chercher du travail.

Une diminution de l'imposition des gains en capital

Depuis 1998, le pourcentage d'imposition des gains en capital, soit les gains incluant tous les profits réalisés sur des investissements et des placements, par exemple à la bourse ou dans la location immobilière, a chuté à deux reprises : de 75 % à 66 % en 1998, puis de 66 % à 50 % en 2000. Si on peut considérer comme utile une telle mesure dans le cas, par exemple, des placements de futurs retraités, la Chaire d'études socio-économiques de l'UQAM insiste sur les pertes qu'elle entraîne dans le Trésor public en ce qu'elle favorise surtout un groupe restreint de particuliers très fortunés[33]. Essentiellement, seule une classe d'investisseurs dont les revenus proviennent de placements plutôt que d'un salaire bénéficie de gains en capital. « En 2007, ceux qui ont déclaré des revenus fiscaux de plus de 250 000 dollars et qui ont aussi déclaré des gains en capital imposables, ont représenté quatre dixième d'un pour cent seulement (109 040) de l'ensemble des 24 600 590 contribuables canadiens, mais [ils] ont accaparé 50 % (12,3 milliards de dollars) de tous les gains en capital imposable déclarés[34]. » Un particulier fortuné qui touche un revenu de ce type voit de facto sa facture fiscale réduite de moitié. Imposé donc à hauteur de 50 % sur son revenu de placements, s'il se trouve inscrit au plus haut échelon du palier fédéral, il n'honore plus un dû de 29 % mais de 14,5 % de son revenu global. Il se trouve donc imposé à un niveau inférieur au plus bas palier d'imposition fédéral !

Les investisseurs dans le domaine minier ont aussi le privilège de voir plusieurs de leurs placements boursiers être déductibles d'impôts, grâce au programme des *actions accréditives*. Ce programme, juxtaposé à d'autres mesures, explique pourquoi tant de sociétés minières internationales sont enregistrées au Canada. En accordant aux compagnies minières du monde entier un tel abri fiscal et en leur permettant d'en bénéficier même si elles ne mènent aucune opération au Canada, nos gouvernements ont fait du pays le paradis fiscal et réglementaire par excellence de l'industrie extractive mondiale.

Un secret bancaire blindé et un accès facile
aux paradis fiscaux

Aussi étonnant que cela puisse paraître, le Canada n'empêche pas les opérateurs financiers de taire l'identité des titulaires de sociétés privées. De ce fait, le secret bancaire existe bel et bien chez nous. Les avocats-fiscalistes canadiens sont, avec leurs pairs des États-Unis, ceux qui s'enquièrent le moins de l'identité de leurs clients au moment où ils créent des sociétés au pays. Il est dès lors facile d'en faire des sociétés-écrans favorisant la corruption ou le blanchiment d'argent. L'avocat Marc-André Séguin va droit au but : « les paradis fiscaux peuvent aller se rhabiller. Le Canada et les États-Unis sont les deux juridictions les plus laxistes au monde en matière de conformité visant à prévenir l'incorporation de sociétés-écrans anonymes. Les performances des prestataires de services financiers opérant dans ces deux pays s'avèrent moins conformes que celles opérant au Ghana, en Lituanie ou à la Barbade, et beaucoup plus laxistes que celles de la Malaisie ou des Îles Caïman[s][35]. » Cette conclusion s'appuie sur une étude de Jason Sharman, professeur de sciences politiques à l'Université Griffith, en Australie, après que les membres de son équipe se soient fait passer pour de simples consultants auprès de 3 700 prestataires de services financiers de 182 pays du monde[36]. Ces courtiers, qui ne semblent en rien terrorisés à l'idée de subir des sanctions au Canada, ne respectent même pas les normes édictées par le Groupe d'action financière dont le pays est pourtant membre.

En ce qui a trait à l'évasion fiscale, la corporation des avocats ne s'en sort pas mieux, comme en témoigne une enquête menée en 2013 par une équipe de Radio-Canada et de la Canadian Broadcasting Corporation (CBC). Un collaborateur a feint de vouloir transférer illégalement un million de dollars à la Barbade et a approché pour ce faire quinze professionnels canadiens de la finance : seuls quatre d'entre eux ont refusé de lui donner des conseils. On voit notamment dans le reportage Yves Gosselin, un ancien employé de l'Agence du revenu du Canada devenu conseiller financier, inciter un particulier à ouvrir un compte à la Barbade à l'insu du fisc canadien. D'autres lui recommandent d'utiliser des prête-noms ou de se servir de la Barbade comme d'une rampe de lancement vers divers paradis fiscaux[37]. Il n'est pas étonnant, dans un tel contexte, que des avocats du Canada se soient ligués contre le gouvernement dans une poursuite en Cour suprême pour arriver à garder intact le secret professionnel, indispensable à la conduite de leurs petites affaires. Le gouvernement fédéral, dans le cadre de sa Loi sur le recyclage des produits de la criminalité et le financement des activités terroristes, entend en effet contraindre avocats et notaires à identifier et à contrôler les opérations financières de leurs clients. Les professionnels concernés s'y opposent[38] alors que dans des pays comme la France, de telles mesures existent depuis des années[39].

Des taxes douanières dignes d'une *zone franche*

Dans le même esprit, le ministère des Transports du Canada a produit en 2009 un document au titre éloquent : *Avantages en matière de taxes et de*

droits au Canada : Tirez profit des zones franches... partout au Canada[40] !
Adoptant sans scrupule un vocabulaire offshore, le programme dûment
baptisé *Portes et Corridors du Canada* prétend attirer des entreprises
d'exportation au Canada grâce à l'élimination de la TPS et des tarifs
douaniers :

> Le Canada offre aussi trois des plus populaires programmes favorables aux
> exportations au monde, soit : (i) le Programme de report des droits ; (ii) le
> Programme des centres de distribution des exportations ; (iii) le Programme
> de services de transformation pour l'exportation. Avec les programmes
> d'encouragement provinciaux et municipaux, le Canada peut offrir les
> avantages trouvés dans les zones franches partout dans le monde – mais avec
> une différence clé... Au Canada, l'exonération des droits et des taxes peut être
> utilisée partout au pays[41].

À titre d'illustration, une entreprise de transformation alimentaire se
verra rembourser les tarifs douaniers qu'elle a défrayés au moment de
l'importation des matières premières, telles que le sucre et le cacao, ainsi
que la TPS déboursée au moment où elle a acheté d'autres matières premières au Canada, à la condition que cette production soit exportée. Les
dispositions à respecter pour être admissible sont tissées sur mesure pour
les entreprises multinationales ayant en particulier comme marché les
États-Unis. Ces avantages fiscaux, à l'instar de ceux qu'encouragent les
zones franches les plus permissives, forgent la nouvelle norme de l'économie canadienne. Pourtant, permettre une activité commerciale au Canada
suppose des coûts : les sociétés profitent des infrastructures publiques de
même que des programmes sociaux en vigueur ici. Nul calcul ne vient
démontrer qu'il est avantageux pour le pays que des entreprises étrangères
s'y installent à ce compte.

Les zones franches canadiennes sont vantées à l'étranger : « Cette
destination est très intéressante dans le cas de commerce avec les États-
Unis et dans les domaines de la transformation, la science de la vie, les
technologies de pointe, [...] le plastique, l'hydro-électricité, les mines,
l'agroalimentaire, l'agriculture ou l'aérospatiale[42] », écrira une firme versée
dans la délocalisation d'actifs.

Dans le même esprit, Montréal s'est érigée ces dernières années en
paradis fiscal de l'industrie du jeu vidéo. Des entreprises états-uniennes
plusieurs fois milliardaires jouissent d'avantages immobiliers et d'abris
fiscaux considérables dans la métropole québécoise[43].

Un report d'impôts pour les entreprises

Au Canada, il est aussi possible pour les entreprises de reporter à une date ultérieure le paiement de leurs impôts. Étant donné les sommes astronomiques impliquées dans le report d'impôts chaque année, les pertes fiscales encourues par l'État se révèlent considérables. Pour la fiscaliste Brigitte Alepin, le régime fiscal canadien offre aux sociétés la possibilité de différer tellement longtemps le paiement de leurs impôts qu'on n'imagine plus qu'elles le fassent un jour. Un tour d'horizon rapide lui permet d'observer qu'en 2002, 16 sociétés canadiennes devaient à elles seules en impôts différés la somme cumulée de 18 milliards de dollars[44]. Une autre étude publiée en 2008 par la Chaire d'études socio-économiques de l'UQAM estime que pour la période comprise « entre 1992 et 2005, les 20 plus grands reports d'impôt au Canada ont augmenté de 29,4 milliards de dollars, ou 199 %, passant de 14,8 milliards de dollars en 1992 à 44,2 milliards en 2005[45] ». L'étude précise que « ces impôts reportés ne portent pas intérêt, ne représentent pas une dette légale et n'ont aucune date d'échéance fixe[46] ». Considérant un taux d'intérêt de 8 % en 1995, un dollar d'impôt reçu après un délai de dix ans ne valait que 46 cents en 2005[47].

Des fiducies de revenu modelées sur celles des paradis fiscaux

En théorie, une fiducie est utilisée pour mettre un héritage familial à l'abri de l'impôt, et ce, jusqu'à ce qu'un héritier en prenne possession. Les fiducies ne sont pas imposables en tant que telles normalement, seuls leurs bénéficiaires le sont le jour où ils en perçoivent les versements. Le problème se pose, aujourd'hui, quand lesdits bénéficiaires inscrivent leurs comptes dans les paradis fiscaux. Au fil du temps, les entreprises se sont vues, comme les particuliers, accorder le droit de se constituer en fiducies, de façon à réduire leur taux d'imposition à zéro. À la suite de l'éclatement de la bulle d'investissements en informatique au début des années 2000[48], une quantité effarante de sociétés se sont converties en fiducies de revenu au Canada. En 2004, on en comptait plus de 150 cotées au TSX, pour une valeur combinée de 91 milliards de dollars. Toujours en 2004, sur un total de 4,6 milliards de dollars récoltés en offres initiales d'actions nouvellement enregistrées (IPOs), 3,8 milliards de dollars se sont trouvés investis dans des fiducies[49]. Ce changement de forme légale avait peu d'implications dans les opérations quotidiennes des entreprises, mais permettait un évitement fiscal d'une rare profitabilité.

En 2006, le ministre des Finances du Canada, Jim Flaherty, en a surpris plus d'un en modifiant les règles d'imposition des fiducies de revenu. Les nouvelles modalités faisaient en sorte qu'à compter de 2011, elles seraient taxées au taux alors revu à la baisse des sociétés par actions[50]. Celui-ci est aujourd'hui de 15 % au palier fédéral[51]. Cependant, Flaherty s'est assuré qu'une certaine catégorie d'investisseurs puisse toujours bénéficier des avantages fiscaux conférés par l'ancien régime des fiducies de revenu. Il est en effet possible d'échapper au fisc en fondant une fiducie de ce type à la condition de ne posséder aucun actif au Canada. Ces échappatoires contribuent aujourd'hui à donner au Canada les allures d'un véritable paradis fiscal. L'éditeur du *Oil and Gas Investment Bulletin*, Keith Schaefer, écrit, superbe, que malgré la loi votée en 2006, « le marché a découvert une faille qui pourrait permettre la création d'un grand nombre de nouveaux trusts, spécialement dans le secteur de l'énergie : ne détenez pas d'actif canadien [...] L'an passé, l'Eagle Energy Trust (EGL.UN) a été ouvert au public sur le TSX, devenant le premier trust canadien pétrolier et gazier inscrit à être lancé depuis la surprise [...] de Flaherty en 2006. La société ne détient que des actifs de producteurs de pétrole étrangers [...], une échappatoire qui l'exclut du régime fiscal canadien[52]. » Sans surprise, c'est dans le domaine énergétique et éventuellement minier que le Canada continue de se distinguer. Une compagnie d'extraction qui n'exploite aucun projet au Canada, ce qui est chose courante, mais qui y fonde son siège social sous la forme d'une fiducie de revenu pourra échapper à l'impôt des entreprises ; seuls les versements faits aux détenteurs d'actions seront imposés. Schaefer ajoute, sur ce nouveau type de fiducie : « Une autre différence entre les anciennes et les nouvelles fiducies est que les premières avaient à limiter la proportion des actionnaires à 50 %. Mais aucune restriction semblable n'est liée à cette nouvelle catégorie de fonds[53]. »

À titre de paradis fiscal du secteur extractif, le Canada accueille chez lui toute société qui le désire pour qu'elle y fonde une fiducie depuis laquelle elle gérera ses opérations aux quatre coins du monde. Tant qu'elle n'aura aucune activité substantielle au pays, elle pourra réduire à néant son taux d'imposition et distribuer sous forme de versements à l'étranger, notamment dans des paradis fiscaux traditionnels, les profits générés on ne sait trop où. De plus, si une convention fiscale est en vigueur entre le Canada et le pays vers où migreront ces versements, ils ne seront pas imposés lorsqu'ils seront de nouveau transférés au Canada.

L'imposition à la baisse des *biens imposables* possédés par des non-résidants

Jusqu'en 2010-2011, un non-résidant qui vendait, par exemple, des actions placées dans une compagnie canadienne (soit des *biens canadiens imposables*, dits des BCI) devait au fisc 25 % de leur prix de vente. Dans son budget de 2010, le ministre Flaherty a modifié l'article 116 de la Loi de l'impôt sur le revenu du Canada. Désormais, si un investisseur réside officiellement dans un pays avec lequel le Canada a signé une convention fiscale, paradis fiscaux inclus, toutes les sommes issues de la vente de BCI peuvent légalement échapper au fisc canadien, ou du moins être imposées minimalement, en accord avec les limites établies dans les conventions fiscales[54]. Selon Brigitte Alepin, « il devient facile pour les contribuables canadiens de légalement éviter sur la vente d'actions canadiennes l'impôt canadien en les faisant détenir par un intermédiaire résidant dans un paradis fiscal[55] ». Le détour offshore permet ainsi à des Canadiens d'agir dans leur propre pays comme s'ils étaient des étrangers, afin de profiter des largesses canadiennes de type offshore réservées aux non-résidents! Que ce soit en établissant une société suisse opérant avec des *bearer shares* (actions au porteur)[56] ou tout simplement en ouvrant un compte individuel à numéros, un résident canadien peut maintenant acheter anonymement des BCI à partir de l'étranger et échapper au fisc lorsqu'il les vend. Cela assure en plus les investisseurs qu'ils jouiront des garanties du secret bancaire prévues dans les paradis fiscaux habituels.

Une capacité d'agir depuis les paradis fiscaux usuels

Nous savons que les investisseurs canadiens qui inscrivent des profits dans un compte ou une société offshore d'un pays signataire d'un Accord d'échange de renseignements fiscaux (AERF) peuvent transférer leurs actifs au Canada sans payer d'impôt. Les canaux financiers entre le Canada et les centres offshore sont lubrifiés, en particulier ceux qui concernent les investissements directs à l'étranger.

La part des investissements directs canadiens[57] dans les paradis fiscaux et les centres financiers offshore (CFO) est en constante augmentation depuis les dernières décennies. « Entre 1990 et 2003, les actifs canadiens dans les CFO ont été multipliés par huit [...] [soit] plus du cinquième de l'ensemble de l'investissement direct canadien à l'étranger en 2003, le double de la proportion treize ans plus tôt [...] Parmi les CFO, la plus forte croissance de l'investissement direct canadien durant la période a été observée à la Barbade, en Irlande, dans les Bermudes, les Îles Caïmans et les Bahamas[58] », selon François Lavoie de Statistique Canada. Durant cette période, les actifs canadiens dans ces pays sont passés de 11 à 88 milliards de dollars[59] et selon d'autres sources gouvernementales, ils ont grimpé jusqu'à 146 milliards en 2008[60]. En 2003, le Fonds monétaire international relevait que « les entreprises canadiennes détenaient des actifs dans 25 de ces juridictions » offshore[61]. Dix ans plus tard, Statistique Canada évaluait ces capitaux à 170 milliards de dollars[62].

Dans une étude réalisée en 2010 sur la concurrence fiscale dommageable et les planifications fiscales abusives, le fiscaliste des Hautes Études commerciales (HEC) de Montréal, Jean-Pierre Vidal, établissait une classification répartissant les pays en quatre groupes : (A) les pays relativement prospères et sans incitatifs fiscaux importants ; (B) les pays avec des incitatifs fiscaux importants et un réseau étendu de conventions fiscales ; (C) les pays avec un fardeau fiscal généralement faible et (D) les pays avec des incitatifs fiscaux importants et un réseau restreint de conventions fiscales. En se basant sur des chiffres de Statistique Canada, Vidal évalue ainsi la proportion des investissements directs canadiens migrant vers chacun de ces groupes :

TABLEAU 9.4 Proportion des investissements directs canadiens à l'étranger sur 4 marchés

Année	Groupe A (pays relativement prospères et sans incitatifs fiscaux très importants)	Groupe B (avec des incitatifs fiscaux importants et un réseau étendu de conventions fiscales)	Groupe C (avec un fardeau fiscal généralement faible)	Groupe D (avec des incitatifs fiscaux importants et un réseau restreint de conventions fiscales)
1987	83,4 %	6,8 %	5,1 %	0,0 %
2000	70,0 %	14,1 %	8,4 %	0,0 %
2006	70,9 %	16,5 %	n.d.	0,1 %

Source : Jean-Pierre Vidal, « La concurrence fiscale favorise-t-elle les planifications fiscales internationales agressives ? », dans Jean-Luc Rossignol (dir.), *La gouvernance juridique et fiscale des organisations*, Paris, Lavoisier, 2010, p. 190.

Ce tableau permet de constater qu'entre 1987 et 2006, la part d'*investissements directs* canadiens migrant vers les pays du groupe A chute alors que celle migrant vers les pays des groupes B, C et D augmente. Les pays que nous savons être des paradis fiscaux – la Barbade, les Îles Caïmans, les Bermudes, les Bahamas, le Vanuatu, Guernesey, Bahreïn, le Luxembourg, la Suisse, Andorre, Monaco, l'Île de Man... – figurent tous parmi ces groupes B, C et D. On peut donc en déduire que la position canadienne des dernières décennies favorise les investissements directs dans les paradis fiscaux. De façon à illustrer l'importance des sommes impliquées, Vidal mentionne :

> Comme les investissements directs canadiens à l'étranger sont des stocks, chaque point de pourcentage du marché équivalait en 2006 à environ 5 milliards de dollars canadiens (ou environ 0,35 point du pourcentage du PIB canadien). En 2006, la part des Bermudes dans les investissements directs canadiens à l'étranger (3,1 points de pourcentage) équivalait donc à environ

15,5 milliards de dollars canadiens (plus de 1 % du PIB). En outre, l'accroissement de cette part de 1,0 point de pourcentage de 1987 à 2006 était encore moins négligeable parce que les investissements directs canadiens à l'étranger ont généralement été multipliés par 7 durant cette période[63].

Un article de Walid Hejazi datant de 2010 confirme que l'investissement canadien migrant vers les centres offshore a continué d'augmenter pendant la période allant de 2000 à 2008 : « Trois des dix premières destinations pour des investissements étrangers directs (IED) sont des Centres financiers offshore (la Barbade, les Bermudes, les Îles Caïmans). Elles ont reçu au total pour plus de 86 milliards de dollars en IED canadiens en 2008, ce qui représente 14 % des IED canadiens à l'étranger. Ce montant a connu une forte hausse depuis 2000, où leur somme représentait 33 milliards, ce qui à l'époque n'équivalait qu'à 9 % du total des IED canadiens à l'étranger[64]. »

Le secteur financier canadien dans les paradis fiscaux

La part des actifs canadiens à l'étranger dans le secteur strictement financier a augmenté significativement de 1990 à 2003, passant de 29 % à 42 %. De tous les services financiers, assurances, placements et autres, c'est le secteur bancaire qui monopolise le plus de capitaux. Finalement, on apprend que « les deux tiers des actifs d'investissement direct bancaires vont aux centres financiers offshore[65] ». Sans surprise, le secteur bancaire canadien voit avec enthousiasme la possibilité d'ouvrir des filiales et des firmes dans les paradis fiscaux. Confirmant ce fait dans une étude datée de 2008, Léo-Paul Lauzon et Marc Hasbani ont démontré que les cinq plus grandes banques canadiennes ayant des filiales dans des paradis fiscaux ont réussi à éviter 16 milliards de dollars en impôts entre 1993 et 2007[66]. Ce chiffre s'appuie sur les états financiers vérifiés de ces banques, états financiers qui contiennent entre autres la liste de leurs filiales offshore. « Les cinq plus grandes banques comptent au minimum 89 filiales officielles dans les paradis fiscaux [...] sans mentionner leurs compagnies associées, satellites, fiducies, sociétés en commandite et en nom collectif, etc.[67] » De 2004 à 2007, la présence de ces filiales offshore a permis aux cinq plus grandes banques canadiennes de tripler leur part d'impôts exonérés, leur charge totale en cette matière passant de 20 % à 61 %, soit de 926 à 2 432 millions de dollars. Les auteurs n'hésitent pas à considérer ce contournement comme une fraude, même si « certains argumenteront qu'il ne s'agit pas de fraude fiscale d'un point de vue strictement juridique[68] ».

Le Consortium international des journalistes d'enquête de Washington, dont fait partie Frédéric Zalac de Radio-Canada, a découvert que les banques canadiennes étaient régulièrement citées dans les 2,5 millions de documents qu'il a acquis en 2013. Les habituées, la Banque Royale, la Scotia et la CIBC, sont respectivement citées 2 000, 1 839 et 1 347 fois. La CBC a également dénombré 75 filiales de banques canadiennes, selon une approche prudente[69]. « Les paradis fiscaux ne pourraient pas exister sans l'infrastructure financière des pays riches », avance la télévision d'État, concluant implicitement que les financiers canadiens comptent parmi leurs maîtres d'œuvre. Ils « ouvrent des comptes pour des entreprises extraterritoriales, ou fournissent une aide essentielle pour le faire[70] ».

Les conventions fiscales et accords d'échange de renseignements fiscaux

Les conventions et accords d'échanges de renseignements fiscaux ont pour objectif de standardiser les modalités d'imposition des sociétés qui sont actives tant au Canada que dans un pays signataire. Cependant, lorsque ces ententes, dans leur mouture canadienne, sont signées avec un paradis fiscal, elles favorisent les transactions offshore[71].

Nous avons constaté de quelle manière la Barbade a permis de travestir le rôle des conventions fiscales visant à empêcher que des capitaux soient doublement imposés sitôt qu'ils se trouvent transférés d'une législation à l'autre. À l'origine, en 1980, l'Organisation des Nations unies a promu ces conventions fiscales sur la double imposition de façon à s'assurer que des capitaux engrangés dans les pays du Sud y soient taxés, plutôt qu'ailleurs. Il s'agissait d'une incitation : permettre aux sociétés d'honorer l'impôt du pays qui était concerné par l'activité sans empêcher l'entreprise de transférer ses fonds dans les comptes de son siège social. Cette approche sensée a toutefois été détournée. Bien des entreprises ont délocalisé leurs opérations, par exemple à la Barbade, pour bénéficier d'un taux d'imposition nul ou quasi nul et pouvoir transférer de nouveau ces capitaux dans le pays d'origine sans y payer d'impôts.

Les accords d'échange de renseignements fiscaux (AERF) relèvent quant à eux d'une initiative de l'OCDE. Ils ont pour but de lutter contre le secret bancaire en place dans les paradis fiscaux. Le Canada en a également dévoyé le sens. Après que l'OCDE en ait élaboré le modèle en 2002[72], pour permettre dans des cas documentés d'obtenir dans les paradis fiscaux la levée du secret légal des données bancaires, on sait que le Canada les a intégrés à sa réglementation d'une manière particulière. Pour Ottawa, ces accords stipulent que les sociétés canadiennes qui inscrivent leurs activités dans les paradis fiscaux signataires d'un AERF avec le Canada voient exonérés d'impôts les capitaux qu'elles rapatrient chez lui sous forme de dividendes[73]. Un Groupe consultatif créé par le gouvernement fédéral souligne l'importance de cette nouvelle échappatoire et va jusqu'à recommander que l'exonération des « revenus tirés d'entreprises » soit applicable avec tout pays sans que soit conclu un AERF. Ces mesures tendent bien entendu à bonifier les investissements directs à l'étranger : « Au cours des 20 dernières années, la proportion du stock total des investissements directs canadiens à l'étranger investis dans des pays signataires de conventions fiscales s'est située entre 87 et 94 pour cent [...] Du montant total de dividendes versés par des sociétés étrangères affiliées à des sociétés canadiennes entre 2000 et 2005 [...] environ 92 pour cent a été exonéré[74]. » Le Groupe consultatif soulève du bout des lèvres le problème de l'iniquité des taux d'imposition, mais prédit que le Canada continuera de conclure des conventions et des AERF avec de tels pays à l'avenir[75]. En 2008, le groupe comptait notamment parmi ses membres l'ex-président du conseil de la Banque Royale du Canada, également ex-président et chef de la direction du Groupe SNC-Lavalin, un retraité de la Banque Scotia, alors membre des conseils d'administration des sociétés Barrick Gold et Rogers, le responsable des services de fiscalité internationale chez PricewaterhouseCoopers et une retraitée de Shell Canada[76]. Le titre du rapport que ses membres ont produit, *Promouvoir l'avantage fiscal international du Canada*, convient parfaitement pour désigner un paradis fiscal.

En raison de ces conventions et accords, le Canada se trouve tout à fait à intégrer le régime politique des paradis fiscaux. Ils font désormais partie intégrante de l'économie canadienne, ils sont un état de fait activement encouragé par le gouvernement. Tandis qu'il se déclare en lutte contre la fraude fiscale, il en légalise tous les aspects. L'honneur reste toutefois sauf : en collaborant aussi activement à la signature des AERF, il pourra sans doute se vanter de participer à l'effort international instigué par l'OCDE. Ottawa lutte contre la fraude fiscale en la rendant légale. On croirait lire George Orwell.

À ce jour, 90 conventions fiscales[77] signées par le Canada avec des pays étrangers sont en vigueur et, depuis 2008, 29 accords d'échange de renseignements fiscaux[78] sont signés avec des paradis fiscaux.

En parfaite contradiction avec lui-même, le ministère des Finances s'est lancé en 2013 dans un programme de lutte contre les délits fiscaux. Tout en maintenant les nombreux axes de contournements fiscaux [la Barbade et les pays signataires d'AERF], il a manœuvré à la marge en interdisant par exemple à une société faisant l'acquisition d'une autre entité d'« utiliser les pertes accumulées de cette entreprise pour réduire ses propres profits et, ce faisant, ses impôts à payer[79] ». Cette mesure lui sert aujourd'hui de masque.

Il ne fait aucun doute pour un fiscaliste comme Brian Arnold que les AERF ne sont d'aucun intérêt pour le Canada. « Il est naïf de penser que les paradis fiscaux qui n'ont pas conclu d'accord d'échanges de renseignements fiscaux (AERF) avec le Canada ont le moindre intérêt à divulguer des informations à l'Agence du revenu du Canada qui soient en aucune façon utiles. En fait, beaucoup des pays avec lesquels le Canada pourrait conclure un AERF ne disposent pas des ressources nécessaires pour échanger des renseignements efficacement[80]. »

Une politique édentée : l'anti-évitement et les déclarations volontaires

La prétendue pierre angulaire de la législation canadienne en matière d'évitement fiscal est la Règle générale anti-évitement (RGAE) de la Loi de l'impôt sur le revenu. Cette règle vise à limiter l'évitement fiscal abusif en sol canadien. Cependant, comme l'indique Sylvain Fleury dans son étude réalisée pour le gouvernement canadien, la RGAE présente plusieurs lacunes. Selon lui, il est difficile pour le fisc de l'appliquer, car avant de pouvoir l'invoquer, il lui incombe de prouver que :

1) […] l'opération [d'évitement enquêtée] donne lieu à un avantage fiscal.
2) […] l'opération constitue une opération d'évitement […] qui ne correspond pas à un objet véritable.
3) […] l'opération d'évitement est abusive[81].

Bref, il a à charge de démontrer l'intention de frauder devant un tribunal de justice, plutôt que de simplement sanctionner l'effet de la manœuvre, soit un bénéficie fiscal indu. Ce critère s'avère d'autant plus difficile à respecter que « [la RGAE] ne donne pas de définition précise d'abus[82] ». De plus, si les tribunaux en viennent à considérer qu'il y a en effet évitement fiscal « abusif » en vertu de la RGAE, aucune pénalité ne sera imposée au fraudeur, « seule la différence entre l'impôt exigible selon l'autocotisation et la cotisation révisée et des intérêts sont réclamés[83] ». Il faut aussi noter qu'au Canada, la vérification de l'impôt d'un contribuable se fait de manière aléatoire. Les chances de faire l'objet d'une enquête sont donc plutôt minces. Comme on peut le constater, tout cela fait en sorte que le fraudeur pratiquant l'évitement fiscal abusif court fort peu de risques[84].

Le gouvernement du Canada rend également possible pour les fraudeurs saisis de remords, ou incapables de blanchir au Canada des fonds détenus dans les paradis fiscaux, d'y aller de *déclarations volontaires*. Le fiscaliste André Lareau voit en ce programme « un mécanisme d'amnistie permanente institué par les autorités fiscales il y a plus de 40 ans[85] ». Faute avouée est à moitié pardonnée ? Ce cadre permet surtout aux intéressés de négocier les conditions de leur acquittement tout en se mettant à l'abri de poursuites au pénal, créant très clairement deux cultures du droit au pays, selon que l'on est riche ou pauvre.

Le ministère fédéral des Finances a ainsi convenu en 2013 de la vanité de son dispositif légal en matière d'évitement[86].

La lutte aux paradis fiscaux : une fumisterie

Dans la foulée de la crise économique de 2008, la question de la fiscalité des États est revenue à l'avant-plan des discours politiques. Ainsi, les pays membres du G20 ont signé à Toronto en juin 2010 une déclaration les engageant d'ici 2013 à réduire de moitié leur déficit. Afin de ne pas seulement réduire les dépenses publiques, les pays du G20 ont déclaré vouloir faire front commun dans une prétendue lutte aux paradis fiscaux. Le Canada emboîte le pas à contrecœur, comme en Grande-Bretagne en 2013, lors du sommet du G8 présidé par le premier ministre David Cameron. Foi d'informations obtenues par le représentant du mouvement *Canadians For Tax Fairness*, Dennis Howlett[87], le premier ministre canadien, Stephen Harper, a longtemps résisté avant de signer la déclaration finale du sommet de Lough Erne. Elle se positionnait d'entrée de jeu « contre le fléau de la fraude fiscale » en militant ouvertement pour la communication automatique d'informations entre services fiscaux nationaux[88]. Des informateurs nous indiquent qu'au ministère français des Finances, on reproche également au Canada de nuire à toute concertation entre États pour remédier au problème.

Le Canada y va donc de grandes déclarations de principes contre les paradis fiscaux tout en favorisant leur essor, ce tout en déplorant ne pas disposer de suffisamment de revenus pour financer les institutions de bien commun autant qu'il le faisait jadis. La tarification des services de même que les taxes et les impôts destinés à la classe moyenne continuent d'augmenter tandis que les investisseurs étrangers jouissent d'avantages dignes de ceux d'un paradis fiscal et que les sociétés nationales profitent d'un nombre toujours accru d'échappatoires, leur permettant d'inscrire leurs actifs dans les législations de complaisance, gracieuseté des autorités publiques. Qui s'étonnera alors que les sociétés privées battent des records de rentabilité trimestre après trimestre ? Comprenant que les gouvernements facilitent les fuites fiscales, voyant des revenus potentiels disparaître au nom de l'obscure « compétitivité », les populations deviennent légitimement désabusées.

CHAPITRE DIX

Halifax

Arrière-boutique des Bermudes

où le gouvernement de la Nouvelle-Écosse finance
l'embauche de comptables par des firmes offshore

2006

À partir de 2006, le vent tourne franchement. Ce ne sont plus seulement des entités financières canadiennes qui ouvrent aux Bermudes bureaux et firmes pour y mener des opérations affranchies, mais les firmes bermudiennes qui créent au Canada des bureaux pour gérer de là leurs opérations opaques et profiter d'avantages du même genre. En novembre de cette année charnière, l'agence de développement de la Nouvelle-Écosse, la Nova Scotia Business Inc. (NSBI), crée un pôle «services financiers et secteur des assurances» afin d'attirer à Halifax les postes comptables de sociétés des Bermudes. La raison invoquée? L'immobilier coûte cher aux Bermudes[1] et Halifax prévoit des congés fiscaux dans le cas d'embauche d'experts-comptables. On peut donc en s'y installant compter à peu de frais sur un personnel qualifié de la classe moyenne qu'on n'aura pas à héberger aux Bermudes pour mener des opérations qui auront néanmoins cours sous le couvert des lois bermudiennes.

La Nova Scotia Business Inc. est une organisation publique d'un type particulier puisque le gouvernement de la Nouvelle-Écosse en a confié la gestion exclusive à des intervenants du secteur privé. Après Douglas G. Hall[2], un ancien de la Banque Royale du Canada qui la dirigera entre 2003 et 2010, et Jim Eisenhauer de 2010 à 2012, c'est l'avocate Janice Stairs, une gestionnaire du secteur pétrolier, spécialiste du secteur technologique et des mines[3], qui en a repris les rênes à l'automne 2012[4].

L'entité, créée en 2001, cherche à attirer dans la province des sociétés actives dans les secteurs de la finance, de la technologie, de l'armement (pudiquement désigné *Defense* et *Security*) et de l'aéronautique[5]. Pour ce

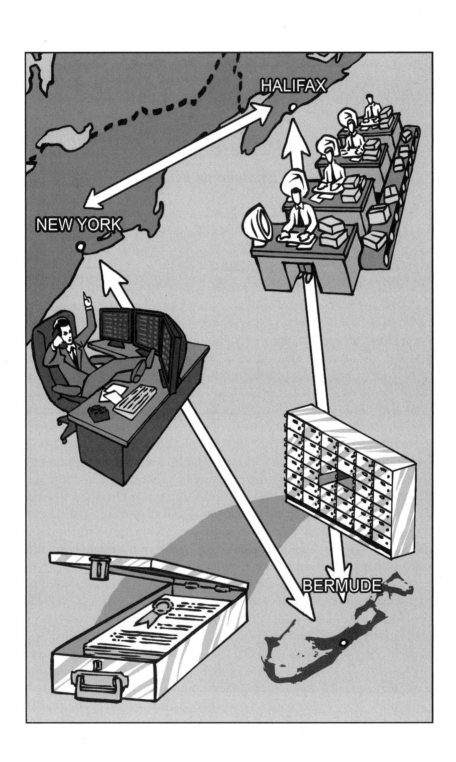

faire, elle prévoit accorder à ses candidats des avantages spécifiques et investit parfois dans certains projets à partir de ses fonds propres, le « NSBI Venture Capital » (Entreprises Nouvelle-Écosse Inc)[6].

La Nouvelle-Écosse offre de plus aux sociétés d'affaires une « remise sur les salaires » (*payroll rebate*) de l'ordre de 5 % à 10 % de la « masse salariale admissible[7] ». « Cela signifie que pour chaque dollar dépensé par une entreprise en salaires et en avantages sociaux, NSBI offre une ristourne d'entre cinq et dix cents[8]. » La Nouvelle-Écosse prévoit également des crédits d'impôt en matière de recherche et de développement à hauteur de 15 % des dépenses, auxquelles s'ajoutent les déductions de même nature prévues par le gouvernement fédéral, quant à elles de l'ordre de 20 % à 35 %, « l'un des crédits d'impôt pour la R&D les plus gratifiants du monde[9] ». Ces déductions, qui peuvent s'élever jusqu'à 50 %, couvrent de nombreux postes de dépenses effectuées au Canada comme à l'étranger, tels que les salaires[10]. Elles prennent la forme de subventions d'État en argent sonnant et trébuchant[11].

Dans la foulée, le gouvernement se vante de mettre à la disposition des entreprises une expertise qualifiée en matière de comptabilité ainsi que de favoriser une synergie entre le secteur privé et les universités[12]. De surcroît, il affranchit pour une bonne part les sociétés qu'il attire de sa contribution au financement de ses services publics, dont elles profitent néanmoins. Le *hedge fund* Castle Hall Alternatives le prouve : en 2010, l'entreprise a choisi de s'enregistrer en Nouvelle-Écosse afin de bénéficier de congés fiscaux pouvant avoisiner un million et demi de dollars pour l'embauche de cinquante employés pendant six ans. Son PDG Chris Addy s'est félicité d'« avoir accès à un bassin de talentueux experts en comptabilité et en investissement pour soutenir notre croissance continue[13] ».

Halifax : l'arrière-boutique des *hedge funds* offshore

Signe avant-coureur, en décembre 2005 déjà, la West End Capital des Bermudes consolide ses activités enregistrées à Halifax depuis 1998[14]. Cette firme de gestion financière se spécialise notamment dans les produits dérivés[15], ces créations ultra-spéculatives vendues sur les marchés auprès d'investisseurs qui parient sur l'évolution de la valeur de titres ou de ressources dans le temps. Son « chef des services financiers » est alors le Québécois Patrick Boisvert, un comptable formé à Trois-Rivières ayant longtemps roulé sa bosse au Luxembourg et en Suisse[16]. West End reste surtout connue comme le fonds d'investissement qu'a soutenu financièrement Warren Buffett[17], le milliardaire qui s'est surpris, il y a quelques années, de payer moins d'impôts que sa secrétaire[18]. Le ministre du

Développement économique de la Nouvelle-Écosse, Ernest Fage, a garanti à West End Capital qu'elle se sentirait aussi à l'aise à Halifax qu'offshore. «En localisant sa croissance de manière stratégique dans la Nouvelle-Écosse voisine, et en tirant parti des effectifs très éduqués de la province, la société West End Capital sera en mesure d'augmenter l'ensemble de sa capacité opérationnelle[19]», a-t-il ajouté après s'être félicité des nouveaux rapprochements entre les Maritimes et les Caraïbes. Nova Scotia Business inc. s'engage alors à débourser plus de 583 000 dollars sur une période de trois ans pour financer la création de cinquante emplois au sein de l'entreprise, en vertu de la «remise sur les salaires» qu'il promet[20]. Ce fonds d'investissement peut ainsi confier aux employés de Halifax la gestion de capitaux d'un milliard de dollars tout en jouissant des avantages de la déréglementation étatique que lui confèrent les Bermudes[21]. Y a-t-il encore une seule chose que la «création d'emplois» ne justifie pas ?

En novembre 2006, trois nouveaux *hedge funds* sis aux Bermudes, Citco Group, Butterfield Fund Services et Olympia Capital, ouvrent à leur tour des bureaux à Halifax[22]. Le directeur de Citco Find Services ne tente pas de cacher qu'il mène la barque. «Dans le monde concurrentiel du choix des sites, nous étions à la recherche d'un emplacement qui nous permettrait de continuer d'étendre nos activités de manière considérable[23].» Citco, qui peut embaucher un personnel qualifié à peu de frais, c'est-à-dire aux frais des contribuables de la province, en redemande et fonde en 2007 son *Halifax office and training centre* (bureau et centre de formation de Halifax). De plus, en septembre 2009, il crée au sein de la Dalhousie University un «Corporate Residency MBA». Des fonds publics accrus seront mis à sa disposition pour former un personnel dont les profits sur le travail, pour l'essentiel, lui reviendront. Dans la foulée, en janvier 2011, la Citco ouvre son premier North American Real Estate Investment Funds (REIF) et élargit à nouveau son personnel en avril 2011.

La chose se répète pour la Butterfield Fund Services, qui se félicite d'avoir à Halifax accès aux «nombreux collèges et universités de la région, qui fournissent un important bassin de jeunes Canadiens qu'il est possible de recruter[24]». Spécialisée dans la gestion croisée de fonds offshore à partir de différents paradis fiscaux, «Butterfields Fund Services (Bermuda), Ltd. fournit une gamme de services comptables, corporatifs, fiduciaires et aux actionnaires en matière de *hedge funds*, de fonds communs de placement et de caisses de retraite. La compagnie offre des services d'administration de tiers externes aux Bermudes, aux Îles Caïmans, à Guernesey aussi bien qu'à Hong Kong ; des services de comptabilité aussi bien que des services d'agent de transfert, de même que l'évaluation des actifs libellés en de multiples devises et des services comptables aux fonds[25].»

Personne à Halifax ne s'est enquis du fait que ces modalités de gestion garantissent l'impunité à de grands fraudeurs potentiels, qui useraient dans ces conditions des services offshore de Butterfield Fund Services pour maintenir à distance enquêteurs, juges d'instruction et agents des États de droit. Personne non plus ne s'est rappelé par analogie les stratagèmes opaques de fonds d'investissement canadiens accusés de fraude au milieu de la décennie 2000, Norshield ou Portus Alternative par exemple[26]. Au contraire, le gouvernement de la Nouvelle-Écosse s'est félicité de l'arrivée chez elle du service financier de cette mystérieuse Bank of N.T. Butterfield & Son Limited of Bermuda, qui se targue d'administrer dans le monde 65 milliards de dollars circulant sous le couvert du secret bancaire des Bermudes, des Îles Caïmans, de Guernesey ou des Bahamas[27]. Le pôle financier de l'Est canadien s'est plutôt laissé allègrement intégrer à ce ténébreux réseau d'affaires. Le Managing Director de Butterfield Fund Services aux Îles Caïmans, John Lewis, confirmait lui-même qu'il « serait heureux d'avoir des nouvelles des comptables des Îles Caïmans, des Bermudes ou d'ailleurs au Canada cherchant éventuellement à déménager dans les Maritimes[28] », donnant ainsi à entendre que les fameuses créations d'emploi subventionnées par l'État auprès de cette industrie consistent en partie au financement de la délocalisation d'employés par les fonds publics.

Le troisième *hedge fund* des Bermudes qui débarque à Halifax à l'automne 2006, l'Olympia Capital, a été fondé par Oskar Lewnowski, consul honoraire de l'Autriche auprès des Bermudes, un diplomate n'hésitant pas à outrepasser ses fonctions officielles[29]. Ce fonds compte récolter de l'État 1,5 million de dollars en « remise sur les salaires », sans parler des 300 000 dollars que lui a offerts l'Office of Economic Development de la province au titre d'un « ensemble d'incitatifs au recrutement et à la formation[30] ». La firme Olympia Capital est pourtant controversée. En 2011, un banquier d'investissement l'a accusée d'avoir aidé une société japonaise d'appareils photo, le quasi homonymique Olympus Group, à dissimuler à ses actionnaires des pertes de l'ordre d'un milliard de dollars dans les années 1990[31]. « Olympus a investi des centaines de millions de dollars aux côtés d'Olympia. En général, les placements étaient faits les jours précédant la fin de l'exercice financier de la compagnie et rapportaient en général à Olympus des dividendes de 33 %. Mais plutôt que de déclarer ces bénéfices, la société comptabilisait son investissement au prix coûtant et se servait des profits pour compenser des pertes sur des placements antérieurs[32]. » Si la responsabilité légale d'Olympia Capital n'a pas été établie, les faits témoignent tout de même du type d'opérations que rendent possibles les *hedge funds* se trouvant dans les paradis fiscaux et judiciaires. Cela n'a pas empêché le ministre néo-écossais du Développement économique, Richard Hurlburt, de suggérer que c'est au prix de telles malversations qu'il fallait soutenir une industrie capable d'offrir des débouchés professionnels aux étudiants en comptabilité de l'Est canadien[33].

Deux mois plus tard, en janvier 2007, un nouveau *hedge fund* bermudien, le Meridian Fund Services, fait à son tour son entrée à Halifax. Il y ouvre son «bureau de soutien opérationnel[34]». La firme, qui se définit comme une spécialiste de la stratégie financière, offre «un éventail complet de services en fonds d'investissement établis dans des législations offshore[35]». Elle occupe des bureaux à New York, où se trouve une partie importante de sa clientèle, de même qu'aux Îles Caïmans, une législation qui attire plus de 80 % des fonds offshore du monde[36]. «En plus de répondre aux besoins en expertise, en contacts dans le domaine comptable et dans celui de l'investissement de nos autres bureaux, notre cabinet de Halifax est notre centre de traitement des données le plus important[37]».

En devenant un «département *hedge fund*», Halifax se transforme en une banlieue de la finance mondiale où parquer des subalternes à coups de subventions publiques. «Une source travaillant dans la branche des services de la gestion des placements à Halifax a déclaré que tous n'étaient pas heureux de la concurrence d'arrière-cour que livre le gouvernement en matière de subventions. Elle a ajouté que les revenus provenant d'impôts sont utilisés comme leurre pour "comptabiliser le travail plutôt que de tabler sur la vraie force des cerveaux"», indique une source anonyme au *Financial Post*[38]. C'est pratiquement en ces termes que la Nova Scotia Business Inc. a pourtant annoncé en janvier 2009 la venue d'une autre entreprise des Bermudes, celle-ci active dans le secteur de l'assurance, la BF&M Insurance Limited. Cette firme gérant une large gamme de contrats allant de l'assurance vie à l'assurance de biens, en passant par la gestion des risques, et ce, en marge de toute législation contraignante, vient établir «des services administratifs côtiers stratégiquement situés en Nouvelle-Écosse[39]». Idem pour Admiral Administration : ce *hedge fund* des Îles Caïmans entretient des relations d'affaires aux États-Unis depuis son bureau de Virginie et en Europe depuis son administration de Dublin, mais confie à sa filiale de Halifax les «services administratifs pour les bureaux des Îles Caïmans et des États-Unis[40]».

Le statut bancal de la région fragilise cependant sa situation économique. La compagnie d'assurance Flagstone, une autre société des Bermudes présente à Halifax dès 2005 et embauchant quelque 90 employés, risque en effet de disparaître à tout moment depuis son rachat par le Validus Holdings. Elle a pourtant bénéficié de «remises sur les salaires et d'incitatifs au recrutement» de l'ordre de 1,68 million de dollars de la part du gouvernement néo-écossais[41], sans parler du placement de fonds publics dans des projets douteux, qui ne manque pas de semer le doute dans la population. Pourquoi, par exemple, Nova Scotia Business Inc. a-t-elle investi 2,8 millions de dollars dans un logiciel de vote par internet mis sur pied par l'entreprise Intelivote Systems[42] ?

Le *nearshoring* : prendre le large, mais pas trop

Reprenant le discours de ses nouveaux hôtes, le Directeur général de l'agence publique Nova Scotia Business Inc., Stephen Lund, s'est complu à présenter Halifax comme « la prochaine Dublin ». La capitale irlandaise est en effet devenue avec les années un paradis fiscal notoire[43]. Les représentants néo-écossais du secteur privé utilisent de manière récurrente le vocabulaire propre aux paradis fiscaux. En 2012, ils se féliciteront explicitement de voir la Nouvelle-Écosse qualifiée de « nouveau paradis pour les administrateurs de fonds communs[44] » (*a new haven for fund administrators*), par l'analyste des *hedge funds eVestment|HFN*. Ce sera de nouveau la fête quand *Opalesque* mentionnera que Halifax est en passe de devenir « le prochain centre financier mondial[45] » (*the next world financial centre*) et que la firme KPMG verra enfin en la province « le centre de gestion de *hedge fund*s qui croît le plus rapidement au Canada[46] » (*the fastest-growing hedge fund administration centre in Canada*). Peter Moreira du *Globe and Mail* a entonné à son tour le refrain : « Halifax s'établit sans crier gare comme centre financier, mettant à profit la pénurie de travailleurs et leur coût élevé aux Bermudes pour attirer chez elle la gestion des opérations des institutions financières dans les paradis fiscaux[47]. » L'agence d'embauche Hamilton Recruitment, qui se dit « le premier choix des professionnels de l'offshore », a enchaîné : « Au cours des dernières années, un grand nombre de *hedge fund*s et de compagnies d'assurance ont cherché à déménager en Nouvelle-Écosse pour tirer parti de la présence d'employés de haut niveau, de la qualité des infrastructures et des coûts moindres que dans beaucoup d'autres pays[48]. »

Progressivement, c'est la notion de *nearshore* qui fait son entrée dans le vocabulaire du milieu, pour rivaliser avec celle d'*offshore*. L'expression suggère que, grâce au Canada, on peut désormais trouver à proximité un certain nombre de services comptables qui étaient jadis exclusivement offerts dans les lointains paradis fiscaux. Voilà les firmes qui débarquent près de chez soi, c'est-à-dire près des gens d'affaires états-uniens. Les autorités de la Nouvelle-Écosse n'hésitent pas à leur présenter ni plus ni moins leur législation comme un paradis fiscal[49] : elles prévoient, pour les sociétés à responsabilités illimitées (SRINE, ou Nova Scotia Unlimited Liability Companies, NSULC) y étant créées, qu'« un contribuable américain peut aussi parvenir à utiliser les pertes de son entreprise canadienne comme déduction de son impôt fédéral états-unien sur le revenu[50] ». Les avantages relèvent des techniques controversées du prix de transfert, ce dont l'administration provinciale ne se cache pas : « Un contribuable américain peut également utiliser les SRINE pour limiter les problèmes du prix de transfert au Canada[51]. » Elle vante enfin son droit ultra-permissif : « Les SRINE n'ont aucune exigence concernant le lieu de résidence pour les directeurs d'entreprises de Nouvelle-Écosse[52]. » Raj Kothari, cadre supérieur chez PricewaterhouseCoopers à Toronto, dit des représentants néo-écossais qu'ils « proclament haut et fort le concept de délocalisation (*nearshoring*)[53] ». Halifax mise sur une parenté culturelle avec les États-Unis pour attirer chez elle, plutôt que dans le tiers-monde, des sociétés de ses voisins du Sud voulant contourner les contraintes de droit. Parmi les paradis de gestion d'arrière-boutique, « Halifax est grandement avantagée par deux facteurs, l'anglais comme langue commune et la connaissance du modèle d'affaires, qui la rendent plus accessible pour le marché américain que ne le serait, disons, un fonctionnement en Inde », indique sans détour Kothari.

Cette navrante descente vers la logique du moins-disant donne à penser que les paradis fiscaux des Caraïbes, absolument indifférents au bien commun et tous tournés vers des potentats de la finance, colonisent désormais l'Est canadien. On en veut pour preuve que la section néo-écossaise des comptables agréés canadiens, dits « comptables accrédités en management » (CMA), est désormais explicitement associée à celle des Bermudes[54], comme si les deux cadres juridictionnels s'inscrivaient dans une seule et même législation.

Les deux CMA, qui regroupent 50 000 comptables, ont adopté la même devise : « Les comptables en management accrédités font plus que mesurer la valeur : ils la créent. » On devine à quelle fantaisie comptable et à quel vertige spéculatif peut mener un tel projet quand on considère la zone déréglementée où évolue la section « CMA Nova Scotia and Bermuda[55] ». Jeffrey Sealy, membre du conseil d'administration de cette section caribéenne, fait craindre le pire lorsqu'il écrit que les comptables de sa trempe « vont au-delà des fonctions standard de la comptabilité[56] ». Dans les Caraïbes, le CMA s'est associé à la West Indies University pour former sur mesure des étudiants en comptabilité offshore[57]. Ceux-ci pourront ensuite s'exiler à Halifax pour travailler aux dossiers de firmes qui bénéficient de la sollicitude des paradis fiscaux. Ainsi, au printemps 2013, le site *CMA Caraïbes* annonce[58] que le courtier en énergie Emera est à la recherche, pour son bureau de Halifax, d'un « Directeur principal, fiscalité internationale » devant « gérer une ambitieuse structure fiscale sans égale dans les provinces de l'Atlantique» de même qu'«acheter des actions et régler une grande variété de questions transfrontalières et pluriréglementaires[59]».

Sinon, les professionnels embauchés pourront travailler dans les paradis fiscaux des Caraïbes avantageant les ressortissants canadiens. Il n'auront qu'à inscrire là leurs actifs pour les soustraire au fisc canadien, comme les y invite de manière suggestive un dépliant de CMA Caraïbes de 2012[60].

Qui profite des Bermudes? Au détriment de qui?

Les Bermudes ne sont en rien un régime démocratique. Les pays transigeant avec elles, non plus. On est donc en droit de se demander au service de qui, exactement, on place les comptables de Halifax.

En 2006, année durant laquelle Halifax et le Canada s'entichaient de l'archipel des Caraïbes, Brigitte Unger de l'Utrecht School of Economics, Greg Rawlings du Centre for Tax System Integrity et cinq autres auteurs soumettaient au ministère hollandais des Finances un rapport décrivant les Bermudes comme la deuxième législation la plus importante au monde pour le blanchiment de fonds provenant d'activités illicites ou criminelles[61]. Deux ans plus tard, alors que l'enthousiasme à Halifax était à son comble pour les *investisseurs* bermudiens, Unger et Rawlings présentaient cette fois les paradis fiscaux tels que les Bermudes comme des législations offrant une prime à la criminalité. «Les pays qui ont été parmi les premiers à attirer des capitaux, peu importe leur origine, ont accru leurs gains en efficacité et sont maintenant parmi les plus riches du monde: les Îles Caïmans, la Suisse, les Bermudes, le Liechtenstein et le Luxembourg», avançaient-ils dans un article intitulé «Competing for criminal money[62]». La législation ne semble interdire que la circulation à vélo[63].

La réputation de l'archipel en matière de fraude financière n'est plus à faire. La faillite catastrophique du courtier en énergie Enron, qui s'explique en très grande partie par les manipulations que le comptable-contorsionniste Andrew Fastow a réalisées aux Îles Caïmans d'abord, puis aux Bermudes et aux Bahamas ensuite, en est une illustration monumentale. Le régime opaque des Bermudes favorise différentes tactiques dites du *hors bilan*, pratique consistant à isoler de l'ensemble de son exercice financier des opérations comportant pour elles un risque latent et pouvant se révéler hasardeuses[64].

Les Bermudes se montrent aussi très hospitalières pour les sociétés d'assurance, qu'on peut aisément créer depuis la Suisse auprès d'une firme entretenant des liens avec l'archipel, afin «de maintenir l'anonymat et la confidentialité du propriétaire de la compagnie d'assurance[65]». Les sociétés offshore qui œuvrent dans cette filière d'activité y pratiquent notamment la réassurance, une spécialité qui consiste, comme on le fait également aux Îles Turques-et-Caïques, à assurer dans les paradis fiscaux les sociétés d'assurance reconnues dans les États conventionnels. Elles ont accès là à un capital d'investissement supérieur à celui autorisé dans les États de droit[66].

Tout semble donc permis aux Bermudes. Le crime financier y devient un mode de gestion légitime tout comme la bêtise y gagne des allures de sagesse. Lorsqu'en 1982, le président de la Banque Scotia, Cedric Ritchie, fait son entrée au conseil d'administration de la Mineral & Resources Corporation (Minorco), une société des Bermudes disposant alors de deux milliards de dollars en capitaux[67], il doit affronter de vives critiques. Pas seulement du fait que dans l'archipel, cette société pourra allègrement contourner le fisc, mais parce que la Minorco doit son enrichissement controversé au régime sud-africain de l'apartheid. La solution pour résoudre ce type d'enjeu moral est simplement de ne pas se poser de question, comme l'explique son collègue Harrison McCain : « Ritchie n'est peut-être [pas] un homme brillant, mais un banquier n'a pas forcément besoin de l'être. Les forts en thème ne dirigent pas une banque, ils enseignent à l'université. Ils ont un Q.I. élevé et lisent les classiques. Ceux qui dirigent les banques ont de l'énergie à revendre et savent motiver les gens[68]. » La source semble bien informée.

Les manipulations comptables que les Bermudes autorisent auprès des multinationales heurtent aujourd'hui les esprits. La législation permet à une entreprise comme Google d'y localiser sans souci 9,8 milliards de dollars de fonds propres en 2011, soit plus d'un quart de ses revenus, bien qu'elle n'y mène aucune activité substantielle. Dans le même cas de figure, cette somme représente deux fois plus d'argent qu'en 2008[69]. Le transfert d'argent qu'elle a opéré a amené la multinationale à économiser les deux milliards de dollars qu'elle aurait payés en impôts si elle avait géré sa trésorerie là où elle mène concrètement ses opérations[70]. Comme bien d'autres multinationales, Google recourt aux techniques du *Double Irish* et du *Netherland Sandwich* pour faire aboutir ses fonds aux Bermudes. Cela consiste d'abord à confier les droits d'utilisation de la marque à une filiale dublinoise, elle-même détenue par un holding aux Bermudes « parce que l'impôt irlandais exempte de redevances certaines compagnies d'autres pays membres de l'Union européenne[71] ». Le holding fait ensuite transiter les fonds par Amsterdam afin de contourner les impôts irlandais en vertu d'une convention fiscale entre les deux pays et, enfin, de cette filiale néerlandaise qui n'embauche aucun employé, ils sont à nouveau transférés vers les Bermudes. L'agence financière Bloomberg, à l'origine de ces révélations, indiquait en octobre 2010 que l'entreprise conduit cette manœuvre de façon à honorer un taux d'imposition de seulement 2,4 % dans le monde[72].

Le stratagème est bien sûr utilisé de façon régulière. Dans une autre étude, cette fois à propos de la pharmaceutique Forest Laboratories, Bloomberg s'est enquis du circuit financier qu'empruntaient en 2009 les fonds relatifs à l'exploitation du médicament Lexapro, pour constater qu'il permettait à l'entreprise d'économiser 183 millions de dollars en coûts fiscaux. Publiée en 2010, l'étude explique que le prix de transfert pratiqué par Forest l'a amené à réduire d'un tiers sa facture fiscale. Intitulée « Lexapro's Long, Strange Trip[73] », elle fait état de la route habituelle empruntée par les fonds, à savoir une halte à Dublin, dans une société qui écoule les médicaments sur le marché états-unien et reçoit les profits, puis un nouveau transfert à Amsterdam, et de là un dernier déplacement vers les Bermudes où le montant sera complètement défiscalisé. Ce cas isolé n'a d'intérêt que parce qu'il témoigne d'une hémorragie générale : c'est 1 000 milliards de dollars qui ont échappé au fisc américain à cause de ce stratagème, si l'on considère seulement le dossier de 135 sociétés[74]. En 2011, un comité parlementaire formé à Londres sur les enjeux de l'évasion fiscale a pressé de questions des représentants des multinationales Google, Starbucks et Amazon des suites de leur délocalisation administrative hors des pays où elles génèrent l'essentiel de leurs revenus[75]. Le Sénat français publiait de son côté un rapport en deux tomes sur la même question, notamment à la suite d'auditions de représentants de Paribas et de Citigroup[76], tandis que deux ans plus tard, le Comité sénatorial des Finances aux États-Unis convoquait le président de la société Apple pour qu'il explique ses choquantes stratégies fiscales[77].

L'approche canadienne diffère complètement. En plein scandale révélant les cas de fuites fiscales dans les médias, soit l'*Offshore Leaks* d'avril 2013, on sait que le ministre des Finances Jim Flaherty s'est envolé vers les Bermudes pour souligner son amitié avec la classe d'affaires qui y règne et pour « promouvoir l'approfondissement des liens en matière de commerce et d'investissement entre les économies du Canada et des Bermudes[78] ».

Le Canada évacue donc, dans ce domaine, les questions politiques substantielles. Les Canadiens ont en effet « investi » plus de 13 milliards de dollars aux Bermudes en 2013[79], essentiellement pour contourner le fisc. D'où part la fortune se concentrant dans les paradis fiscaux ? Au détriment de qui se constitue-t-elle ? En quoi une population comme celle de l'Est canadien devrait-elle s'abaisser à subventionner une telle catégorie d'acteurs ? Il n'est pas difficile de retrouver certains éléments de réponses à ces questions dans les Maritimes. Kenneth Colin Irving, le potentat local auquel la région est soumise économiquement depuis des décennies, s'y est d'abord imposé comme importateur de pétrole en mobilisant les techniques du *prix de transfert* évoquées plus haut. Depuis les Bermudes,

Irving signait des ententes commerciales et pouvait alors inscrire dans ses sociétés offshore les recettes de ses activités, pour ensuite se vendre à lui-même les livraisons en les faisant parvenir aux entités des Maritimes qu'il contrôlait. Au fil des années, les autorités fiscales canadiennes ont fini par désapprouver la tactique, mais la Cour d'appel fédérale a donné raison à Irving[80]. Une fois de plus, les tribunaux canadiens ont tacitement légitimé au vu et au su de tous, et ce, malgré la réglementation canadienne, l'utilisation des paradis fiscaux aux fins de l'évitement fiscal. Ce type de manœuvre a permis à Irving de régner en seigneur sur sa province. La journaliste ultralibérale Diane Francis le mentionne comme un fait d'évidence : « Le Nouveau-Brunswick est la province d'une seule compagnie appartenant à la famille Irving. [...] Mais techniquement, la participation majoritaire est détenue par une série de trusts aux Bermudes[81]. » Et c'est devant cette caste, maintenant subventionnée par Halifax qui l'« incite » ainsi à « créer de l'emploi », qu'on doit ensuite gaiement s'agenouiller.

Pendant que les Canadiens resserrent toujours davantage leurs liens avec les Bermudes, leur gouvernement résiste ouvertement à toute négociation politique internationale sur les politiques de la colonie. Il a publiquement émis ses « réserves[82] », c'est le moins qu'on puisse dire, lorsque le premier ministre britannique David Cameron s'est proposé, dans le cadre du Sommet du G8 de 2013, de revoir le statut des paradis fiscaux relevant de la Couronne britannique.

La Bourse de Toronto propriétaire de celle des Bermudes

Le développement inattendu qui se produit dans la métropole des Maritimes donne des idées à Toronto, d'autant plus que la ville reine voit maintenant en Halifax une importante rivale. « Les astres n'ont jamais paru aussi bien enlignés [sic] » pour faire de Toronto « un nouveau paradis bancaire », se félicite Sophie Cousineau dans les pages du quotidien *La Presse*[83]. À la faveur de la crise économique de 2008, les États qui ont massivement mobilisé des fonds publics s'aventurent maintenant à imposer davantage les banques. « Est-ce que cela fera de Bay Street un centre financier plus attrayant, les cimes enneigées de la Suisse en moins ? », écrit la blogueuse. Son humour fin marque un retard de plusieurs décennies sur la situation, puisque la finance torontoise est complètement intégrée au régime des paradis fiscaux. Pour ne mentionner qu'un exemple des ambitions qui dévorent l'establishment financier, la Bourse de Toronto (TSX), dans un mouvement inverse à celui qui lie Halifax aux Bermudes, est devenue, le 21 décembre 2011, l'un des principaux actionnaires de la Bourse des Bermudes (BSX), avec 16 % des parts. Le chef de la direction de l'institution torontoise,

Tom Kloet, siège désormais au conseil d'administration de la BSX[84]. Cette décision, indique le communiqué de presse du TSX, participe d'une stratégie politique mise en place par le gouvernement canadien : « L'annonce est faite à un moment où les activités commerciales entre les Bermudes et le Canada s'intensifient. Plus particulièrement, un accord d'échange de renseignements en matière fiscale est intervenu entre les deux pays plus tôt cette année et est entré en vigueur le 1er juillet 2011. En outre, depuis le 31 octobre 2011, la BSX est reconnue comme une bourse de valeurs désignée aux termes de la Loi de l'impôt sur le revenu du Canada[85]. »

Les avantages cités sont tous deux d'ordre fiscal. Comme on le sait, les « Accords d'échange de renseignements en matière fiscale » (AERF) que le Canada signe avec des paradis fiscaux, dans la foulée de démarches internationales de coopération soutenues par l'Organisation de coopération et de développement économiques (OCDE), n'ont pas pour visée principale d'entamer le secret bancaire en vigueur chez eux. Ils fonctionnent de telle sorte que tout acteur canadien qui place ses actifs dans un pays offshore signataire d'un tel traité peut les rapatrier au Canada sous forme de dividendes sans payer d'impôts. Le Canada encourage donc le transfert de fonds de ses citoyens fortunés vers des États de complaisance où, à l'abri de l'impôt, ils pourront être réinvestis de manière tout à fait déréglementée. Ce seront peut-être même des employés de Halifax, engagés en partie aux frais des contribuables néo-écossais, qui traiteront leurs dossiers, en lien satellite avec des entreprises financières des Bermudes jouissant là des prérogatives légales que leur confère une loi complaisante. Plus facilement et « légalement » que jamais, des milliards de dollars générés par l'économie canadienne se trouveront inscrits dans de telles législations à fiscalité nulle ou quasi nulle.

Le communiqué du TSX indique ensuite que la loi de l'impôt sur le revenu du Canada reconnaît la Bourse des Bermudes. Or, « la fiscalité très avantageuse des Bermudes permet aux investisseurs non résidents d'échanger des actions et de former des fonds d'investissement sans être soumis à aucun impôt », écrit le fiscaliste Grégoire Duhamel dans son guide intitulé *Les Paradis fiscaux*[86]. La Bourse des Bermudes n'est de plus soumise à aucune institution publique, sinon à l'ubuesque Bermuda Monetary Authority (BMA) qui, sur son site internet, est plus préoccupée de vanter les mérites des différentes entités offshore qu'on peut créer aux Bermudes que d'expliquer comment elle prétend en contrôler les dérives potentielles.

CHAPITRE ONZE

Le Canada, les Bahamas, la Barbade, le Belize, Saint-Kitts-et-Nevis...

Lobby offshore à la Banque mondiale et au FMI

*où le gouvernement canadien s'allie avec un collectif
d'États offshore de la Caraïbe*

2009

L'année 2000 marque un tournant dans les rapports qu'entretiennent les États conventionnels avec les paradis fiscaux. Un grand nombre d'associations indépendantes[1] de même que des intellectuels commencent à poser les jalons d'une critique du problème offshore[2]. De plus, l'Organisation de coopération et de développement économiques (OCDE), le Forum de stabilité financière (FSF) lié au Fonds monétaire international (FMI) ainsi que le Groupe d'action financière (GAFI) publient chacun leur *liste noire* visant à stigmatiser les paradis fiscaux. Ces institutions d'envergure internationale leur reprochent respectivement de faire obstruction aux enquêtes que mènent des instances fiscales étrangères dans les cas allégués de fraude[3], d'encourager abusivement la spéculation boursière au risque de déstabiliser l'économie mondiale[4] et de favoriser le blanchiment des fonds issus du narcotrafic et des activités « terroristes[5] ».

Prétextant l'engagement volontaire de ces micro-États à divulguer certaines informations pertinentes aux enquêteurs internationaux dans des cas allégués de fraude ou de crimes, pour les retirer du groupe l'un après l'autre, l'OCDE a transformé ces *listes noires* en listes pratiquement vierges. Le GAFI a lui aussi élagué sa *liste noire* et créé par la suite la Financial Action Task Force chargée d'analyser une à une de manière régulière, mais discrète, les dispositions prises par les États contre le blanchiment d'argent et le « terrorisme[6] ». Le Fonds de stabilité financière s'est quant à lui contenté d'édicter, pour les pays mentionnés, des modes de gestion applicables selon leur bonne volonté[7]. Faut-il s'étonner du fait qu'un Canadien le dirigeait, John Palmer ?

TABLEAU 11.1 Pays figurant sur les listes noires de l'Organisation de coopération et de développement économiques (OCDE), du Forum de stabilité financière (FSF) et du Groupe d'action financière (GAFI)

OCDE	FSF	GAFI
Pays et territoires aux pratiques fiscales dommageables	**Juridictions non coopératives**	**Pays et territoires non coopératifs**
Andorre	Anguilla	Bahamas
Anguilla	Antigua-et-Barbuda	Israël
Antigua-et-Barbuda	Antilles néerlandaises	Îles Caïmans
Antilles néerlandaises	Aruba	Îles Cook
Aruba	Bahamas	Îles Marshall
Bahamas	Le Belize	Liban
Bahreïn	Costa Rica	Liechtenstein
Barbade	Chypre	Nauru
Le Belize	Îles Vierges britanniques	Niue
Dominique	Îles Caïmans	Panama
Guernesey	Îles Cook	Philippines
Gibraltar	Îles Marshall	Russie
Îles Cook	Liban	République dominicaine
Îles Marshall	Liechtenstein	Saint-Kitts-et-Nevis
Îles Vierges britanniques	Maurice	Saint-Vincent-et-les-Grenadines
Îles Vierges américaines	Nauru	
Île de Man	Niue	**Juridictions placées sous haute surveillance**
Jersey	Panama	
Grenade	Saint-Kitts-et-Nevis	Antigua-et-Barbuda
Liberia	Sainte-Lucie	Le Belize
Liechtenstein	Saint-Vincent-et-les-Grenadines	Bermudes
Maldives	Samoa	Chypre
Monaco	Seychelles	Gibraltar
Montserrat	Turques-et-Caïques	Guernesey
Nauru	Vanuatu	Île de Man
Niue		Îles Vierges britanniques
Panama	**Juridictions moyennement coopératives**	Jersey
Saint-Kitts-et-Nevis		Malte
Sainte-Lucie		Maurice
Saint-Vincent-et-les-Grenadines	Andorre	Monaco
Samoa occidentales	Bahreïn	Sainte-Lucie
Seychelles	Barbade	Samoa
Tonga	Bermudes	
Turques-et-Caïques	Gibraltar	
Vanuatu	Lubuan	
	Macau	
	Malte	
	Monaco	

Il est aujourd'hui évident que ces déclarations de principes n'ont eu aucun effet. Le fiscaliste Grégoire Duhamel s'en est même ouvertement moqué en 2006 : « Bien que certaines lois aient été votées dernièrement concernant les affaires criminelles internationales stipulant la mise à disposition d'informations, les autorités ne répondent généralement pas aux demandes d'information en matière de fiscalité ou d'évasion fiscale[8]. » Le fiscaliste Warren de Rajewicz explique quant à lui par quels procédés bien des législations s'assurent de ne pas même détenir les informations qu'on pourrait leur sommer de produire en vertu de ces nouvelles dispositions[9]. Les sociologues et juristes Gilles Favarel-Garrigues, Thierry Godefroy et Pierre Lascoumes ont pour leur part fait mention de toutes les limites inhérentes aux directives qui imposent aux banquiers du monde de procéder eux-mêmes au contrôle du blanchiment d'argent[10].

De plus, les mesures contraignantes, dont les juges et députés constatent eux-mêmes le manque d'efficacité, ne portent que sur les transactions ostensiblement criminelles telles que le blanchiment d'argent, les trafics illicites ou le financement du terrorisme. Le plus souvent, il faut déjà disposer d'une partie considérable des informations que l'on souhaite obtenir pour que le secret bancaire des paradis fiscaux soit levé. Les techniques de blanchiment d'argent sont devenues si fines qu'il est dans la plupart des cas impossible de détecter les fraudes sauf dans leur lieu d'enregistrement offshore.

La question de l'évasion fiscale est demeurée en marge de ces mesures. Au Panama, exemplairement, on s'en vante : « Au Panama, la divulgation de toute information concernant un client sans ordonnance de la cour est, pour n'importe quel employé d'une banque, une infraction criminelle, et ces décisions judiciaires ne sont émises que si un individu est soupçonné de financer le terrorisme, de se livrer au trafic de drogue, de blanchir de l'argent ou d'être l'auteur d'autres crimes sérieux. **Les juges panaméens n'émettront pas d'ordonnance pour des questions fiscales**[11]. »

La fronde contre les paradis fiscaux des premières années du millénaire s'est, dans les faits, vite embourbée. Il faudra qu'éclate la crise financière de 2008 pour que les États et institutions internationales s'en préoccupent de nouveau. Ils ont d'abord établi et publié une série de stigmatisations dérisoires (les listes noire, gris foncé et gris clair de l'OCDE[12]). On évoquera également la possibilité d'obliger les entreprises à déclarer leurs revenus et ceux de leurs filiales pays par pays. Cette dernière méthode permettrait de déterminer dans quels paradis fiscaux se trouvent enregistrés les avoirs des grands titulaires de capitaux.

Mais quelles sont les causes, dès l'an 2000, de l'enlisement de la lutte contre les paradis fiscaux ? À cette date, l'équipe présidentielle de George

W. Bush, soutenue par le grand capital états-unien et sur le point d'occuper la Maison-Blanche, se montre sans surprise défavorable à l'emploi des listes noires[13]. Les États-Unis mettront rapidement un frein aux initiatives de l'OCDE et les États offshore eux-mêmes établiront avec l'organisation un rapport de force. La Suisse, par exemple, imposera un temps son autorité en usant, comme le Luxembourg, de sa position de membre de l'OCDE[14]. Les paradis fiscaux qui ne font pas partie de l'organisation se regrouperont sous la bannière de l'International Tax Investment Organisation (ITIO). Le Canada ne s'en tient pas très loin ; c'est l'une de ses créatures, la Barbade, qui prend la tête du collectif[15]. L'ITIO retourne à juste titre la stratégie des États conventionnels contre eux-mêmes, les intimant de prêcher par l'exemple en ce qui concerne le Delaware, État des États-Unis correspondant à tous points de vue à un centre offshore ou la City de Londres, le quartier financier britannique donnant toute latitude réglementaire au monde financier[16]. Ce chantage permet aux paradis fiscaux de gagner du temps : on les laissera toujours donner vie à des entités de droit tout à fait hasardeuses, des trusts aux *exempted companies* en passant par les *special purpose vehicles* qui font la fortune des multinationales, banques et exilés fiscaux. Pour l'économiste Thierry Godefroy et le juriste Pierre Lascoumes, « [l]es paradis fiscaux des Caraïbes cherchent alors à faire sortir les discussions du cadre de l'OCDE où ils ne sont pas présents[17] ». La Barbade ne tarde pas à donner le change sitôt qu'elle est mentionnée de façon critique à l'international et réfute illico la prédiction du président français Nicolas Sarkozy, quand il annonce la fin de son statut offshore en 2011[18].

Au sein de la Banque mondiale et du Fonds monétaire international (FMI) – les institutions créées à Bretton Woods en 1944 au moment de redessiner le cadre économique mondial –, le Canada partage son siège au sein des conseils décisionnels des deux institutions avec l'Irlande et onze territoires caribéens qui deviendront chacun un paradis fiscal. Ainsi, lorsqu'il y prend position par la voix du ministre canadien des Finances, qui agit comme gouverneur, il le fait aussi « au nom de » ces autres États :

- Antigua-et-Barbuda
- Les Bahamas
- La Barbade
- Le Belize
- La Dominique
- Grenade
- Le Guyana
- L'Irlande
- La Jamaïque

- Saint-Kitts-et-Nevis
- Sainte-Lucie
- Saint-Vincent-et-les-Grenadines[19]

Les législations énumérées ici, et ce n'est pas banal, ont pour vocation d'offrir aux ressortissants d'États de droit tel le Canada les points de chute dont ils ont besoin pour contourner les contraintes de la vie en société dans leur pays. Les paradis fiscaux empêchent les États traditionnels de faire valoir la règle des droits et des devoirs en tant qu'elle s'applique à tous de façon équitable. Le régime des souverainetés extraterritoriales est composé d'une série d'États formatés par des banquiers et des avocats d'entreprise, représentant des aires législatives où évoluent des privilégiés. Que le Canada s'allie à eux en fait effectivement un partenaire développant dans sa propre législation les échappatoires qui permettent à son establishment financier de contourner des règles pourtant imposées aux membres des autres catégories et classes sociales.

Du point de vue strictement formel, plusieurs de ces *micro-États* controversés sont cités dans toutes les listes établies en 2000 par l'OCDE, le Forum de stabilité financière et le GAFI. C'est le cas d'Antigua-et-Barbuda, des Bahamas, du Belize, de Saint-Kitts-et-Nevis ainsi que de Saint-Vincent-et-les-Grenadines. La Barbade, la Dominique et Sainte-Lucie se trouvent quant à elles nommées dans au moins une de ces listes. Cette année-là à la Banque mondiale, le représentant conjoint du Canada et de la coalition de paradis fiscaux était Samy Watson, un docteur en « leadership » de l'Andrews University au Michigan, qui a été responsable des politiques fiscales au sein du ministère canadien des Finances entre 1990 et 1996[20]. Il était secondé dans ses fonctions, comme le veut la tradition[21], par un administrateur suppléant des Caraïbes, en l'occurrence Ishmael Lightbourne des Bahamas, un personnage mêlé à diverses intrigues juridico-financières[22]. Pendant ce temps, au Fonds monétaire international, le Canadien Jonathan T. Fried, ex-délégué du Canada sur les questions financières dans des sommets internationaux, remplissait la même fonction[23].

En 2007, durant le prélude à la crise financière international, les paradis fiscaux sont en situation de vulnérabilité. On comprend peu à peu le rôle actif qu'ils jouent dans le dérèglement de la finance. « Ces paradis fiscaux ne sont pas la "cause" de la crise, mais ils y ont largement contribué », écrit depuis son siège à Londres le Tax Justice Network, un réseau de chercheurs et d'associations s'enquérant des conséquences du phénomène offshore sur la vie publique[24]. Certains paradis fiscaux de la Caraïbe britannique sont clairement évoqués, par exemple ceux qui ont affranchi les sociétés financières de tout encadrement, depuis l'ère des euromarchés dans les années 1960 jusqu'à celle des prêts hypothécaires à risque durant la décennie 2000. Les politiques de laisser-faire adoptées à la City de Londres puis aux Îles Caïmans, notamment, ont participé d'une concurrence déloyale qui a amené les États conventionnels à déréguler toujours davantage le secteur financier. Au titre des pratiques obscures, on compte les *effets de levier* gonflant de manière artificielle le potentiel financier des firmes ou, inversement, les *hors-bilan* leur permettant de masquer certains passifs de leur comptabilité officielle. « Les paradis fiscaux *satellites* comme certaines îles des Caraïbes ou des dépendances de la Couronne britannique, qui sont les canaux par lesquels passent les flux financiers illicites et les autres, souvent en provenance de pays en développement vers des centres financiers comme Londres et New York, ont contribué à de grands déséquilibres macroéconomiques. La plupart des économistes ont mal estimé ce flux considérable de capitaux, dont la plupart (par exemple la manipulation du prix de transfert) n'apparaissent tout simplement pas dans les statistiques nationales[25]. »

En 2007, au moment où les principales banques du monde s'étourdissent elles-mêmes, les produits financiers de leurs apprentis sorciers rendant impossible la mesure de leurs avoirs, le Tax Justice Network publie une liste rigoureuse et circonstanciée des États qui lui semblent remplir l'office de paradis fiscaux[26]. À l'exception du Guyana et de la Jamaïque, tous les États alliés au Canada dans les institutions financières internationales y figurent.

Officiellement, le Canada n'a pas pris part au débat. Il ne se mouillera formellement qu'en 2009, en soutenant les paradis fiscaux dont il partage le siège à la Banque mondiale et au FMI. Son intervention, bien que discrète, brille par son absence d'équivoque. « Certains des pays des Caraïbes représentés par le Canada ont d'importantes activités dans le secteur financier. Or, des modifications à la réglementation de ce secteur dans les pays avancés risquent d'avoir des conséquences négatives involontaires sur ces activités. En particulier, les mesures prises à l'endroit des législations non coopératives, y compris les paradis fiscaux, pourraient involontairement avoir des retombées négatives sur des centres financiers transparents et bien réglementés. Je crois que cela devrait être évité. Les pays qui se conforment aux normes internationales devraient être protégés de telles mesures[27]. » Le ministère canadien des Finances rendra compte en ces termes de sa position officielle concernant les représentations qu'il a faites à la Banque mondiale et au FMI dans l'un de ses rapports semestriels.

À l'égard de ces législations, les États-Unis ont agi dans le sens opposé. En mars 2009, le président Barack Obama a soumis au Congrès américain un texte de loi visant explicitement à pousser des législations proches du Canada à faire disparaître leur dispositif de lois offshore. Sont concernés Antigua-et-Barbuda, les Bahamas, la Barbade, Le Belize, Saint-Kitts-et-Nevis, Sainte-Lucie, Saint-Vincent-et-les-Grenadines, pour les États qui partagent le siège du Canada à la Banque mondiale et au FMI, ainsi que d'autres paradis fiscaux historiquement proches de lui : les Bermudes, les Îles Vierges britanniques, les Îles Caïmans, la Dominique, la Grenade et les Îles Turques-et-Caïques. Il était entendu que la Jamaïque, Trinité-et-Tobago et le Guyana allaient s'ajouter[28].

Mais la charge des États-Unis contre les paradis fiscaux n'était que partielle ; ceux que l'on trouve chez eux, tels que le Delaware ou les Îles Marshall, n'ont guère été dérangés. Pendant ce temps, le Canada mettait son poids dans la balance pour faire valoir la légitimité des pays dont il partageait les destinées dans les institutions internationales, en les présentant comme des « centres financiers transparents et bien réglementés ».

En 2010, Toronto était l'hôte du sommet des 20 plus grandes puissances mondiales. L'année précédente avait donné le ton. Les pays du G20 s'étaient engagés, sur le plan rhétorique du moins, « à maintenir la dynamique amorcée dans le traitement des paradis fiscaux, du blanchiment d'argent, des produits de la corruption, du financement du terrorisme et des normes prudentielles ». Sur une note excessive, le président de la République française Nicolas Sarkozy s'était même permis d'affirmer avant le sommet : « Les paradis fiscaux, la fraude bancaire, c'est terminé[29]. » Cependant, l'année suivante au Canada, le G20 effleurait à peine le sujet et adoucissait le ton : « Nous traitons le cas des juridictions non coopératives en tenant compte de l'évaluation complète, cohérente et transparente des questions concernant les paradis fiscaux, la lutte contre le blanchiment d'argent, le financement des activités terroristes et l'adoption de normes prudentielles[30]. » Ce n'est qu'en 2012, à Cannes, que le G20 redonnera un peu de mordant à ses propositions[31], avant que le G8 ne fasse de même en 2013, à Lough Erne au Royaume-Uni[32].

Le plan d'action international contre les paradis fiscaux prévoit notamment la mise en place d'un mécanisme automatique et multilatéral d'échange de renseignements fiscaux entre les gouvernements. De nouvelles règles de reddition de comptes seront de plus proposées, qui obligeraient les institutions financières installées dans des paradis fiscaux à maintenir un registre public permettant d'identifier les véritables bénéficiaires des comptes bancaires, fiducies et entreprises, car étant donné les lois fiscales régissant les législations de complaisance, ils demeurent à l'heure actuelle difficiles à retracer. Le collectif d'associations Échec aux paradis fiscaux a jugé encourageantes ces deux mesures afin de lutter efficacement contre l'évitement fiscal par le biais des paradis fiscaux. Pourtant, le premier ministre canadien Stephen Harper ne les a appuyées qu'à contrecœur.

Des législations retournant le droit comme un gant

Mais quels sont ces *centres financiers transparents et bien réglementés* dont parle le Canada ? La liste de pays avec lesquels le Canada partage son siège à la Banque mondiale et au FMI est préoccupante, car les juridictions de complaisance représentent une nuisance pour les États traditionnels. Des cas de fraudes et d'autres opérations douteuses y ont ainsi eu lieu dans le passé au détriment des Canadiens et des banques canadiennes y sont toujours actives.

Nous savons de la Barbade et des Bahamas qu'elles sont des législations offshore notoires, tandis que la Jamaïque a été contrainte de développer sa zone franche. Pour sa part, Antigua-et-Barbuda s'avère un paradis fiscal pour les particuliers fortunés. « Les impôts sur les revenus ou le patrimoine des personnes physiques n'existent pas en tant que tel à Antigua[33]. » On trouve par ailleurs à Antigua-et-Barbuda 17 banques offshore, quelques trusts et compagnies d'assurance et surtout plus de 20 sociétés de jeu en ligne[34]. Le financier états-unien Allen Stanford a d'ailleurs coordonné depuis cette législation une vaste entreprise pyramidale[35] d'une valeur de sept milliards de dollars, laquelle a notamment porté préjudice à des investisseurs canadiens[36]. La Banque canadienne impériale de Commerce (CIBC), la Banque Royale du Canada (RBC) et la Banque Scotia comptent au nombre des quelques grandes banques internationales qui y ont pignon sur rue[37].

Dans le passé, le Belize s'est révélé un paradis fiscal pour les particuliers et les fraudeurs, dont Jean Lafleur, un publicitaire condamné à 1,6 million de dollars d'amendes et à 42 mois de prison en 2007 dans une affaire de détournement de fonds publics, appelée le « scandale des commandites[38] », qui y a mis à l'abri son trésor volé. Seuls ses avocats savent à combien il s'élève, l'intéressé s'étant drapé derrière le secret bancaire en vigueur au Belize pour se déclarer dans l'incapacité d'en révéler le montant. « Son avocat, Jean-Claude Hébert, s'est vigoureusement opposé à ce que la Couronne mette en preuve ses actifs financiers à l'étranger. Ces renseignements sont de nature confidentielle, et leur divulgation serait de nature à causer un préjudice "irréparable" à M. Lafleur, a fait valoir Me Hébert[39]. » Les artifices du droit frisent ici l'obscénité. Le pays est aussi une zone franche où des exonérations fiscales et l'absence de taux de change[40] permettent des activités commerciales avantageuses. Par ailleurs, une société créée au Belize autorise tout : l'exemption fiscale, l'anonymat,

le secret bancaire; aucune obligation de divulgation publique ou de nomination, dans le but de chapeauter la société en question, d'un nombre
minimal d'actionnaires ou d'administrateurs[41]. La Banque Scotia s'y
trouve, de même que la CIBC sous le nom de CIBC First Caribbean
International Bank[42].

La Dominique, quant à elle, aurait été il y a une dizaine d'années, selon
Édouard Chambost, «le dernier-né des paradis fiscaux importants». Elle
« a réussi d'emblée à entrer dans la catégorie des "autres grands"[43]». Paradis
fiscal pour les particuliers nantis, l'île a aussi vu plusieurs de ses banquiers
basculer dans le camp criminel, pour reprendre l'expression de Marie-
Christine Dupuis-Danon, l'ex-conseillère antiblanchiment à l'Office des
Nations unies contre la drogue et le crime. La firme britannique de services
offshore MCE Group ne prend pas de détours pour expliquer les avantages
qu'y trouvent les investisseurs : « La création d'une banque offshore en
Dominique vous permettra d'effectuer des opérations bancaires légales
pour des sociétés basées à l'étranger ou pour des ressortissants étrangers,
même pour les sociétés offshore de type IBC (International Business
Company) inscrites en Dominique[44]», et ce, sans payer d'impôts sur
quelque type de revenus que ce soit. La même source souligne la présence
de quatre grandes institutions bancaires dans la région avec lesquelles
établir des relations, dont la Banque Royale du Canada et la Banque
Scotia[45].

De son côté, Grenade, un paradis fiscal comparable à Antigua-et-
Barbuda, se targue «d'être peu connue[46]». Cette île au flanc de l'Amérique
du Sud est pourtant, aux yeux des fins connaisseurs et des firmes spécialisées dans la délocalisation d'entreprise, «l'un des centres financiers les
plus corrompus de l'histoire offshore[47]». La Banque Scotia et la CIBC y
sont très présentes[48], mais la First International Bank of Grenada, qui s'est
trouvée au cœur d'une fraude à la Ponzi entraînant pour des investisseurs
du Canada et des États-Unis des pertes de l'ordre de 170 millions de dollars, y est mieux connue. Parmi les quelques larrons au centre de la
manœuvre, on retrouve le Canadien Larry Barnabe, un expert en marketing qui a été condamné à six ans de prison par un tribunal fédéral des
États-Unis[49]. Dans la même cause, Michael Creft, un économiste formé à
l'Université du Manitoba[50] qui était le régulateur mandaté pour encadrer
des activités financières dans la législation, a admis avoir fait transiter
lui-même des fonds entre la First International Bank of Grenada et un
parti politique local.

Pour sa part, le Guyana est menacé de demeurer inscrit sur la liste grise
établie par le GAFI pour désigner les législations qui n'adoptent pas de
mesures antiblanchiment minimales[51]. Le Canada a surtout défendu dans

ce pays les sociétés pétrolières canadiennes ayant là des activités, c'est-à-dire la firme de Calgary Groundstar Resources, qui s'apprêtait ces années-là à entreprendre dans le pays des travaux de forage[52], ainsi que la torontoise CGX Energy, spécialisée dans l'exploitation au large[53]. Dans ce contexte, il est difficile de ne pas confondre le Haut-Commissaire du Canada, David Devine, avec un lobbyiste minier[54], puisqu'il vante à hauts cris la technologie de l'industrie canadienne en affirmant qu'elle correspond aux standards que le Guyana devrait se donner. Encore une fois, la Banque Scotia, fidèle au poste, est active dans le pays[55].

Saint-Kitts-et-Nevis, une autre zone franche, prévoit notamment, au bénéfice des sociétés qui s'installent chez elle, « une exonération totale d'impôt pendant quinze ans[56] » et la création de sociétés offshore. C'est là que se développe la vaste économie du pourriel. Elle n'est en rien marginale : en 2010, les pourriels en provenance de Saint-Kitts-et-Nevis représentent 88 % de l'ensemble de ces envois électroniques. Il s'agit, malgré les apparences, d'un secteur concentré[57]. Le pays accueille également des sociétés d'assurance captives et prévoit la création de trusts et de fonds d'investissement. Encore une fois dans le pays, la Banque Scotia et la Banque Royale du Canada sont fidèles au poste[58].

Sainte-Lucie, pour sa part, a développé son secteur financier et monétaire dans les années 1990[59]. Plus de 40 % de la main-d'œuvre industrielle de cette ancienne colonie britannique travaille dans les deux zones franches de Vieux-Fort, qui jouxtent immédiatement l'aéroport international[60]. L'administration publique a également rendu possible une forme offshore de recherche médicale. La Spartan Health Sciences University est une école de médecine dont les coûts élevés d'inscription excluent de facto les étudiants saint-luciens. Environ 90 % d'entre eux proviennent des États-Unis et du Canada et seulement 10 % d'Afrique et de la Caraïbe[61]. La CIBC[62], la Banque Royale du Canada[63] et la Scotia[64] se trouvent à Sainte-Lucie[65].

Saint-Vincent-et-les-Grenadines est également très connu des Canadiens. C'est là, au sein de la PDP International Bank, des suites de malversations, que le *hedge fund* Portus Alternative Asset Management aurait entassé des actifs d'épargnants canadiens pour une valeur de 700 millions de dollars. La Commission des valeurs mobilières de l'Ontario (CVMO, appelée plus couramment l'OSC) a été incapable de faire confirmer la fraude auprès des autorités de Saint-Vincent-et-les-Grenadines, le secret bancaire en vigueur dans cette législation ayant préséance sur tout[66]. Des particuliers nantis comme Mick Jagger et David Bowie peuvent eux aussi trouver quelques avantages à y résider. On y crée également des compagnies d'assurance ou des sociétés-écrans dites les International Business Companies. En ce qui regarde le droit de ces sociétés dans l'archipel, la permissivité est totale[67]. La législation prévoit aussi l'immatriculation de navires sur un mode complaisant.

L'Irlande est le seul pays non caribéen que représente également le Canada au sein des institutions de Bretton Woods. Dans ce cas, il s'agit d'un paradis fiscal notamment spécialisé dans le droit de propriété intellectuelle. On y trouve aussi la zone franche de Shannon exonérant d'impôts les activités qui y sont relatives, sous toutes leurs formes[68].

À la fin du siècle dernier, le Canada a aussi largement favorisé le développement des banques à charte relevant de son autorité, en permettant l'acquisition de fonds voués strictement à l'investissement, lesquels étaient notamment actifs dans les paradis fiscaux[69]. Comme il arrive souvent au Canada, la main gauche et la main droite de l'appareil d'État ne sont pas coordonnées. Tandis que d'un côté Ottawa soutient les paradis fiscaux à la Banque mondiale et au FMI, de l'autre il aide les pays du Sud à affronter les conséquences directes de leurs politiques complaisantes en matière de fiscalité. Ainsi le pays se fait-il en 2007 le promoteur du programme StAR (*Stolen Asset Recovery*), visant à aider les pays en développement à recouvrer les fonds détournés par des acteurs frauduleux. Le gouvernement canadien indique que les actifs en jeu se retrouvent souvent concentrés «dans les centres financiers des pays industrialisés», une référence implicite au rôle des paradis fiscaux[70]. Il précise même que «les pots-de-vin versés aux représentants des pays en développement proviennent souvent de sociétés actives à la fois dans les pays développés et dans les pays en développement».

Des plaques tournantes du narcotrafic

Fait à noter, la quasi-totalité de ces paradis fiscaux sert au narcotrafic. Depuis la Colombie, il se déploie à travers les nombreuses plaques tournantes que constituent les îles caribéennes ou les pays aux abords des Caraïbes. L'économie de la drogue et celle des îles sont donc entrelacées. Selon les évaluations faites à la fin du siècle dernier, le produit criminel brut généré dans la seule filière de la marijuana a atteint trois milliards de dollars en une décennie, des fonds qui seront en partie blanchis par la suite dans la propriété foncière, l'immobilier ou encore les infrastructures de transport[71]. Tout en s'imposant également dans le trafic de l'héroïne, la Colombie fournit 80 % de la cocaïne consommée dans le monde. Les cartels de Medellín et de Cali, démantelés durant les années 1990, se sont reconstitués en plusieurs microcartels, pratiquant parfois le narcoterrorisme ou inféodant tout à fait les structures de l'État colombien. Il est devenu impossible de décapiter un mouvement qui fonctionne de plus en plus en rhizome.

D'autres filières se développent sans retenue dans les Caraïbes : « Les enlèvements, le racket (crapuleux ou revêtant les oripeaux d'une idéologie révolutionnaire devenue souvent pur prétexte), le trafic d'armes, des émeraudes, d'espèces protégées, de l'or et des devises, la fabrication de faux produits ou de fausses pièces détachées… représentent d'autres milliards de dollars. L'évasion fiscale ? 30 % au minimum de ce qui devrait être perçu. Le détournement des fonds publics, même sociaux ? Inestimable ! […] Le total de l'argent criminel [offshore] s'établit au minimum à 300 milliards de dollars[72]. »

La négligence de ces États face au trafic de drogue ayant cours sur leur territoire ne fait aucun doute et même leurs institutions y participent parfois activement. Patrick Meyzonnier, commissaire principal à la Direction centrale de la Police judiciaire de France, n'hésite pas à l'affirmer : des bateaux battant pavillon du Belize transportent de la cocaïne ou de l'héroïne. La Jamaïque est dans la région un gigantesque centre de tri des stupéfiants, situé notamment à proximité des Bahamas, d'Haïti ou de la République dominicaine, vers lesquels sont distribués des lots en vue du marché de la côte est états-unienne et de l'Est canadien. « Aux 2,4 millions de Jamaïquains vivant dans l'île, il faut ajouter une diaspora au moins égale, répartie entre New York, Montréal et Toronto. Depuis 1998, il semble d'ailleurs que les envois en cocaïne et héroïne au Canada l'emportent sur ceux vers les États-Unis[73]. » Les Bahamas constituent « la route la plus directe et la plus ancienne » de la drogue vers les marchés du Nord[74]. Les criminologues qui ont entrepris de décortiquer le vaste réseau qui relie entre eux les pays concernés par ce trafic se trouvent parfois à citer du même souffle presque tous les pays avec lesquels le Canada forme une coalition à la Banque mondiale et au FMI. « Cette même cocaïne transite également par la Barbade venant de Guyane, avant d'être réacheminée vers les États-Unis et l'Europe par les chalutiers de Trinité-et-Tobago et de Grenade, les yachts des marinas privées de Sainte-Lucie et des Grenadines. […] Un réseau très structuré de complicité dans les ports de la Barbade facilite le débarquement et rembarquement de cannabis[75]. » On ajoute plus loin : « Des complicités à haut niveau » expliquent le faible taux de contrôle d'un tel trafic dans un pays comme la Barbade. Ou à Saint-Kitts-et-Nevis, là où « la corruption est institutionnalisée[76] », à Sainte-Lucie où tout « se paye en espèces, y compris les très grosses factures[77] », ou encore à Saint-Vincent-et-les-Grenadines, dont « l'État est inexistant, quand il n'est pas corrompu[78] ».

Marie-Christine Dupuis-Danon observe qu'à Antigua, les banques parviennent à blanchir l'argent du trafic de stupéfiants sans rencontrer de difficultés. « Le secret bancaire de l'île n'a pas la meilleure réputation et des rumeurs de collusion avec les cartels latino-américains, la mafia russe ou d'autres organisations criminelles n'ont pas manqué de circuler[79]. » Selon la même source, la plupart des paradis fiscaux alliés avec le Canada hébergent des casinos en ligne gérés par des mafias, dont certaines filières remontent jusqu'au pays. C'est à se demander si la législation d'États de droit tel le Canada n'est pas paradoxalement vouée, en ce qui concerne la répression du narcotrafic, à protéger ce très lucratif commerce[80]. Au chapitre de la *lutte contre la drogue*, les Canadiens se comportent exactement comme les États-Uniens, en faisant la guerre aux États ennemis sous prétexte qu'ils sont producteurs et trafiquants de drogue en Afghanistan tout en protégeant les régimes *amis* qui se livrent à des activités semblables.

Un traité de libre-échange avec l'ensemble des Caraïbes

Bien que les pays du G20 eux-mêmes présentent les États caribéens comme des menaces à l'ordre économique mondial, que de nombreux magistrats d'envergure les perçoivent comme des menaces à la démocratie, le Canada persiste. Il est aujourd'hui en pourparlers avec la Communauté caribéenne (Caricom) pour signer un accord de libre-échange avec certains des États auxquels il est associé au sein des institutions internationales. Les pays concernés sont Antigua-et-Barbuda, les Bahamas, la Barbade, le Belize, la Dominique, la Grenade, le Guyana, la Jamaïque, Sainte-Lucie, Saint-Kitts-et-Nevis, Saint-Vincent-et-les-Grenadines, auxquels s'ajoutent d'autres membres de la Caricom, Haïti, Montserrat, le Suriname ainsi que Trinité-et-Tobago[81].

Les discussions tournent officiellement autour du commerce de marchandises et de services. Les relations entre les deux zones n'impliquent pourtant en cette matière que 273,6 millions de dollars en exportations et 341,5 millions de dollars en importations[82], et les questions tarifaires ne jouent pratiquement aucun rôle dans ces affaires[83]. Et encore, lorsqu'il s'agit de comptabiliser l'activité des services, on est en droit de se demander s'il s'agit bien d'économie réelle : « Les services commerciaux occupent la première place, particulièrement avec la Barbade. Ils sont associés avec les mouvements de capitaux qui se produisent en raison du régime fiscal privilégié existant ici, plus qu'ils ne sont un reflet des services offerts pour et par des entreprises basées à la Barbade[84]. » Il est permis de se demander si de tels accords bilatéraux avec les pays de la Caricom ne vont pas augmenter la porosité du Canada face aux paradis fiscaux. Voilà le but que le premier ministre canadien semble très exactement viser lorsqu'il propose d'« élargir » la relation commerciale entre le Canada et les paradis fiscaux des Caraïbes « de manière à ce qu'elle englobe les services et les investissements[85] ». Les délibérations entre les États en cause portent également sur la lutte contre la criminalité telle qu'établie par la Commission interaméricaine de lutte contre l'abus des drogues et le Comité interaméricain contre le terrorisme, sans toutefois que soient abordées nommément les questions de la criminalité financière et de l'évasion fiscale.

Le pays joue gros. On sait que les traités de libre-échange contemporains comprennent tous des mécanismes de règlement de différends permettant à un pays signataire, ou à l'une de ses entreprises selon les cas, de contester la législation d'un pays dès lors qu'il la perçoit comme une entrave au libre marché. Ce dispositif, qui correspond par exemple au chapitre 11 de l'Accord de libre-échange nord-américain (ALÉNA), met souvent en péril l'État canadien, qui se voit alors dans l'impossibilité de réglementer son économie et l'activité publique sans *fausser* le jeu de la *libre concurrence*. Or, il y a pire, car dans le contexte où un paradis fiscal signe une entente de libre-échange, une entreprise d'un État traditionnel peut être tentée d'enregistrer une filiale dans ledit paradis fiscal pour contester la réglementation de son pays d'origine. Une société albertaine en a fait la démonstration : la gazière Lone Pine Resources a en effet envisagé de poursuivre le gouvernement canadien à partir de sa filiale du Delaware, un paradis fiscal à même les États-Unis, en vertu du paragraphe 11 de l'ALÉNA. Elle souhaitait ainsi défier le moratoire sur l'exploitation du gaz de schiste par fragmentation hydraulique imposé par le gouvernement du Québec[86].

Dans le même ordre d'idées, Mark E. Mendel des États-Unis a contesté les lois de son pays en matière de paris et de jeux sur Internet, à partir d'une société qu'il avait créée à Antigua-et-Barbuda. Il invoquait pour sa part les règles tarifaires internationales établies par l'Organisation mondiale du commerce (OMC). « Le différend remonte à 2003, quand M. Mendel a convaincu des fonctionnaires d'Antigua-et-Barbuda, une petite nation des Caraïbes comptant à peu près 70 000 personnes, d'entreprendre une procédure de plainte commerciale contre les États-Unis, basant ses revendications sur le fait que les Américains qui jouaient en ligne portaient atteinte à ses droits en tant que membre de l'Organisation mondiale du commerce », rapporte en 2007 un journaliste du *New York Times*, lui-même perplexe[87]. À raison : l'OMC a finalement donné gain de cause au contestataire en 2004, tant dans un premier jugement qu'en appel. Comble de l'invraisemblance, Mendel réclame aux autorités états-uniennes des dédommagements de l'ordre de 3,4 milliards de dollars par l'entremise du paradis fiscal hôte de son stratagème. Pour principal commentaire, l'OMC a reconnu que la loi états-unienne ne prévoyait pas inclure le jeu en ligne dans sa législation parce que la question était anachronique à l'époque où on a voté la loi, et a donc invité les États-Unis à tout simplement en admettre la possibilité, sans débat public, dans une refonte de sa loi[88].

Or, c'est un tel mécanisme de résolution des différends que les Canadiens cherchent à inclure dans un accord de libre-échange avec la Caricom[89]. Et au vu du nombre de secteurs concernés par ce type d'accord, cette jurisprudence est de mauvais augure. Elle indique dans quel sens inclineront les décisions des conseillers obscurs qui seront mandatés pour trancher les différends opposant les entreprises offshore aux États ayant à charge des obligations sociales. En matière de fiscalité, de réglementation, de lois du travail, de protection des écosystèmes, de normes ou de standards professionnels, les régimes publics évolueront continuellement sous la menace de voir une entreprise de chez eux contester toute forme de contrainte depuis des législations n'en prévoyant aucune.

Les lobbies qui poussent le gouvernement à la signature de tels accords n'ont cure du service public. Il leur importe uniquement d'accaparer des marchés en rencontrant le moins d'obstacles possible et de pouvoir contester les lois étatiques sans même devoir passer par leur propre gouvernement. Ainsi, il appert que le traité de libre-échange envisagé porte notamment sur un mécanisme de règlement des différends qui permettrait aux entreprises de défier directement les États[90].

Une approche impérialiste

Il est difficile de mesurer le degré d'autonomie des législations caribéennes appelées à négocier cet accord. Au vu de l'histoire, le Canada a dans ces législations la réputation d'être une force d'occupation, des ressortissants de chez lui obtenant des postes clés dans l'administration publique ainsi que dans le monde bancaire, et se donnant en partage un marché qui ne leur résiste pas.

L'État de Trinité-et-Tobago représente la principale économie des Caraïbes et se trouve au cœur des considérations relatives à l'économie réelle. Le projet de libre-échange canado-caribéen le vise en particulier : entre 1985 et la fin de la décennie 2000, dans le cadre d'une entente sur l'absence de tarifs douaniers pour les exportations caribéennes vers le Canada, dite le Caribcan, près de 80 % des échanges avec le Canada ont impliqué Trinité-et-Tobago[91]. Cela ne s'explique pas tant par le fait d'une coopération étroite entre les deux communautés que par la présence d'entités canadiennes qui font affaire entre elles, depuis Trinité-et-Tobago jusqu'au Canada, en bénéficiant de l'absence de barrière tarifaire. «Sur un total de 115 millions de dollars de produits d'importation de la région profitant du traitement caribéen, 79 % sont issus de Trinité-et-Tobago et 65 % consistent en chargements de méthanol d'une société mère canadienne établie à Trinidad[92].» On comprend que le Canada négocie un tel traité dans le but de favoriser les filiales caribéennes d'entreprises enregistrées chez lui, car elles transfèrent ainsi des fonds au pays sans contraintes douanières. On le comprend d'autant mieux que des Canadiens convoitent maintenant les gisements de sable bitumineux sur l'île de Trinité[93]. En 2009, la France a pour sa part présenté Trinité-et-Tobago comme un des 11 paradis fiscaux auxquels il fallait alors s'attaquer[94]. A contrario, le Haut-Commissaire de Trinité-et-Tobago, Philip Buxo[95], un ancien employé de SNC-Lavalin, était reçu en grandes pompes au Canada en 2013[96].

Le Canada trône au sommet du pôle stratégique qu'est Trinité-et-Tobago, pays producteur de pétrole dominant économiquement toute la région. En cela, il se trouve aussi au centre d'un État miné par le trafic de la drogue, la violence des gangs, les incertitudes économiques et la complaisance d'une oligarchie notoirement corrompue[97] où le blanchiment d'argent dans l'économie nationale est perçu comme un fait social[98]. Des investisseurs trinidadiens, qui se sont imposés parmi les pays de la Caricom, débarquent chez leurs voisins pour se porter acquéreurs de banques, de pétrolières, de compagnies d'assurance, de firmes agroalimentaires ou de sociétés d'aviation[99]. Clico par exemple, un conglomérat actif autant dans le domaine de l'assurance que dans ceux de la finance, de l'immobilier, de l'agriculture, de la foresterie, du commerce de détail, de l'énergie et des médias et présent dans 32 pays, a pris de l'expansion au fil des années. Il est devenu si important que le gouvernement de Trinité-et-Tobago l'a rescapé quand il a déclaré faillite en 2010, des suites d'une gigantesque fraude à l'échelle de la Caraïbe[100].

Qui est politiquement responsable de la situation? Qui en répond? Qui dirige le pays? Pas seulement les Trinidadiens. Des Britanniques et des États-Uniens occupent eux aussi le secteur pétrolier tandis que des Canadiens, sans surprise, dominent celui des banques. Devenues indépendantes en 1962 en même temps que la Jamaïque et comme elle portées par un fort mouvement identitaire, la paire d'îles s'est retrouvée sous la tutelle d'un Canada assurant discrètement l'intendance en relève de la Couronne britannique et y occupant toujours une place stratégique. Dans un esprit clairement néocolonial, le Canada «conseille» encore aujourd'hui les autorités trinidadiennes en matière de «gouvernance[101]». Sagace, il suggère par exemple aux membres de cette élite, le plus souvent elle-même formée à Toronto[102], de faire appel à des Canadiens pour gérer tout à la fois les soins de santé, l'eau, la sécurité policière et l'éducation, sans parler du secteur bancaire, où le Canada là comme ailleurs est fortement représenté.

Vantant son système d'éducation publique et la haute idée qu'il se fait de sa production scientifique, le Canada a proposé à Trinité-et-Tobago un partage de connaissances et de résultats scientifiques en ce qui concerne l'étude... du monde carcéral[103]. En matière de santé, le Canada a convenu avec Trinité-et-Tobago de la charpente d'un accord technique, un « *Technical Framework Arrangement* qui permettra aux entreprises qualifiées l'accès à des occasions commerciales dans le secteur de la santé[104]. » Les enjeux de santé sont un nouveau marché à investir, peu importe le prix. SNC-Lavalin a ainsi décroché un contrat de 2,2 millions de dollars pour construire le Penal Hospital à Trinité, bien que la Banque mondiale lui ait interdit de soumettre des appels d'offres en raison de son dossier éthique compromettant. Pour arriver à ses fins, la firme québécoise s'est avancée sous le masque de la Canadian Commercial Corporation[105].

Ce sont aussi deux Canadiens qui ont occupé sur les îles les postes clés de commissaire et de commissaire adjoint de la police nationale, avant d'être contestés à la fois par des collègues et par leur ministre de tutelle[106]. Sur place, le niveau de violence est tel qu'ils ont déclaré l'état d'urgence[107], mais les intéressés n'ont apparemment pas attribué la violence qui règne aux inégalités sociales très prononcées ni à la corruption endémique de l'oligarchie. Les autorités policières ne se doutent pas non plus que les mesures d'austérité induites par le Fonds monétaire international, à partir de données erronées, ont ruiné socialement le pays[108]. Le service de police des îles reçoit plutôt un soutien de nature technique des Canadiens pour la gestion de son Office des plaintes relatives à la police de Trinité-et-Tobago[109] et ce sont par ailleurs des militaires canadiens qui forment depuis 1970 les forces armées du pays[110].

Le Canada s'immisce jusque dans les institutions de justice des deux îles, « montrant son soutien au gouvernement de Trinité-et-Tobago dans la réforme du système judiciaire et faisant de la lutte à la criminalité une priorité[111] ». Il contribue partiellement au soutien financier d'un procureur de la Couronne de façon à permettre des changements dans le domaine de l'enquête policière, de l'appréciation des témoins ainsi que du recours à la technologie en contexte judiciaire[112].

De même, le secteur des travaux publics et de la gestion de projets à Trinité-et-Tobago a été largement pris en charge par l'investisseur canadien Calder Hart, un gestionnaire financier si controversé que la faillite dans laquelle il a entraîné une société qu'il dirigeait a fait à elle seule l'objet d'une commission d'enquête en 2008. La société en question est la Urban Development Corporation of Trinidad and Tobago Limited (UdeCOTT), dont il était l'un des administrateurs dès sa création en 1994. Elle a hérité en sous-traitance d'un projet d'envergure gouvernementale : fonder dans la capitale de Port d'Espagne un « centre financier et commercial », œuvrer à « la régénération continue de la ville de San Fernando » et assurer « le développement de 13 grands centres urbains, y compris Tobago[113] ». Calder Hart, un magnat des îles, est par ailleurs président de la Home Mortgage Bank, de la Trinidad & Tobago Mortgage Finance, du National Insurance Board (NIB) et de la National Insurance Property Development Company (NIPDEC)[114].

Cette présence fera date car il s'ensuivra un scandale financier d'une ampleur jamais vue, que le gouvernement trinidadien qualifiera de « fraude civile[115] ». Il a été démontré que la direction d'UdeCOTT violait continuellement les rapports internes de contrôle, octroyait des contrats pharaoniques sans appel d'offres et procédait à des paiements considérables avant que les travaux aient été exécutés ou les biens acheminés. À partir de 2006, la société ne produira même plus de rapport financier. Des centaines de millions de dollars se sont trouvés détournés[116], Hart transigeant parfois avec des entités gérées par des membres de sa propre famille[117]. La firme PricewaterhouseCoopers a manifestement fait preuve de complaisance envers son client[118]. « Une chose est claire dans l'épisode Calder Hart, c'est qu'un seul individu contrôlait une grande partie des ressources de l'État [...] Il bénéficiait manifestement d'un haut niveau de confiance aux paliers supérieurs du gouvernement. Il est tout aussi clair, d'après le rapport de John Uff, que cette confiance était vraiment injustifiée [...] Oui, voilà l'homme qui était responsable de l'épargne nationale et de nos régimes de retraite. Et oui, je l'écrirai : il lui était impossible d'en faire autant au Canada. J'affirme qu'il était impossible à un seul homme de remplir efficacement toutes ces fonctions[119] », écrira un commentateur de la vie politique trinidadienne, Afra Raymond[120]. En plein discours du Budget, le ministre des Finances trinidadien attribuera ce scandale à l'absence complète de réglementation à Trinité-et-Tobago. « Monsieur le Président, il n'existe aucune stratégie de planification structurée pour les entreprises publiques [...] C'est en raison des failles dans la responsabilité publique qu'a éclaté le scandale de la UdeCOTT. Cela ne doit jamais se reproduire à Trinité-et-Tobago[121]. » La crise de confiance qui secouera tout le pays amènera Hart à remettre tous ses mandats et à s'exiler, puis à gommer toute référence à son passé trouble sur son site professionnel pour faire valoir de nombreuses compétences alléguées[122], même s'il a indiqué en commission d'enquête n'être expert en rien[123].

La société de planification urbaine et de génie civil Genivar, elle aussi d'origine canadienne, a considérablement profité de la déliquescence du régime trinidadien. Non seulement a-t-elle eu plus que son lot de contrats mirobolants avec sa partenaire de choix, UdeCOTT[124], mais la société de traitement des eaux WASA (Water and Sewage Authority) lui a aussi confié de nombreux contrats[125]. Ignorant ou cynique, un collectif canadien d'ingénieurs a remis un prix à UdeCOTT et à Genivar en 2009, alors que le scandale battait son plein, pour souligner le prestige d'un projet immobilier de type éléphant blanc qui révélera au public la pratique flagrante de malversations[126].

Il serait naïf de se demander pourquoi se développe sur les deux îles, c'est le moins qu'on puisse dire, une vive méfiance envers les Canadiens. Ils sont partout[127] et leur zèle à gérer l'économie de Trinité-et-Tobago suscite l'irritation. Quand ce n'est pas Bombardier qui propose la vente de ses jets, c'est la canadienne EMBDC qui court-circuite deux entreprises locales pour fournir au pays des tuyaux en acier ; et on voit par ailleurs la firme Methanex extraire le méthanol et l'exporter[128]. En octobre 2007, la Banque Royale du Canada s'est portée acquéreur d'une banque locale, le RBTT Financial Group, pour 2,2 milliards[129], faisant encore la paire avec la Scotia, déjà solidement installée[130]. La CIBC y a également pignon sur rue. De source gouvernementale, « les investissements canadiens sont concentrés dans les secteurs pétrochimiques, pétroliers et gaziers ainsi que dans le secteur financier[131] ».

Une mainmise impériale sur toute la Caraïbe

La domination canadienne n'est pas particulière à Trinité-et-Tobago. On retrouve partout dans la Caraïbe britannique la marque parfois gênante du contrôle néocolonial canadien. Au Guyana par exemple, où 34 sociétés minières canadiennes s'activent autour de gisements prometteurs, se sont installés « deux établissements canadiens d'enseignement et de formation qui travaillent avec le ministère de l'Environnement et des Ressources naturelles et la Commission guyanaise de la géologie et des mines pour offrir diverses formations via le Guyana Mining School and Training Centre Inc.[132] », limitant ainsi considérablement l'indépendance du pays en la matière.

Depuis 1960, le Programme d'aide à l'instruction militaire du Canada amène également des militaires canadiens à encadrer les forces armées de différentes composantes du Commonwealth. Les autorités canadiennes ne cherchent même pas à faire semblant qu'il s'agit là de soutenir le développement des administrations de pays pauvres. Elles affirment noir sur blanc que « le Programme d'aide à l'instruction militaire joue un rôle essentiel dans la promotion, à travers le monde, des intérêts canadiens en défense et en politique étrangère auprès d'un groupe choisi de pays en voie de développement ne faisant pas partie de l'OTAN[133] ». À titre d'exemple, le Canada a vendu aux Trinidadiens deux avions à missions multiples de longue portée, en vertu d'un accord signé en 2013 entre le ministère de la Sécurité nationale de la République de Trinité-et-Tobago et la Corporation commerciale canadienne[134]. Et ce, en présence du premier ministre canadien, Stephen Harper lui-même, et de son homologue trinidadien, Kamla Persad Bissessar. La galerie n'avait que des raisons de s'épater : « Conformément à leur volonté commune d'élargir les relations dans le domaine de la défense, les premiers ministres ont accueilli positivement la signature d'un protocole d'entente bilatéral visant à aider Trinité-et-Tobago à jouer un plus grand rôle dans le renforcement des capacités militaires dans la région. Les dirigeants ont aussi été heureux d'annoncer la nomination du premier attaché militaire canadien auprès de Trinité-et-Tobago[135]. »

Dans le même registre, les Forces armées canadiennes encadrent le développement technique des Forces de défense d'Antigua-et-Barbuda[136]. À la Barbade, les chefs d'état-major actuel et précédent des Forces de défense « sont diplômés des collèges de formation du personnel militaire soutenus par le Canada[137] ». Les militaires canadiens ont également été présents à la Jamaïque jusqu'au tournant du XXIe siècle[138]. Toujours dans le domaine de la sécurité, les quatre plus importants policiers d'Antigua-et-Barbuda ont été remplacés par des Canadiens en mars 2008[139], ce qui n'est pas sans rappeler des événements historiques déterminants. Plusieurs fois dans l'histoire, Ottawa a en effet dépêché son armée dans la région afin de sécuriser ses intérêts économiques, que ce soit aux Bermudes au milieu des années 1910, à Sainte-Lucie de 1915 à 1919, aux Bahamas, en Jamaïque et de nouveau aux Bermudes dans les années 1940 ou encore à la Barbade en 1966[140]. Il s'agissait le plus souvent de soutenir des régimes menacés par des invasions extérieures ou par leurs populations en colère.

Les banques canadiennes ont pour leur part tissé dans la région un réseau de filiales, de succursales et d'autres trusts qui les rendent incontournables. C'est dans un souci de vraisemblance et non pas de manière anecdotique que le romancier et ancien juriste d'entreprise John Grisham présente comme canadiennes toutes les banques de son roman sur les paradis fiscaux des Caraïbes, *La Firme*, qui répondent à des noms fictifs, la « Royal Bank of Montreal » et la « Bank of Quebec » à Georgetown ou encore la « Bank of Ontario » à Freeport[141]. Les financiers canadiens jouent toujours dans les Caraïbes un rôle prépondérant[142], tant et si bien que le Fonds monétaire international estime que les entités canadiennes disposent aujourd'hui de 60 % des institutions bancaires des Caraïbes[143]. Selon

The Economist, plus de 1 000 milliards de dollars sont concentrés dans la région sans grande activité économique réelle[144].

La Caraïbe britannique constitue, après les États-Unis, la région du monde où les banques canadiennes ont la plus forte représentation[145], la Banque Scotia y étant la plus fidèle représentante des institutions financières. Elle est de fait la seule banque à n'avoir jamais fermé d'entités créées dans une de ces législations[146]. Les institutions financières canadiennes se trouvent comme chez elles dans les pays membres du Commonwealth. «Au-delà de la langue, les liens coloniaux et une appartenance commune au Commonwealth signifient des structures juridiques et gouvernementales semblables qui créent pour les banques un environnement familier. Bien sûr, les opérations les plus importantes de la Banque Royale du Canada, de la Scotia et de la CIBC ont lieu dans des pays où ces liens sont partagés, comme les Bahamas, la Jamaïque, Trinité-et-Tobago et la Barbade[147].» La Banque Royale l'énoncera clairement en 1965 au moment où elle intensifie ses opérations dans la Caraïbe: «Pour les fins [sic] de nos opérations dans les Antilles, nous exploitons des sociétés de gestion à la Jamaïque, la Trinité, la Barbade et la Guyane britannique. Étant donné que dans ces régions les affaires de gestion sont étroitement reliées au système britannique et s'en inspirent, nous avons établi durant l'année The Royal Bank of Canada Trust Corporation Limited à Londres[148].» Présentes en Amérique du Nord, dominantes dans les législations offshore de la Caraïbe et connectées à la City de Londres, les banques canadiennes établissent un triangle financier exclusif. Les États de complaisance sont aussi l'occasion pour les banques elles-mêmes d'éviter les impôts. Ainsi, en 2010, la Banque CIBC se félicitait d'avoir économisé plus de 820 millions de dollars canadiens en impôts grâce à ses filiales dans des paradis fiscaux[149].

La convergence d'intérêts d'acteurs canadiens dans les Caraïbes est entière: «Aujourd'hui, des entreprises canadiennes fabriquent des produits chimiques à Trinidad et y forent du gaz extracôtier, exploitent des mines de nickel à Cuba ou d'or au Suriname, cherchent du pétrole au large de la Guyane ou offrent des services de télévision câblée dans les Bahamas ou à la Jamaïque. Une convention fiscale avec le Canada renforce l'économie offshore à la Barbade. Plusieurs milliers de migrants se déplacent vers le nord chaque année, principalement vers Toronto[150]», écrit *The Economist*. Dans le domaine de l'énergie, les canadiennes Canadian International Power, Emera ou Fortis sont présentes, respectivement à la Barbade, à Sainte-Lucie ainsi que, pour la dernière, au Belize et aux Îles Turques-et-Caïques[151].

Ce développement tentaculaire permet également de créer des faisceaux de propriétés que le secret bancaire rend impénétrable pour tout enquêteur étranger. « Le saucissonnage renforce l'opacité et la complexité des montages financiers. Prenons le cas d'un trafiquant de drogue mexicain qui possède 20 millions de dollars sur un compte bancaire au Panama. Le compte n'est pas à son nom mais au nom d'un trust établi aux Bahamas. Les administrateurs du trust habitent Guernesey, et le bénéficiaire du trust est une société enregistrée dans le Wyoming. Même si vous trouvez le nom des administrateurs de la société et que vous possédez une photocopie de leur passeport, vous n'êtes pas plus avancé : ces administrateurs sont des prête-noms professionnels qui gèrent sur le papier des centaines de sociétés semblables. Ils sont connectés au maillon suivant de la chaîne par un avocat de la société qui, tenu au secret professionnel, ne fournira aucune information. Même si vous arrivez à briser cette barrière, vous découvrez alors que la société est la propriété d'un trust aux îles Turques-et-Caïques, qui dispose en outre d'une "clause de fuite" : dès qu'une enquête est détectée, le trust est transféré dans un autre paradis fiscal[152]. » Les fonds que gère le cabinet d'avocats offshore Maples proviennent de New York ou de Londres sans devoir respecter le cadre réglementaire prévalant là où ils se trouvent. C'est pourquoi « la juridiction où est établi le fonds n'est pas le lieu où les actions se produisent ; c'est plutôt à Londres ou à New York ou São Paolo ; pas aux Îles Caïmans ou dans les Îles Vierges britanniques[153] ». En vertu de l'approche « holistique[154] » que préconise le cabinet, « ultimement la structure des fonds aux Îles Caïmans a été mise en place pour exercer une attraction mondiale[155] », nommée par ailleurs une « attraction universelle ». La pureté du stratagème consiste, pour être utilisable partout, à n'être socialement responsable nulle part.

CHAPITRE DOUZE

Le Panama

Plaque tournante du narcotrafic

*où le gouvernement canadien signe un traité de libre-échange
à l'avantage des blanchisseurs de fonds d'Amérique latine*

2010

Les liens de complaisance entre le Canada et les paradis fiscaux ne pouvaient pas être mieux confirmés que par l'accord de libre-échange qu'Ottawa a négocié et entériné avec le Panama en 2010. Cet État est aux paradis fiscaux ce que les grands magasins sont aux boutiques spécialisées, une énorme législation du laisser-faire prête à se compromettre dans tous les secteurs d'activité. Le pays, qui compte trois millions d'habitants et dont la monnaie locale est indexée sur le dollar états-unien, héberge pas moins de 36 banques internationales[1] et plusieurs dizaines d'institutions financières informelles[2], si bien que le quartier financier d'Obarrio rivalise avec celui de Zurich[3]. Plus de 80 % de l'économie panaméenne provient de ses activités offshore[4]. Le pays permet à différents industriels et financiers du monde d'y ouvrir à distance des comptes anonymes, de créer des sociétés offshore ainsi que de mettre sur pied des trusts et holdings qui autorisent des opérations de toutes sortes. Cela se produit dans l'anonymat le plus complet, car le Panama n'accepte de lever le secret bancaire que dans le cas d'instructions judiciaires déjà établies. Il faut, comme toujours, qu'un enquêteur détienne déjà les informations qu'il cherche à confirmer pour que le Panama coopère avec lui. De fait, le pays garantit l'impunité à tous ceux qu'il a accueillis à bras ouverts.

Il n'y a en effet pas de Banque centrale au Panama, les capitaux y entrent et en sortent sans contrôle. Les lois sur le secret bancaire s'inspirent du précédent suisse de 1934, où il est criminel pour l'agent d'une banque de divulguer de l'information de nature financière à quelque autorité étrangère que ce soit. Le droit panaméen sur les sociétés est si

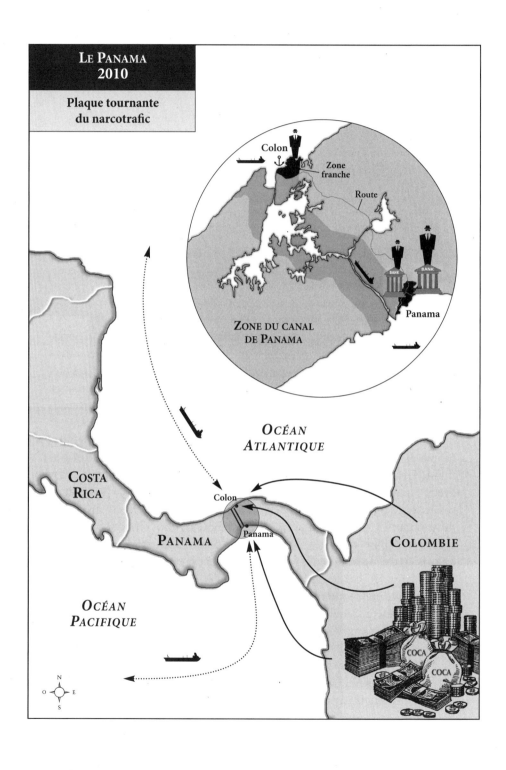

LE PANAMA
2010

Plaque tournante
du narcotrafic

Colon

Zone
franche

Route

BANK   BANK

Panama

ZONE DU CANAL
DE PANAMA

OCÉAN
ATLANTIQUE

COSTA
RICA

Colon

Panama

PANAMA

COLOMBIE

OCÉAN
PACIFIQUE

COCA

COCA

N
O   E
S

permissif qu'il en est risible : les administrateurs qui en composent les conseils d'administration peuvent résider n'importe où et se rencontrer où ils le veulent dans le monde, et pas nécessairement au Panama. Élus par les actionnaires de l'entreprise, ils n'en sont pas obligatoirement eux-mêmes actionnaires. Une société du Panama n'est pas non plus tenue d'avoir de siège social au pays, un agent y résidant suffit, et il s'agit générale-ment d'un avocat[5]. On n'observe dans le pays aucune restriction quant à la nationalité des acteurs économiques et la mise de départ nécessaire pour démarrer une entreprise y est dérisoire. En outre, « si la société n'a pas d'activité à l'intérieur de la république de Panama, elle n'a pas de déclara-tions fiscales ou de rapports financiers à faire[6] ». Une *société non résidante* y voit bien entendu ses revenus dont la source se trouve à l'étranger être exemptés de tout impôt[7]. Les origines de ce droit ne sont pas glorieuses. Édouard Chambost, avocat spécialiste des paradis fiscaux, rappelle que « la loi sur les sociétés est copiée sur celle du Delaware telle qu'elle existait en 1927 et, afin de garder cette loi aussi stable que possible, la République de Panama n'a pas adopté les changements que le Delaware a introduits dans sa loi sur les sociétés depuis 1927[8] ». On peut ouvrir une banque au Panama aussi facilement qu'une compagnie d'assurance et, dans ce dernier cas, « le ratio de solvabilité devra être de 5 % à 35 %[9] », toujours sans avoir à payer d'impôt. Enfin, pour tout enquêteur, les sociétés anonymes de droit pana-méen sont insaisissables. Les gens d'affaires se frottent les mains et les courtiers abondent. « Pour que le secret bancaire panaméen soit utilisé de manière efficace, une société anonyme est essentielle. Nous fournissons à votre société des administrateurs désignés, de façon à ce que votre nom n'apparaisse pas dans les documents gouvernementaux et ne puisse être retrouvé au cas où votre pays découvrirait que vous détenez des fonds à l'extérieur. La société est contrôlée à travers des titres au porteur enregis-trés sous un numéro et pas sous un nom, ce qui vous permet d'en avoir le contrôle sans avoir à divulguer de renseignements personnels[10]. » Les fir-mes expertes en délocalisation d'actifs et d'entreprises vantent bien sûr la flexibilité du droit panaméen.

Les affaires vont bien au Panama. En 1970, le pays a créé un Centre bancaire international qui en 2008 attirait 64 milliards de dollars US. En 2009, 30 banques du Panama se contentaient en raison de leur statut de se livrer exclusivement à des activités offshore[11]. Sans être aussi présentes qu'ailleurs, les banques canadiennes, bien qu'arrivées sur le tard, font partie des institutions importantes au pays. « La canadienne Scotia Bank se développe bien », relève Michel Planque[12] : « elle compte parmi les six principales banques étrangères au pays[13]. » Grégoire Duhamel, fiscaliste très complaisant envers les paradis fiscaux, précise qu'elles rendent toutes disponibles des comptes à numéro[14]. « La réputation de paradis fiscal de Panama est largement méritée », écrit encore Duhamel, enthousiaste[15].

Mais à la fin du siècle dernier, ce n'est pas encore à l'ensemble de son offre que le Panama doit sa *réputation* dans le monde, mais à son titre officieux de pays phare du blanchiment de fonds issus du narcotrafic. Sa zone franche et son port franc font office de plaques tournantes notoires, tant en raison des capitaux qui circulent par la première que des stupéfiants eux-mêmes, qui transitent par le second. Il s'agit d'un « État narcotrafiquant et blanchisseur d'une grande partie de l'argent sale de la planète avec les Îles Caïmans », écrit sur le ton de l'évidence Patrice Meyzonnier, commissaire principal de police à la Direction centrale de la Police judiciaire de France[16]. Le « Panama joue un rôle charnière entre le Sud et le Nord, la Colombie et les États-Unis[17] », et le Canada n'est bien entendu pas en reste dans cette histoire. Les mafias mexicano-colombienne et jamaïcaine, très actives au Canada[18], font notamment transiter la cocaïne qu'elles y écoulent par le Panama[19]. L'expert italien Antonio Nicaso a créé une commotion en 1994 en qualifiant en ce sens le Canada de « paradis du crime organisé » (*Mob Haven*)[20].

Zone franche de Colon

La zone franche de Colon ou ZFC (*Zona Libre de Colón*) est au centre des opérations panaméennes. De source officielle, elle génère un chiffre d'affaires de cinq milliards de dollars dans le domaine de l'import-export[21]. En 2011, plus de 3 000 entreprises y étaient installées ou représentées[22]. Michel Planque estime que les deux tiers des échanges totaux du pays ont lieu par l'entremise de cette zone franche[23], les avantages offerts aux entreprises qui s'y installent étant considérables. Il s'agit de l'exonération des taxes douanières, des taxes sur la valeur ajoutée, et d'exonérations d'impôts divers : municipaux, sur les dividendes et les valeurs mobilières (actions), sur les versements divers à l'étranger, sur les revenus, sur les sociétés ainsi que sur le capital, notamment[24]. Tout au plus débourse-t-on des droits à l'exportation, à un taux oscillant entre 2,5 % et 8,5 % dès lors que les gains encourus excèdent 100 000 $[25].

Créée en 1948 à l'entrée du Canal de Panama, du côté atlantique, la zone franche avoisine trois ports de marchandise et terminaux de conteneurs. Le pays, où plus de 8 400 navires sont enregistrés, gère le premier pavillon de complaisance au monde[26]. Il en coûte 1 500 $ aux deux ans pour y enregistrer un bateau, somme à laquelle des droits et taxes totalement dérisoires peuvent éventuellement s'ajouter, et tous les bateaux sont acceptés ou presque. « En échange de quelques tracasseries du début, vous pourrez par la suite naviguer aux quatre coins du globe en toute liberté, engager des marins sans vous perdre dans d'interminables papiers à remplir [sic] ni acquitter les intenables charges françaises[27].» Autrement dit, le Panama permet de contourner toutes les lois des autres pays[28].

Cette aire de non-droit «fait elle-même face à une zone colombienne sans loi ni police[29]». Par ailleurs, un chemin de fer ainsi qu'une autoroute à quatre voies relie Colon à Panama, la capitale située à une cinquantaine de kilomètres. La zone franche se déploie à proximité des quelques 90 banques[30] qui font la loi, et elle doit son succès à sa connexion physique avec des pôles de transport maritime ainsi qu'avec la finance offshore[31]. Ces avantages en ont fait la seconde plaque tournante pour les marchandises au monde après Hong Kong[32]. Le chiffre d'affaires en vigueur dans la zone franche a doublé de 1990 à 1995[33], atteignant alors le montant de 5 milliards de dollars, puis de 13 milliards de dollars en moyenne à la fin de la décennie 2000[34] et 18,6 milliards de dollars US en 2008[35], alors qu'entre 2 000 et 2 500 sociétés y opéraient[36]. Elle attire sur ses 500 hectares 250 000 acheteurs et visiteurs par an.

Michel Planque, auteur d'un manuel sur l'investissement dans la région, voit pudiquement en cette zone franche une «plateforme logistique régionale d'importations et de réexportation des biens de consommation, vers les pays d'Amérique latine et des Caraïbes[37]». Ces «biens», qui partent de Colon, rejoignent ensuite des pays plus éloignés, par exemple le Canada. L'ennui est qu'on ne saurait s'en tenir à une description aussi formelle. L'auteur, tout acquis qu'il est au modèle du libre marché, constate lui-même au Panama l'existence d'un «système judiciaire déficient» ainsi qu'un phénomène d'«affairisme» et de «corruption dans la sphère publique», pour enfin qualifier le Panama de «pays non coopératif en matière fiscale[38]». Il n'y a pas lieu d'en douter. Le gouverneur de la Banque de Serbie, Mladjan Dinkic, a déjà déclaré que le régime de Slobodan Milosevic a détourné six millions de dollars au Panama par la voie de jeux d'écritures comptables dans le secteur de l'import-export[39]. Le caractère criminel de l'économie à Colon est patent: on y converge en effet pour blanchir des capitaux dans le commerce de l'hôtellerie, des centres commerciaux factices ou des loyers fictifs, et la contrebande de l'or y est également très importante. «Par l'intermédiaire des cabinets véreux d'avocats, des sociétés anonymes ont une durée de vie de quelques heures. Il ne faut également que quelques heures pour obtenir une nationalité», ajoute Patrice Meyzonnier[40].

Ex-conseillère en matière d'antiblanchiment à l'Office des Nations unies contre la drogue et le crime, Marie-Christine Dupuis-Danon présente le Panama comme «un pays clé de transit» des stupéfiants entre les Caraïbes et l'Amérique du Nord, tandis que d'un point de vue financier, la zone franche de Colon agit à ses yeux comme «un centre de blanchiment régional de premier ordre» quand vient le temps d'intégrer les recettes de cette activité dans l'économie réelle[41]. Puisque aucun droit de douane n'y prévaut, «les autorités ne sont pas en mesure de faire appliquer la réglementation en vigueur dans le reste du pays et en particulier une déclaration sur toute entrée d'espèces supérieure à 10 000 $», précise-t-elle[42].

Dans le quartier des banques d'Obarrio, à Panama, certaines institutions financières complices des narcotrafiquants acceptent également, moyennant une commission, de leur «prêter» formellement les fonds qu'ils leur remettent clandestinement au Panama, suivant des modes et un calendrier variables selon la législation où l'emprunt est formalisé[43]. Les banques panaméennes sont également passées maîtres dans l'art de blanchir de tels avoirs par le biais de mandats postaux aux montants fragmentés à l'extrême[44]. Sociologue spécialisé dans les enjeux du narcotrafic, Jean-Claude Grimal explique dans son ouvrage *Drogue: l'autre mondialisation* que les banques notoirement impliquées dans le trafic de stupéfiants, comme les «banques douteuses du Panama[45]», acheminent des fonds issus du narcotrafic en les faisant transiter de banque en banque en fonction de critères de sécurité de plus en plus élevés, de façon à leur conférer en bout de piste une légitimité. Il s'agit de la méthode des écluses.

Plusieurs narcotrafiquants occidentaux blanchissent aussi leur argent dans des banques italiennes spécialisées dans le commerce de l'or, auxquelles ils achètent des lingots qu'ils revendent aussitôt au Panama à des «investisseurs», pour enfin faire transiter les fonds par des canaux licites à leurs fournisseurs colombiens. Ce manège aurait permis aux intéressés de blanchir plusieurs centaines de millions de narcodollars au milieu des années 1990[46]. Le cartel de Medellín, en Colombie, a blanchi entre 1985 et 1989 plusieurs milliards de dollars en irriguant les recettes du trafic de stupéfiants par un réseau de bijouteries états-uniennes vers l'Uruguay. Là, on achetait et revendait aussitôt des lingots d'or «contenant en réalité 90 % de plomb», afin de déposer ces fonds dans ce pays sous couvert d'activités licites dans le secteur de la joaillerie. Ensuite, «une partie des dollars était détournée sur un compte ouvert au Panama, dans la succursale d'une banque colombienne[47]».

Ces exemples, tirés des recherches de Dupuis-Danon ou de Grimal, témoignent tous des connexions étroites du Panama avec d'autres paradis fiscaux. «Le recyclage de l'argent de la drogue implique souvent les multiples paradis bancaires de la planète. [...] Ces paradis bancaires possèdent de multiples avantages pour les trafiquants: secret bancaire et commercial absolu, réseau de communication efficace, libre circulation des capitaux et tout type de transaction en n'importe quelle devise, exonération fiscale, assistance technique pour la constitution de société sans contrôle et avec un minimum de formalités[48].» Maintes activités de contrebande impliquent des acteurs faisant transiter des fonds sans rencontrer de résistance depuis la Suisse jusqu'au Panama, comme l'illustre très bien le cas du trafic illicite de marijuana et de café orchestré par la famille Nasser, dans les années 1980[49], ou dans les mêmes années, celui des opérations opaques d'Amjad Awan depuis le Luxembourg jusqu'au Panama en passant par la Suisse et Londres[50].

Selon le criminologue de l'Université McGill, R. T. Naylor, le Panama consolide sa position en tant que pôle du blanchiment d'argent lorsqu'au début des années 1980, toute l'attention politique porte sur les cas des Bahamas et des Caïmans. Il indique que la convention fiscale signée entre le Panama et la Suisse dans les années 1970 a aidé la petite république d'Amérique centrale à se prévaloir longtemps, en fait jusqu'en 2011, du secret bancaire en situation d'enquêtes intentées par les États-Unis. «Panama répondait que son régulateur bancaire ne possédait pas l'autorité juridique de procéder à des vérifications[51].»

Au tournant des années 2000, le blanchiment s'effectue de plus en plus dans le secteur financier comme tel, plutôt que dans l'économie réelle. Des «investisseurs» appartenant à des milieux criminels ont pris le contrôle de petites structures sur les marchés financiers, ont fait croître artificiellement la valeur de leurs actions en les faisant passer d'un fonds offshore à un autre à des prix majorés, jusqu'à ce que des investisseurs traditionnels s'y intéressent et se trouvent éventuellement porteurs de titres chèrement payés et en réalité de peu de valeur. La Bourse de New York en a alors pris pour son rhume[52]. «Ce constat, commun à la plupart des spécialistes, ne semble guère susciter de débat ou de réflexion au niveau des responsables politiques, alors même que les enjeux financiers, économiques, politiques sont considérables», conclut Jean-Claude Grimal[53]. Le juge français Jean de Maillard considère que le produit criminel brut est si élevé qu'il n'hésite pas à présenter les activités criminelles comme étant absolument intégrées à l'économie mondialisée[54], le Panama étant l'un des chefs-lieux de l'alliance entre les États offshore et le crime organisé.

Les conséquences du *libre-échange* avec le Panama

En signant un accord de libre-échange avec le Panama, le Canada intègre volontairement son territoire aux structures qui favorisent le blanchiment de fonds criminels depuis l'État panaméen[55]. La loi C-24 entérinant cet accord au Parlement canadien prévoit candidement «favoriser, par l'accroissement des échanges commerciaux réciproques, le développement harmonieux des relations économiques entre le Canada et la République du Panama». Il s'agit de «promouvoir ainsi la progression de l'activité économique dans les deux pays» et d'«augmenter substantiellement les possibilités d'investissement au Canada et dans la République du Panama». On fait comme si les «investisseurs» concernés pratiquaient ce qu'on appelait jadis le doux commerce. La poésie des affaires que nous inflige la rhétorique de ces traités nomme harmonie l'élimination des obstacles aux échanges commerciaux[56] entre un État hôte du narcotrafic et un autre qui se présente encore comme un État de droit. Dans le texte de loi, il faudrait aussi entendre par obstacle toute loi préférentielle canadienne, tout handicap que le gouvernement canadien ferait subir à un investisseur du Panama, bien qu'il y ait mille raisons de penser que ce dernier ne cogne à nos portes que pour blanchir des millions de dollars issus du trafic des stupéfiants.

L'harmonie tant vantée par le législateur canadien relève en réalité d'un fait de dissonance cognitive. Le Canada favorise par cet accord tout ce qu'il prétend combattre par ailleurs, soit la corruption des élites politiques, la criminalité économique et financière et le trafic de stupéfiants. Marie-Christine Dupuis-Danon abonde dans le même sens, en affirmant que le libre-échange favorise le transport de la drogue. Elle cite l'Accord de libre-échange nord-américain (ALÉNA), qui a facilité l'organisation des convois de stupéfiants depuis le Mexique vers le Canada en passant par les États-Unis : «Le transport routier constitue le moyen de locomotion le plus couramment utilisé, avec un usage croissant des camions commerciaux dont le transit frontalier est facilité par la signature de l'accord de libre-échange nord-américain[57].» Dans le cas du commerce entre le Panama et le Canada, on peut d'ores et déjà anticiper à partir de ses écrits que des sociétés d'import-export, largement contrôlées par le crime organisé, se trouveront bientôt mises à contribution pour planifier le transport de drogue depuis Colon jusque dans différents ports canadiens. «La prise de contrôle par les criminels de sociétés d'import-export présente le triple avantage de fournir un support logistique pour d'éventuelles importations de stupéfiants dissimulés parmi des marchandises licites, de faciliter le rapatriement des fonds en liquide par le même canal ou de monter un système de blanchiment plus complexe via la falsification de documents comptables et commerciaux[58]», écrit-elle.

Alain Delpirou et Eduardo Mackenzie, respectivement géographe spécialiste des drogues et juriste, estiment eux aussi que le traité de libre-échange entre le Canada, les États-Unis et le Mexique a favorisé les activités de contrebande des organisations mafieuses. «Au début des années 1990, les barons de la drogue à Medellín et à Cali comprennent que la prochaine signature [sic] de l'Accord de libre-échange nord-américain

(ALÉNA) entre [le] Mexique, [le] Canada et [les] États-Unis leur permettra de franchir les portes qui donnent sur le vaste marché nord-américain[59].» Et les auteurs de terminer par cette litote : « À vrai dire, ils ne se trompent pas totalement.» L'ALÉNA prévoit « la suppression immédiate de droits de douane sur une très ample gamme de produits[60]». Les droits et formes de contrôle diminuant tandis que les volumes d'activité augmentent, il devient facile de dissimuler aux autorités des activités délictueuses.

Une *offshorisation* du monde

Les néolibéraux aiment donner à penser qu'un accord de libre-échange règle les problèmes de criminalité financière plutôt qu'il ne les alimente. Lisez Michel Planque soulevant l'existence de quelques problèmes de «gouvernance» et de «corruption» au Panama «malgré» que le pays ait signé des accords de libre-échange. En vertu de quel préjugé libre-échangiste formule-t-il ce *malgré*? L'intéressé reconnaît lui-même que la « corruption au sens large» qui sévit dans les milieux politiques est d'abord «fortement ancrée dans le milieu des affaires[61]». Or, c'est bien ce milieu qui obtient toute latitude grâce à l'accord de libre-échange, et ce sont ces investisseurs que l'accord de libre-échange entre le Canada et le Panama conforte.

La *mondialisation* économique, qui consiste en réalité en une *offshorisation* des États du monde, favorise à tous égards le blanchiment d'argent. C'est en tout cas la conclusion à laquelle on en vient à la lecture d'une synthèse du problème faite par Jean-Claude Grimal : «Le développement des échanges de marchandises depuis quelques années va rendre le trafic [de stupéfiants] plus facile : les milliers d'avions ou de navires-porte-conteneurs, les millions de camions, circulant chaque jour dans le monde, offrent des possibilités innombrables aux trafiquants. La suppression ou la réduction des contrôles douaniers dans certaines zones de libre-échange bénéficient au trafic de produits illicites. De même, la circulation des marchés financiers, la libre circulation des capitaux d'une banque offshore située dans un paradis fiscal à une banque américaine ou suisse respectable facilite le recyclage des profits de la drogue et leur passage dans l'économie réelle[62].»

Tandis que les fuites fiscales canadiennes adoptent grâce à cet accord les dehors d'investissements licites, il ne profitera pas pour autant à la population panaméenne, car le Panama lui-même subit l'évasion fiscale. Au moins un milliard de dollars s'y perdent annuellement en fuites fiscales et défauts de paiement fiscaux[63]. De plus, l'accord vise à abaisser de façon significative les droits de douane, baisses qui, dans un pays pauvre comme le Panama, pourront avoir de graves conséquences : elles priveront un gouvernement déjà passablement désargenté et peu soucieux de sa population de précieux revenus. Enfin, malgré que cet accord de libre-échange se pare de toutes sortes de prétentions écologistes, en plaçant çà et là l'expression *développement durable*, qui n'est en aucune manière contraignante, il encouragera la réalisation des projets polluants et contestés de sociétés minières canadiennes au Canada, par exemple l'exploitation de mines à ciel ouvert telles que la mine d'or de Molejon exploitée par la Petaquillas Minerals[64].

Une députation sourde

En vertu de l'accord de libre-échange entre les deux législations, les entreprises panaméennes établies au Canada pourront y faire la loi. Les chapitres 9 et 10 de l'entente reprennent substantiellement le principe du fameux chapitre 11 de l'ALÉNA, tant décrié, qui permet à une compagnie de poursuivre un gouvernement si sa réglementation impose prétendument des obstacles au commerce. Selon Todd Tucker de l'organisation Public Citizen, qui a témoigné au Comité permanent du commerce international le 17 novembre 2010, « des centaines de milliers d'entreprises américaines, chinoises, caïmanaises et même canadiennes peuvent contester la réglementation canadienne en faisant appliquer par leur filiale panaméenne une planification agressive de la nationalité [sic] ». Ben Beachy, directeur de recherche pour Public Citizen's Global Trade Watch, a livré un témoignage similaire auprès d'un comité analogue au Sénat canadien, le 6 décembre 2012 : « L'Accord de libre-échange entre le Canada et le Panama ferait en sorte qu'il serait encore plus difficile pour les décideurs politiques canadiens de réduire l'évasion fiscale axée sur le Panama. » Si le Canada voulait par exemple réduire le nombre d'entreprises canadiennes qui transfèrent de l'argent à des filiales établies au Panama après avoir déterminé qu'il s'agissait de sociétés de façade mises sur pied pour l'évasion fiscale, la politique pourrait être contestée en violation de l'article 9.10 de l'accord qui stipule ceci : « Chacune des parties permet que les transferts se rapportant à un investissement visé soient effectués librement et sans délai vers son territoire et à partir de celui-ci[65]. » On connaît déjà des précédents en ce qui concerne l'ALÉNA. On se rappelle celui de la gazière albertaine Lone Pine Resources qui a envisagé de passer par sa filiale du Delaware pour contester la législation québécoise en matière d'exploitation du gaz de schiste en vertu du fameux chapitre 11 de ce traité.

Même les États-Unis, historiquement très proches du Panama, y soufflent le chaud et le froid. Leurs intérêts stratégiques colossaux mènent parfois à des décisions consternantes, même sur le plan fiscal. « En 2003, en partenariat avec le Département international financier de la Banque mondiale, le gouvernement panaméen a projeté de transformer la base militaire américaine de Howard en une zone économique spéciale dotée d'installations de télécommunication et logistique high-tech. Des allégements fiscaux seront accordés aux sociétés qui s'implantent là[66].» Il reste qu'en 2011, les États-Unis obtenaient du pays une levée complète et définitive du secret bancaire panaméen en ce qui les regarde. «L'accord de 2011 entre les États-Unis et le Panama donne effectivement carte blanche au gouvernement américain pour accéder à tous les renseignements qu'il désire sur des comptes bancaires panaméens. L'accord autorise des "enquêtes à l'aveuglette" et exige la coopération des autorités panaméennes avec les enquêteurs américains, même quand les accusations ne sont pas de nature criminelle ou ne violent pas les lois panaméennes[67].»

La même année, le Canada entérinait son accord de libre-échange avec le Panama.

État de siège social

Un régime de l'aveuglement volontaire

où la lutte contre les paradis fiscaux trouve sa source dans la conscience publique

L'instant présent

Face à un problème de cette envergure, il est impossible de conclure en peu de mots. Le Canada ne fait pas seulement figure de pionnier dans la création des paradis fiscaux caribéens, il est maintenant en passe de devenir l'objet même de ses créatures. Bien que le dossier soit confondant, bien qu'il soit d'une ampleur exceptionnelle, bien qu'il nous saisisse, un silence opaque a longtemps régné autour des faits. S'ils en ont pris la mesure, très peu de députés ou de ministres l'ont évoqué et les différents ministères «compétents» sont restés myopes face au phénomène. Peu d'«experts» l'ont considéré autrement que selon les termes usés de la pensée libérale et il aura fallu des années pour qu'enfin quelques intellectuels et journalistes s'y intéressent. La population arrive aujourd'hui à aborder cette question sans complexe. Pourquoi seulement maintenant?

Un mystère pour les ministères

Toutes ces années, les gouvernements n'ont pas même cherché à évaluer les fonds perdus par le Trésor public en raison de l'évasion fiscale vers les paradis fiscaux. Leur méthodologie les en empêchait. La livraison de 2005 du périodique *Études économiques, fiscales et budgétaires*, intitulée «L'évasion fiscale au Québec[1]» et publiée par le ministère des Finances du Québec (MFQ) montre de manière exemplaire que l'État ne s'est pas donné les moyens théoriques d'apprécier le problème offshore. La méthodologie qui retient l'attention du ministère des Finances rend exclusivement visibles les acteurs de petite et de moyenne envergure, que ce soit en ce qui a trait à l'évaluation de l'économie au noir, aux réclamations abusives de déductions fiscales ou encore aux opérations illicites, voire criminelles, d'importants contribuables.

Les textes scientifiques qui reçoivent la faveur du MFQ sont notamment l'œuvre de chercheurs relevant du ministère canadien des Finances ou d'agences fédérales. Et comme à Ottawa aussi les paradis fiscaux ont longtemps été tabous, la stratégie ministérielle du Québec au chapitre de la lutte à la fraude fiscale a mené à l'élaboration d'une liste de cibles stéréotypées : l'industrie locale, les chantiers de construction de taille réduite, la petite restauration, etc. Les instances publiques se sont référées à des écrits[2] qui se bornent à considérer la fraude fiscale du point de vue de la petite filouterie, comme si elle ne relevait que de l'« économie souterraine ». Or, cette économie-là n'est qu'un des sous-phénomènes liés à la question globale de l'évasion fiscale. En y recourant de façon exclusive, un ministère des Finances inverse l'ordre des catégories et présente faussement l'économie au noir comme l'expression du problème tout entier. Il restreint en cela le phénomène de l'évasion fiscale à des données limitées aux transactions négociées dans l'économie intérieure, et ce, au détriment de méthodes plus larges, exigeantes et ambitieuses[3].

Ce système pèche aussi au moment d'évaluer les pertes dans le trésor public imputables aux fraudes fiscales. Il prend appui pour ce faire sur l'indice du produit intérieur brut (PIB), alors que ce dernier ne permet de repérer que les menus cas de fraude, soit ceux qui relèvent de « biens et services vendus sur les marchés[4] » étant rattachés à l'économie intérieure. Un chercheur de Statistique Canada cité par le ministère des Finances, Seymour Berger, y va du même point de méthode : « L'économie souterraine se définit comme la part du marché de la production qui manque au [PNB][5]. » En d'autres termes, cette approche de l'économie non comptabilisée fait fi des manipulations faites à l'étranger en ne considérant que le seul champ marchand national. Selon Gylliane Gervais, également analyste chez Statistique Canada et citée dans l'étude ministérielle, c'est donc en vain qu'on recourt aux données du PIB pour évaluer le tout de l'évasion fiscale. « Statistique Canada a la responsabilité d'estimer le PIB[6] » et non de mesurer l'ampleur de l'évasion fiscale, précise-t-elle, car les données du PIB ne constituent pas une base empirique satisfaisante pour ce faire. Le PIB sert strictement à évaluer la *valeur ajoutée* mise en jeu dans une transaction en fonction des considérations économétriques qui prévalent dans une économie de marché. Bien que ses propres sources le lui déconseillent, le ministère se réfère au PIB.

S'il est vraiment hasardeux de tenter de spéculer sur les coûts sociaux relatifs à l'évasion fiscale à partir de méthodes d'estimation du PIB[7], c'est que de nombreuses transactions déterminantes lui échappent. Par exemple, ô surprise!, celles qu'effectuent les détenteurs d'actions ou les entreprises multinationales: «Les gains en capital sont un autre type de revenu imposable, mais ils sont extérieurs au domaine du PIB, car ils ne sont pas engendrés par une production courante. Les gains en capital non déclarés feraient l'objet de l'attention du fisc, mais ils ne font pas partie de la production souterraine[8].» Gervais poursuit: «Des différences conceptuelles excluent toute comparaison des profits selon les comptes nationaux et des profits aux fins d'impôts, eux-mêmes distincts des profits comptables, surtout dans le secteur financier[9].» Les méthodes de calcul du PIB ne tiennent donc compte que de l'*économie souterraine*, c'est-à-dire des transactions marchandes dans un marché intérieur «sur lesquelles les impôts n'ont pas été acquittés[10]».

La méthodologie visant à élaborer des données sur le PIB reste donc sourde à des opérations comptables qui, en principe, devraient intéresser le fisc. Subordonnant par cet indice la vaste question de l'évasion fiscale au petit enjeu de l'économie au noir, le gouvernement évite de calculer, par exemple, combien il lui en coûte de laisser se pratiquer chez lui la technique du prix de transfert. Comme le précise Gervais, «ces achats ne donnent lieu à aucune transaction, aucune activité économique que ce soit au Canada. On ne saurait donc les traiter comme faisant partie de l'économie souterraine, même s'ils peuvent entraîner de l'évasion fiscale[11]». Statistique Canada, confirme l'auteure, n'a pas non plus pour vocation de se pencher sur ces opérations[12] et c'est donc à tort qu'on assimilerait la notion d'*économie au noir* à celle d'*évasion fiscale*. L'analyste remet les choses en perspective en écrivant qu'il est «trompeur d'employer les deux expressions de manière interchangeable, car si toute production souterraine (et illégale) suppose de l'évasion fiscale sous une forme ou une autre, l'évasion fiscale ne se limite pas à la production économique intérieure. Les gains en capital, le revenu gagné à l'étranger et les achats outre frontière non déclarés n'ont rien à voir avec "l'économie" souterraine[13].» Ces fonds constituent en effet une part importante de l'évasion fiscale et il se trouvera quand même toujours plusieurs experts au sein même du ministère fédéral des Finances pour partager ce point de vue[14].

Statistique et conscience de classe

Puisque les lacunes méthodologiques du gouvernement l'amènent à s'intéresser strictement aux petits fraudeurs et à s'abaisser au profilage social[15], l'approche ministérielle induit plusieurs problèmes. Les autorités ne retenant que la catégorie d'acteurs à laquelle leur modèle théorique est sensible, elles présentent artisans et petits commerçants comme ayant proprement des penchants pour la fraude[16].

Les grands fraudeurs se trouvent pour leur part automatiquement innocentés par les représentations théoriques des autorités publiques. Les fiscalistes David Giles et Lindsay Tedds excluent ainsi par principe les grandes entreprises de leur caractérologie de la fraude en matière d'impôts. Au regard strict et borné de la loi, «les entreprises ne "fraudent" habituellement pas l'impôt dans le sens où elles ne respectent pas leurs obligations légales; elles cherchent simplement, de manière rationnelle et dans les limites de la légalité, à réduire au minimum les impôts qu'elles considèrent comme la rançon des affaires[17]». L'idée voulant que «les grandes entreprises volent le fisc» relèverait d'un vulgaire cliché qu'il conviendrait de manipuler avec ces pincettes que sont les guillemets. S'il prend au peuple de le répéter, c'est uniquement par méconnaissance des subtilités juridiques. Il faudrait plutôt abandonner cette question aux arguties légales sitôt que l'on conclut qu'elle échappe à la définition théorique de l'économie souterraine[18]. Dans cette optique, l'enjeu des paradis fiscaux ne se trouve pas tant censuré par la théorie gouvernementale que ravalé sans vérification au rang d'une évidence économique. Si le recours aux paradis fiscaux par les firmes ne pose pas problème, c'est précisément parce que le gouvernement a légalisé ces activités, pourtant délictueuses selon l'esprit de la loi. «Les sociétés peuvent minimiser leurs bénéfices aux fins de l'impôt, mais [elles] le font en général en utilisant les lois à leur meilleur avantage: il s'agit ici d'évitement fiscal plus que d'évasion fiscale[19].» Pour Gylliane Gervais, la loi telle que constituée évite aux détenteurs de fortunes et aux grandes entreprises de tomber dans l'illégalité. Grâce à elle, cette caste de privilégiés n'a pas à se prêter à de basses manœuvres.

Le poncif selon lequel la fraude est le strict fait de petites gens s'incruste dès lors peu à peu dans l'orthodoxie sur l'évasion fiscale[20], et ce, jusqu'à ce que des scientifiques consolident l'idée reçue. Ainsi, lorsque Gylliane Gervais détaille un problème, elle en exclut d'office les grandes entreprises: «Prenons l'exemple de la vente de meubles au détail, et supposons pour simplifier qu'il n'existe pas de marchands de meubles en gros[21]»... Il s'agit, en effet, d'une simplification. Le principe de réalité commanderait plutôt de souligner que les marchands en gros sont en passe de monopoliser le marché! Mais, par restriction mentale, le ministère ne se montre attentif qu'au petit détaillant. Gervais va jusqu'à préciser que les grandes entreprises ne s'adonnent pas à la fraude fiscale parce qu'il serait impossible pour elles de coordonner à très grande échelle les menues dissimulations auxquelles se livrent les petits commerçants[22], comme si leurs méthodes devaient nécessairement être les mêmes que celles de petits filous. Comme Statistique Canada n'a pas accès aux vérifications comptables du fisc canadien[23], Gervais se contentera plus loin de revenir à l'enjeu de la TPS non rendue par les petits marchands[24].

Cela ne fait aucun doute : la méthodologie gouvernementale repose sur une prémisse qui la conforte dans son errance. Le ministère des Finances admet cibler les catégories de contribuables qui tendent à frauder le fisc non pas en fonction de leur habileté potentielle à le faire, mais eu égard au nombre de fraudeurs qui se font pincer... grâce à ses méthodes. On établit donc, partant de ces données carentielles, des profils sociologiques[25]. Ainsi, parce que le ministère des Finances ne constate pas, de la part des grandes entreprises ou des grands financiers, un nombre particulier de délits, il les exclut de son champ de vision et de toute liste de priorités, en postulant ce délicieux : « Les entreprises de grande taille sont proportionnellement moins portées à cacher des revenus que celles de petite taille[26]. » Pour l'État, la définition théorique de l'évasion fiscale dépend de l'efficacité toute relative de ses méthodes[27].

Les euphémiques « planifications fiscales abusives »

Tout au plus le gouvernement du Québec produira-t-il en 2009 un timide document de consultation, suivi de deux bulletins du ministère des Finances, sur les « planifications fiscales agressives [sic] », faisant état de mesures minimales en matière de divulgation d'information[28]. Il s'agit d'une réflexion sur la façon dont des contribuables, notamment des entreprises, violent l'esprit de la loi tout en en respectant la lettre[29]. Le ministère des Finances pousse même l'audace jusqu'à évoquer le fait d'opérations extraterritoriales : « Ce besoin des entreprises [de contrôler leurs coûts d'imposition] a, à son tour, favorisé l'expansion des firmes d'intermédiaires fiscaux – avocats, comptables, banques d'affaires, notamment – et le développement chez ces derniers d'une connaissance poussée des différents régimes fiscaux ainsi que d'une expertise sophistiquée permettant une gestion intégrée de la fiscalité de leurs clients sur une base mondiale[30]. » Le rapport ajoute que les services-conseils en matière de fiscalité alimentent « l'appétit des contribuables pour réduire davantage leurs coûts fiscaux » et motivent l'élaboration de planifications fiscales abusives[31]. Bien que les experts du ministère n'approfondissent pas l'analyse des fuites vers les paradis fiscaux, cette ouverture permet de prendre en compte le problème de l'illégitimité de l'évitement fiscal, et non seulement celui de l'évasion illégale, puis de chercher à le sanctionner par la voie législative et judiciaire. Ce sont subitement des acteurs fortunés ou puissants qui se trouvent visés, mais avec beaucoup moins de détails sociologiques que lorsqu'il s'agit d'évoquer la coiffeuse, l'artisan, la travailleuse autonome ou le restaurateur. Les « grandes entreprises » sont notamment citées, mais à nouveau le ministère ne les soupçonne que de tractations qui ressemblent drôlement aux simples fourberies des petits, les seules qu'il connaisse[32]. Aussi le fisc québécois néglige-t-il de s'intéresser de plus près à des administrateurs d'entreprises qui se trouvent rémunérés en actions plutôt qu'en salaire, de façon à n'être imposés que sur la moitié de leur revenu[33]. Enfin, les cibles que se donne le ministère trahissent sa mentalité de pense-petit : « l'impact financier de ces modifications sur les finances publiques québécoises s'apprécie également en dizaines de millions de dollars[34] ». Depuis le budget 2006-2007, les cibles de récupération fiscale fixées par le gouvernement à Revenu Québec augmentent continuellement, étant passées de 1 669 millions à 3 866 millions de dollars dans le budget de 2013[35]. Les recouvrements escomptés proviennent essentiellement de la catégorie de fraudeurs convenus, c'est-à-dire l'industrie de la construction, le secteur de la restauration et le commerce du tabac[36]. Ainsi, sur les 402 millions de dollars récupérés au premier semestre 2013, seuls 86 millions provenaient des échappatoires vers l'extérieur[37]. Qu'un resserrement du contrôle visant certains secteurs de l'économie au noir se traduise par de tels résultats nous donne à imaginer la récolte qu'obtiendrait l'Agence du Revenu si elle intensifiait la lutte à la planification fiscale abusive et au recours aux paradis fiscaux.

Mais le ministère manifeste de sérieuses inhibitions quand il s'agit de situer le problème à l'échelle d'enjeux extraterritoriaux. Les milieux de pouvoir adoptent l'expression *planification fiscale agressive* pour atténuer la charge critique qu'il y aurait lieu de porter lorsqu'il s'agit d'énoncer les cas de fraudes fiscales commises par les riches, alors qu'on continue de parler d'*économie au noir* ou d'*économie souterraine* pour désigner l'activité délictueuse des pauvres. L'utilisation de la langue de bois permet en effet d'éviter d'adresser quelque critique que ce soit aux groupes privilégiés profitant des paradis fiscaux ainsi qu'aux législations de complaisance elles-mêmes. Lorsque le ministère s'attaque par exemple à la question de la fraude effectuée par le biais des fiducies, il la résume aux seules tactiques d'écritures comptables ayant cours dans le pays. Étonnamment, il braque le regard sur une « planification fiscale agressive interprovinciale[38] » alors qu'en 2006, le problème des fuites fiscales occasionnées par les fiducies familiales et les fiducies de revenu, notamment via des paradis fiscaux, défraie la chronique[39]. C'est en 2013 seulement, dans le cadre d'une campagne publicitaire[40], que le gouvernement québécois a timidement osé citer les paradis fiscaux, évoquant, à l'instar du gouvernement fédéral[41], la possibilité d'un resserrement du contrôle des particuliers qui y recourent frauduleusement[42].

Un fond idéologique

Les auteurs que retient le ministère québécois des Finances sont en réalité farouchement opposés au principe de la redistribution de la richesse par le fisc. Par exemple, des économistes de la *Faculty of Business* de l'Université de l'Alberta, Rolf Mirus, Roger S. Smith et Vladimir Karoleff, suggèrent que les taux d'imposition « élevés » au Canada, la réglementation étatique qui s'y révèle « excessive et inappropriée[43] » de même que l'incompétence notoire d'un gouvernement « inefficace » expliquent, s'ils ne la justifient pas, l'économie souterraine. Ils vont même jusqu'à écrire qu'« il est normal que des individus veuillent y échapper, et cherchent des échappatoires face à ces formes d'"oppression"[44] ».

Dans la même veine, l'essentiel du texte des économistes Friedrich Schneider et Dominik Enste consiste en un plaidoyer à la fois contre les failles de l'État social et contre le fardeau fiscal qu'il fait subir aux contribuables, deux facteurs qui sont à leurs yeux la cause directe de l'économie souterraine. Les auteurs raillent les collectivités qui tentent d'endiguer le phénomène universel de l'évasion fiscale sur un mode coercitif, plutôt que de mettre en œuvre des réformes économiques et fiscales qui amélioreraient la *dynamique* de l'économie officielle[45]. L'évaluation de l'économie souterraine est donc l'occasion de postuler la nécessaire réduction des impôts au nom d'une population « accablée[46] ». Les auteurs établissent également une liste d'autres causes sociales et étatiques ayant mené à la progression de l'économie souterraine, notamment l'existence de programmes sociaux, tels que l'aide sociale ou l'assurance-emploi, qui n'incitent pas suffisamment leurs bénéficiaires à travailler[47]. De façon plus pertinente cependant, les auteurs suggèrent que l'économie souterraine disqualifie les données économétriques produites par le gouvernement, discrédite les politiques gouvernementales[48], et ils intègrent la corruption politique au nombre des critères d'évaluation permettant de reconnaître l'économie souterraine[49].

Sur un mode plus modéré, pour expliquer en partie le phénomène, Don Drummond et ses collègues du ministère fédéral des Finances, cités par leurs pairs du ministère québécois, évoquent eux aussi une hausse des impôts et l'attitude critique des Canadiens envers un gouvernement enclin à « gaspiller les ressources », selon les termes d'un sondage commandé par le *Financial Post* du 25 mars 1994.

Le document qu'a produit en 1996 le ministère québécois des Finances sur l'économie au noir[50] donne timidement la réplique à ces poncifs idéologiques souvent cités par ses propres soins comme des arguments crédibles, voire convaincants. Le MFQ conçoit alors que les particuliers ou les entreprises considèrent le fardeau fiscal comme trop élevé, les deniers publics mal gérés et les conventions collectives trop rigides[51], au point d'accepter comme normal le phénomène de l'évasion fiscale[52]. Les rédacteurs du ministère reviennent mollement sur le bien-fondé de l'institution fiscale et sur les formes d'évasion qui menacent son intégrité et son fonctionnement. Avec pudeur, le MFQ rappelle que le gouvernement ne compte pas toujours sur une « marge de manœuvre suffisante » pour diminuer les impôts. Pour pouvoir « fournir des services de qualité à la population[53] », il estime que ces revenus provenant de l'impôt sont essentiels. Le ministère ajoute que l'économie souterraine, incluant, selon la définition qu'il en donne à l'époque, le fait des activités économiques non déclarées – *au noir* – et criminelles, fait coexister deux systèmes de prix dans l'économie[54], pénalise les individus et les firmes qui respectent la loi[55] et octroie aux entreprises qui pratiquent la fraude les avantages d'une concurrence déloyale[56]. De surcroît, du point de vue des institutions publiques, elle « mine la crédibilité du régime fiscal » et « favorise l'activité reliée au crime organisé[57] » en plus, bien sûr, de provoquer des pertes de revenus pour le Trésor public[58]. Les activités au noir sont en outre présentées comme nuisant aux liens de confiance entre l'État et les contribuables, la culture même de l'autonomie du contribuable quand vient le temps de déclarer son revenu s'en trouvant entamée[59]. Le nombre croissant de cas de fraude pourrait d'ailleurs amener le gouvernement à accentuer ses mesures coercitives[60]. Ces assertions gouvernementales consistent donc à rappeler qu'une économie « libérale » préconisant le « libre marché » continue de devoir être encadrée et régulée, pour son bon fonctionnement, par une instance ternaire telle que l'État.

C'est le plus loin que le ministère se permettra d'aller[61]. Il fait comme si les études hétérodoxes sur la question n'existaient pas. L'année 2005, celle de la publication de son principal document de référence, est pourtant aussi celle du succès de *Ces riches qui ne paient pas d'impôts*[62], ouvrage de Brigitte Alepin, une fiscaliste formée à Harvard. Paru un an plus tôt et largement commenté dans la presse, le livre, à commencer par son titre, remet en cause les prémisses de l'approche orthodoxe. Il collige des occurrences de fraudes, de fraudes déguisées, de méfaits légalisés et de cas d'évitement contraires à l'esprit de la loi perpétrés par des membres de la classe fortunée ou dirigeante du pays. L'ouvrage a le mérite de prendre la mesure d'un bon nombre de cas exemplaires, d'ailleurs souvent de notoriété publique. Brigitte Alepin y remet précisément en cause l'idée que la fraude fiscale serait seulement l'affaire de petits filous étrangers et s'intéresse à la classe des puissants – particuliers fortunés, grandes entreprises et multinationales. *Ces riches qui ne paient pas d'impôts* sonde la part que prend cette catégorie sociale dans la fraude et analyse la complicité manifeste des services fiscaux canadiens, fédéraux ou provinciaux, quand il ne s'agit pas de la collaboration du législateur et de la complaisance des tribunaux envers elle[63]. L'auteure révèle d'autres pratiques sur lesquelles les institutions publiques seraient avisées de se pencher, telles que le recours abusif aux fondations de charité (le cas notoire de la famille Chagnon[64]), aux fiducies familiales (les Bronfman[65]), au système de prête-nom (Cinar[66]) et à la fraude offshore[67]. L'auteure a heureusement échappé aux poursuites pour diffamation que ne manquent pas d'engager d'ordinaire ces acteurs politiques soucieux de défendre une réputation bien fragile, mais tous n'y échappent pas[68].

Le paysage éditorial ne manquait pas d'autres références critiques concernant la question : deux ans avant la publication de l'étude ministérielle paraissait également une réédition de l'ouvrage *Wages of Crime* du criminologue de l'Université McGill, Robert T. Naylor. Cet essai volumineux sur les liens entre la finance criminelle internationale et les trafiquants du marché informel intérieur avait pourtant tout pour rassurer, puisque son sous-titre annonçait comme tel le thème de l'« économie au noir[69] ». L'année 2004 marquait également la parution d'un essai critique établi par nos soins, *Paul Martin et Compagnies*, sur les paradis fiscaux en lien avec la figure même du premier ministre du Canada[70].

Un appareil fiscal corrompu

Il existe un autre problème de taille : tout indique que le bureau montréalais du fisc a été infiltré par la mafia et que la corruption gangrène l'Agence du revenu du Canada elle-même. Avec son concours, les entreprises qu'elle contrôle seraient parvenues en toute quiétude à élaborer des tactiques d'évasion fiscale. La Gendarmerie royale du Canada y a ouvert une enquête en 2011 et a appris que les entreprises concernées auraient fait transiter 1,7 million de dollars dans les paradis fiscaux avec le concours de deux employés du fisc canadien[71]. Un autre cas allégué de fraude est survenu en 2009 autour d'entreprises œuvrant dans le secteur de la construction, certaines appartenant au tristement célèbre affairiste Tony Accurso. Des employés de l'Agence du revenu du Canada, dont neuf ont par la suite fait l'objet d'une enquête, leur auraient permis d'omettre leur déclaration de revenus, à hauteur de 4,5 millions de dollars[72]. Le fisc canadien a également fait mystérieusement parvenir en 2007 un chèque de 381 000 dollars à Nick Rizzuto, figure centrale de la mafia montréalaise, plutôt que d'exiger de lui les 1,5 million de dollars qu'il lui devait[73]. D'autres affaires, plus mesquines, plus sordides, surgissent régulièrement dans la presse depuis quatre ans, à propos par exemple de tel employé fermant les yeux sur certains dossiers en échange de travaux de rénovation dans sa maison[74], sans parler de cas liés au secteur de la restauration[75]. Ainsi, doit-on s'étonner que, dans un tel contexte, on constatait en 2013 qu'en matière d'évasion fiscale le gouvernement fédéral eût « condamné seulement 44 tricheurs depuis 2006[76] » ?

La situation n'est guère plus reluisante au Québec. En 2013, Revenu Québec a montré la porte à Benoît Roberge, un ex-policier de Montréal devenu cette même année chef du service du renseignement pour l'agence gouvernementale. Il s'est trouvé accusé d'avoir vendu des renseignements aux membres du groupe de motards les Hells Angels[77]. Depuis la transformation du ministère du Revenu en une agence, en 2011, il est d'ailleurs surprenant de voir l'importance de la présence policière dans un corps professionnel qui devrait en principe compter davantage de fiscalistes que de représentants des forces de l'ordre. Des policiers sont apparus à des postes clés, par exemple Yves Trudel, un ancien de la Sûreté du Québec soudainement promu Directeur principal des enquêtes et de l'inspection[78], ou Florent Gagné, l'actuel président du conseil d'administration de l'agence, directeur général de la Sûreté du Québec entre 1998 et 2003[79]. Rien ne semble résister à cette mainmise, car il est plus facile pour le pouvoir de gérer une agence qu'un ministère. Le Syndicat de la fonction publique du Québec (SFPQ) a déploré en 2012 le « climat de travail tendu » et les « processus d'embauche douteux » qui ont cours dans cette nouvelle instance. On n'est parfois pas loin du népotisme, allègue-t-il[80]. Les responsables ont tout nié, mais la présence policière dans l'institution fiscale est préoccupante, puisque les forces de l'ordre, du fait de leurs nombreux mandats auprès des représentants de l'État, entretiennent un rapport de proximité avec eux. Un climat délétère s'est d'ailleurs installé à l'agence, depuis que les membres du conseil d'administration ont procédé à une suppression de postes afin d'équilibrer le budget, et ce, immédiatement après s'être alloué, en 2011-2012, des bonis d'un peu plus d'un million de dollars[81].

Un lobby au pouvoir

Le phénomène des portes tournantes entre représentants des milieux bancaires et politiques risque aussi d'affecter durablement les politiques fiscales au Canada. Après avoir été ministre de l'Environnement, Jim Prentice est devenu en 2006 vice-président à la direction de la Banque

Impériale de Commerce (CIBC). Pour sa part ministre du Commerce international en 2008, Michael Fortier s'est par la suite trouvé embauché par la Banque Royale du Canada (RBC) en 2010 comme vice-président du conseil de RBC Marchés des Capitaux ; avant d'être ministre, il avait travaillé pour Morgan Stanley et Credit Suisse à Wall Street. C'est pour Credit Suisse qu'œuvrait pour sa part un autre conservateur avant d'être élu, le député Andrew Saxton. Alors qu'il était directeur d'une succursale dans les années 1990, il a autorisé « le transfert de 200 000 $ d'un client canadien en Suisse pour éviter qu'il s'acquitte de l'impôt sur son revenu, au pays[82] ». Dans le domaine de la santé publique, cette fois au Québec, ce sont également des financiers comme Jacques Ménard de la Banque de Montréal ou Claude Castonguay, longtemps président de la Banque Laurentienne, qui ont été invités, dans la décennie 2000, à présider des commissions publiques. Parmi les proches conseillers des décideurs publics, l'économiste en chef et vice-président de la Banque de Montréal, Tim O'Neill, a été embauché par Ottawa pour diriger l'examen des méthodes de prévisions économiques du pays[83]. La liste est en réalité interminable.

Les ministères des Finances préfèrent les ritournelles de spécialistes qu'ils ont désignés à la critique, même timorée, de penseurs indépendants. Celui d'Ottawa a choisi de se laisser encadrer par le lobby bancaire et industriel lui-même – le Groupe consultatif sur le régime canadien de fiscalité internationale[84]. Les fiscalistes Brian Arnold et André Lareau, qui prétendent à l'autonomie d'esprit de leur profession, l'ont dénoncé[85]. Sur le ton de l'évidence, R. T. Naylor présente pour sa part les banques comme le plus important lobby du Canada[86]. L'histoire nous rappelle que banques et décideurs publics évoluent depuis très longtemps main dans la main[87]. Dans son rapport annuel de 1956, la Banque Scotia expliquait déjà travailler étroitement dans les territoires britanniques des Caraïbes avec le Service du commerce extérieur du gouvernement canadien, des représentants des gouvernements provinciaux, les sociétés de chemin de fer et des hommes d'affaires locaux.

À Québec, lorsque le ministre délégué aux Finances, Alain Paquet, subventionne en 2012 à hauteur de 350 000 dollars un Centre d'expertise dans la lutte contre la criminalité financière, il confie au professeur Messaoud Abda de la Faculté d'administration de l'Université de Sherbrooke[88] le soin de diriger ce projet, en partenariat... avec la Chaire de recherche en intégrité financière CIBC[89]. Or, cette institution bancaire semble s'être mouillée dans moult affaires controversées concernant la gestion offshore. L'économiste Thierry Godefroy et le juriste Pierre Lascoumes écrivent à son propos : « La Canadian Imperial Bank of Commerce est réputée pour être la banque de nombreux dignitaires africains[90]. » François-Xavier

Verschave parle pour sa part de la « sulfureuse CIBC, la banque préférée des pétrodictateurs africains[91] », que la crédible *Lettre du continent* a régulièrement citée dans de nombreuses affaires troubles[92]. Elle aurait entre autres géré en 1997, depuis Genève vers les Îles Vierges britanniques, un transfert de fonds de 22 millions de dollars pour le compte de la firme Kourtas, qui appartenait alors au dictateur gabonais Omar Bongo[93].

La CIBC a également occupé une place de choix dans les procès pour évasion fiscale qu'ont subis aux États-Unis, dans les années 1980, quelques institutions canadiennes. Selon un plaidoyer de l'IRS, le fisc états-unien, auprès d'une Cour fiscale des États-Unis, la CIBC a volé au secours d'une banque mafieuse, la Castle Bank, lorsque celle-ci s'est trouvée mise sous pression aux Bahamas dans les années 1970[94]. La Castle, dirigée aux Bahamas depuis Chicago et Miami par des avocats d'affaires en lien avec le crime organisé, était impliquée dans la contrebande de drogue, des fraudes financières, des faux et usage de faux ainsi que des montages voués à l'évasion fiscale[95]. Lorsqu'en 1972, le fisc états-unien se penche intensément sur son cas[96] au moment où l'archipel caribéen est tenté par l'expérience indépendantiste, la banque s'assure de pouvoir dupliquer à tout moment les structures de son institution aux Îles Caïmans voisines, de façon à y transférer en moins de deux l'ensemble de ses actifs. La Canadian Imperial Bank of Commerce est alors mise à contribution pour sauvegarder ses données[97]. La Castle se trouvera plus tard traquée par l'IRS après avoir permis aux producteurs du film à succès *Vol au-dessus d'un nid de coucou* de soustraire au fisc les profits engendrés par l'œuvre[98]. L'agence fédérale la citera dans une plaidoirie devant un tribunal du Colorado en même temps que la CIBC, comme si toutes deux formaient un duo d'institutions siamoises. La CIBC, écrit Alan Block, « a repris de nombreux comptes de la Castle quand la banque a dû disparaître de la scène aux Bahamas et dans les Îles Caïmans[99] ». L'IRS associera le tout à un plan d'évasion fiscale[100]. L'agence mettra toutefois fin elle-même à ces procédures judiciaires sous la pression de la CIA… qui aurait recouru elle aussi aux services de la Castle Bank dans ses opérations anticastristes[101].

Au Québec, la CIBC s'est fait connaître quand le collectif d'associations citoyennes et syndicats Échec aux paradis fiscaux, citant les rapports annuels de l'institution, a relevé que sa présence dans les législations de complaisance lui aurait permis d'économiser 1,4 milliard de dollars en impôts entre 2007 et 2011 au Canada, sans que cela soit illégal[102]. Son président, Charles Sirois, est notamment l'un des membres fondateurs du parti politique Coalition Avenir Québec (CAQ).

Parmi les législations de complaisance où la CIBC est présente, on compte les Bahamas, la Barbade, les Îles Caïmans, la Jamaïque et Trinité-et-Tobago. On peut au moins espérer que la Chaire CIBC, dans le cadre de sa collaboration avec le Centre d'expertise de l'Université de Sherbrooke, lui fournisse des données empiriques sur la criminalité financière lorsqu'il cherchera « à vulgariser l'expertise du Québec en matière de lutte contre la criminalité financière » ainsi qu'« à augmenter le niveau de confiance du public dans ses institutions[103] ».

Université Inc. : les conseillers du prince

Le centre du professeur Messaoud Abda portant sur la criminalité financière fournit donc à l'État une « expertise » forcément travaillée par des allégeances de mauvais aloi : lors du « colloque annuel sur la prévention de la fraude financière » qu'il a organisé avec un de ses collègues le 23 mars 2012 dans son université[104], le président de l'Enterprise Center for Investment Training and Ethic, Louis L. Straney, est venu expliquer à son auditoire que la criminalité financière s'explique en grande partie par des raisons « tribales ». Dans bien des communautés ghettoïsées, des « tribus » constituées de petits épargnants, dit-il, tendent à faire confiance à des représentants financiers strictement parce qu'ils appartiennent à leur clan, plutôt que de se tourner vers d'honnêtes courtiers qui leur vendront formellement des produits financiers cotés « triple A » (comme des papiers commerciaux explosifs et des actions d'Enron ?). Au nombre de ces fraudeurs d'« ethnies » minoritaires, l'*expert* cite pêle-mêle Eddie Long et Ephrem Taylor II de la New Birth Missionary Church d'Atlanta, Weizhen Tang de la communauté chinoise de Toronto, Henry Jones des Églises évangéliques des Born Again Christians, Salim Damjii de la communauté ismaélienne de la Colombie-Britannique, Ronald Randolph de la communauté noire états-unienne et même Earl Jones de la communauté anglo-montréalaise de Notre-Dame-de-Grâce. Il mentionne également Bernard Madoff comme membre de la tribu de la *Fifth Avenue Synagogue* de New York. Ce dernier cas fait écarquiller les yeux : Madoff n'a pas seulement été un bonimenteur « tribal », mais le président d'un indice boursier new-yorkais tout à fait en vue, le Nasdaq, en plus de pénétrer certains milieux d'investisseurs européens par le biais du paradis fiscal du Luxembourg. Là réside pourtant, selon l'invité de prestige, le problème de la fraude financière : les « tribus »…

Durant le colloque animé par des fiscalistes, comptables et vérificateurs étant essentiellement venus présenter le site web de leur organisation (subventionnaire de l'activité), l'esprit général des interventions portait sur les façons pour une entreprise de se méfier des *agents* qui, en son sein, pourraient abuser d'elle en la fraudant. Ex-professeur à ce centre sherbrookois sur la criminalité financière, Michel Picard est d'ailleurs devenu consultant en la matière. L'un des mots d'ordre de sa firme : « plus de 75 % des fraudes impliquent des employés[105] ». Le criminel économique passe nécessairement pour un employé, un client ou un représentant financier vraiment mal intentionné, alors que son organisation, elle, paraît ontologiquement vertueuse. Parmi les participants, d'aucuns se présentaient du reste comme les acteurs immunitaires d'un ordre économique qui ne pose aucun problème en lui-même. Seul le professeur Abda a traité de l'enjeu des paradis fiscaux. *If you can't beat them, join them* semble être le mot d'ordre du « responsable académique » [sic] de ce Centre d'expertise dans la lutte contre la criminalité financière. Le premier postulat du professeur est clair et clairement idéologique : le capital a besoin d'être *oxygéné*, c'est-à-dire libéré des impôts qui pèsent sur lui. Il lui faut donc se libérer de toute contrainte. C'est là son deuxième postulat : l'argent qui quitte le Canada ne fait qu'un tour de portes tournantes dans les paradis fiscaux pour revenir au pays défiscalisé. Il recourt à l'image de l'eau tournoyant dans le filtre d'une piscine, les banques offshore n'étant selon lui que la pompe qui la fait circuler[106]. En guise de solution, sa proposition porte sur l'aménagement à l'intérieur même du Canada d'un circuit qui permettra au capital financier de contourner l'impôt, c'est-à-dire de fonder au Canada un canal intérieur remplissant l'office du paradis fiscal, à l'instar du Delaware aux États-Unis. Ainsi, le monde étant bien fait, les sociétés auraient à leur disposition plus de capitaux et créeraient alors nécessairement des emplois.

Cette manifestation d'outrecuidance théorique tombe à plat dès qu'on la soumet à l'analyse. Le capital est déjà très bien oxygéné, il s'alimente en fait au nitrox. Une étude du sociologue Éric Pineault indiquait qu'en 2009 les grandes entreprises canadiennes comptaient à leur actif un bas de laine représentant cinq fois l'équivalent du budget du gouvernement du Québec, c'est-à-dire 400 milliards de dollars en placements bancaires, les fameux capitaux dont elles sont censées avoir besoin pour *investir*[107]. Statistique Canada les évaluait à 544 milliards de dollars en 2013[108]. Environ le tiers de ces dépôts bancaires sont libellés en devises étrangères et le capital peut à tout moment puiser dans ces réserves pour investir dans l'économie réelle s'il en a besoin, lesquelles réserves ne cessent d'augmenter depuis que le gouvernement Harper a réduit l'impôt sur les capitaux d'entreprises.

Autre contre-argument à la rhétorique du professeur Abda, il n'est pas dit que le capital placé offshore revienne comme tel, car si la masse monétaire varie peu, rien n'indique que les fonds qui sortent et ceux qui rentrent au pays sont les mêmes, et que leur tour de manège dans les paradis fiscaux n'a consisté qu'à les faire défiscaliser. Abda, qui connaît très bien le secteur bancaire suisse, cite d'ailleurs nombre de cas où des entreprises recourent aux trusts et aux fondations qu'elles créent offshore pour mener de délicates opérations qu'elles auraient de la difficulté à conduire dans les États traditionnels[109].

Peu de voix critiques se font entendre au sein des institutions, au Québec comme dans le reste du Canada, mais on voudrait nous faire croire que Luc Godbout, un autre professeur de l'Université de Sherbrooke, serait l'un de ces analystes indépendants. Celui-ci commente régulièrement dans les médias les décisions en matière budgétaire et fiscale du gouvernement du Québec, lequel compte pour conseiller... le professeur de l'Université de Sherbrooke Luc Godbout[110]. Cela explique peut-être un peu l'entrain jovial avec lequel le fiscaliste explique au public à quel point le Québec est «un paradis pour les familles[111]», usant ainsi de manière insidieuse d'un mot, le *paradis*, jusque-là réservé aux entités politiques controversées telles que les paradis fiscaux.

Lorsque les médias présentent Luc Godbout, ils ne retiennent que son titre de professeur. Pourtant, en 2010 et 2011, dans le cadre d'une consultation prébudgétaire, l'intéressé siégeait au Comité consultatif sur l'économie et les finances publiques mis en place par le ministre des Finances d'alors, Raymond Bachand[112]. Le budget 2010-2011 sera en grande partie sa créature et c'est en contemplant son œuvre que Luc Godbout dira tout le bien qu'il en pense à la télévision. Le rôle de ce comité aura été déterminant dans le virage majeur qu'a emprunté Québec en matière de finances publiques, passé depuis d'une culture fiscale basée sur la progressivité à celle de la tarification, dont le principe est le suivant: faire reposer le financement des services publics moins sur l'imposition des contribuables au prorata de leur revenu que sur la facturation directe des services publics. Le choix idéologique défendu consiste donc à délaisser l'imposition du revenu comme mécanisme d'équité fiscale et de redistribution de la richesse au profit d'une réduction du service public au rang de marchandise dont on se prévaut, ou pas (!), selon ses moyens[113]. Il s'agit, résume-t-il, de «taxer intelligemment[114]». Tous ne partagent pas son analyse, et ce virage déclenchera contre le principe de tarification des services une vague de protestation sociale d'envergure au Québec.

Comme si elle avait perdu de vue la raison d'être du fisc, la Chaire de recherche en fiscalité et en finances publiques dont relève Godbout à l'Université de Sherbrooke fait d'ailleurs fort peu de cas des iniquités sociales[115]. En fait, beaucoup de sujets passent à la trappe, par exemple l'impact réel d'une taxe sur l'accès aux soins de santé, comme s'il s'agissait essentiellement d'apposer le sceau de l'expertise sur des décisions déjà prises[116]. Cet état de fait illustre à lui seul le lien de dépendance réciproque qui existe entre le pouvoir politico-financier et l'expert universitaire, celui-ci venant simplement appuyer par son autorité les décisions souvent idéologiques de l'institution de pouvoir tandis que c'est l'institution même qui lui a conféré son statut[117].

Lorsque règne un tel état d'esprit, la voie est pavée vers des positionnements idéologiques plus fermes encore. Philippe Faucher, professeur de sciences politiques et membre du Centre de recherche en études internationales de l'Université de Montréal (CERIUM), ne fait pas que reprendre en 2013 le poncif voulant que les États soient « fondamentalement en concurrence ». Cette position fondamentaliste, postulant que les lois du marché doivent l'emporter sur les législations politiques comme sur tout le reste, justifie tous les maux, de la pratique répandue de la technique du *prix de transfert* à l'incapacité des institutions publiques à générer des revenus pour financer les institutions de bien commun. Dans un dérapage verbal qui lui est familier, il se présentera en croisade contre un « cartel des taxes[118] » dans les pages de *La Presse*, plaidant pour une diminution de l'impôt tous azimuts. Semant la confusion en ne situant le débat nulle part, il conclut que « pour convaincre les citoyens et les entreprises de payer leurs impôts », les gouvernements doivent « assurer des services de qualité au meilleur prix », alors que, bien entendu, les fuites fiscales hémorragiques auxquelles nous assistons ces années-ci les empêchent d'atteindre cet objectif.

À l'heure des crises économiques séquentielles et des politiques de rigueur budgétaire préconisant la tarification des services publics, s'il paraît impératif d'imposer conséquemment le club des milliardaires, l'idéologie libérale croit détenir un argument massue pour continuer de n'y rien entendre, décrétant que nos riches s'exileraient si nous étions assez odieux pour leur demander collectivement de payer leur dû. Ce mythe a la vie dure et l'un des derniers à l'avoir entretenu au Québec est l'avocat Paul Ryan. Son ouvrage, paru en 2012, porte un titre qui rappelle la rhétorique immodérée de la droite conservatrice d'il y a cent ans en Europe : *Quand le fisc attaque*[119]. « Il serait difficile d'en demander plus aux riches[120] », se contente-t-il de cautionner, rangeant dans cette catégorie sociale les contribuables gagnant plus de 100 000 ou 150 000 dollars, comme si au-delà, d'autres paliers d'imposition étaient impensables. Quelques années auparavant, dans un écrit aux accents militants, trois professeurs de la faculté d'Administration de l'Université de Sherbrooke, Luc Godbout, Pierre Fortin et Suzie Saint-Cerny, ont soutenu l'idée que les entreprises payaient leur juste part dans le paysage fiscal québécois, allant jusqu'à réduire au « mythe » et à la « croyance populaire » toute position contraire. Les administrateurs sherbrookois ajoutaient qu'on ne peut pas juger de la contribution des entreprises en s'en tenant seulement aux taux d'imposition. Il convient, ajoutaient-ils, de considérer également des paramètres liés à ce que l'on considère être un bénéfice et de tenir compte de l'évolution des déductions fiscales.

L'économiste Jim Stanford s'applique pour sa part à vraiment faire les calculs, plutôt que de se contenter de dire que *c'est plus compliqué que ça en a l'air*, et conclut que les programmes de déduction fiscale prévus notamment par le gouvernement fédéral favorisent structurellement les entreprises depuis des décennies. « En raison de l'impact des déductions et des échappatoires [...], le taux effectif d'imposition est presque toujours plus bas que le taux prévu par la loi[121]. » Ajoutons que les experts de Sherbrooke arrivent à la représentation qui sied au grand capital en se gardant de distinguer les entreprises les unes des autres, selon qu'elles soient grandes ou petites. Ici, la fromagerie beauceronne et la multinationale pharmaceutique cohabitent comme des entités sociologiquement interchangeables. Aussi, la mise en scène des données n'apparaît que dans le spectre des chiffres du PIB, comme s'il s'agissait du seul référent qui vaille[122].

Inspecteur de l'impôt des sociétés en Belgique, l'auteur Marco Van Hess a consacré tout un livre à démonter ces poncifs[123]. Tandis qu'un redressement des États s'impose, l'exil allégué des particuliers nantis est souvent monté en épingle au regard des données sociologiques réelles. Dans une apostrophe faite aux riches, Van Hess insiste sur le potentiel économique que pourraient avoir les impôts sur les grandes fortunes : « Réfléchissez : vous avez déjà votre manoir à Uccle, votre villa à Zoutre, votre chalet à Grans-Montana, votre Maserati et votre Porsche Cayenne au garage, votre maîtresse et votre yacht mouillant à Cannes. Bref, vous avez atteint votre horizon consumériste et vos revenus futurs sont essentiellement voués à l'accumulation du capital. Désolé de vous le lâcher de manière abrupte, mais vous vivez en dessous de vos moyens! [...] Acceptez que l'on taxe votre patrimoine : cela réduira légèrement votre montagne de capital et permettra de créer des milliers d'emplois dans la santé, l'enseignement, le social[124]. » Après tout, l'impôt fédéral sur le revenu des plus riches n'était-il pas, pour ces raisons précises, de 91 % aux États-Unis entre 1941 et 1964 ?

Seuls les penseurs obsolètes jugent aujourd'hui « populiste de promettre d'imposer davantage les riches[125] ». Non seulement les sondages populaires vont-ils en ce sens[126], mais même le très conservateur Fonds monétaire international estime que le gouvernement canadien pourrait augmenter de 15 points de pourcentage le taux maximal d'imposition des Canadiens de revenus supérieurs, sans pour autant provoquer de fuites de capitaux[127].

Une incompétence chronique

Il n'est pas étonnant, dans un tel contexte idéologique, que le Canada soit désarmé lorsque son appareil d'État entreprend de lutter contre un phénomène devenu incontrôlable. Lorsque à l'automne 2013 *Le Journal de Montréal* fait une énième fois la preuve qu'on peut en un rien de temps ouvrir un compte bancaire au Belize et jouir au Canada d'actifs ainsi détournés de l'impôt, le ministre québécois des Finances, Nicolas Marceau, n'a trouvé qu'à se dire : « très étonné[128] ». Pourtant, cela ne semble pas aussi mystérieux pour les investisseurs qui consultent ne serait-ce que le site *Canada-Offshore*[129].

Il semble que les ministres aient tout intérêt à faire les benêts. Le ministre fédéral du Revenu Jean-Pierre Blackburn a dû quitter son ministère en janvier 2010, peu après s'être intéressé de très près aux affaires de la Banque Royale du Canada au Liechtenstein. L'institution financière aurait aidé 106 particuliers fortunés du Canada à y inscrire quelque 100 millions de dollars pour contourner le fisc. Bien que l'allégation se soit trouvée en partie corroborée par une enquête de l'Agence du revenu du Canada, aucune poursuite n'a été intentée. Les autorités fédérales se sont contentées de réclamer six millions de dollars, tandis que Blackburn était muté au bien symbolique ministère des Anciens combattants[130].

Les conventions fiscales que le Canada a signées avec de nombreux paradis fiscaux permettent aisément aux contribuables de contourner le fisc. Les autorités canadiennes sont allées de l'avant sans toutefois prendre le soin de se prémunir de quelque manière que ce soit contre les abus bien prévisibles qu'elles permettent. Le ministère canadien des Finances écrit plutôt en toute candeur en 2013 : « il est difficile, à partir des statistiques agrégées sur les investissements directs étrangers, de faire une distinction entre les investissements directs proprement dits et les investissements effectués par le truchement d'entités intermédiaires, et la difficulté est encore plus grande lorsque l'on veut repérer les investissements directs effectués à des fins de planification fiscale. De plus, on peut avoir recours à des intermédiaires à des fins de planification fiscale sans qu'il soit question de chalandage fiscal [lire magasinage fiscal]. Par exemple, dans des juridictions où les impôts sont peu élevés (ou qui ont mis en place des régimes préférentiels), le recours à des intermédiaires peut servir à réduire ou à différer l'impôt dans le pays où réside le bénéficiaire effectif, par opposition au pays source[131]. » Ah oui ? Et c'est seulement maintenant que le gouvernement en prend conscience ? C'est seulement maintenant qu'il découvre les paradis fiscaux ? « Il y a des pays dont les investissements au Canada sont proportionnellement supérieurs à leurs liens économiques avec ce dernier. Le Luxembourg en est un bon exemple, arrivant au 72ᵉ rang parmi les partenaires commerciaux du Canada, mais au 7ᵉ à titre de source des stocks d'investissements directs étrangers au Canada. Il y a d'autres pays qui sont dans une situation similaire et qui apparaissent parmi les dix principaux pays sources de placements, comme les Pays-Bas et la Suisse, ce qui laisse penser qu'eux aussi sont utilisés comme pays relais pour les investissements, bien que les investissements entrepris via plusieurs pays n'impliquent pas toujours des cas de chalandage fiscal[132]. »

Mais comme le législateur s'enferme dans les catégories juridiques, l'évidence n'est encore jamais une preuve suffisante pour sanctionner les fraudeurs. « Le fait qu'un pays se classe à un rang élevé au chapitre des stocks d'investissements directs étrangers entrant au Canada, même lorsque son classement est beaucoup plus bas au chapitre des liens économiques, n'est pas en soi une preuve de chalandage fiscal. » Il ne lui reste alors qu'à gagner du temps, c'est-à-dire à organiser une consultation de la population pour qu'elle lui indique s'il y a lieu de revoir ou non toutes les conventions fiscales qu'elle a malencontreusement signées avec tant de pays, « ce qui représente une tâche ardue, étant donné que ces pays ne voudront pas forcément renégocier leur convention », précise le ministère ; ou encore à redéfinir les lois nationales, lesquelles « donneront des résultats plus incertains dans certains cas, ce qui peut engendrer certains risques liés à l'observation du point de vue des entreprises », relève-t-il encore[133].

De fait, Ottawa feint de s'attaquer aux paradis fiscaux. Déjà, les fiscalistes qui orchestrent la délocalisation d'entreprises et d'actifs vers des cieux plus cléments haussent les épaules devant un tel projet de consultation. Pour le cabinet Osler, le gouvernement ne fait reposer en droit le problème de la délocalisation d'actifs offshore que sur des « preuves anecdotiques et empiriques[134] ». En 2009 déjà, la firme McCarthy et Tétrault écrivait : « l'état du droit actuel au Canada demeure très favorable aux opérations structurées visant à utiliser efficacement l'éventail des conventions fiscales bilatérales du Canada[135] », soit celles que le gouvernement a signées précisément pour favoriser l'évitement fiscal, et auxquelles il refuse de toucher.

La myopie des intellectuels *critiques* ou le nationalisme canadien

Une autre question embarrassante surgit : pourquoi l'université canadienne n'a-t-elle produit, à ce jour, aucune analyse critique touchant au rôle historique du Canada dans la transformation des Caraïbes en îlots offshore ? Ou plus précisément, pourquoi les intellectuels canadiens se réclamant de l'économie politique et de la tradition critique n'ont-ils pas relevé le caractère préoccupant de l'influence canadienne dans la Caraïbe par l'entremise de parlementaires, d'institutions bancaires, d'agences de développement ou d'experts de tout acabit ? Hormis la recherche très vite archivée du journaliste Mario Possamai et de quelques allusions faites par un criminologue comme R. T. Naylor, on cherche en vain des universitaires qui tiennent compte aujourd'hui de la responsabilité canadienne dans la transformation en paradis fiscaux des Bahamas, de la Barbade, des Caïmans, de la Jamaïque et de Trinité-et-Tobago, et sur des partenariats suspects avec des législations telles que les Bermudes et le Panama.

Même lorsqu'ils détiennent des informations qui devraient les mener dans cette direction, les intellectuels « critiques » du Canada ne se sentent pas dépositaires de cette responsabilité, souvent parce qu'ils ne parviennent pas à imaginer le caractère fondamentalement complaisant de l'État canadien. Il ne s'agit pas tant d'un aveuglement quant à l'implication d'États étrangers dans l'évolution de la Caraïbe que d'un fait de cécité spécifique devant le rôle du Canada. La culture politique canadienne est ici en cause, et celle de sa gauche universitaire au premier chef : se montrer critique envers son propre État semble excéder ses forces.

Kari Polanyi Levitt permet de bien illustrer le phénomène. Fille de l'économiste autrichien Karl Polanyi, cette professeure d'économie à l'Université McGill, spécialiste du Canada et des Caraïbes, s'est imposée à partir des années 1960, et tout au long de sa carrière, comme une figure active du radicalisme universitaire canadien-anglais. Avec Mel Watkins, dont elle fit la connaissance dès ses années d'études à l'Université de Toronto, elle sera du *Waffle*, soit l'aile radicale du Nouveau Parti démocratique (NPD) qui militera en faveur d'un « Canada indépendant et socialiste », c'est-à-dire soustrait au contrôle de l'impérialisme américain[136]. Elle se montrera si radicale que le NPD l'exclura de ses rangs en 1972. Soutenue à cette époque par le philosophe Charles Taylor, Levitt fait paraître *Silent Surrender*, un livre-choc : les multinationales états-uniennes, avance-t-elle, induisent des échanges continentaux nord-sud plutôt qu'est-ouest et menacent par conséquent de morceler le Canada[137]. Elle nomme *néomercantilisme* ce système économique dominant, en référence au système colonial du XVIIIe siècle, à l'intérieur duquel des Compagnies de la métropole bénéficiaient dans la colonie de marchés protégés. Certes, à en croire les indicateurs économiques, le Canada est un pays riche qui profite de ses liens étroits avec le géant du Sud. Mais Levitt rappelle que le degré de développement d'une nation ne se mesure pas en statistiques économiques. Il doit plutôt s'apprécier au regard de sa capacité d'innovation et d'initiative et de sa souveraineté dans l'utilisation de ses ressources naturelles. Là-dessus, estime Levitt, le Canada se trouve contraint par le pouvoir des multinationales chez lui[138].

Établissant des analogies, les étudiants caribéens à l'Université McGill trouvent en la pensée de Levitt une source d'inspiration intellectuelle et militante. Se prenant elle-même d'intérêt pour l'accession à l'indépendance de la Jamaïque, entre autres enjeux caribéens, Levitt se consacre à une étude approfondie de l'évolution économique et politique de ces territoires. Son parti-pris pour l'émancipation de la Caraïbe l'amène à collaborer avec des intellectuels et acteurs politiques critiques de la région, notamment Lloyd Best. Levitt devient notamment conseillère spéciale en comptabilité nationale auprès du gouvernement de Trinité-et-Tobago au début des années 1970[139], avant d'enseigner l'économie pendant de très nombreuses années en Jamaïque. Portée, comme elle l'écrit, par le contexte de la décolonisation et des rêves qu'il a suscités[140], Levitt s'engage intellectuellement, politiquement et professionnellement dans les Caraïbes au point de s'y identifier intimement.

Nonobstant, d'une part, ses travaux critiques et, d'autre part, son militantisme politique au Canada, elle n'a rien eu à redire, au long de cette riche expérience dans la région, du rôle impérialiste qu'a joué le Canada dans le secteur bancaire et dans la transformation de la Caraïbe en une série de centres financiers internationaux. Pourquoi cette myopie?

En même temps qu'au milieu des années 1960, la domination du Canada par les multinationales états-uniennes l'interpelle, Levitt développe avec Lloyd Best ce qu'elle nomme les *modèles* du développement économique particulier des Caraïbes, depuis le système esclavagiste des plantations jusqu'à la sortie définitive de ce système et de ses avatars subséquents, soit la production locale et l'artisanat puis la mainmise des grandes industries sur l'économie[141]. Même exposées brièvement, il est difficile de ne pas noter les affinités entre ses thèses sur les Caraïbes et celles sur le Canada : même dépendance de longue durée au système mercantile mis en place au XVIIIe siècle, qui inaugure une économie d'exportation vers la métropole de matières premières à bas prix et qui marque de son empreinte les développements ultérieurs ; mêmes timides tentatives de développer une économie nationale à compter du dernier tiers du XIXe siècle qui, bien que reposant toujours sur l'exportation des matières premières, constitue une prise de contrôle des rênes de l'économie nationale ; et, surtout, même emprise des multinationales (états-uniennes et britanniques) dans le cadre d'un assujettissement au régime *néomercantile* qui s'est développé depuis les années 1950. Lorsque Kari Levitt écrit en 1996 que les Caraïbes pâtissent du contrôle par les multinationales de l'accès aux marchés, des licences, des technologies et des brevets[142], on reconnaît les traits d'un système dont elle dénonçait 30 ans plus tôt les conséquences pour l'économie canadienne. Finalement, la dernière étape, qui verrait enfin la sortie de la longue dépendance au mercantilisme dans les Caraïbes, ressemble à s'y méprendre, le radicalisme verbal en moins, aux prises de position politique de Levitt au Canada dans les années 1960[143]. Certes, le Canada n'a pas connu les plantations esclavagistes à grande échelle ni les régimes autoritaires qui y furent associés dans les Caraïbes, dont elle parle aussi. Il paraît pourtant incontestable à ses yeux qu'au sein du système capitaliste mondial, les économies canadienne et caribéenne se trouvent dans une situation de domination similaire[144]. Après tout, ne s'agit-il pas toujours de contrées coloniales vouées à générer une économie des ressources, comme l'historien Harold Innis la qualifia dans les années 1920[145] ? Bref, le système capitalistique global qui se développe après la Seconde Guerre mondiale place le Canada et les Caraïbes dans une position analogue, soit celle de *colonies* du régime de domination des multinationales, bien sûr essentiellement états-uniennes[146].

Définissant le Canada sur un mode strictement victimaire, Levitt ne sortira jamais de son parti-pris comparatiste : les mêmes causes entraîneraient nécessairement partout les mêmes conséquences, au Canada comme dans la Caraïbe. Puisqu'il se trouve géographiquement sur la même ligne de front que tous ces pays tenus dans le même gant de fer par les États-Unis[147], le Canada est le dernier État qu'elle soupçonne de jouer un rôle impérialiste dans les pays caribéens, que ce soit dans le secteur bancaire ou dans un autre. Un Canada par définition bon et soumis ne peut pas faire partie des oppresseurs. Le discours de Levitt sur ce qu'elle nomme le *programme de la mondialisation*, qui a donné suite à son approche postcoloniale des années 1960 et 1970, n'encouragera pas davantage de prise de conscience sur la présence redoutable des Canadiens dans la Caraïbe. Sa critique courageuse et lucide des programmes d'endettement des pays du Sud que commencent à défendre dans les années 1980 autant des universitaires en vue que des *think tanks* états-uniens, en passant bien sûr par la Banque mondiale et le Fonds monétaire international (FMI)[148], ne rend toutefois pas plus juste son appréciation du rôle du Canada. Car, fidèle à sa perspective, l'État canadien se trouve absolument absent de catégories opératoires telles que les dominantes *multinationales* ou la *Banque mondiale* et le *Fonds monétaire international*. Il ne semble pas lui effleurer l'esprit que l'épithète *canadiens* puisse partiellement qualifier les acteurs qui trônent au sommet de la pyramide économique sévissant à l'ère de cette mondialisation, soit quelque 40 000 multinationales et leurs 250 000 filiales[149]. Ignorance ou refus de voir ? Selon Levitt, les institutions financières internationales imposent aux pays qui les attirent des mesures qui servent en premier lieu les intérêts états-uniens, accessoirement ceux de leurs alliés britanniques et européens[150].

Selon elle, seuls les États-Unis ont impulsé, par le biais du FMI et de la Banque mondiale, les transformations et ajustements des économies caribéennes à partir des années 1980. La politique du gouvernement états-unien depuis 1982 façonnerait à elle seule les politiques de ces institutions, consistant à exiger le remboursement des dettes contractées aux États-Unis[151]. Dans cette optique, l'Accord de libre-échange nord-américain (ALÉNA) qu'ont ratifié le Canada, les États-Unis et le Mexique en 1994 se présente strictement comme le témoignage de la présence du Canada parmi les pays soumis aux logiques impériales états-uniennes[152].

Filant le raisonnement, Levitt estime qu'un Canada ne pouvant se révéler un acteur de premier ordre dans le système qu'elle dénonce est donc au contraire porteur de solutions pour la Caraïbe. Elle espère ainsi que la décision du Canada annoncée par l'Agence canadienne de développement international (ACDI), celle d'effacer la dette de la Jamaïque, soit le prélude en ce sens d'un engagement fort du gouvernement canadien pour toute la région auprès des « agences de Washington » (FMI et Banque mondiale)[153]. Lorsqu'elle parle des « liens étroits » qui unissent le Canada à la Jamaïque, c'est étrangement pour en reproduire des banalités de dépliant officiel :

> La Jamaïque est le principal pays du programme canadien d'aide au développement en Amérique latine et dans les Caraïbes et les dépenses de l'ACDI sont plus importantes en Jamaïque que dans n'importe quel autre pays de la région. Le Canada entretient des liens forts avec la Jamaïque et bénéficie de l'amitié des Jamaïcains. Ces liens sont pour une large part des liens entre peuples – ils ont été créés au fil du temps par des générations de Jamaïcains qui ont élu domicile au Canada et de dizaines de milliers de Canadiens qui ont visité la Jamaïque en touristes[154].

S'il lui est impossible de ne pas voir la domination des institutions financières canadiennes, comme la Banque Scotia ou la Banque Royale du Canada, sur les villes qu'elle fréquente[155], que ce soit Kingston ou Port-d'Espagne, Kari Levitt parvient à en faire arbitrairement les symboles de l'engagement canadien en vue du développement de la Caraïbe ! Elle y va du même déni en ce qui regarde le rôle d'Alcan en Jamaïque. Certes, rien du comportement de cette multinationale canadienne ne la fait se distinguer de ses pairs des États-Unis[156], mais Levitt s'entête à voir en celle-ci, lorsqu'elle se fait acheter par Rio Tinto en 2012, une entreprise qui sans son rachat aurait été à *l'avant-garde* d'une possible réponse canadienne à la domination états-unienne dans les pays du Sud[157].

Si elle avait poursuivi sa démarche avec un esprit critique, il lui aurait plutôt été donné de comprendre l'engagement fort peu touristique de l'État canadien, de ses agences et des institutions privées qui en répondent dans les Caraïbes. La genèse de la transformation des territoires caribéens en paradis fiscaux, que l'historien Daniel Jay Baum a par exemple déjà démontrée dans son ouvrage *The Banks of Canada in the Commonwealth Carribean: Economic Nationalism and Multinational Enterprises of a Medium Power*[158], lui aurait paru claire. Levitt aurait ainsi apprécié à quel point le Canada, loin d'offrir un potentiel rempart contre l'action du FMI et de la Banque mondiale dans la région, en est l'agent enthousiaste. Il lui aurait même été possible à cette occasion de reconnaître les multinationales canadiennes parmi celles qui participent à la domination de l'économie régionale[159].

Un curieux soutien au développement du Sud

Du reste, on peine à calmer le zèle des beaux esprits libéraux qui continuent de prodiguer l'idée, ô combien erronée, que les pays pauvres se *développent* en devenant des paradis fiscaux[160]. Dans presque tous les cas, les populations du Sud s'appauvrissent lorsque leur État transforme leurs régimes fiscaux et codes d'investissement en fonction des exigences du grand capital. Tandis que leur situation personnelle se dégrade, les insulaires voient les milliards voler au-dessus de leurs têtes. En contrepartie, les droits de douane et les coûts de l'immobilier augmentent, au détriment de populations fréquemment abandonnées par leur gouvernement. Souvent, le développement soudain du secteur bancaire met fin aux activités maritimes des îles et plonge des milliers de marins dans le désœuvrement[161]. Cela n'empêche pas les fiscalistes patentés de tout nuancer jusqu'à l'ennui, de considérer par exemple qu'il n'est pas « clair et net » que « les investissements des caisses de retraite dans les paradis fiscaux sont scandaleux », puisque « le phénomène des paradis fiscaux, c'est l'émergence d'une concurrence fiscale accrue entre tous les pays du monde » dans laquelle « les pays pauvres brandissent le seul avantage qu'ils ont face aux pays développés, une fiscalité plus généreuse[162] ». Pour quiconque souhaite seulement se poser la question, il appert que les législateurs du Sud, obnubilés par la venue de touristes fiscaux, se détournent de leur mission sociale et que le potentiel de corruption y est inouï.

Bien que le phénomène offshore constitue en lui-même, pour tout démocrate, une contradiction historique avec les principes que les États de droit occidentaux prétendent défendre, les extrémistes de la réserve, exaltés du juste milieu et autres fanatiques de la modération réduisent la portée de leurs remarques afin de conserver la faveur des cercles leur déléguant leur capital symbolique.

Les solutions à prétention technique

La complaisance scientifique n'est heureusement pas toujours de rigueur. Bien des auteurs versés dans les techniques comptables ont avancé des propositions percutantes qui seraient de nature à nous sortir de cet enlisement. Sur le plan technique, des solutions existent. Elles ne sont aucunement révolutionnaires, ni toujours satisfaisantes, mais elles témoignent d'une possibilité réelle de faire en sorte que les choses évoluent autrement. Seulement, nous ne disposons pas d'une députation et surtout d'une caste financière et industrielle qui soient prêtes à prendre la mesure du problème. En quoi consistent ces options ?

Désigner les paradis fiscaux comme un problème politique causé par la complaisance de nos États. Brian Arnold conclut sa longue étude sur la fiscalité internationale en stigmatisant à juste titre le réseau des paradis fiscaux, auquel l'État canadien s'est complètement intégré. « Les paradis fiscaux permettent aux contribuables canadiens d'éviter des impôts au Canada et de s'y soustraire de nombreuses manières. En dehors de l'évasion fiscale, si les résidants canadiens ne pouvaient pas transférer des revenus dans les paradis fiscaux et s'il n'était pas possible pour des non-résidants d'investir au Canada par le biais des paradis fiscaux, les règles fiscales internationales s'en trouveraient grandement simplifiées. En supposant que le taux canadien d'imposition des sociétés soit d'environ 35 pour cent, les entreprises multinationales ont un incitatif puissant pour retirer leurs revenus du système fiscal si le revenu détourné n'est pas imposable, ou est imposable à un taux très bas dans un paradis fiscal[163]. » Bref, l'auteur postule sans réserve que « les liens actuels entre les règles des sociétés étrangères affiliées et les conventions fiscales canadiennes devraient être dissous[164] ». Pour s'attaquer au phénomène de la nuisance considérable que représentent les paradis fiscaux, on doit commencer par abroger toutes les mesures législatives et réglementaires canadiennes qui favorisent le recours aux avantages offshore. Il s'agit bien sûr de révoquer le traité de non double imposition signé par le Canada avec la Barbade en 1980, de même que tous les traités d'échange de renseignements fiscaux qu'il paraphe maintenant avec des paradis fiscaux de façon à en favoriser l'accès à la caste financière du pays[165]. Si, comme le pensent certains, il n'est pas déjà trop tard[166]. Pour y arriver, de manière pratique, il convient aussi de faire table rase des lois canadiennes conférant le statut de contribuable non résidant à toute entité enregistrée dans une législation de complaisance où elle ne mène aucune activité tangible[167]. Il y a aussi lieu d'éliminer le principe de l'exonération des impôts sur les revenus inscrits à l'étranger sous la forme de dividendes, lorsqu'ils sont transférés depuis l'étranger au Canada[168].

S'attaquer aux législations caribéennes que le Canada a vassalisées en consolidant les revenus imposés. Parmi les paradis fiscaux « les plus importants » identifiés par le fiscaliste Donald Brean apparaissent ceux que des Canadiens ont contribué à créer : les Bahamas, la Barbade et les Îles Caïmans[169]. « Il ne peut y avoir de doute quant au rôle que jouent les paradis fiscaux dans la planification fiscale des sociétés contemporaines », insistait-il déjà en 1984[170]. Les paradis fiscaux relèvent d'un problème systémique qu'on ne saurait poser en fonction des seuls « individus ». « Les problèmes fiscaux sont créés par les systèmes fiscaux[171] », d'autant plus que notre droit fiscal s'articule lui-même comme une joute intellectuelle où se vérifie l'art de violer l'esprit de la loi sans en enfreindre la lettre. Et à ce jeu, les entreprises privées sont à peu près certaines de sortir gagnantes, d'autant plus qu'elles seules ont les moyens d'exploiter devant les tribunaux le potentiel herméneutique de textes de loi complexes[172]. Et ce petit jeu persiste tant que l'impôt s'applique sur un mode fragmenté entre entités appartenant à un même groupe, honorant ses impôts tantôt à la Barbade tantôt au Luxembourg, alors que ses actifs sont présentés dans un bilan consolidé aux actionnaires[173].

Faire preuve de vigilance au regard de la tentation offshore de nos États. Le Québec flirte depuis longtemps avec la tentation de transformer formellement sa législation en une zone à certains égards déréglementée et se donne donc les experts qui le confortent en ce sens. Au tournant de la décennie 2010, la ministre des Finances, Monique Jérôme-Forget, a caressé l'idée de faire du Québec un « Delaware du Nord » pour les investisseurs à risque, voire les fraudeurs financiers comme tels. Le professeur de droit de l'Université du Québec à Montréal, Georges Lebel, a mis au jour en 2010 un document de consultation annexé à la Loi sur les sociétés par actions de l'année précédente[174]. La proposition visait à faire du Québec un paradis réglementaire pour les administrateurs de sociétés, au détriment des actionnaires. Comme il se doit dans toute juridiction de complaisance, le droit aurait été utilisé pour se neutraliser lui-même. Il se serait littéralement agi « d'insérer dans les statuts une clause d'exonération des administrateurs pour leurs manquements à leurs devoirs de prudence et de diligence, qui empêcherait les actionnaires et les créanciers de les poursuivre en dommages ». Si le ministère des Finances entrevoyait clairement qu'une telle transformation du régime québécois nuirait aux petits investisseurs, il y voyait néanmoins une stratégie du moins-disant réglementaire afin d'attirer au Québec des entreprises du reste du Canada et des États-Unis. Le projet se trouvait débattu au ministère des Finances au moment même où le Québec subissait les conséquences des fraudes financières de Vincent Lacroix et d'Earl Jones.

Légiférer de façon à ce que l'État impose les revenus dans le lieu même où a cours une activité et non l'État de circonstance où les revenus ont été enregistrés. À ce titre, le professeur de fiscalité de l'Université Laval André Lareau propose que la résidence légale d'une entité soit définie en fonction du lieu où opère la personne «qui est la plus susceptible de retirer les bénéfices de l'exploitation[175]». Arnaud Mary, qui contresigne sa proposition, la fait entrer en résonance avec la décision de la juge Woods de la Cour canadienne de l'impôt (CCI), qui a situé au Canada le lieu d'imposition de titulaires de trusts enregistrés à la Barbade.

Élaborer des lois qui permettent de lutter contre les stratégies d'évasion fiscale respectant la lettre de la loi. Professeur à HEC Montréal, Jean-Pierre Vidal propose un libellé juridique qui consiste à imposer des revenus inscrits dans les paradis fiscaux indépendamment du caractère formellement légal de manœuvres abusives. Il s'agit pour ce faire de permettre à la justice de s'intéresser non pas tant à l'intention des fraudeurs présumés qu'aux seules conséquences de leurs opérations en matière fiscale[176]. La définition formelle de l'expression *planification fiscale agressive* porte ainsi chez lui sur toute opération de transfert de fonds entre entités appartenant à un même groupe qui aboutit à un avantage fiscal. Il s'agit d'un «Plan de mise en œuvre dans au moins deux juridictions, qui respecte les dispositions des lois fiscales, et qui conduit à ce qu'au moins une personne physique reçoive un enrichissement net après impôt (réel ou potentiel) supérieur à celui qu'elle aurait reçu abstraction faite de toutes les entités qui s'interposent entre elle et la source de son enrichissement[177]». Vidal prend alors pour cible non pas tant les «resquilleurs» que les États ayant tendance à céder à «l'objectif pervers» d'«attirer» chez eux «ceux qui aimeraient réduire leur impôt sans agir dans l'illégalité», citant au premier chef les créatures de l'establishment canadien, les Bahamas, la Barbade et les Îles Caïmans. Une telle conception permettrait d'annuler cet avantage, considéré comme indu, peu importe les motifs initiaux ou sincères de telles opérations[178]. Cette proposition est en phase avec celle qu'avancent par ailleurs Gilles Larin et Robert Duong[179].

Sommer les banques de rendre accessibles toutes les informations dont elles disposent dans le monde. Il s'agirait en cela de reproduire au Canada la nouvelle mouture de la loi sur les banques que les États-Unis ont introduite en 2003, répondant au nom de Foreign Account Tax Compliance Act (FATCA). Cette loi implique un mécanisme d'échange d'informations automatique entre l'administration fiscale états-unienne et toute institution gérant directement ou non des comptes appartenant à des contribuables états-uniens à l'international.

Coordonner la loi fiscale avec des politiques sociales et des normes de défense des écosystèmes. Suivant Brigitte Alepin, il y aurait lieu de revoir radicalement les avantages fiscaux conférés à des fondations caritatives qui ne font preuve de générosité qu'à l'égard de leurs ayants droit et concevoir des mesures fiscales en matière de pratiques écologiques qui appuient une politique de conversion des attitudes et des approches eu égard aux contingences du XXIᵉ siècle[180].

Éviter le piège de la judiciarisation du débat, plutôt que de sa politisation. C'est la position du Réseau pour la justice fiscale. Judiciariser le débat, c'est mettre uniquement l'accent sur la lutte aux fraudeurs[181] et contribuer à excuser les politiques fiscales du gouvernement fédéral qui légalise à la fois certains stratagèmes préjudiciables au bien commun et les entreprises et détenteurs de fortune qui redoublent d'ardeur pour ruser contre le fisc.

Cartographie des oligarques

Le recours aux paradis fiscaux est entré dans les mœurs des oligarques et peu de gens de pouvoir épris de *bonne gouvernance* osent tenter de freiner le mouvement[182], si bien que malgré les déclarations de principes, on est encore loin du compte.

Dans son étude complaisante sur les fortunes canadiennes, Diane Francis présente un à un les acteurs canadiens actifs dans les paradis fiscaux :

La famille Irving ? « Le Nouveau-Brunswick est une ville-entreprise dont la famille Irving est propriétaire. [...] Mais techniquement, la propriété en est détenue par une série de fiducies de revenu localisées aux Bermudes[183]. »

Harold Siebens ? Il a « vendu 34 % de Siebens Oil à Dome pour 120 millions de dollars en 1978 et il est ensuite devenu résident permanent des Bahamas[184] ».

John MacBain? «Il vit dans le luxe, et relativement à l'abri de l'impôt, à Genève, en Suisse, faisant des cadeaux en argent tout autour du monde grâce au produit d'un empire financier qu'il a érigé et qui s'étend dans 20 pays[185].»

Alex Shnaider? «Il est le président du groupe de sociétés Midland, employant 40 000 personnes et a investi dans l'immobilier, il possède des entreprises agroalimentaires, des usines chimiques et deux des aciéries les plus importantes au monde [...]. Ce conglomérat, détenu en copropriété avec son associé Eduard Shifrin, a des bureaux à Moscou, à Kiev, à Toronto et dans les Îles Anglo-Normandes[186].»

Michal Lee-Chin? «Il possède environ 70 % de l'une des institutions financières les plus importantes en Jamaïque, la National Commercial Bank [...] Il est aussi le propriétaire de Total Finance à Trinidad-et-Tobago (maintenant appelée AIC Financial Ltd.) et de Colombus Communications à la Barbade.[187]»

Frank Stronach? «Aujourd'hui [...], il est manifestement un mondialiste vivant dans un paradis fiscal et souhaite maintenant conquérir la Russie, puis l'Asie[188].»

Mike DeGroote? Il «a quitté le Canada en 1990 pour se retirer aux Bermudes et échapper aux taux d'imposition trop élevés de son pays d'origine ainsi qu'aux carences gouvernementales[189]».

David Gilmour? Son partenaire financier Peter Munk indique sans fard qu'il «est allé aux Bahamas. Il a déclaré que cinq générations de sa famille avaient payé des impôts élevés au Canada et qu'il en avait assez[190]». L'impayable cofondateur de la minière Barrick Gold avec le marchand d'armes Adnan Khashoggi va jusqu'à suggérer que la Suisse, paradis fiscal par excellence, engrangerait des capitaux à partir de ses seules vertus financières, comme si elle générait par elle-même du capital[191].

Ces détenteurs de capitaux et très influents lobbies travaillent plutôt depuis des années à faire du Canada une passoire offshore. Par exemple, dans son allocution à l'assemblée générale des actionnaires de 1963, le président de la Banque Royale Earle McLaughlin affirme de façon faussement subtile : «Prenons par exemple le cas des impôts et de la politique fiscale. Dans ces domaines, on est souvent tenté d'employer des moyens plus ou moins ingénieux pour encourager les hommes d'affaires ou les investisseurs à prendre telle ou telle décision, ou les décourager de faire telle ou telle chose. L'emploi de ces moyens plus ou moins ingénieux pour résoudre les problèmes immédiats semble présenter une attraction irrésistible pour la majorité des gens. Je ne prétends pas avoir moi-même toujours su résister à la tentation d'avoir recours à quelques-uns de ces moyens. Rappelons cependant que, comme l'expérience l'a démontré récemment au Canada et aux États-Unis, ils ne sont pas sans présenter un certain danger[192].» Le plus grand de ces dangers est le risque d'un «effet défavorable à l'étranger» que susciteraient ces sibyllins «moyens plus ou moins ingénieux» utilisés pour contourner l'impôt, lequel effet pourrait se traduire par «une augmentation des frais des filiales d'entreprise étrangère[193]». À partir de là, on assistera à un changement dans les mœurs, les Canadiens fortunés se vantant de façon de plus en plus ouverte de l'inscription de leurs avoirs offshore. Tandis que la RBC s'apprête à investir massivement dans les paradis fiscaux, elle avertit néanmoins son lectorat que ce n'est pas «en jouant avec les impôts qu'on encouragera les Canadiens à investir leurs épargnes dans leur propre expansion industrielle [...] ou qu'on favorisera l'accumulation de capital canadien[194]». La banque demande plutôt au gouvernement canadien d'«abolir les restrictions à caractère fiscal qui découragent présentement les Canadiens d'investir leurs épargnes dans l'industrie canadienne ou qui font obstacle à la mobilisation de capitaux dans un marché national et international à régime libre[195]». C'est une menace à peine voilée faite à l'État canadien et l'inauguration d'une rhétorique qui fera long feu : l'imposition des États de droit est responsable de la création des paradis fiscaux et cela explique ceci. Que le Canada devienne lui-même un paradis fiscal et on ne recourra plus aux paradis fiscaux, ce qui ne manquera pas d'advenir en quelques décennies si la tendance se maintient.

Diane Francis estime à quatre millions de personnes, soit 13 % de la population globale, le nombre de Canadiens fortunés qui ont enregistré leurs actifs offshore, une saignée financière qui s'expliquerait par le «trop d'impôts» (*over-taxation*) dont on accablerait la classe dirigeante canadienne[196], notamment l'impôt sur les gains en capital introduit en 1972[197]. Mais ni les acteurs (as)sociaux que Francis cite abondamment ni l'auteure elle-même ne daignent faire état des avantages que tirent les investisseurs des institutions de bien public canadiennes, financées à même les impôts et qui rendent leurs placements profitables : un système routier entretenu, de nombreuses infrastructures aéroportuaires et navales, une population formée sur mesure, une main-d'œuvre adaptée, un dispositif de sécurité redoutablement efficace, un système judiciaire libéral défendant au nom de la justice le principe même de l'enrichissement illimité, de nombreux programmes de soutien et de subventions aux entreprises, un encadrement du système boursier, une banque centrale d'État, un réseau d'ambassades et de bureaux commerciaux dans le monde.

Les populations souffrent de l'hémorragie de capitaux provoquée par la complaisance de nos administrations publiques. En plein épisode de compressions budgétaires à Québec, le gouvernement Marois finance la création d'emplois des entreprises à hauteur de deux milliards de dollars (Ubisoft, Lassonde…), tandis qu'Hydro-Québec, avec l'homme d'affaires Pierre-Karl Péladeau à la tête de son conseil d'administration, propose au rabais aux grandes entreprises les surplus en électricité. Pendant ce temps, non seulement les services publics perdent-ils en qualité, mais sont désormais de plus en plus tarifés[198].

Cela illustre le cercle vicieux dans lequel nous nous trouvons : les États et autres institutions de bien commun créent eux-mêmes les infrastructures économiques qui permettent la délocalisation des entreprises et des actifs vers les paradis fiscaux que leurs ressortissants nantis ont créés. Les fonds gérés dans ces repaires par une catégorie d'acteurs hors-la-loi évoluent sans contraintes légales, fiscales, politiques ou réglementaires. On favorise ainsi l'émergence d'une classe de possédants privilégiés que les mêmes États cherchent ensuite à attirer chez eux par de nouvelles mesures incitatives sur le plan politique et fiscal. Dans cet esprit, le juge Jean de Maillard décrit de cette façon la logique du système : « tout ce qui entre dans le processus de globalisation économique et financière devrait, par nature, être soustrait à toute emprise légale autre que celle qui garantit la liberté d'échanges. Le problème, c'est qu'une telle soustraction n'est ni possible ni souhaitable, même si les acteurs concernés tentent en permanence d'imposer une sorte d'immunité légale à leurs agissements, quels qu'ils soient[199]. » Bref, le cadre même de la mondialisation capitaliste permet aux puissants de contourner les principes constitutionnels qui sont le fondement des États et le Canada agit activement pour se saborder en ce sens.

Les législations de complaisance : une réalité indéfendable

La fiscalité et l'enjeu afférent aux paradis fiscaux relèvent de questions qui se posent à tous quotidiennement. Par vagues à travers l'histoire, les populations se sont saisies de responsabilités politiques qui ne peuvent pas être déléguées à quelques techniciens et idéologues du pouvoir. La manière de considérer le bas de laine collectif fait sporadiquement l'enjeu d'actes de résistance et de révolutions. Le mouvement *Occupy*, celui des Indignés et l'avènement récurrent des printemps politiques nous situent historiquement au moment de l'un de ces retours[200]. Une lutte qui, du point de vue politique, est l'égale du problème des changements climatiques sur le plan écologique.

Les médias que nous critiquons tant ont joué cette fois-ci le rôle d'avant-garde. Le 6 avril 2013, un Consortium international de journalistes d'enquête (CIJE) faisait retentir un coup de tonnerre en divulguant, dans chacun des pays où il comptait un membre, des informations sur des titulaires de comptes dans les paradis fiscaux, dont il avait préalablement obtenu la liste. Ce jour-là, trois réalités devenaient claires :

1. La question des paradis fiscaux constitue un enjeu mondial qui doit être considéré comme tel. Il est donc peu pertinent de concentrer une question offshore particulière sur un seul pays et de l'isoler de la gangrène généralisée.

2. Bien que la portion des 2,5 millions de documents analysés par le CIJE et aujourd'hui accessibles par Internet ne représente qu'un nombre infime d'opérations ayant cours annuellement offshore, le doute s'installe chez les financiers. Le secret bancaire n'est pas absolument étanche. Des informaticiens remontés contre leur employeur ou consternés par la décadence bancaire à laquelle ils se trouvent liés divulguent brutalement des informations sur la clientèle offshore. D'abord isolées, ces fuites en provenance de la Suisse[201] ou du Liechtenstein[202] ont débouché sur le coup d'éclat des journalistes internationaux d'enquête appelé l'*Offshore Leaks*, et feront des émules. Les aléas de ces révélations rendent le secret bancaire, où que l'on soit, moins certain que jadis.

3. La question offshore étant aujourd'hui posée de façon notoire à l'échelle internationale, les États ne sauraient justifier leur inaction sous prétexte de ne pouvoir agir seuls. La déclaration ambitieuse du Sommet du G20 de 2013 témoigne d'une avancée irréversible dans le sens d'une collaboration des États entre eux.

Mais la coopération à l'échelle internationale ne se fera qu'à la condition d'établir chez nous un lien étroit entre les contributions que l'on fait dans le trésor commun et les décisions qui sont prises par la suite : acheter des avions de chasse ou financer un système de services publics ? Un débat politique sérieux ne pourra de toute façon avoir lieu que si l'on fait opposition à la rhétorique rétrograde qui consiste à percevoir l'impôt strictement en tant qu'argent qu'on « donne au gouvernement » comme à une mafia[203].

Jusqu'à maintenant, des groupes tels le Réseau pour la justice fiscale au Québec se sont nommément constitués dans la mouvance initiée à l'international par le Tax Justice Network de Londres autour de la question des paradis fiscaux. Une campagne fédérant des syndicats, des groupes militants et des groupes de recherche s'est aussi organisée au Québec sous le nom d'Échec aux paradis fiscaux. Mais ce n'est là qu'une étape. Nous espérons qu'il n'y aura bientôt plus besoin d'organisations constituées pour traiter nommément des paradis fiscaux, lorsque toutes les composantes de la vie en société se seront approprié la question. Tant les infirmières, les médecins, les défenseurs de l'État social, les étudiantes et les étudiants, leurs professeurs que les artistes, les tenants de l'économie solidaire et de l'économie locale considéreront alors à quel point les paradis fiscaux dépossèdent les citoyens. Ici comme ailleurs, les peuples réapprendront ainsi à se donner des institutions qui leur ressemblent.

Notes

INTRODUCTION

La fuite en avant

1. Reportage de Frédéric Zalac, disponible sur cette page : « À l'ombre des cocotiers, de l'argent caché », Montréal, Radio-Canada, 4 avril 2013, <www.radio-canada.ca/nouvelles/Economie/2013/04/03/010-fuite-documents-paradis-fiscaux-ombre-cocotiers.shtml>. Voir aussi les cartes interactives résumant le dossier sur le site de la CBC : <www.cbc.ca/news/interactives/icij-map/>.

2. Entre plusieurs sources, voir le documentaire télévisuel de Valentine Oberti et Wandrille Lanos, « Ces milliards de l'évasion fiscale », diffusé dans le cadre de l'émission *Cash Investigation*, Paris, France 2, 11 juin 2013, <www.francetvinfo.fr/economie/video-cash-investigation-ces-milliards-de-l-evasion-fiscale_344244.html>.

3. « L'enquête fiscale en Allemagne devient internationale », *Le Nouvel Observateur*, 26 février 2008 (réédité le 23 juin 2008) ; « Scandale fiscal : l'Allemagne n'est pas seule », *L'Express.fr*, 25 février 2008.

4. Anne Michel, « Les grandes banques sommées de traquer les évadés fiscaux américains », *Le Monde*, 4 avril 2012.

5. « Fraude fiscale : vers la création d'un parquet financier national », Reuters, 8 mai 2013, <www.paradisfj.info/spip.php?article3210>.

6. « Le patrimoine des élus et des ministres sera contrôlé », *Le Figaro*, 10 avril 2013.

7. « Des territoires britanniques s'engagent contre l'évasion fiscale », Reuters, 2 mai 2013, <www.paradisfj.info/spip.php?article3198>.

8. Il s'agit, dans l'ordre, de la Barbade, des Îles Caïmans, du Luxembourg, de l'Irlande, des Bermudes, des Pays-Bas et de Hong-Kong. « Positions d'investissement direct étranger en fin d'année », Ottawa, Statistique Canada, 9 mai 2013, <www.statcan.gc.ca/daily-quotidien/130509/t130509a001-fra.htm>.

9. Francis Vailles et André Dubuc, « Budget Flaherty : les échappatoires des riches colmatées », *La Presse*, 4 avril 2013.

10. « Le gouvernement Harper annonce des nouvelles mesures pour lutter contre l'évasion fiscale et l'évitement fiscal abusif internationaux », communiqué de presse, Ottawa, Agence du revenu du Canada, 8 mai 2013, <www.cra-arc.gc.ca/nwsrm/rlss/2013/m05/nr130508-fra.html>.

11. « Positions d'investissement direct étranger en fin d'année », Ottawa, Statistique Canada, 9 mai 2013, <www.statcan.gc.ca/daily-quotidien/130509/t130509a001-fra.htm>.

12. « Le ministre des Finances renforcera les liens économiques entre le Canada et les Bermudes », communiqué de presse, Ottawa, Ministère des Finances, 11 avril 2013, <www.fin.gc.ca/notices-avisl3/2013-04-11-fra.asp>.

13. Mike Godfrey, « Canada's Flaherty Promotes Trade In Bermuda », Washington (DC), *Tax-News.com*, 15 avril 2013, <www.tax-news.com/news/Canadas_Flaherty_Promotes_Trade_In_Bermuda____60430.html>.

14. Alain Deneault, *Offshore. Paradis fiscal et souveraineté judiciaire*, Montréal/Paris, Écosociété/La Fabrique, 2010.

15. Raymond W. Baker, *Le talon d'Achille du capitalisme. L'argent sale et comment renouveler le système d'économie de marché*, Montréal, alTterre Éditions, 2007 [2005], p. 226.
16. Alex Doulis, *My Blue Haven*, Etobicoke, Uphill Publishing, 1997 [réédité en 2001], p. 76.
17. Alain Supiot, *L'esprit de Philadelphie. La justice sociale face au marché global*, Paris, Seuil, 2010, p. 68.
18. Marie-Christine Dupuis-Danon, *Finance criminelle. Comment le crime organisé blanchit l'argent sale*, Paris, Presses universitaires de France, [1998] 2004, p. 6-7. L'auteure souligne.
19. Patrick Rassat, Thierry Lamorlette et Thibault Camelli, *Stratégies fiscales internationales*, Paris, Maxima, 2010, p. 198.
20. Selon la formule de Gordon : « Un pays est un paradis fiscal s'il a l'air d'en être un et qu'il est considéré comme tel par ceux qui s'y intéressent », dans R. A. Gordon, *Tax Haven and their Use by US Taxpayers, An Overview*, Washington (DC), IRS, 1981, p. 14.
21. Édouard Chambost, Entrée « Canada », dans *Guide mondial des secrets bancaires*, Paris, Seuil, 1970, p. 113-117.
22. L'expression *Caraïbe britannique* recoupe dans ce·livre ce que l'on entendait à l'époque coloniale sous l'appellation de *British West Indies*. La grande région des Caraïbes comprend, selon la définition qu'en donne la Convention pour la Protection et le Développement de l'Environnement marin de la région de la Grande Caraïbe (ou la Convention de Carthagène), le golfe du Mexique et la région de l'océan Atlantique où l'on retrouve notamment les Bahamas, les îles des Petites Antilles (notamment Antigua-et-Barbuda, la Barbade, Saint-Vincent-et-les-Grenadines et Trinité-et-Tobago) et celles des Grandes Antilles (Cuba, Porto Rico, Jamaïque ainsi que Haïti et la République dominicaine sur l'île de Saint-Domingue). On admet aussi dans la région caribéenne des États qui bordent la mer des Caraïbes tels que le Belize et le Panama.
23. Mario Possamai, *Le blanchiment d'argent au Canada : Duvalier, Ceausescu, Marcos, Carlos et les autres*, Laval, Guy Saint-Jean Éditeur, 1994.
24. *Ibid.*, p. 22.
25. *Ibid.*, p. 21.
26. *Ibid.*, p. 28, et Bernard Berossa, avec Agathe Duparc, *La Justice, les affaires, la corruption*, Paris, Fayard, coll. « Témoignage pour l'histoire », 2009, p. 190.
27. Mario Possamai, *Le Blanchiment de l'argent au Canada, op. cit.*, p. 27.
28. *Ibid.*, p. 15.
29. *Ibid.*, p. 27.
30. *Ibid.*, p. 30.
31. *Ibid.*, p. 32.
32. *Ibid.*, p. 31.
33. *Ibid.*, deuxième illustration entre les pages 130 et 131.
34. *Ibid.*, p. 32.
35. *Ibid.*, p. 31.
36. *Ibid.*, p. 30.
37. *Ibid.*, p. 15.
38. *Ibid.*, p. 27.
39. *Ibid.*, p. 35.

CHAPITRE PREMIER

1889 – Le Dominion du Canada
Pivot bancaire des États-Unis et de la Caraïbe

1. « Un scandale financier qu'on cherche à étouffer : comment on draine l'épargne française », Paris, *L'Humanité*, 16 octobre 1913.
2. *Ibid.* L'affaire de la Barcelona Traction est racontée notamment par Christopher Armstrong et H. V. Nelles, *Southern Exposure : Canadian Promoters in Latin America and the Caribbean 1896-1930*, Toronto, Buffalo et Londres, University of Toronto Press, 1988, p. 163-168 ; par Jean-Marc Delaunay, *Méfiance cordiale, Les relations franco-espagnoles de la fin du XIXe siècle à la Première Guerre mondiale*, Vol. 3 : *Les relations économiques*, Paris, L'Harmattan,

2010, p. 428-440; et par Peter Hertner et H. V. Nelles, « Contrasting Styles of Foreign Investment, A Comparison of the Entrepreneurship, Technology and Finance of German and Canadian Enterprises in Barcelona Electrification », *Revue économique*, vol. 58, n° 1, 2007, p. 191-214.

3. « L'affaire de la "Barcelona Traction" », Paris, *L'Humanité*, 1er novembre 1913. Les obligataires lésés vont finalement être déboutés par les tribunaux en décembre 1913 (Jean-Marc Delaunay, *Méfiance cordiale, op. cit.*, p. 433-434). Lire également : « Un scandale financier qu'on veut étouffer. Y réussira-t-on ? », Paris, *L'Humanité*, 21 octobre 1913.

4. Jean-François Couvrat et Nicolas Pless, *La face cachée de la mondialisation*, Paris, Hatier, coll. « Économie mondiale Actualité », 1988, p. 23.

5. Jean-Claude Grimal, *Drogue : L'autre mondialisation*, Paris, Gallimard, coll. « Folio », 2000, p. 173.

6. Peter Gillespie, « The Trouble With Tax Havens, Whose Shelter ? Whose Storm ? », dans Richard Swift (dir.), *The Great Revenue Robbery, How to Stop the Tax Cut Scam and Save Canada*, Toronto, Between the lines, 2013, p. 55.

7. En raison d'un étonnant laisser-faire qui la distingue des banques états-uniennes, la Banque de Montréal permet à ses débuts à des étrangers de la diriger. (Aux États-Unis, non seulement était-il interdit aux non-citoyens d'administrer une banque, mais les actionnaires étrangers de la First Bank of the United States n'avaient même pas le droit de vote.) Il faut attendre 1822 pour que l'obligation d'être sujet britannique soit imposée aux administrateurs par la charte de l'institution. (Robert C. H. Sweeny, « Banking as Class Action : Social and National Struggles in the History of Canadian Banking », dans Alice Teichova, Ginette Kurgan-Van Hentenryk et Dieter Ziegler (dir.), *Banking, Trade and Industry : Europe, America and Asia from the Thirteenth to the Twentieth Century*, Cambridge, Cambridge University Press, 1997, p. 318-319 ; Bernard Élie, *L'internationalisation des banques et autonomie nationale au Canada*, thèse pour le doctorat d'État ès sciences économiques, Université Paris 1 Panthéon–Sorbonne, 1986, p. 113-114 ; Merrill Denison, *La Première Banque au Canada. L'histoire de la Banque de Montréal*, traduit de l'anglais par Paul A. Horguelin avec la collaboration de Jean Paul Vinay, 2 vol., Montréal et Toronto, McLelland and Stewart, 1967, vol. 1, p. 82 et vol. 2, p. 100 ; Lance E. Davis et Robert E. Gallman, *Evolving Financial Markets and International Capital Flows, Britain, the Americas, and Australia, 1865-1914*, Cambridge, Cambridge University Press, 2001, p. 406). Selon l'historien officiel de la Banque, Merrill Denison, si on a supprimé l'exigence de la nationalité en 1817, c'est pour « permettre aux capitalistes américains, dont l'importante participation était probablement déjà assurée, d'être représentés au Conseil d'administration ». (Merrill Denison, *La Première Banque au Canada, op. cit.*, p. 82).

8. R. T. Naylor, *The History of Canadian Business, 1867-1914*, vol. 1, Montréal, New York et Londres, Black Rose Books, 1997 [1975], p. 74-76. Voir aussi Duncan McDowall, *Banque Royale : Au cœur de l'action*, traduit de l'anglais par Gilles Gamas, Montréal, Éditions de l'Homme, 1993, p. 78 : « Ce processus pragmatique de réforme des exigences imposées par la loi aux banques canadiennes avait été dès l'origine le fruit du consensus établi de manière informelle entre les institutions bancaires et les responsables politiques. » De plus, « [...] en 1913, [Edmund Walker] se vantait du fait que toutes les modifications importantes apportées à la législation bancaire depuis la première Loi sur les banques avaient été introduites par les banquiers eux-mêmes », cf. R. T. Naylor, *The History of Canadian Business, op. cit.*, vol. 1, p. 76).

9. Christopher Armstrong et H. V. Nelles, *Southern Exposure, op. cit.*, p. 4-9.

10. « Si l'on assiste à une réunion de l'Americans Bankers Association, rien n'est plus frappant que le fait qu'il s'agit là d'un grand congrès ; des centaines, parfois des milliers de banquiers y prennent part. [...] En revanche [...], l'intérêt des services bancaires au Canada, avec les cinq ou six cents succursales de nos 36 banques, est représenté par 40 ou 50 hommes, et pratiquement par 15 ou 16 membres du Conseil exécutif [de l'Association des banquiers] [...] Il est facile de parvenir à l'unanimité des banquiers canadiens concernant n'importe quelle question d'intérêt public. Nous avons le grand avantage de connaître les opinions de chacun sans avoir à nous réunir, en raison du fait que nous nous connaissons tous et nous sommes souvent retrouvés pour discuter, connaître la pensée générale autour d'une

question particulière. Pour cette raison, nous représentons dans ce pays une force incroyable par rapport au petit nombre d'individus qui composent notre groupe.» (Sir Edmund Walker, président de la Banque Canadienne de Commerce, 1901, cité par R. T. Naylor, *The History of Canadian Business, op. cit.,* vol. 1, p. 77).

11. Jacob Viner, *Canada's Balance of International Indebtedness, op. cit.,* p. 89-94. En 1909, la valeur nette des prêts consentis par les banques canadiennes à l'étranger (surtout aux États-Unis) atteint un sommet de près de 90 millions de dollars. La valeur nette des prêts à l'étranger est calculée en soustrayant la valeur des dépôts à l'étranger. Cf. R. T. Naylor, *The History of Canadian Business, op. cit.,* vol. 2, p. 240.

12. Ranald C. Michie, «The Canadian Securities Market, 1850-1914», *Business History Review,* vol. 62, n° 1, 1988, p. 49.

13. Karl Marx, *Le Capital,* Livre III, chapitre 15, section 3.

14. Duncan McDowall, *Banque Royale, op. cit.,* p. 195; voir aussi Neil C. Quigley, «The Bank of Nova Scotia in the Caribbean», *op. cit.,* p. 803-804.

15. En fait, les banques états-uniennes ne pouvaient avoir des succursales à l'étranger que dans quelques États faisant exception (Pierre-Bruno Ruffini, *Les Banques multinationales. De la multinationalisation des banques au système bancaire transnational,* Paris, Presses universitaires de France, 1983, p. 74; Benjamin J. Klebaner, *American Commercial Banking: A History,* Boston, Twayne Publishers, 1990, p. 70-71; Mira Wilkins, *The History of Foreign Investment in the United States to 1914,* Cambridge, Harvard University Press, 1989, p. 107; Harold van B. Cleveland et Thomas F. Huertas, *Citibank, 1812-1970,* Cambridge et Londres, Harvard University Press, 1985, p. 43; Neil C. Quigley, «The Bank of Nova Scotia in the Caribbean», *op. cit.,* p. 804). À partir de 1913, les banques états-uniennes ayant un capital et des réserves supérieures à un million de dollars sont autorisées à ouvrir des succursales à l'étranger (Bernard Élie, *L'internationalisation des banques et autonomie nationale au Canada, op. cit.,* 1986, p. 87). C'est à partir de 1914 qu'elles vont commencer à ouvrir des succursales dans les Caraïbes. Malgré cela, les banques canadiennes déjà implantées continueront de les surpasser (Neil C. Quigley, «The Bank of Nova Scotia in the Caribbean», *op. cit.,* p. 797).

16. R. T. Naylor, *The History of Canadian Business, op. cit.,* vol. 2, p. 226; Mira Wilkins, *The History of Foreign Investment in the United States to 1914, op. cit.,* p. 107; Mira Wilkins, «Banks over Borders: Some Evidence from Their Pre-1914 History», dans Geoffrey Jones (dir.), *Banks as Multinationals,* Londres et New York, Routledge, 1990, p. 235, 238; Benjamin J. Klebaner, *American Commercial Banking, op. cit.,* p. 77.

17. «Canadian Banks in New York», *Monetary Times,* Toronto, 4 décembre 1874. Texte reproduit dans E.P. Neufeld (dir.), *Money and Banking in Canada: Historical Documents and Commentary,* Toronto, McLelland and Stewart, 1964, p. 167-169.

18. Christopher Armstrong et H. V. Nelles, *Southern Exposure, op. cit.,* 1988, p. 16-17.

19. *Ibid.,* p. 23.

20. Mira Wilkins, *The History of Foreign Investment in the United States, 1914-1945,* Cambridge, Harvard University Press, 2004, p. 5. Les capitaux investis au Canada totalisent alors 3,7 milliards. Selon Jacob Viner, en 1900, la valeur des capitaux étrangers investis au Canada était de 1,2 milliard de dollars; plus de 80% de ces capitaux provenaient de la Grande-Bretagne (Jacob Viner, *Canada's Balance of International Indebtedness, 1900-1913,* Toronto, McLelland and Stewart, 1975 [1924], p. 99). Selon R. T. Naylor, *The History of Canadian Business, op. cit.,* vol. 1, p. 230, en 1914 les investissements britanniques au Canada avaient atteint près de trois milliards de dollars.

21. Mira Wilkins estime qu'en 1914, ces placements aux États-Unis totalisent 275 millions de dollars US. Elle s'étonne par ailleurs qu'un pays aussi petit que le Canada parvienne à se classer parmi les cinq premiers pays investisseurs aux États-Unis à cette époque. Mira Wilkins, *The History of Foreign Investment in the United States, 1914-1945, op. cit.,* p. 9. Lire aussi: Kees van der Pijl, *The Making of an Atlantic Ruling Class,* Londres et New York, Verso, 2012 [1984], p. 40); Neil C. Quigley, «The Bank of Nova Scotia in the Caribbean, 1889-1940, The Establishment of an International Branch Banking Network», *Business History Review,* vol. 63, n° 4, 1989, p. 798; Christopher Armstrong et H. V. Nelles, *Southern Exposure, op. cit.,* p. xi; R. T. Naylor, *The History of Canadian Business, op. cit.,* vol. 2,

p. 223-225, 240, 266-267; Bernard Élie, *L'internationalisation des banques et autonomie nationale au Canada, op. cit.,* p. 86; D. L. C. Galles, « The Bank of Nova Scotia in Minneapolis, 1885-1892 », *Minnesota History,* vol. 42, n° 7, 1971, p. 269. Selon Michael Kaufman, « Il y avait de l'investissement ininterrompu au sud de la frontière et en même temps le Canada dépendait de l'importation massive de capitaux du Royaume-Uni et des États-Unis. » (Michael Kaufman, « The Internationalization of Canadian Bank Capital (with a Look at Bank Activity in the Caribbean and Central America) », *Journal of Canadian Studies,* vol. 19, n° 4, 1984, p. 63-64).

22. R. T. Naylor, *The History of Canadian Business, op. cit.,* vol. 2, p. 240.

23. Victor Ross, *A History of the Canadian Bank of Commerce, op. cit.,* vol. 2, p. 63-65.

24. D. L. C. Galles, « The Bank of Nova Scotia in Minneapolis », *op. cit.,* p. 273; Joseph Schull et J. Douglas Gibson, *The Scotiabank Story, A History of the Bank of Nova Scotia, 1832-1982,* Toronto, Macmillan of Canada, 1982, p. 68. À Chicago et à New York, dans les années 1870, les banques canadiennes échappent en tout ou en partie aux impôts que doivent payer les banques états-uniennes (E. P. Neufeld, *The Financial System of Canada, Its Growth and Development,* Toronto, Macmillan of Canada, 1972, p. 124-125; F. Cyril James, *The Growth of Chicago Banks,* New York et Londres, Harper Brothers, 1938, p. 500). Les banques canadiennes peuvent aussi utiliser leurs agences et succursales aux États-Unis pour échapper aux contraintes de la loi canadienne. Dès 1859, par exemple, la Banque de Montréal constate qu'elle peut obtenir à New York des taux plus favorables sur les prêts à vue et les prêts à court terme qu'au Canada, où il lui est interdit d'exiger plus de 6 %. (Merrill Denison, *La Première Banque au Canada, op. cit.,* vol. 2, p. 101; Mira Wilkins, *The History of Foreign Investment in the United States to 1914, op. cit.,* p. 99); elle s'investit fortement dans ce marché. La Banque Royale, la Banque de Nouvelle-Écosse et la Banque Canadienne de Commerce adoptent aussi ce type de placement auquel, dans les premières décennies du xxᵉ siècle, elles consacrent des sommes toujours plus importantes (Benjamin Haggott Beckhart, « The Banking System of Canada », dans Henry Willis Parker et B. H. Beckhart (dir.), *Foreign Banking Systems,* New York, Henry Holt and Company, 1929, p. 416-417; voir aussi R. T. Naylor, *The History of Canadian Business, op. cit.,* vol. 1, p. 217, pour la période entre 1901 et 1913) au détriment de prêts comparables au Canada. Entre 1900 et 1925, on voit augmenter de 50 à 240 millions de dollars la valeur des prêts à vue et des prêts à court terme consentis par les quatre grandes banques canadiennes à New York (Banque de Montréal, Banque Royale, Banque Canadienne de Commerce et Banque de Nouvelle-Écosse (Benjamin Haggott Beckhart, « The Banking System of Canada », *op. cit.,* p. 417). Selon Michie, au début du xxᵉ siècle la Banque de Montréal refusait de faire des prêts à vue au Canada; les emprunteurs canadiens qui désiraient contracter de tels prêts devaient s'adresser à l'agence new-yorkaise de la Banque (Ranald C. Michie, « The Canadian Securities Market », *op. cit.,* p. 52-54). Les banques soutiennent que New York est l'endroit idéal pour placer les réserves canadiennes, parce que ce placement est liquide et qu'il met les créditeurs canadiens à l'abri des incertitudes du système financier international. Il s'agit en réalité d'une protection bidon, comme on le voit en 1902 et en 1907 lorsque les banques canadiennes exigent le remboursement immédiat de prêts au Canada pour compenser les soubresauts du marché américain (R. T. Naylor, *The History of Canadian Business, op. cit.,* vol. 1, p. 218). En ce qui concerne la liquidité, dans les faits les banques ne peuvent pas toujours obtenir immédiatement le remboursement des prêts à vue, comme le reconnaît Beckhart (Benjamin Haggott Beckhart, « The Banking System of Canada », *op. cit.,* p. 416).

25. Les principaux chemins de fer canadiens, le Grand Tronc, le Canadien Pacifique et plus tard le Canadian Northern, sont financés par le capital britannique (Andrew Dilley, *Australia, Canada, and the City of London, c. 1896-1914,* Houndmills (G-B) et New York, Palgrave Macmillan, 2012, p. 57-60; Bernard Élie, *L'internationalisation des banques et autonomie nationale au Canada, op. cit.,* p. 50-55). La première société ferroviaire d'envergure nationale, le Grand Tronc, obtient ce financement grâce aux liens de la Banque de Montréal avec deux grandes maisons financières de Londres, la Baring Brothers et la Glyn Mills and Company (Bernard Élie, *L'internationalisation des banques et autonomie nationale au Canada, op. cit.,* p. 50-55).

26. Bernard Élie, *L'internationalisation des banques et autonomie nationale au Canada, op. cit.,* 1986, p. 51. À la même époque (1865), la Banque de Montréal s'associe avec trois banques coloniales britanniques pour assurer ses activités dans d'autres pays : l'Oriental Bank (pour l'Extrême-Orient, l'Inde et la Chine), la National Bank of Scotland (pour l'Irlande) et la Colonial Bank (pour les Antilles britanniques).

27. *Ibid.* Lire aussi Jacob Viner, *Canada's Balance of International Indebtedness, op. cit.,* p. 118. Ces investissements britanniques représentent des montants colossaux, car dans la décennie précédant la Première Guerre mondiale, le Canada devient le plus gros emprunteur de capitaux britanniques au monde, dépassant même les États-Unis et recevant jusqu'au tiers des fonds prêtés par la Grande-Bretagne à l'étranger (Gregory P. Marchildon, *Profits and Politics, op. cit.,* p. 63-64).

28. Christopher Armstrong et H. V. Nelles, *Southern Exposure, op. cit.,* 1988, p. 8.

29. George Stephen (Lord Mount Stephen) et son cousin Donald Smith (Lord Strathcona) sont des exemples particulièrement frappants de cette trajectoire. Nés en Écosse, ces personnages font fortune au sein de grandes entreprises canadiennes (Canadien Pacifique ou Compagnie de la Baie d'Hudson). Devenus millionnaires, ils investissent à titre personnel des sommes colossales aux États-Unis, notamment dans les chemins de fer. Après quoi, ils finissent leurs jours en Grande-Bretagne. Une éminente historienne états-unienne, Mira Wilkins, se dit incapable de déterminer s'ils sont Britanniques ou Canadiens (Mira Wilkins, *The History of Foreign Investment in the United States to 1914,* Cambridge (Massachusetts) : Harvard University Press, 1989, p. 173, 213-215, 716n117, 741n210). Le cas de Max Aitken est comparable : né au Canada où il fait fortune grâce à des tractations financières douteuses (Gregory P. Marchildon, *Profits and Politics, Beaverbrook and the Gilded Age of Canadian Finance,* Toronto, University of Toronto Press, 1996, p. 5), il s'installe à Londres où il est anobli et devient un magnat de la presse britannique sous le nom de Lord Beaverbrook.

30. Robert C. H. Sweeny, « Banking as Class Action », *op. cit.,* p. 320.

31. « Canadian Trade with the Caribbean », *Monthly* Review, Toronto, The Bank of Nova Scotia, octobre 1955.

32. Victor Ross, *A History of the Canadian Bank of Commerce,* vol. I, Toronto, Oxford University Press, 1920, p. 93-94 ; Charles Victor Callender, *The Development of the Capital Market Institutions of Jamaica,* Kingston, Institute of Social and Economic Research, University of the West Indies, 1965, p. 42.

33. Victor Ross, *A History of the Canadian Bank of Commerce, op. cit.,* vol. 1, p. 25-26, 42-44 ; R. T. Naylor, *The History of Canadian Business, op. cit.,* vol. 1, p. 163-164 ; Diane M. Barker et D. A. Sutherland, « Enos Collins », *Dictionnaire biographique du Canada,* vol. X : *1871-1880,* Université Laval et University of Toronto, 1972, <http://biographi.ca/009004-119.01-f.php?&id_nbr=4909>.

34. Joseph Schull et J. Douglas Gibson, *The Scotiabank Story, op. cit.,* p. 70-71.

35. Duncan McDowall, *Banque Royale, op. cit.,* p. 197-202.

36. James D. Frost, *Merchant Princes, Halifax's First Family of Finance, Ships and Steel,* Toronto, James Lorimer & Co, 2003, p. 226. La Union Bank sera achetée par la Royale en 1910.

37. A. St. L. Trigge, *A History of the Canadian Bank of Commerce, 1919-1930,* vol. III, Toronto, Banque Canadienne de Commerce, 1934, p. 12.

38. Neil C. Quigley, « The Bank of Nova Scotia in the Caribbean », *op. cit.,* p. 799.

39. *Ibid.,* p. 808-812 ; James D. Frost, « The "Nationalisation" of the Bank of Nova Scotia, 1880-1910 », *Acadiensis,* vol. 12, n° 2, 1982, p. 13 ; Charles Victor Callender, *The Development of the Capital Market Institutions of Jamaica, op. cit.,* p. 45.

40. Neil C. Quigley, « The Bank of Nova Scotia in the Caribbean », *op. cit.,* p. 808-812.

41. Duncan McDowall, *Banque Royale, op. cit.,* p. 200 ; Daniel Baum, *The Banks of Canada in the Commonwealth Caribbean, Economic Nationalism and Multinational Enterprises of a Medium Power,* New York, Washington et Londres, Jay Praeger Publishers, 1974, p. 21 ; Peter James Hudson, « Imperial Designs, The Royal Bank of Canada in the Caribbean », *Race & Class,* n° 52, juillet 2010, p. 38.

42. Daniel Baum, *The Banks of Canada in the Commonwealth Caribbean, op. cit.,* p. 21 ; Peter James Hudson, « Imperial Designs », *op. cit.,* p. 38.

43. En plus de l'entente avec la Halifax Banking Company qui datait de 1837, la Colonial Bank avait signé un accord d'association avec la Banque de Montréal en 1865 (Bernard Élie, *L'internationalisation des banques et autonomie nationale au Canada*, *op. cit.*, p. 51). Au début du xxe siècle, les liens de la Colonial avec diverses banques canadiennes font l'objet de rumeurs persistantes (A. S. J. Baster, *The Imperial Banks*, Londres, P. S. King and Son Ltd, 1929, p. 236). La Royale envisage de l'acheter en 1911 (Baster, *op. cit.*, p. 236; Kathleen E. A. Monteith, *Depression to Decolonization: Barclays Bank (DCO) in the West Indies, 1926-1962*, Kingston, University of West Indies Press, 2008, p. 288n26; Charles Victor Callender, *The Development of the Capital Market Institutions of Jamaica*, *op. cit.*, p. 49). Le financier canado-britannique Max Aitken en est l'actionnaire principal entre 1911 et 1918 (Katherine V. Bligh et Christine Shaw, «William Maxwell Aitken», dans David J. Jeremy [dir.], *Dictionary of Business Biography*, vol. I, Londres, Butterworth, 1984, p. 24). De 1920 à 1933, la Banque de Montréal est un actionnaire important de la Colonial (Geoffrey Jones, *British Multinational Banking, 1830-1990*, Oxford, Clarendon Press, 1993, p. 149), puis de la Barclays (DCO) née de la fusion de la Colonial avec deux autres banques coloniales britanniques (Bernard Élie, *L'internationalisation des banques et autonomie nationale au Canada*, *op. cit.*, p. 148; Monteith, *op. cit.*, p. 27). Les intérêts de la Banque de Montréal dans la nouvelle banque sont «considérables» (Geoffrey Jones, *British Multinational Banking, 1830-1990*, *op. cit.*, p. 149; Monteith, *op. cit.*, p. 289n55; Bernard Élie, *Le régime monétaire canadien. Institutions, théories et politiques*, Montréal, Presses de l'Université de Montréal, 2002 [1998], p. 131, 134; James Darroch, *Canadian Banks and Global Competitiveness*, Montréal et Kingston, McGill-Queen's University Press, 1994, p. 43). Le conseil d'administration de la Barclays (DCO) comprend un représentant de la Banque de Montréal (Baster, *op. cit.*, p. 236, 240). En 1928, la Barclays (DCO) crée une filiale canadienne, la Barclay (Canada) Ltd, pour financer le commerce entre le Canada et la Caraïbe (Monteith, *op. cit.*, p. 66). Cette filiale qui existera jusqu'en 1956 est présidée à ses débuts par Robert Borden, ex-premier ministre du Canada et administrateur de la Banque de Nouvelle-Écosse (Baster, *op. cit.*, p. 242).

44. Duncan McDowall, *Banque Royale: Au cœur de l'action*, *op. cit.*, p. 195 et 205.

45. *Ibid.*, p. 206, 216, 221. Voir aussi Neil C. Quigley, «The Bank of Nova Scotia in the Caribbean», *op. cit.*, p. 800, 814-815, 825-826; et Stephen J. Randall et Graeme S. Mount, *The Caribbean Basin, An International History*, Londres et New York, Routledge, 1998, p. 96. Le terme «impitoyable» est de Quigley.

46. Duncan McDowall, *Banque Royale*, *op. cit.*, p. 216.

47. *Ibid.*, p. 216, 220-221.

48. S'agirait-il même d'une banque «russe»? En 1918, la Banque Royale ouvre une succursale à Vladivostok, en Sibérie, ville alors dominée par les troupes des armées blanches et alliées. En 1919, la succursale reçoit un télégramme menaçant signé Lénine et Trotski. L'Armée rouge approche; les banquiers prennent la fuite... L'institution financière n'allait tout de même pas se proclamer soviétique... (*Ibid.*, p. 222-224).

49. Ces investissements sont décrits par Howard Zinn, *Une histoire populaire des États-Unis d'Amérique de 1492 à nos jours*, Marseille/Montréal, Agone/Lux, 2002, p. 355-356.

50. Duncan McDowall, *Banque Royale*, *op. cit.*, p. 197-198.

51. *Ibid.*, p. 198-199, 202.

52. *Ibid.*, p. 200-201, 207.

53. Neil C. Quigley, «The Bank of Nova Scotia in the Caribbean», *op. cit.*, p. 808-812.

54. Duncan McDowall, *Banque Royale*, *op. cit.*, p. 105, 207, 210.

55. *Ibid.*, p. 207.

56. *Ibid.*, p. 105, 207, 210.

57. Juan C. Santamarina, «The Cuba Company and the Expansion of American Business in Cuba, 1898-1915», *Business History Review*, vol. 74, no 1, 2000, p. 42.

58. Christopher Armstrong et H. V. Nelles, *Southern Exposure*, *op. cit.*, p. 37.

59. Juan C. Santamarina, «The Cuba Company and the Expansion of American Business in Cuba», *op. cit.*, p. 42-43.

60. Duncan McDowall, *Banque Royale*, *op. cit.*, p. 207, 213; Gregory P. Marchildon, *Profits and Politics*, *op. cit.*, p. 55.

61. R. T. Naylor, *Canada in the European Age, 1453-1919*, Montréal et Kingston, McGill-Queen's University Press, 2006 [1987], p. 484 ; J. C. M. Ogelsby, *Gringos from the Far North, Essays in the History of Canadian-Latin American Relations, 1866-1968*, Toronto, Macmillan of Canada, 1976, p. 113 ; Valerie Knowles, *From Telegrapher to Titan, The Life of William C. Van Horne*, Toronto, The Dundurn Group, 2004, p. 348-350. Le terme « déraisonnable » est de Knowles, p. 350.

62. Duncan McDowall, *Banque Royale, op. cit.*, p. 215-216.

63. *Ibid.*, p. 226. En Colombie et au Venezuela, la présence de la banque est liée à celle de compagnies pétrolières, dont l'International Petroleum Company (IPC), filiale canadienne de la Standard Oil du New Jersey ; quelques hauts dirigeants de la Banque Royale, dont le président Herbert Holt, créent en Colombie une compagnie qui construira un pipeline acheminant le pétrole de l'IPC jusqu'à la mer (J. C. M. Ogelsby, *Gringos from the Far North, op. cit.*, p. 93-97, 99, 115, 118n37 ; Duncan McDowall, *Banque Royale, op. cit.*, p. 227).

64. Bernard Élie, *L'internationalisation des banques et autonomie nationale au Canada, op. cit.*, p. 105-106. La Banque Royale compte davantage de succursales à l'étranger que toutes les autres banques réunies (115 sur un total de 201 en 1921) ; cependant la Banque de Montréal, avec seulement 15 succursales, génère une activité financière du même ordre que la Royale. En 1908, la Banque de Montréal contrôle les deux tiers du marché des changes du Mexique depuis une seule succursale à Mexico (Bernard Élie, *L'internationalisation des banques et autonomie nationale au Canada, op. cit.*, p. 73-74).

65. Les banques états-uniennes ont commencé à prendre de l'expansion dans la région seulement après 1914. Mais tout au long des années 1920 et 1930, les banques canadiennes ont continué de les surpasser au chapitre des services bancaires commerciaux dans la région ; elles sont plus nombreuses que les banques américaines dans toutes les îles sauf Haïti (Neil C. Quigley, « The Bank of Nova Scotia in the Caribbean », *op. cit.*, p. 797, 800-801). À Cuba et en Amérique du Sud, la Royale considère qu'elle a une seule rivale importante, la National City Bank de New York (Duncan McDowall, *Banque Royale, op. cit.*, p. 216). Dans la Caraïbe britannique, seule la Colonial Bank britannique surpasse les banques canadiennes, mais les banques canadiennes sont d'envergure à ébranler sa suprématie, particulièrement en Jamaïque (Geoffrey Jones, *British Multinational Banking, 1830-1990, op. cit.*, p. 200 ; Kathleen E. A. Monteith, *Depression to Decolonization, op. cit.*).

66. La collusion entre les banques canadiennes et la Colonial Bank, devenue Barclays (DCO) en 1926, a été analysée par l'historienne Kathleen Monteith à partir des archives de la banque britannique. Monteith met notamment à contribution la correspondance entre les succursales des Caraïbes et le siège social de Londres ainsi que le journal tenu par un de ses dirigeants (Kathleen E. A. Monteith, *Depression to Decolonization, op. cit.*, p. 54-74). En 1973, les huit banques multinationales présentes en Jamaïque ont créé une association de banquiers qui témoigne, selon Maurice Odle, du « désir inextinguible des multinationales de créer la collusion par des ententes non officielles (lorsque les ententes officielles inter-banques sont interdites) et de supprimer tout ce qui reste comme zones de concurrence » (Maurice Odle, *Multinational Banks and Underdevelopment*, New York, Pergamon Press, 1981, p. 93-94).

67. Duncan McDowall, *Banque Royale, op. cit.*, p. 202.

68. Neil C. Quigley, « The Bank of Nova Scotia in the Caribbean », *op. cit.*, p. 809-810.

69. A. St. L. Trigge, *A History of the Canadian Bank of Commerce, 1919-1930*, vol. III, *op. cit.*, p. 460-463 ; Joseph Schull et J. Douglas Gibson, *The Scotiabank Story, op. cit.*, p. 225 ; S. Sarpkaya, *Le banquier et la société*, Montréal, Institut des banquiers canadiens, 1968 ; Kathleen E. A. Monteith, *Depression to Decolonization, op. cit.*, p. 60.

70. Bank of Jamaica, « History of Our Currency », s.d., <www.boj.org.jm/currency/currency_history.php> ; Charles Victor Callender, *The Development of the Capital Market Institutions of Jamaica, op. cit.*, p. 72-76, 161-162. En 1933, la Banque Royale fait circuler dans la Caraïbe britannique des billets d'une valeur de près de 240 000 livres sterling (Kathleen E. A. Monteith, *Depression to Decolonization, op. cit.*, p. 60).

71. Aux États-Unis, l'action des banques étrangères est assujettie à des règles très strictes : « Les banques étrangères [...] devaient structurer leurs affaires de manière à se conformer aux obligations de ce secteur très réglementé ; à la fois, les contraintes imposées par l'État et qui

s'appliquaient aux participants américains et étrangers et celles qui étaient particulières aux investisseurs étrangers ont eu un impact marqué sur le type, l'importance et plus particulièrement les formes que prendraient par la suite les opérations bancaires» (Mira Wilkins, *The History of Foreign Investment in the United States, 1914-1945, op. cit.*, p. 110). Ce cadre devient encore plus contraignant au début des années 1920.

72. Kathleen E. A. Monteith, *Depression to Decolonization, op. cit.*, p. 126-127.

73. Daniel Baum, *The Banks of Canada in the Commonwealth Caribbean, op. cit.*, p. 42.

74. *Ibid.*, p. 29.

75. *Ibid.*, p. 30.

76. *Ibid.*, p. 31.

77. J. C. M. Ogelsby, *Gringos from the Far North, op. cit.*, p. 99.

78. *Ibid.*, p. 109.

79. *Ibid.*, p. 110.

80. Neil C. Quigley, « The Bank of Nova Scotia in the Caribbean », *op. cit.*, p. 826.

81. Stephen J. Randall et Graeme S. Mount, *The Caribbean Basin, An International History, op. cit.*, p. 96.

82. Peter James Hudson, « Imperial Designs », *op. cit.*, p. 42.

83. *Ibid.*, p. 34.

84. Peter James Hudson, « Imperial Designs », *op. cit.*, p. 33-35. L'historien officiel de la Banque Royale, Duncan McDowall, ne souffle mot de ces questions (Duncan McDowall, *Banque Royale, op. cit.*).

85. Yves Engler, *The Black Book on Canadian Foreign Policy*, Black Point/Vancouver, Fernwood/ RED Publishing, 2009, p. 16.

86. *Ibid.*, p. 7-8.

87. Pour les Caraïbes : R. T. Naylor, *The History of Canadian Business, op. cit.*, vol. 2, p. 255. En ce qui concerne les Maritimes, James Frost a montré que, jusque dans les années 1880, la Banque de Nouvelle-Écosse prêtait de l'argent aux entreprises de cette région, y compris à l'industrie. En 1900, cependant, même si près de la moitié des dépôts recueillis par la banque viennent toujours des Maritimes, la région ne compte que pour le tiers des prêts, et plus de 5 millions de dollars en capitaux « excédentaires » quittent la région. Dans les années 1910, la future Scotia fait sortir des Maritimes un capital immense (James D. Frost, « The "Nationalisation" of the Bank of Nova Scotia », *op. cit.*, p. 29). La banque a commencé à privilégier les investissements à l'étranger à partir des années 1880. Elle se met d'abord à investir dans les titres ferroviaires américains, qui représentent 40 % de ses profits en 1885. Elle ouvre également des succursales à Minneapolis, en Jamaïque et à Chicago. En 1893, après l'ouverture de la succursale de Chicago, le directeur général de la banque fait parvenir une note de service à ses agents de Halifax, déplorant le volume trop élevé des prêts consentis dans les Maritimes : « Avec ces montants à Chicago, on pourrait obtenir 10 % ou plus » (James D. Frost, « The "Nationalisation" of the Bank of Nova Scotia », *op. cit.*, p. 16). Quigley, Drummond et Evans, qui contestent fortement l'idée que la banque ait (nécessairement) fait preuve de discrimination envers les emprunteurs des Maritimes, ou que l'exode des fonds ait (nécessairement) nui à l'économie de la région, reconnaissent que l'argent sortait des Maritimes : « ... à la fois en ce qui regarde le système bancaire et les caisses d'épargne, il ne fait guère de doute que les Maritimes avaient dans le système financier un crédit net au cours de cette période, ou que par différents moyens, des fonds considérables provenant des Maritimes permettaient d'obtenir des rendements plus élevés à l'extérieur de la région que localement » (Neil C. Quigley, Ian M. Drummond et Lewis T. Evans, « Regional Transfers of Funds through the Canadian Banking System and Maritime Economic Development, 1895-1935 », dans Kris Inwood (dir.), *Farm, Factory and Fortune, New Studies in the Economic History of the Maritime Provinces*, Fredericton, Acadiensis Press, 1993, p. 248-250). Selon Frost, deux raisons expliquent le virage amorcé par la banque au milieu des années 1880 : d'une part, la confiance des banquiers envers l'économie des Maritimes avait été profondément ébranlée par la récession des années 1880 ; d'autre part, ils entrevoyaient « la possibilité de réaliser, ailleurs, des profits immenses » (James D. Frost, « The "Nationalisation" of the Bank of Nova Scotia », *op. cit.*, p. 15). Cela ne signifie pas qu'aucun

profit n'était possible dans les Maritimes, mais simplement qu'ils pensaient engranger ailleurs des profits plus grands.

88. R. T. Naylor, *The History of Canadian Business, op. cit.,* vol. 2, p. 255.

89. Neil C. Quigley, « The Bank of Nova Scotia in the Caribbean », *op. cit.,* p. 828-830, 837.

90. Michael Kaufman, « The Internationalization of Canadian Bank Capital », *op. cit.,* p. 74 ; Maurice Odle, *Multinational Banks and Underdevelopment, op. cit.,* p. 80-81. Selon Callender, en 1965 : « Les banques commerciales ont mobilisé l'épargne des résidants jamaïcains, en ont utilisé une partie comme base pour obtenir du crédit à court terme dans les secteurs agricole et commercial, et dans une moindre mesure dans le secteur industriel, et elles ont investi l'autre partie dans des titres propres hors du pays » (Charles Victor Callender, *The Development of the Capital Market Institutions of Jamaica, op. cit.,* p. 162). En 1984, Kaufman souligne que les seuls prêts importants consentis par les banques canadiennes pour soutenir l'agriculture en Jamaïque ont probablement été canalisés vers la production de la marijuana dans les années 1970 (Michael Kaufman, « The Internationalization of Canadian Bank Capital », *op. cit.,* p. 74).

91. Daniel Baum, *The Banks of Canada in the Commonwealth Caribbean, op. cit.,* p. 5-6.

92. Kathleen E. A. Monteith, *Depression to Decolonization, op. cit.,* p. 99, 101.

93. Odle fait remarquer que dans les pays pauvres, les emprunteurs doivent avoir des actifs extrêmement solides : la banque se considère astreinte à une prudence exemplaire. Dans les pays riches, elle se permet des choix plus risqués, parfois même téméraires (Maurice Odle, *Multinational Banks and Underdevelopment, op. cit.,* p. 6-7).

94. Michael Kaufman, « The Internationalization of Canadian Bank Capital », *op. cit.,* p. 64, 72-73 ; R. T. Naylor, *The History of Canadian Business, op. cit.,* vol. 2, p. 255.

95. Quigley explique que du point de vue des gestionnaires d'une banque multinationale, l'équilibre entre les dépôts et les prêts d'une région n'a aucune importance : ce qui importe, c'est le rendement. « Mis à part le risque de change, le directeur de la Banque de Nouvelle-Écosse ne se souciait pas plus du déséquilibre entre les dépôts et les crédits dans les différentes îles de la Caraïbe que du même déséquilibre dans les différentes régions du Canada : il s'efforçait simplement de veiller à ce que les prêts soient attribués (et donc les réserves utilisées) de la façon la plus rentable possible » (Neil C. Quigley, « The Bank of Nova Scotia in the Caribbean », *op. cit.,* p. 837).

96. « L'octroi de prêts était limité à la United Fruit Company, et les prêts ne progressant pas au même rythme que les dépôts, ces derniers passèrent de 155 040 à 865 277 $, avec pour résultat que la Jamaïque est devenue une région avec un excédent d'épargne » (James D. Frost, « The "Nationalisation" of the Bank of Nova Scotia », *op. cit.,* p. 24).

97. R. T. Naylor, *The History of Canadian Business, op. cit.,* vol. 2, p. 255.

98. Neil C. Quigley, « The Bank of Nova Scotia in the Caribbean », *op. cit.,* p. 831-837.

99. Bernard Élie, *L'internationalisation des banques et autonomie nationale au Canada, op. cit.,* p. 100, 105-106.

100. *Ibid.,* p. 106-107 ; Bernard Élie, *Le régime monétaire canadien, op. cit.,* 2002 [1998], p. 131.

101. Neil C. Quigley, « The Bank of Nova Scotia in the Caribbean », *op. cit.,* p. 800-801.

102. J. C. M. Ogelsby, *Gringos from the Far North, op. cit.,* p. 108-109.

103. *Ibid.,* p. 101-102.

104. Christopher Armstrong et H. V. Nelles, *Southern Exposure, op. cit.,* 1988, p. 283-284.

105. Voir notamment *ibid.,* p. 277-278 ; Ranald C. Michie, « Dunn, Fischer and Company in the City of London, 1906-14 », *Business History,* vol. 30, n° 2, 1988, p. 205 ; R. T. Naylor, *The History of Canadian Business, op. cit.,* vol. 2, p. 264 ; J. C. M. Ogelsby, *Gringos from the Far North, op. cit.,* p. 92-93.

106. Christopher Armstrong et H. V. Nelles, *Southern Exposure, op. cit.,* p. 286.

107. Gregory P. Marchildon, « A New View of Canadian Business History », *Business History,* vol. 32, n° 3, juillet 1990, p. 165 : « Des accords de concession négociés par une coterie d'avocats-promoteurs protégeaient les bénéfices et excluait les concurrents. Mis à part la révolution, qui pouvait et allait se produire, et les problèmes de convertibilité de la monnaie locale qui ont affecté le prix d'achat de l'équipement en Amérique du Nord et en Europe aussi bien que les sorties de dividendes en actions et les intérêts en obligations, la rentabilité de ces activités était impressionnante. »

108. Christopher Armstrong et H. V. Nelles, *Southern Exposure, op. cit.*, p. 34, 38 et 108; Bernard Élie, *L'internationalisation des banques et autonomie nationale au Canada, op. cit.*, p. 77; Christopher Armstrong, «Making a Market: Selling Securities in Atlantic Canada before World War I», *The Canadian Journal of Economics*, vol. 13, n° 3, août 1980, p. 440.

109. Liste non exhaustive basée sur Christopher Armstrong et H. V. Nelles, *Southern Exposure, op. cit.*, p. 252, 253 et 271. C'est la compagnie de Barcelone qui est à l'origine du scandale financier dénoncé par *L'Humanité* en 1913.

110. Gregory P. Marchildon, «A New View of Canadian Business History», *op. cit.*, p. 165.

111. Il s'agit notamment de cinq hommes associés à la construction des chemins de fer canadiens: William Mackenzie, Donald Mann, William Van Horne, James Ross et Herbert Holt (Theodore Regehr, «Zebulon Aiton Lash», *Dictionnaire de biographie canadien*, vol. XIV: *1911-1920*, Université Laval et University of Toronto, 1972, <www.biographi.ca/009004-119.01-f.php?&id_nbr=7512>).

112. Max Aitken au premier chef et son mentor John Stairs, mais aussi B. F. Pearson, C. Cahan, James Dunn, Arthur Nesbitt, Garnet Grant, etc. (Ranald C. Michie, «Dunn, Fischer and Company in the City of London», *op. cit.*, p. 70-71, 76; Gregory P. Marchildon, «John F. Stairs, Max Aitken and the Scotia Group, Finance Capitalism and Industrial Decline in the Maritimes, 1890-1914», dans Kris Inwood (dir.), *Farm, Factory and Fortune, op. cit.*, p. 197-218; Gregory P. Marchildon, *Profits and Politics, op. cit.*, p. 36).

113. Gregory P. Marchildon, «A New View of Canadian Business History», *op. cit.*, p. 165.

114. Gregory P. Marchildon, «British Investment Banking and Industrial Decline before the Great War, A Case Study of Capital Outflow to Canadian Industry», *Business History*, vol. 33, n° 3, juillet 1991, p. 84-89; Gregory P. Marchildon, «"Hands Across the Water", Canadian Industrial Financiers in the City of London, 1905-1920», *Business History*, vol. 34, n° 3, juillet 1992, p. 71.

115. Les banques et les compagnies d'assurance sont strictement encadrées au Canada. Les fiducies, bien que peu réglementées, ne peuvent se livrer à la spéculation en raison de la *common law*, tandis que pour les sociétés de placements, «*investment houses*», «*securities corporations*» et «*bond dealers*» en tous genres, qui s'emploient à promouvoir et à souscrire de nouvelles émissions de titres, la réglementation est quasi inexistante (Gregory P. Marchildon, *Profits and Politics, op. cit.*, p. 36). De plus, le marché des valeurs mobilières au Canada est beaucoup moins réglementé que celui de la Grande-Bretagne ou de l'Allemagne au début du xxᵉ siècle (Gregory P. Marchildon, «Canadian Multinationals and International Finance, Past and Present», *Business History*, vol. 34, n° 3, juillet 1992, p. 12; Gregory P. Marchildon, «The Role of Lawyers in Corporate Promotion and Management: A Canadian Case Study and Theoretical Speculations», *Business and Economic History*, 2ᵉ série, n° 19, 1990, p. 200).

116. Christopher Armstrong et H. V. Nelles, *Southern Exposure, op. cit.*, p. 25-33, et Christopher Armstrong et H. V. Nelles, «A Curious Capital Flow: Canadian Investment in Mexico, 1902-1910», *Business History Review*, vol. 58, n° 2, 1984, p. 189-190.

117. Robert G. Gordon, «A Perspective from the United States», dans Carol Wilton (dir.), *Beyond the Law, Lawyers and Business in Canada, 1830 to 1930, Essays in the History of Canadian Law*, vol. IV, Toronto et Vancouver, The Osgoode Society/Butterworths, 1990, p. 431.

118. En Amérique du Nord «une importante minorité d'avocats firent le choix de devenir les valets des grandes entreprises» (Gregory P. Marchildon, «The Role of Lawyers in Corporate Promotion and Management», *op. cit.*, p. 199-200).

119. Gregory P. Marchildon, «The Role of Lawyers in Corporate Promotion and Management», *op. cit.*, p. 194. Voir aussi Gregory P. Marchildon, «International Corporate Law from a Maritime Base, The Halifax Firm of Harris, Henry, and Cahan», dans Carol Wilton (dir.), *Beyond the Law, op. cit.*, p. 201-234.

120. Theodore Regehr, «Zebulon Aiton Lash», *op. cit.*; Duncan McDowall, «Frederick Stark Pearson», dans *Dictionnaire biographique du Canada*, vol. XIV: *1911-1920*, Université Laval et University of Toronto, 1972, <http://biographi.ca/009004-119.01-f.php?&id_nbr=7645>.

121. Christopher Armstrong et H. V. Nelles, *Southern Exposure, op. cit.*, p. 277. Les auteurs ajoutent : « Le mot vernaculaire pour les tramways au Brésil, *bondes*, symbolisait le côté irritant de la dette envers le Canada. »

122. « [...] on l'appela, de façon péjorative, la "pieuvre canadienne" parce que ses tentacules s'étendaient sur l'ensemble de l'espace urbain » [à Rio] (Amara Silva de Souza Rocha, « Luzes da ribalta », *Revista de História da Biblioteca Nacional*, 2007, <www.revistadehistoria.com.br/secao/artigos/luzes-da-ribalta>). Née en 1912 de la fusion de deux compagnies canadiennes fondées respectivement en 1899 et en 1904, la « pieuvre » était au moment de son apogée, vers 1946, la plus grande compagnie canadienne à l'étranger avec des actifs de près d'un demi-milliard de dollars. Elle était propriétaire des tramways de São Paulo et de Rio de Janeiro, mais surtout, elle fournissait plus de la moitié de l'électricité consommée au Brésil et les trois quarts de ses services téléphoniques (Duncan McDowall, *The Light : Brazilian Traction, Light and Power Company Limited, 1899-1945*, Toronto, University of Toronto Press, 1988 ; J. C. M. Ogelsby, *Gringos from the Far North, op. cit.*, p. 129 ; Gregory P. Marchildon, « A New View of Canadian Business History », *op. cit.*, p. 164). Après 1979, la compagnie (qui a pris le nom de Brascan en 1969) demeure propriétaire d'actifs importants au Brésil, mais n'y possède plus de services publics. Le holding survit au XXIᵉ siècle sous le nom de Brookfield Asset Management (Shirley Won, « What's In a Name ? Plenty If It's Brascan », *The Globe and Mail*, 16 septembre 2005).

123. Duncan McDowall, *The Light, op. cit.*, p. 51-52.

124. *Ibid.*, p. 52 ; Gregory P. Marchildon, *Profits and Politics, op. cit.*, p. 41.

125. Duncan McDowall, *The Light, op. cit.*, p. 52. À Camagüey, par exemple, des actions ordinaires gratuites d'une valeur de 700 000 $ sont réparties parmi les promoteurs et les souscripteurs (il s'agit souvent des mêmes personnes). Les courtiers, ainsi que deux gestionnaires de la Banque Royale ayant servi d'intermédiaires, reçoivent également une petite partie des actions données en prime (Gregory P. Marchildon, *Profits and Politics, op. cit.*, p. 70-71).

126. Un consortium canadien qui voulait obtenir le monopole des tramways électriques à Birmingham, en Grande-Bretagne, a constaté que la loi anglaise des sociétés ne permettait pas aux initiés de recevoir des lots importants d'actions gratuites. La loi canadienne ne comportait aucune interdiction de ce genre (Christopher Armstrong et H. V. Nelles, *Southern Exposure, op. cit.*, p. 31).

127. Christopher Armstrong et H. V. Nelles, *Southern Exposure, op. cit.*, p. 29-33. La « pieuvre canadienne », par exemple, constitue au départ « un outil surcapitalisé conçu pour assurer les profits des promoteurs » (Gregory P. Marchildon, « A New View of Canadian Business History », *op. cit.*, p. 164). Au moment de sa création en 1912 par la fusion des compagnies de São Paulo et de Rio de Janeiro, le président William Mackenzie et son comparse F. S. Pearson ont empoché des millions en assurant la surcapitalisation des deux entreprises (Charles A. Gauld, *The Last Titan : Percival Farquhar, American Entrepreneur in Latin America*, Stanford/Felton, California Institute of International Studies/Glenwood Publishers, 1972, p. 82 ; Duncan McDowall, « Frederick Stark Pearson », *op. cit.*). La surcapitalisation ne concerne pas que les entreprises du Sud ; le tramway de Montréal, par exemple, a fait l'objet de la même manœuvre en 1911 (Jean-Pierre Dagenais, *Ironie du char, Un essai sur l'automobile et la crise des transports à Montréal*, Montréal, J. P. Dagenais, 1982).

128. Gregory P. Marchildon, *Profits and Politics, op. cit.*, p. 5. L'odeur criminelle qui se dégage des tractations d'Aitken est confirmée par Katherine V. Bligh et Christine Shaw ; selon elles, si Aitken s'installe définitivement à Londres en 1910, c'est en partie pour fuir son avocat, Charles Hazlitt Cahan (futur Secrétaire d'État du gouvernement conservateur de Bedford Bennett, de 1930 à 1935), qui le fait chanter au sujet de ses manœuvres douteuses dans une affaire de fusion de compagnies de ciment canadiennes. Aitken n'interviendra plus jamais dans la vie publique au Canada, où il est désormais *persona non grata*, même si tout au long de sa vie la plus grande partie de ses revenus proviendra de ce pays (Katherine V. Bligh et Christine Shaw, « William Maxwell Aitken », *op. cit.*, p. 23-24).
    La carrière d'Aitken a commencé en Nouvelle-Écosse où il vend à des petits épargnants les titres de la Trinidad Electric (Gregory P. Marchildon, *Profits and Politics, op. cit.*, p. 34),

compagnie créée à Halifax en 1900 pour gérer les trolleys et la centrale électrique de Port-d'Espagne. Aitken devient ensuite l'âme dirigeante de la Royal Securities Corporation, société de placements fondée à Halifax, qui s'installe à Montréal en 1906; la firme mobilise des capitaux pour les compagnies canadiennes de services publics dans les Caraïbes ou pour les fusions d'entreprises canadiennes qui fabriquent du ciment, du matériel roulant ou de l'acier. (Les trois plus grandes fusions de l'époque au Canada, celles de la Canada Cement, de la Canadian Car & Foundry et de la Steel Company of Canada, sont l'œuvre d'Aitken en 1909-1910 [Gregory P. Marchildon, «Hands Across the Water», *op. cit.*, p. 85-86].) Les affaires brassées par Aitken au Canada font de lui un millionnaire à l'âge de 30 ans; ce résultat est certainement lié à la surcapitalisation qui caractérise la plupart des entreprises qu'il a financées. Aitken a recruté au Canada et formé à son école des financiers qui deviendront mythiques dans l'histoire économique canadienne: Izaak Walton Killam, Arthur Nesbitt, Ward Pitfield.

En Grande-Bretagne, Aitken se fait élire au Parlement, est anobli sous le nom de Lord Beaverbrook, est nommé ministre de l'Information pendant la Première Guerre mondiale et devient un magnat de la presse britannique (Gregory P. Marchildon, «Hands Across the Water», *op. cit.*, p. 85-89). Avec Churchill, il est l'un des principaux représentants de la fraction de l'élite britannique qui favorise à la fois l'unité de la Grande-Bretagne et de l'Amérique du Nord et le maintien de l'empire britannique face à l'hégémonie américaine (Kees van der Pijl, *The Making of an Atlantic Ruling Class, op. cit.*, p. 37).

En dernière analyse, cette trajectoire transatlantique semble parfaitement canadienne, et le millionnaire Conrad Black, Canadien anobli en Grande-Bretagne sous le nom de Baron Black de Crossharbour, magnat de la presse emprisonné aux États-Unis en 2007 pour ses pratiques frauduleuses, apparaît aujourd'hui comme le digne successeur d'Aitken-Beaverbrook.

129. Ranald C. Michie, «Dunn, Fischer and Company in the City of London», *op. cit.*; Gregory P. Marchildon, «Hands Across the Water», *op. cit.*; Andrew Dilley, *Australia, Canada, and the City of London, op. cit.*, p. 56, 62-63, 183. De façon générale, les relations entre l'élite économique du Canada et la City forment un réseau remarquable par son ampleur, son intensité et son enchevêtrement (Andrew Dilley, *op. cit.*, p. 56). «Les intermédiaires qui canalisaient les capitaux vers le Canada étaient d'une diversité et d'une fluidité frappantes» (Andrew Dilley, *op. cit.*, p. 62-63). Les sociétés de placement canadiennes à Londres comprennent notamment la maison Dunn Fischer (James Dunn), la Dominion Securities (E.R. Wood), la Royal Securities Corporation (Max Aitken), la Wood Gundy, la Canada Securities Corporation (Rodolphe Forget, seul Canadien français), la C. Meredith and Company (associée à la Banque de Montréal), la Dominion Bond (Garnet Grant), l'Investment Trust Company (Arthur Nesbitt) et les firmes Greenshields, O'Hara, Mackay et R. S. Meredith (Gregory P. Marchildon, «Hands Across the Water», *op. cit.*, p. 69-70). Ces entreprises s'ajoutent à des canaux plus majestueux, la Banque de Montréal et la Banque Canadienne de Commerce (Andrew Dilley, *op. cit.*, p. 62-63, 183). La future CIBC dispose d'un bureau à Londres depuis 1901 (Ranald C. Michie, «Dunn, Fischer and Company in the City of London», *op. cit.*, p. 197; Victor Ross, *A History of the Canadian Bank of Commerce, op. cit.*, vol. 2, p. 213). Parmi les sociétés de placements créées au Canada au début du xxᵉ siècle, les plus importantes ont été achetées par les banques à charte: c'est ainsi qu'on a aujourd'hui la RBC Dominion Securities, la CIBC Wood Gundy et la BMO Nesbitt Burns. («[…] à partir de 1990, les plus grandes banques canadiennes avaient acquis le contrôle majoritaire de RBC Dominion valeurs mobilières, de Wood Gundy et de Nesbitt Thomson». Gregory P. Marchildon, «Hands Across the Water», *op. cit.*, p. 90n3).

130. Il s'agit notamment de techniques qui gomment la distinction entre le marché primaire (émission initiale d'actions) et le marché secondaire (revente d'actions existantes). Ranald C. Michie, «Dunn, Fischer and Company in the City of London», *op. cit.*, p. 212.

131. Gregory P. Marchildon, «A New View of Canadian Business History», *op. cit.*, p. 163; Ranald C. Michie, «The Canadian Securities Market», *op. cit.*, p. 43; Christopher Armstrong et H. V. Nelles, *Southern Exposure, op. cit.*, p. 249; Bernard Élie, *L'internationalisation des banques et autonomie nationale au Canada, op. cit.*, p. 78-79. Armstrong et Nelles résument

la situation au Mexique : « Les capitaux britanniques et canadiens étaient acheminés par l'intermédiaire d'entreprises canadiennes pour l'achat massif d'équipement américain nécessaire à l'exploitation au Mexique » (Christopher Armstrong et H. V. Nelles, « A Curious Capital Flow », *op. cit.,* p. 199).

132. « Les investisseurs britanniques et américains ont graduellement pris la place des Canadiens qui étaient les détenteurs initiaux des actions et obligations dans les services publics latino-américains, et le marché d'un nombre important d'entre eux s'est déplacé vers d'autres centres, comme Londres, Paris et surtout Bruxelles, qui était, dans le secteur des entreprises de tramway, le principal centre mondial » (Ranald C. Michie, « The Canadian Securities Market », *op. cit.,* p. 43). Au milieu des années 1920, et même si leur siège social se trouve toujours à Toronto, les compagnies de services publics « canadiennes » de Barcelone, du Mexique et du Brésil appartiennent à SOFINA, un conglomérat basé en Belgique (Christopher Armstrong et H. V. Nelles, *Southern Exposure, op. cit.,* p. 271).

133. Christopher Armstrong et H. V. Nelles, *Southern Exposure, op. cit.,* p. 282.

134. Gregory P. Marchildon, *Profits and Politics, op. cit.,* p. 287n7.

135. Au moment où Armstrong et Nelles font paraître *Southern Exposure,* en 1988, les dirigeants mexicains de la Mexican Light and Power Company, nationalisée depuis longtemps, se rendent encore à Toronto en février de chaque année pour accomplir les rites juridiques associés au maintien de la société (Christopher Armstrong et H. V. Nelles, *Southern Exposure, op. cit.,* p. 291-292). Aujourd'hui, dans beaucoup de cas, les adresses de complaisance ont disparu, mais il y a tout lieu de croire que les cabinets d'avocats de Toronto ont encore la garde des archives de la Mexico Tramways Company et de la Mexican Light and Power (Duncan McDowall, « Frederick Stark Pearson », *op. cit.*).

136. Christopher Armstrong et H. V. Nelles, *Southern Exposure, op. cit.,* p. 271 et 277.

137. La Banque de Montréal et la Banque Canadienne de Commerce se retirent du Mexique ; la Banque de Montréal abandonne sa participation dans la Barclays (DCO) ; la Banque Royale supprime 34 succursales aux Antilles. Seule la Banque de Nouvelle-Écosse garde une certaine vigueur, tout en fermant néanmoins des succursales (Bernard Élie, *L'internationalisation des banques et autonomie nationale au Canada, op. cit.,* p. 148-149).

138. En Jamaïque, par exemple, il existe en 1945 quatre banques commerciales dont trois sont canadiennes. Ce sont toujours les mêmes : Banque de Nouvelle-Écosse, Banque Royale, Banque Canadienne de Commerce. La Barclays (DCO) britannique est le quatrième larron. Il faut attendre 1960 pour voir arriver une banque états-unienne, la First National City Bank of New York (Charles Victor Callender, *The Development of the Capital Market Institutions of Jamaica, op. cit.,* p. 95).

139. James D. Frost, « The "Nationalisation" of the Bank of Nova Scotia », *op. cit.,* p. 29.

140. Gregory P. Marchildon, « John F. Stairs, Max Aitken and the Scotia Group », *op. cit.,* p. 218.

141. Gregory P. Marchildon, « Canadian Multinationals and International Finance », *op. cit.,* p. 5. Les trois pays européens sont la Grande-Bretagne, la France et la République fédérale d'Allemagne.

142. Ronen Palan, « International Financial Centers, The British-Empire, City-States and Commercially Oriented Politics », Tel Aviv, *Theoretical Inquiries in Law,* vol. 11, n° 1, janvier 2010, p. 160-162 ; Ronen Palan et Jamie Stern-Weiner, « Britain's Second Empire », *New Left Project,* n° 17, août 2012.

143. Christian Chavagneux et Ronen Palan, *Les paradis fiscaux,* Paris, La Découverte, 2006 [rééd. 2012], p. 42.

144. *Ibid.,* p. 41-42.

145. Elles échappent à certaines contraintes juridiques affectant les îles anglo-normandes et ont l'avantage de se trouver dans le même fuseau horaire que New York (Ronen Palan, « International Financial Centers », *op. cit.,* p. 170-171).

CHAPITRE DEUX
1960 – Les Bahamas
Repaire du crime organisé américain

1. Robert Blakey, Ronald Goldstock et Charles Rogovin, *Rackets Bureaux: Investigation and Prosecution of Organized Crime*, Government Printing Office, mars 1978, p. 4, cité dans Alan Block, *Masters of Paradise, Organized Crime and the Internal Revenue Service in The Bahamas*, New Brunswick (NJ) et Londres, Transaction Publishers, 1991, p. 5.
2. Alan Block, *Masters of Paradise, op. cit.*, p. 6.
3. Office of Administrative Law, Casino Control Commission State of New Jersey, «In the Matter of the Application of Resorts International Hotel, Inc for a Casino License», 22 novembre 1979, p. 266. Sur la présence de la mafia à Cuba, voir Enrique Cirules, *The mafia in Havana, A Caribbean Mob Story*, Melbourne et New York, Ocean Press, 2004.
4. Jean-François Couvrat et Nicolas Plesse, *La Face cachée de l'économie mondiale*, Paris, Hatier, coll. «Économie mondiale Actualité», 1988, p. 191.
5. Alan Block, *Masters of Paradise, op. cit.*, p. 74, et Alain Vernay, *Les Paradis fiscaux*, Paris, Seuil, 1968, p. 165. La «Bay Street» dont il est question n'évoque en rien celle de Toronto, mais plutôt celle de Nassau, à laquelle on identifiait toute une classe émergente d'acteurs affairistes de la colonie au milieu du xxᵉ siècle.
6. «Stafford Sands», *Bahamasb2b*, <www.bahamasb2b.com/bahamas/bahamians/stafford-sands.html>, de même qu'Alan Block, *Masters of Paradise, op. cit.*, p. 31.
7. *Ibid.*, p. 29.
8. *Ibid.*, p. 31. Les casinos étaient alors illégaux, et seulement tolérés si on avait une protection, celle qu'exerçait par exemple Kenneth Salomon, membre de la coterie financière locale formée de descendants directs de pirates, de naufrageurs (Alain Vernay, *Les Paradis fiscaux, op. cit.*, p. 165) et de marchands d'armes pour les confédérés sudistes (*Life*, 2 février 1967).
9. «An Informal History of the Grand Bahama Port Authority, 1955-1985», *Bahamian Fragments*, <www.jabezcorner.com/Grand_Bahama/Informal1.html>, page consultée le 6 août 2013.
10. Alan Block, *Masters of Paradise, op. cit.*, p. 27.
11. *Ibid.*, p. 28; Alain Vernay, *Les Paradis fiscaux, op. cit.*, p. 158; et Craig Wolff, «Wallace Groves Is Dead at 86; Developer of Resort in Bahamas», *The New York Times*, 1ᵉʳ février 1988. Pour le détail de cette affaire, «Investment Trusts and Investment Companies, Letter from the Acting Chairman of The Securities and Exchange Commission Transmitting, Pursuant to Law, A Report On Abuses and Deficiencies in the Organization and Operation of Investment Trusts and Investment Companies», Washington (DC), 3 mai 1939, Government Printing Office, United States, 1940, <http://archive.org/stream/investmenttrusts312unit/investmenttrusts312unit_djvu.txt>.
12. «An Informal History of the Grand Bahama Port Authority, 1955-1985», *op. cit.*
13. «In the Matter of the Application of Resorts International Hotel, Inc for a Casino License», Office of Administrative Law, Casino Control Commission State of New Jersey, 22 novembre 1979, p. 264-265; Alan Block, *Masters of Paradise, op. cit.*, p. 28.
14. Ed Reid, «Bahamas Hoodlum Sea», chapitre 7, *The Anatomy of Organized Crime: The Grim Reapers*, Washington (DC), Henry Regnery Company, 1969, p. 106; Alan Block, *Masters of Paradise, op. cit.*, p. 28. Comme le soutien de Sands amène celui du gouvernement nassavien, il redore la réputation de Groves aux yeux de puissants financiers extérieurs attirés par le nouveau modèle économique. Le principal actionnaire d'une importante entreprise d'hôtellerie déclara que le fait d'être accepté par Nassau réhabilite Groves en tant que partenaire économique. (Office of Administrative Law, Casino Control Commission State of New Jersey, «In the Matter of the Application of Resorts International Hotel, Inc for a Casino License», 22 novembre 1979, p. 264).
15. Alan Block, *Masters of Paradise, op. cit.*, p. 27-29.
16. *Ibid.*, p. 28.
17. Bill Davidson, *The Saturday Evening Post*, vol. 204: The Mafia at Work, 25 février 1967, dans *Bahamian Fragments Bits and Pieces from the History of the Bahamas*, <www.jabezcorner.com/Grand_Bahama/sep3.htm>, p. 4.

18. *Ibid.*
19. Alan Block, *Masters of Paradise, op. cit.*, p. 29-30.
20. Alain Vernay, *Les Paradis fiscaux, op. cit.*, p. 159.
21. *Ibid.*
22. Bill Davidson, *The Saturday Evening Post*, vol. 204 : The Mafia at Work, *op. cit.*, p. 4, et Alan Block, *Masters of Paradise, op. cit.*, p. 28-30.
23. Alan Block, *Masters of Paradise, op. cit.*, p. 30.
24. *Ibid.*, p. 33.
25. Alain Vernay, *Les paradis fiscaux, op. cit.*, p. 158.
26. Alan Block, *Masters of Paradise, op. cit.*, p. 31-32.
27. *Ibid.*, p. 11.
28. *Ibid.*, p. 28.
29. *Ibid.*, p. 34.
30. *Ibid.*, p. 34, 36.
31. Il s'agit de la Lorado of Bahamas Ltd et de la Canadian Dyno Mines Ltd, mentionnées dans *ibid.*, p. 39.
32. Alain Vernay, *Les paradis fiscaux, op. cit.*, p. 161.
33. *Hearings : Organized Crime, Stolen Securities*, Permanent Subcommittee on Investigations, Washington (DC), Sénat des États-Unis, 28 juillet 1971, p. 857, cité dans Alan Block, *Masters of Paradise, op. cit.*, p. 36 et 53n12. Lire aussi : David McClintick, *Indecent Exposure : A True Story of Hollywood and Wall Street*, New York, Dell Publishing, 1983, p. 88, ainsi que Hank Messick, *Syndicate Abroad*, New York, MacMillan, 1969, p. 64.
34. Alain Vernay, *Les paradis fiscaux, op. cit.*, p. 161.
35. Cité dans Mario Possamai, *Le blanchiment d'argent au Canada : Duvalier, Ceausescu, Marcos, Carlos et les autres*, Laval, Guy Saint-Jean Éditeur, 1994, p. 119. Lire aussi Alan Block, *Masters of Paradise, op. cit.*, p. 34, 36.
36. *Ibid.*, p. 9-12.
37. Mario Possamai, *Le blanchiment d'argent au Canada, op. cit.*, p. 119.
38. Alan Block, *Masters of Paradise, op. cit.*, p. 43.
39. *Ibid.*, p. 34.
40. *Ibid.*, p. 39-40.
41. Chesler en est titulaire en son nom tandis que Groves l'est indirectement, sa femme Georgette étant formellement inscrite parmi les ayants droit. Cf. Office of Administrative Law, Casino Control Commission State of New Jersey, « In the Matter of the Application of Resorts International Hotel, Inc for a Casino License », 22 novembre 1979, p. 266.
42. Alan Block, *Masters of Paradise, op. cit.*, p. 41, 64.
43. *Ibid.*, p. 40 ; Monroe W. Karmin et Stanley Penn, « Las Vegas East. », *The Wall Street Journal*, 5 octobre 1966, dans *Bahamian Fragments Bits and Pieces from the History of the Bahamas, op. cit.*, p. 2.
44. Alan Block, *Masters of Paradise, op. cit.*, p. 40.
45. *Ibid.*, p. 42.
46. Alain Vernay, *Les Paradis fiscaux, op. cit.*, p. 162. De l'aveu même de Stafford Sands, on lui a offert en 1960 un million de dollars en échange de droits exclusifs dans le secteur du jeu. Sands dit avoir refusé l'offre et s'être senti indigné (cf. *Life Magazine*, 2 mars 1967). Dans la foulée de la légalisation du jeu aux Bahamas, on a versé plus tard au moins 1,8 million de dollars à Sands. L'intéressé se justifie auprès d'Alain Vernay en prétextant que les autorités bahamiennes ne versent aucun salaire aux êtres dévoués qui acceptent d'occuper des fonctions politiques (Alain Vernay, *Les Paradis fiscaux, op. cit.*, p. 172).
47. Alan Block, *Masters of Paradise, op. cit.*, p. 41.
48. *Ibid.*, p. 45.
49. *Ibid.*, p. 40.
50. Alain Vernay, *Les Paradis fiscaux, op. cit.*, p. 156.
51. Alan Block, *Masters of Paradise, op. cit.*, p. 34, 38.
52. Peter Gillespie, « The Trouble With Tax Havens, Whose Shelter ? Whose Storm ? », dans Richard Swift (dir.), *The Great Revenue Robbery : How to Stop the Tax Cut Scam and Save Canada*, Toronto, Between the lines, 2013, p. 55.

53. Alan Block, *Masters of Paradise, op. cit.*, p. 11.

54. «La GRC a signalé que l'argent de la mafia était investi dans tous les types d'entreprises à Toronto, des hôtels aux restaurants, des centres d'achat à l'immobilier.» Peter Gillespie, «The Trouble With Tax Havens», *op. cit.*, p. 56, d'après Margaret Baere et Stephen Schneider, *Money Laundering in Canada*, Toronto, University of Toronto Press, 2007.

55. Né dans l'empire russe en territoire polonais, Maier Suchowljansky (alias Meyer Lansky) s'est fait connaître grâce à son association avec le pionnier de Las Vegas, Bugsy Seigel. Le Bugsy Seigel Memorial, qui se trouve dans l'hôtel-casino Flamingo qu'il a fondé en 1946, nous le rappelle... À la tête du Bug and Meyer Mob, ils devinrent les redoutables gangsters de la Yiddish Connection et servirent avec efficacité le clan de Charles «Lucky» Luciano. Mais il marque surtout l'histoire du gangstérisme international en tant que trésorier de la Commission du crime, appelée également le «Syndicat national du crime». Cette «commission» est une confédération états-unienne de pègres italienne et juive fondée en 1929. Rendu perplexe par l'inculpation d'Al Capone le 17 octobre 1931 pour évasion fiscale et violation de la prohibition, Lansky développe dans le monde interlope les premières esquives aux stratégies fiscales des États-Unis. Profitant de la loi sur le secret bancaire de 1934 en Suisse (article 47 révisé depuis), il transfère ses revenus illégaux tirés des casinos dans un compte suisse anonyme et numéroté. La technique du *loan back* lui permet de blanchir de l'argent en toute sécurité: Lansky peut le récupérer aux États-Unis sous forme de prêts et même déduire les intérêts de ses impôts. Selon le criminologue R. T. Naylor, «la prospérité du gang Lansky-Luciano et les besoins qui en découlaient en matière de moyens sophistiqués de cacher et de gérer les flux financiers se sont avérés la mère de l'invention offshore» (R. T. Naylor, *Hot Money, And the Politics of Debt*, Montréal et Kingston, McGill/ Queen's University Press, 2004 [1987], p. 21). Tandis que la Prohibition s'achève, le caïd investit dans le secteur du jeu pour que les mafieux puissent exploiter de nouveaux casinos tels que les hôtels-casinos de la Nouvelle-Orléans et de Miami. S'appuyant sur des méthodes innovantes, il s'est forgé une réputation de «gestionnaire» hors pair dans ce secteur. En plus d'en maîtriser les subtilités mathématiques, Lansky ne lésine pas sur les moyens pour rendre crédibles ses montages: chasse aux voyous locaux, embauche de croupiers intègres, etc. Dès 1938, le président cubain Batista l'invite pour revitaliser ses centres de jeux. Le trésorier de la Commission peut désormais recycler l'argent illégal loin de l'Internal Revenue Service (IRS). Au moment de la révolution castriste de 1959, Lansky jette son dévolu sur les Bahamas, situées à proximité de Miami. Washington et l'IRS ne parviendront jamais à épingler celui que les médias ont surnommé *Mastermind of the Mob* (le cerveau de la mafia). Lansky a d'ailleurs inspiré le personnage interprété par Lee Strasberg d'Hyman Roth dans le deuxième volet de la trilogie du *Parrain* (adaptée du roman de Mario Puzo) de Francis Ford Coppola, réalisé en 1974. Dans ce film culte, Roth reprend une déclaration de Lansky: «Nous étions plus gros que la US Steel!» Lire également: Nicholas Shaxson, *Les Paradis fiscaux. Enquête sur les ravages de la finance néolibérale*, Bruxelles, André Versaille Éditeur, 2012, p. 136; Jean-François Couvrat et Nicolas Plesse, *La Face cachée de l'économie mondiale, op. cit.*, p. 192, ainsi que l'annexe «The Luxury Hotels of Havana», du livre d'Enrique Cirules, *The Mafia in Havana, op. cit.*, p. 148 et suiv.

56. Alan Block, *Masters of Paradise, op. cit.*, p. 36.

57. *Ibid.*, p. 37, 39.

58. *Ibid.*, p. 51.

59. *Ibid.*, p. 84-85.

60. *Ibid.*, p. 43.

61. *Ibid.*, p. 46.

62. *Ibid.*, p. 48.

63. *Ibid.*, p. 48-49.

64. Mario Possamai, *Le blanchiment d'argent au Canada, op. cit.*, p. 119.

65. Alan Block, *Masters of Paradise, op. cit.*, p. 43-44.

66. *Ibid.*, p. 44.

67. *Ibid.*, p. 43.

68. *Ibid.*, p. 43-44.

69. Office of Administrative Law, Casino Control Commission State of New Jersey, « In the Matter of the Application of Resorts International Hotel, Inc for a Casino License », 22 novembre 1979, p. 266.

70. Alan Block, *Masters of Paradise*, *op. cit.*, p. 71.

71. *Ibid.*, p. 151.

72. Arthur Herzog, *Vesco : From Wall Street to Castro's Cuba, The Rise, Fall, and Exile of the King of White-Collar Crime... A Fascinating Story of Big Money, High Living, and Financial Trickery*, Lincoln (NE), Authors Choice Press, 2003, cité dans *Electron Press*, <www.electronpress.com/excerpts/vescoexc.htm>.

73. Alan Block, *Masters of Paradise*, *op. cit.*, p. 135.

74. R. T. Naylor, *Hot Money*, *op. cit.*, p. 40.

75. Jean-François Couvrat et Nicolas Plesse, *La Face cachée de l'économie mondiale*, *op. cit.*, p. 168.

76. R. T. Naylor, *Hot Money*, *op. cit.*, p. 40-41.

77. Alan Block, *Masters of Paradise*, *op. cit.*, p. 13 et 153. On lit également dans un câble diplomatique du Secrétariat d'État des États-Unis daté du 26 novembre 1973 et rendu disponible par WikiLeaks : « A nephew of President Nixon, Donald A. Nixon, is an employee of Vesco », <www.wikileaks.org/plusd/cables/1973STATE231670_b.html>.

78. R. T. Naylor, *Hot Money*, *op. cit.*, p. 40.

79. Câble diplomatique du Secrétariat d'État des États-Unis, WikiLeaks, 26 novembre 1973.

80. *Staff Study of the Frank Petroff Case*, Permanent Subcommittee on Investigation, Washington (DC), Sénat des États-Unis, 1975, cité dans Alan Block, *Masters of Paradise*, *op. cit.*, p. 146.

81. Alan Block, *Masters of Paradise*, *op. cit.*, p. 147.

82. *Ibid.*, p. 147-148.

83. R. T. Naylor, *Hot Money*, *op. cit.*, p. 300.

84. Charlotte Hays, *The Fortune Hunters : Dazzling Women and the Men They Married*, New York, St. Martin's Press, 2007, p. 27.

85. *The New York Times*, éditions des 24 novembre 1982 et 17 octobre 1983, ainsi que les éditions du *Wall Street Journal* des 8 et 31 mars 1983, citées dans R. T. Naylor, *Hot Money*, *op. cit.*, p. 301 et 494n13.

86. Marilyn James, « A biography of Daniel K. Ludwig », *Executive Intelligence Review*, vol. 8, n° 49, 22 décembre 1981, et Alain Vernay, *Les Paradis fiscaux*, *op. cit.*, p. 159.

87. Alan Block, *Masters of Paradise*, *op. cit.*, p. 32.

88. *Ibid.*

89. *Ibid.*, p. 33.

90. Alain Vernay, *Les Paradis fiscaux*, *op. cit.*, p. 159n4.

91. Cité dans Alan Block, *Masters of Paradise*, *op. cit.*, p. 75.

92. *Ibid.*, p. 4.

93. *Ibid.*, p. 10.

94. *Ibid.*, p. 6.

95. Jugement dans le litige opposant la Banque Royale du Canada au fisc britannique (Internal Revenue Code, IRC) en 1972, cité dans Édouard Chambost, *Guide mondial des secrets bancaires*, Paris, Seuil, 1980, p. 103.

96. Alain Vernay, *Les Paradis fiscaux*, *op. cit.*, p. 178.

97. *Ibid.*, p. 168.

98. William Brittain-Catlin, *Offshore : The Dark Side of the Black Economy*, New York, Farrar, Straus and Giroux, 2005, p. 151.

99. *Ibid.*, p. 151.

100. Alan Block, *Masters of Paradise*, *op. cit.*, p. 51-52.

101. *Ibid.*, p. 65.

102. *Ibid.*, p. 52.

103. *Ibid.*, p. 71, 141n24 et 157n24.

104. Alain Vernay, *Les Paradis fiscaux*, *op. cit.*, p. 163.

105. *Ibid.*, selon un dossier de l'hebdomadaire *Life* des 1er et 8 septembre 1967.

106. *Ibid.*, p. 164.

107. *Ibid.*
108. William Brittain-Catlin, *Offshore, op. cit.*, p. 154.
109. *Ibid.*
110. *Ibid.*, p. 172.
111. Alan Block, *Masters of Paradise, op. cit.*, p. 50.
112. *Ibid.*, p. 51.
113. Banque Royale du Canada, *Rapport annuel, 1965*, Montréal, 1966, p. 3 et 10, et *Rapport annuel, 1966*, Montréal, 1967, p. 3. Stafford Sands a décidé seul de quitter le conseil d'administration, cf. *Rapport annuel 1967*, Montréal, 1968, p. 32. Alain Vernay fait état de ce mélange des genres dans *Les Paradis fiscaux, op. cit.*, p. 166, de même que Michael Craton et Gail Saunders, dans *Islanders in the Stream: A History of the Bahamian People*, vol. 2: *From the Ending of Slavery to the Twenty-First Century*, Athens, The University of Georgia Press, 1996, p. 342.
114. Alain Vernay, *Les Paradis fiscaux, op. cit.*, p. 166.
115. *Ibid.*
116. «Stafford Sands», *Bahamas2b2, op. cit.*
117. Alain Vernay, *Les Paradis fiscaux, op. cit.*, p. 166.
118. *Ibid.*, p. 171. Cela représente l'avis de son adversaire politique Pindling.
119. *Ibid.*, p. 167.
120. *Ibid.*, p. 168.
121. Michael Kaufman, «The Internationalization of Canadian Bank Capital (with a Look at Bank Activity in the Caribbean and Central America)», *The Journal of Canadian Studies*, vol. 19, n° 4, 1984, p. 73, 76.
122. Banque Royale du Canada, *Rapport annuel, 1963*, Montréal, 1964, p. 21.
123. *Ibid.*, p. 20-21.
124. Banque Royale du Canada, *Rapport annuel, 1964*, Montréal, 1965, p. 20, 51. C'est par l'une de ces succursales qu'elle acquiert en 1966 une banque libanaise, la Banque des activités économiques, ce qui lui permet de faire également son entrée au Moyen-Orient (Banque Royale du Canada, *Rapport annuel, 1966*, Montréal, 1967, p. 21). Le Liban est alors considéré lui aussi comme un paradis fiscal (cf. Alain Vernay, *Les Paradis fiscaux, op. cit.*, p. 93-120).
125. Banque Royale du Canada, *Rapport annuel, 1965*, Montréal, 1966, p. 21.
126. Alan Block, *Masters of Paradise, op. cit.*, p. 94.
127. Alain Vernay, *Les Paradis fiscaux, op. cit.*, p. 156.
128. Alan Block, *Masters of Paradise, op. cit.*, p. 68.
129. *Ibid.*
130. *Ibid.*, et Alain Vernay, *Les paradis fiscaux, op. cit.*, p. 156.
131. Alan Block, *Masters of Paradise, op. cit.*, p. 81 et suiv.
132. Banque Royale du Canada, *Rapport annuel, 1965*, Montréal, 1966, p. 21.
133. Rod McQueen, *Les banquiers canadiens. Une enquête dans l'univers secret des véritables maîtres du pouvoir*, Montréal, Libre Expression, coll. «Primeur», 1985, p. 31.
134. *Ibid.*, p. 31, 48.
135. La succursale que gère la RBC dans la toute petite île de Bimini, qui passait alors pour une «cantine à hot dog» tellement ses affaires étaient modestes, transfère tout à coup 544 360 dollars en argent liquide à la Banque centrale des Bahamas en 1977, puis plus de 12 millions de dollars en 1982. «La banque centrale fut incapable de prouver que tout cet argent provenait "de transactions d'affaires ordinaires", particulièrement lorsqu'on considère qu'à cette époque, Bimini était une île relativement pauvre ayant une population de deux mille habitants» (Mario Possamai, *Le blanchiment de l'argent au Canada, op. cit.*, p. 120). L'autorité monétaire centrale des Bahamas elle-même a avancé que les fonds ainsi déposés «ne pouvaient provenir que de transactions de drogue» (R. T. Naylor, *Hot Money, op. cit.*, p. 300). Mario Possamai présume qu'il s'agirait du trafic de la cocaïne aux États-Unis. La situation devint suffisamment grave pour que les administrateurs de la Banque sentent l'urgence d'y mettre de l'ordre.
136. Alan Block, *Masters of Paradise, op. cit.*, p. 68. La commission compétente en matière de jeu du New Jersey atteste de la présence de la Banque Scotia dans la nébuleuse d'acteurs

gravitant autour du projet (Office of Administrative Law, Casino Control Commission State of New Jersey, « In the Matter of the Application of Resorts International Hotel, Inc for a Casino License », 22 novembre 1979, p. 265, 287).

137. Bank of Nova Scotia, *Annual Report*, 1960, p. 15.
138. *Ibid.*: « At the same time it should be recognized that some of the deposits obtained are of a fluctuating character ».
139. Alan Block, *Masters of Paradise, op. cit.*, p. 122.
140. Office of Administrative Law, Casino Control Commission State of New Jersey, *op. cit.*, p. 287.
141. R. T. Naylor, *Hot Money, op. cit.*, p. 301.
142. *Ibid.*, p. 299.
143. *Ibid.*
144. Cité dans Mario Possamai, *Le Blanchiment d'argent au Canada, op. cit.*, p. 121-122.
145. R. T. Naylor, *Hot Money, op. cit.*, p. 301.
146. *Ibid.*, p. 301-302.
147. Mario Possamai, *Le Blanchiment d'argent au Canada, op. cit.*, p. 121-122.
148. *Ibid.*, p. 113.
149. *Ibid.*
150. Patrice Meyzonnier, *Trafics et crimes en Amérique centrale et dans les Caraïbes*, Paris, Presses universitaires de France, 1999, p. 90.
151. Jean-François Couvrat et Nicolas Plesse, *La Face cachée de l'économie mondiale, op. cit.*, p. 84.
152. Mario Possamai, *Le Blanchiment d'argent au Canada, op. cit.*, p. 115.
153. Il est exceptionnel qu'on obtienne de telles informations sur les virements de comptes aux Bahamas. Tel a été le cas parce que Lehder s'est trouvé extradé aux États-Unis après avoir été arrêté en Colombie en 1987 et condamné en 1988, un fait rare.
154. Mario Possamai, *Le Blanchiment d'argent au Canada, op. cit.*, p. 115.
155. Patrice Meyzonnier, *Trafics et crimes en Amérique centrale et dans les Caraïbes, op. cit.*, p. 90.
156. R. T. Naylor, *Hot Money, op. cit.*, p. 306.
157. *Ibid.*, p. 301-302.
158. Mario Possamai, *Le Blanchiment d'argent au Canada, op. cit.*, p. 123.
159. *Ibid.*, p. 123-124.
160. R. T. Naylor, *Hot Money, op. cit.*, p. 302.
161. Mario Possamai, *Le Blanchiment d'argent au Canada, op. cit.*, p. 123-124.
162. Cedric Ritchie, « Banks Must Balance Two Basic but Conflicting Responsabilities », *The Toronto Star*, 3 février 1986, cité dans *ibid.*, p. 123.
163. *Ibid.*
164. Mario Possamai, *Le Blanchiment d'argent au Canada, op. cit.*, p. 122-123.
165. PARLINFO – Fiche Parlementaire - Expérience fédérale - FLEMING, L'hon. Donald Methuen, Toujours en vigueur le 18 décembre 2011.
166. « 30 septembre 1961, Début des travaux de l'Organisation de coopération et de développement économiques », *Perspectives Monde*, Université de Sherbrooke, <http://perspective.usherbrooke.ca/bilan/servlet/BMEve ?codeEve=355>, page consultée le 7 août 2013.
167. Édouard Chambost, *Guide mondial des secrets bancaires, op. cit.*, p. 221, de même que « Donald Fleming Dies ; Ex-Canadian Official », *American Press*, dépêche citée dans *The New York Times*, 3 janvier 1987.
168. PARLINFO – Fiche Parlementaire - Expérience fédérale - FLEMING, L'hon. Donald Methuen, Toujours en vigueur le 18 décembre 2011.
169. Banque de Nouvelle-Écosse, *Rapport annuel 1968*, p. 51.
170. Donald Fleming, *So Very Near : The Political Memoirs of the Honourable Donald M. Fleming*, Vol. II : « The Summit Years », Toronto, McClelland and Steward, 1985, p. 677.
171. *Ibid.*, p. 680.
172. *Ibid.*, p. 685.
173. Édouard Chambost, *Guide mondial des secrets bancaires, op. cit.*, p. 221.
174. Donald Fleming, *So Very Near, op. cit.*, p. 681.

175. *Ibid.*, p. 678.
176. *Ibid.*, p. 681.
177. William Brittain-Catlin, *Offshore, op. cit.*, p. 154.
178. Édouard Chambost, *Guide mondial des secrets bancaires, op. cit.*, p. 221.
179. Donald M. Fleming, « *The Bahamas (Tax) Paradise* », Washington (DC), *The Tax Executive*, n° 96, 1975-1976.
180. Mario Possamai, *Le Blanchiment d'argent au Canada, op. cit.*, p. 118.
181. R. T. Naylor, *Hot Money, op. cit.*, p. 300, cité dans *ibid.*, p. 118.
182. R. T. Naylor, *Hot Money, op. cit.*, p. 194, 299 et 304.
183. *Ibid.*, p. 494n10.
184. *Ibid.*, p. 300, d'après le *Financial Post* du 3 septembre 1983.
185. Alain Vernay, *Les Paradis fiscaux, op. cit.*, p. 172.
186. *Ibid.*, p. 173.
187. Ovid Demaris, *Dirty Business, The Corporate-Political Money-Power Game*, New York, Harper's Magazine Press, 1974, p. 114.
188. Alain Vernay, *Les Paradis fiscaux, op. cit.*, p. 168.
189. Patrice Meyzonnier, *Trafics et crimes en Amérique centrale et dans les Caraïbes, op. cit.*, p. 89-90.
190. Banque de Nouvelle-Écosse, *rapport annuel 1968*, p. 12.
191. *Ibid.*
192. R. T. Naylor, *Hot Money, op. cit.*, p. 298.
193. *Ibid.*
194. Trois citations d'Alain Vernay, *Les Paradis fiscaux, op. cit.*, p. 154.
195. Alan Block, *Masters of Paradise, op. cit.*, p. 141.
196. Alain Vernay, *Les Paradis fiscaux, op. cit.*, p. 157.
197. « Sir-Harry-Oakes », Niagara Falls History Museum, <www.niagarafallshistorymuseum.ca/wp-content/uploads/2011/08/Sir-Harry-Oakes.pdf>, page consultée le 20 décembre 2012.
198. Alain Vernay, *Les Paradis fiscaux, op. cit.*, p. 157n.
199. *Ibid.*
200. *Ibid.*
201. *Ibid.*
202. Diane Francis, *Le Monopole : 32 familles et 5 conglomérats contrôlent le tiers des richesses canadiennes*, Montréal, Éditions de l'Homme, 1987 [1986], p. 318.
203. Diane Francis, *Who Own Canada? Now, Old Money, New Money and The Future of Canadian Business*, Toronto, HarperCollins, 2008, p. 193.
204. Marc Pigeon, « Misère de milionnaire », *Le Journal de Montréal*, 8 avril 2010, et Alain Deneault, « Un Québec offshore? La tentation du paradis fiscal », dans Miriam Fahmy (dir.), *L'État du Québec 2011*, Montréal, Boréal, 2011, p. 120, repris dans *Faire l'économie de la haine*, Montréal, Écosociété, p. 45.
205. Ralph Deans, « History and success–financial services evolution », *The Bahamas Investor*, juillet 2009.
206. Ronen Palan, « International Financial Centers: The British-Empire, City-States and Commercially Oriented Politics », Tel Aviv, *Theoretical Inquiries in Law*, vol. 11, n° 1, janvier 2010, p. 170; Henry Morgenthau, « Note du Trésor sur la fraude et l'évasion fiscales », 2003/1937, traduit de l'anglais par Marc Mousli, *L'Économie politique*, n° 19, juillet-août-septembre 2003, p. 63-71.
207. Agence France-Presse, « Profession: courtier en îles privées », dépêche reprise dans *Le Journal de Montréal*, 2 août 2010.
208. Mario Possamai, *Le Blanchiment d'argent au Canada, op. cit.*, p. 116-117.
209. « Scotiabank in the Bahamas », site internet de la Banque Scotia, <www.scotiabank.com/bs/en/0,1586,00.html>, page consultée le 8 août 2013.
210. Charles Victor Callender, *The Development of the Capital Market Institutions of Jamaica*, Kingston, Institute of Social and Economic Research, University of the West Indies, 1965, p. 95; Geoffrey Jones, *British Multinational Banking, 1830-1990*, Oxford, Clarendon Press, 1993, p. 266-268; Michael Kaufman, *op. cit.*, p. 72; et Daniel Jay Baum, *The Banks of*

Canada in the Commonwealth Caribbean: Economic Nationalism and Multinational Enterprises of a Medium Power, New York, Washington et Londres, Jay Praeger Publishers, 1974, p. 23.

211. Joseph Schull et J. Douglas Gibson, *The Scotiabank Story: A History of the Bank of Nova Scotia, 1832-1982*. Toronto, Macmillan of Canada, 1982, p. 216. Voir aussi: Ralph Deans, « History and success–financial services evolution », *The Bahamas Investor*, juillet 2009.

212. « CIBC's History in the Caribbean », *op. cit.*.

213. James Ball, « IRS targets First Caribbean International Bank over tax evasion », Londres, *The Guardian*, 27 mai 2013.

214. Charles Victor Callender, *The Development of the Capital Market Institutions of Jamaica*, *op. cit.*, p. 95; Geoffrey Jones, *British Multinational Banking, 1830-1990*, *op. cit.*, p. 266-268; Michael Kaufman, *op. cit.*, p. 72, et Daniel Jay Baum, *The Banks of Canada in the Commonwealth Caribbean op. cit.*, p. 23.

215. En 1988, les Bahamas ont racheté l'institution pour la rebaptiser la Bank of The Bahamas International. « History of the Bank », Bank of the Bahamas international, <www.bankbahamasonline.com/%28v0odja45eyli1355gtzqfo20%29/default/History.aspx>, page consultée le 8 août 2013.

216. R. T. Naylor, *Hot Money*, *op. cit.*, p. 300.

217. Alain Vernay, *Les Paradis fiscaux*, *op. cit.*, p. 169.

218. Ralph Deans, « History and success–financial services evolution », *op. cit.*.

219. La Bank of Nova Scotia International et le BNS (Colombia) Holdings avec 99,9 % des parts, le Scotiabank Caribbean Treasury, la Bank of Nova Scotia Trust Company, la Scotiabank (Bahamas) et la Scotia International. Cf. « Canadian banks operate offshore, Big 5 financial institutions have branches in locales from Switzerland to Singapore », carte interactive, Toronto, Canadian Broadcasting Corporation (CBC), 24 juin 2013.

220. La RBC Royal Bank of Canada, la Royal Bank of Canada Trust Company (Bahamas) et la Finance Corporation of Bahamas Limited (RBC FINCO) à hauteur de 75 % des parts et la RBC Dominion Securities (Global). Cf. « RBC Caribbean Banking, The Bahamas », la Banque Royale du Canada, <www.rbcroyalbank.com/caribbean/bahamas_hist.html>, page consultée le 14 août 2013.

221. La CIBC Trust Company à hauteur de 91,7 % et la Bahamas FirstCaribbean International Bank à hauteur de 87,3 %. Cf. « Canadian banks operate offshore », *op. cit.*

222. R. T. Naylor, *Hot Money*, *op. cit.*, p. 165 et 280, ainsi que R. T. Naylor, *Wages of crime, Black Markets, Illegal Finance, and the Underworld Economy*, Montréal et Kingston, McGill/Queens University Press, 2004 [2002], p. 7.

223. Patrice Meyzonnier, *Trafics et crimes en Amérique centrale et dans les Caraïbes*, *op. cit.*, p. 89.

224. *Ibid.*, p. 90.

225. *Ibid.*

226. *Ibid.*

227. *Ibid.*

228. Listes citées dans Marie-Christine Dupuis-Danon, *Finance criminelle, Comment le crime organisé blanchit l'argent sale*, Paris, Presses universitaires de France, coll. « Criminalité internationale », deuxième édition, 2004 [1998], p. 225-226.

229. Francis Vailles, « Affaire Cinar: Ronald Weinberg et de présumés complices accusés au criminel », *La Presse*, 3 mars 2011.

230. Francis Vailles, « Affaire Norshield: les comptables des Bahamas travaillaient à Saint-Léonard », *La Presse*, 13 février 2010.

231. Carl Renaud, « Le financier Martin Tremblay à nouveau dans de beaux draps », Montréal, *Canoë.ca*, 21 février 2013.

232. Francis Vailles, « La même banque pour Tremblay, Norshield et Cinar », *La Presse*, 26 janvier 2007. Aussi: <http://canadianlawyermag.com/4031/the-offshore-banking-nightmare.html>.

233. *Ibid.* Quelques années plus tard, on apprenait que la Banque Royale était accusée par les autorités de contrôle des marchés dérivés aux États-Unis d'orchestrer un « système d'échange d'une ampleur colossale pour profiter des avantages fiscaux canadiens très

avantageux. Cf. Reuters, «US futures regulator accuses RBC of trading scheme», dépêche reproduite dans *The Chicago Tribune*, 2 avril 2012. L'institution a choisi plus tard de quitter l'Uruguay après avoir fait l'objet d'une perquisition à la «demande du juge argentin Norberto Oyarbide dans le cadre d'une enquête sur le blanchiment d'actifs impliquant des joueurs de soccer», sans qu'aucune accusation ne soit déposée. Cf. Société Radio-Canada, «RBC quitte l'Uruguay après une saisie dans ses bureaux», 4 septembre 2013, <http://m. radio-canada.ca/nouvelles/Economie/2013/09/04/001-rbc-uruguay-saisie.shtml>. Aussi, en 2012, les autorités réglementaires des États-Unis ont poursuivi la Banque Royale, l'accusant «d'avoir orchestré des transactions fictives sur le marché des contrats à terme à des fins d'évitement fiscal», ce que l'institution a nié. Cf. Gérard Bérubé, «La Banque Royale se défend d'avoir réalisé des transactions fictives aux États-Unis», *Le Devoir*, 3 avril 2012.

234. La Presse canadienne, «Une autre combine à la Ponzi», dépêche reprise dans *Le Devoir*, 1er août 2009.

235. Jean-François Cloutier, «Revenu Canada a le bras long avec le roi du t-shirt», *Le Journal de Montréal*, 19 décembre 2013.

236. «Présentation des Bahamas», *France Diplomatie*, 3 décembre 2012, <www.diplomatie. gouv.fr/fr/dossiers-pays/bahamas/presentation-des-bahamas/#sommaire_3>.

237. Alain Vernay, *Les Paradis fiscaux*, op. cit., p. 174.

238. *Ibid.*, p. 177.

239. *Ibid.*

240. R. T. Naylor, *Hot Money*, op. cit., p. 299.

241. *Ibid.*, p. 305.

242. «The Bahamas: A Little Bit Independent», *Times Magazine*, 24 janvier 1964.

CHAPITRE TROIS
1966 – Les Îles Caïmans
Havre de la haute finance spéculative

1. Jean de Maillard, *Un monde sans loi. La criminalité financière en images*, illustrations de Pierre-Xavier Grézeau avec les préfaces de Eva Joly et Laurence Vichnievsky et les collaborations de Bernard Bertossa, Antonio Gialanella, Benoît Dejemeppe et Renaud Van Ruymbeke, Paris, Stock, 1998, p. 16 et suiv.

2. *Ibid.*, p. 26.

3. Nicholas Shaxson, *Les Paradis fiscaux. Enquête sur les ravages de la finance néolibérale*, Bruxelles, André Versaille Éditeur, 2012, p. 107.

4. Jean de Maillard, *Un monde sans loi*, op. cit., p. 39.

5. R. T. Naylor, *Hot Money, And the Politics of Debt*, Montréal et Kingston, McGill/Queen's University Press, 2004 [1987], p. 36.

6. Sebastian Mallaby, «Soros versus Soros», *More Money than God: Hedge Funds and the Making of a New Elite*, New York, Penguin Books, 2010, p. 193-219.

7. Nicholas Shaxson, *Les Paradis fiscaux*, op. cit., p. 315 et suiv. Lire aussi de Ismail Ertürk, Julie Froud, Sukhdev Johal, Adam Leaver, Michael Moran et Karel Williams, *City State against national settlement UK economic policy and politics after the financial crisis*, Manchester, Centre for Research on Socio-Cultural Change (CRESC), Working Paper n° 101, juin 2011. Voir également le documentaire de Mathieu Verboud, *La City, la finance en eaux troubles*, France, France Télévisions/Zadig Productions, 2011, 52 minutes.

8. Nicholas Shaxson, *Les Paradis fiscaux*, op. cit., p. 112.

9. Christian Chavagneux et Ronen Palan, *Les Paradis fiscaux*, Paris, La Découverte, 2006 [rééd. 2012], p. 45.

10. William M. Clarke, *The City in the World Economy*, Middlesex, Penguin, coll. «Pelican», 1967 [1965], p. 21.

11. Nicholas Shaxson, *Les Paradis fiscaux*, op. cit., p. 118-122.

12. Youssef Cassis, *Les Capitales du capital. Histoire des places financières internationales, 1780-2005*, Paris, Honoré Champion Éditeur, 2008, p. 305-306.

13. Nicholas Shaxson, *Les Paradis fiscaux*, op. cit., p. 119.

14. Youssef Cassis, *op. cit.*, p. 305-306.

15. *Ibid.*, p. 308-309.

16. Gary Burn, « The State, the City and the Euromarket », *Review of International Political Economy*, vol. 6, n° 2, 1999, p. 225-261.

17. Charles Victor Callender, *The Development of the Capital Market Institutions of Jamaica*, Kingston, Institute of Social and Economic Research, University of the West Indies, 1965, p. 95 ; Geoffrey Jones, *British Multinational Banking, 1830-1990*, Oxford, Clarendon Press, 1993, p. 266-268 ; Michael Kaufman, « The Internationalization of Canadian Bank Capital (with a Look at Bank Activity in the Caribbean and Centràl America) », *The Journal of Canadian Studies*, vol. 19, n° 4, 1984, p. 72 ; et Daniel Jay Baum, *The Banks of Canada in the Commonwealth Caribbean: Economic Nationalism and Multinational Enterprises of a Medium Power*, New York, Washington et Londres, Jay Praeger Publishers, 1974, p. 23. La Banque de Montréal fournit le tiers des capitaux tandis que la Bolsa met dans la balance un réseau de succursales en Amérique latine.

18. Il intègre les conseils d'administration de la Canadian Pacific Railway et de la Sun Life Assurance du Canada. Cf. R. P. T. Davenport-Hines, « Sir George Lewis French Bolton », dans David J. Jeremy (dir.), *Dictionary of Business Biography*, vol. 1, Londres, Butterworth, 1984, p. 364-369.

19. Geoffrey Jones, *British Multinational Banking, op. cit.*, p. 265.

20. Gary Burn, « The State, the City and the Euromarket », *op. cit.*, p. 235.

21. Les euromarchés sont considérés comme « neufs, incertains et risqués », selon l'expression de Youssef Cassis, et cela les amène à avancer prudemment. C'est à l'initiative de la Midland Bank que la Toronto Dominion participe en 1964, avec d'autres institutions du Commonwealth, à la création de la Midland and International Bank. En 1970, la Banque Royale du Canada intègre également un consortium de banques pour affronter ce nouveau marché. Cf. Youssef Cassis, *Les Capitales du capital, op. cit.*, p. 123-124.

22. Nicholas Shaxson, *Les Paradis fiscaux, op. cit.*, p. 118.

23. *Ibid.*, p. 135.

24. Daniel Jay Baum, *The Banks of Canada in the Commonwealth Caribbean, op. cit.*, p. 9.

25. « Population totale, Îles Caïmans », dans Jean-Herman Guay (dir.), *Perspective monde*, Faculté des lettres et sciences humaines, Université de Sherbrooke, <http://perspective.usherbrooke.ca/bilan/servlet/BMTendanceStatPays?langue=fr&codePays=CYM&codeStat=SP.POP.TOTL&codeStat2=x>, page consultée le 18 août 2013.

26. William Brittain-Catlin, *Offshore, The Dark Side of the Black Economy*, New York, Farrar, Straus and Giroux, 2005, p. 15-16.

27. Timothy Ridley, « What makes the Cayman Islands a successful international financial services centre ? », Chairman of the Cayman Islands Monetary Authority, Montego Bay (Jamaïque), Caribbean Investment Forum, 12 et 13 juin 2007.

28. R. T. Naylor, *Hot Money, op. cit.*, p. 302.

29. *Ibid.*, p. 302-304.

30. Martin Keeley, « The Tax Haven That Jim MacDonald Built », *Canadian Business*, vol. 52, n° 10, octobre 1979, p. 67.

31. Dans le texte : « He was the first qualified lawyer to live on the [Cayman] Island, and wrote the Companies Law which established the Island as a tax haven », cf. « James David MacDonald », Ville de Calgary, <www.calgary.ca/CA/city-clerks/Pages/Corporate-records/Archives/Historical-information/Past-Mayors-and-Aldermen.aspx>, page consultée le 11 août 2013.

32. Mario Possamai, *Le blanchiment d'argent au Canada : Duvalier, Ceausescu, Marcos, Carlos et les autres*, Laval, Guy Saint-Jean Éditeur, 1994, p. 117.

33. Martin Keeley, « The Tax Haven That Jim MacDonald Built », *op. cit.*, p. 68.

34. *Ibid.*, p. 70.

35. Alan Markoff, « Cayman Develops as an Offshore Centre, Part 1 : The Early Years – 1960's : The Cayman Islands : From obscurity to offshore giant », *Cayman Financial Review*, 5 janvier 2009 ; et Nicholas Shaxson, *Les Paradis fiscaux, op. cit.*, p. 138.

36. Martin Keeley, « The Tax Haven That Jim MacDonald Built », *op. cit.*, p. 68.

37. William Brittain-Catlin, *Offshore, op. cit.*, p. 151.

38. *Ibid.*, p. 19-20.
39. Martin Keeley, « The Tax Haven That Jim MacDonald Built », *op. cit.*, p. 67.
40. *Ibid.*
41. Michael Klein, « Transitions for long time Cayman financial services firm », George Town, *The Cayman Islands Journal*, 2 novembre 2011.
42. Brian Salgado, « Butler Development Group », Chicago, *Construction Today*, article non daté ultérieur à 2008, <www.construction-today.com/index.php/sections/residential/420-butler -development-group>, consulté le 21 août 2013.
43. Banque Royale du Canada, *Rapport annuel, 1964*, Montréal, 1965, p. 20, et Alan Markoff, « Cayman Develops as an Offshore Centre, Part 1 : The Early Years », *op. cit.* Ces banques canadiennes se trouvent en compagnie de la britannique Barclays, éloignée pour sa part sur l'île de Cayman Brac.
44. Martin Keeley, « The Tax Haven That Jim MacDonald Built », *op. cit.*, p. 67.
45. André Beauchamp, *Guide mondial des paradis fiscaux*, Ville Mont-Royal, Éditions Le Nordais, 1982 [Paris, Grasset et Fasquelle, 1981], p. 325.
46. Banque de Nouvelle-Écosse, *Rapport annuel 1968*, Toronto, 1969, p. 21.
47. *Ibid.*, p. 13 et 21. Dans ces années-là, Britanniques et Européens continentaux lui confient des dépôts à court terme, lire les eurodollars (*ibid.*, p. 17). Comme des champignons, de nouveaux bureaux de l'institution surgissent aux Bahamas, à la Barbade, au Belize, aux Caïmans, au Guyana, à Sainte-Lucie et à Trinité, notamment (*ibid.*, p. 24). Puisqu'en 1968 le Canada signe une entente avec les États-Unis qui limite les transferts de fonds en provenance des États-Unis vers des pays tiers via le Canada, la Scotia se tourne vers les euromarchés, en marge des « domaines plus traditionnels de [ses] affaires internationales » (*ibid.*, p. 13 et 21.).
48. *Ibid.*, p. 13, et Banque de Nouvelle-Écosse, *Rapport annuel 1969*, Toronto, 1970, p. 18.
49. Martin Keeley, « The Tax Haven That Jim MacDonald Built », *op. cit.*, p. 70.
50. Carol Winker, « 3 men built Maples foundation », Grand Cayman, *CayCompass*, 7 octobre 2010 ; « Maples and Calder's Co-Founding Partner Passes », Maples, 12 juin 2012, <www. maplesandcalder.com/news/article/maples-and-calders-co-founding-partner-passes-298/>, et « Maples and Calder », <www.facebook.com/pages/Maples-and-Calder/108001739220045 ?rf=107871002579471>, page Facebook consultée le 8 mai 2012.
51. Alan Markoff, « Cayman Develops as an Offshore Centre, Part 1 : The Early Years », *op. cit.*
52. *Ibid.*
53. Thierry Godefroy et Pierre Lascoumes, *Le Capitalisme clandestin. L'illusoire régulation des places offshore*, Paris, La Découverte, 2004, p. 105-106.
54. Grégoire Duhamel, *Les paradis fiscaux*, Paris, Éditions Grancher, 2006, p. 459.
55. Thierry Godefroy et Pierre Lascoumes, *Le capitalisme clandestin*, *op. cit.*, p. 108.
56. « Cayman Islands Exempt Company », dans « Cayman Islands Offshore Legal and Tax Regime », *Lowtax.net*, <www.lowtax.net/lowtax/html/jcacos.html#exempt>, page consultée le 13 août 2013.
57. William Brittain-Catlin, *Offshore*, *op. cit.*, p. 31.
58. *Ibid.*, p. 14.
59. *Ibid.*, p. 11.
60. D'une manière ou d'une autre, les Caïmans constituent un havre fiscal depuis 1794. Cette année-là, dix navires conduisant des aristocrates britanniques se sont échoués le long des îles. De braves insulaires les auraient sauvés du naufrage et auraient mérité en guise de récompense l'éternité de congé fiscal (Mélanie Delattre, « L'argent caché des paradis fiscaux », *Le Point*, 26 février 2009, p. 59 ; William Brittain-Catlin, *Offshore*, *op. cit.*, p. 14 ; Marc Roche, *Le capitalisme hors la loi*, Paris, Albin Michel, 2011, p. 22).
61. William Brittain-Catlin, *Offshore*, *op. cit.*, p. 32.
62. *Ibid.*, p. 31.
63. Thierry Godefroy et Pierre Lascoumes, *Le Capitalisme clandestin*, *op. cit.*, p. 109, et Marc Roche, *Le capitalisme hors la loi*, *op. cit.*, p. 26.
64. Thierry Godefroy et Pierre Lascoumes, *Le Capitalisme clandestin*, *op. cit.*, p. 104.
65. William Brittain-Catlin le résume justement : « Dans les faits, la compagnie aux Caïmans est une couverture ou une devanture pour des individus en chair et en os qui se trouvent ailleurs,

qui n'ont aucun lien avec les Caïmans en tant que véritable pays, mais qui néanmoins "habitent" les Caïmans uniquement dans le but de faire des affaires *hors* Caïmans», William Brittain-Catlin, *Offshore, op. cit.*, p. 24 (nous soulignons).

66. *Ibid.*, p. 15.
67. *Ibid.*, p. 22.
68. Cité dans *ibid.*, p. 41.
69. Martin Keeley, «The Tax Haven That Jim MacDonald Built», *op. cit.*, p. 70.
70. Marie-Christine Dupuis-Danon, *Finance criminelle. Comment le crime organisé blanchit l'argent sale*, Paris, Presses universitaires de France, coll. «Criminalité internationale», deuxième édition, 2004 [1998], p. 42.
71. *Ibid.*, p. 42.
72. Nicholas Shaxson, *Les Paradis fiscaux, op. cit.*, p. 137-139.
73. *Ibid.*, p. 155.
74. Voir «First Impressions of the Cayman Islands», correspondance, le gouverneur des Îles Caïmans au secrétaire d'État pour les Affaires du Commonwealth, George Town, 26 janvier 1972, cité dans *ibid.*, p. 110.
75. *Ibid.*, p. 107.
76. *Ibid.*, p. 108.
77. House Committee on Banking and Currency, «Bank Records and Foreign Transactions», 91-975, 12/1970, cité dans Édouard Chambost, *Guide mondial des secrets bancaires*, Paris, Seuil, 1980, p. 110-111. Nous avons profité du fait qu'il s'agit d'une traduction pour corriger les nombreuses erreurs que comprenait cet extrait.
78. Nicholas Shaxson, *Les Paradis fiscaux, op. cit.*, p. 191.
79. André Beauchamp, *Guide mondial des paradis fiscaux, op. cit.*, p. 319, et *Guide mondial des secrets bancaires*, Paris, Seuil, 1980, p. 229.
80. Édouard Chambost, *Guide mondial des secrets bancaires, op. cit.*, p. 111 et 229.
81. Ce cas – United States vs. Field 532 f.2d 404 (5th district) – a fait jurisprudence. Il a été largement évoqué, notamment dans Nicholas Shaxson, *Les Paradis fiscaux, op. cit.*, p. 155; Édouard Chambost, *Guide mondial des secrets bancaires, op. cit.*, p. 111; André Beauchamp, *Guide mondial des paradis fiscaux, op. cit.*, p. 319; William Brittain-Catlin, *Offshore, op. cit.*, p. 32-38; ainsi que «Cayman Islands», *Offshore Manual*, <www.offshore-manual.com/taxhavens/CaymanIslands.html>, page consultée le 14 août 2013.
82. Alan Block, *Masters of Paradise, Organized Crime and the Internal Revenue Service in The Bahamas*, New Brunswick (NJ) et Londres, Transaction Publishers, 1991, p. 161 et suiv.
83. *Ibid.*, p. 16, et William Brittain-Catlin, *Offshore, op. cit.*, p. 33.
84. William Brittain-Catlin, *Offshore, op. cit.*, p. 35.
85. Musical Group Investment Cases, «Deposition Summary of Norman L. Casper», cité dans Alan Block, *Masters of Paradise, op. cit.*, p. 176 et 183n66.
86. Édouard Chambost, *Guide mondial des secrets bancaires, op. cit.*, p. 111, et R. T. Naylor, *Hot Money, op. cit.*, p. 303.
87. Édouard Chambost, *Guide mondial des secrets bancaires, op. cit.*, p. 111.
88. *Ibid.*
89. *Ibid.*, p. 112.
90. «Cayman financial services have become woven into the fabric of the global economy», dans *The Cayman Islands, Special Report, The Washington Times*, 22 décembre 2008, p. 1 et 3.
91. Édouard Chambost, *Guide mondial des secrets bancaires, op. cit.*, p. 229.
92. *Ibid.*
93. Nicholas Shaxson, *Les Paradis fiscaux, op. cit.*, p. 155.
94. «Offshore Company Formation Cayman Islands», Hong Kong, Kaizen Corporate Services, <www.bycpa.com.hk/offshore/offco/cayman_company_features.html>, page consultée le 13 août 2013.
95. William Brittain-Catlin, *Offshore, op. cit.*, p. 37.
96. *Ibid.*, p. 34.
97. *Ibid.*, p. 26-27.
98. *Ibid.*, p. 34.
99. Édouard Chambost, *Guide mondial des secrets bancaires, op. cit.*, p. 230.

100. *Ibid.*, p. 229.
101. *Ibid.*, p. 230.
102. Timothy Ridley, «What makes the Cayman Islands a successful international financial services centre?», *op. cit.*, p. 1.
103. Édouard Chambost, *Guide mondial des secrets bancaires, op. cit.*, p. 230-231.
104. R. T. Naylor, *Hot Money, op. cit.*, p. 302.
105. Jean-François Couvrat et Nicolas Plesse, *La Face cachée de l'économie mondiale*, Paris, Hatier, coll. «Économie mondiale Actualité», 1988, p. 166.
106. *Ibid.*
107. R. T. Naylor, *Hot Money, op. cit.*, p. 303.
108. *Ibid.*, p. 303 et 495n24.
109. Howard Zinn, «Les barons voleurs, les rebelles», dans *Une histoire populaire des États-Unis. De 1492 à nos jours*, Montréal/Marseille, Lux/Agone, 2002 [1980], p. 293-340, ainsi que, du même auteur, «Au temps des "barons voleurs"», *Le Monde diplomatique*, septembre 2002.
110. William Brittain-Catlin, *Offshore, op. cit.*, p. 35.
111. Timothy Ridley, «What Makes the Cayman Islands a Successful International Financial Services Centre?», Chairman Cayman Islands Monetary Authority, Port-d'Espagne, Trinité-et-Tobago, Euromoney Caribbean Investmen Forum, 11 et 12 juin 2008
112. Édouard Chambost, *Guide mondial des secrets bancaires, op. cit.*, p. 228.
113. Timothy Ridley, «What makes the Cayman Islands a successful international financial services centre?», Chairman of the Cayman Islands Monetary Authority, Montego Bay (Jamaïque), Caribbean Investment Forum, 12 et 13 juin 2007, ainsi que «Cayman financial services have become woven into the fabric of the global economy», *op. cit.*, p. 3.
114. «Insurance Statistics and Regulated Entities», Grand Cayman, The Cayman Islands Monetary Authority, <www.cimoney.com.ky/regulated_sectors/reg_sec_ra.aspx?id=242>, page consultée le 31 octobre 2013.
115. William Brittain-Catlin, *Offshore, op. cit.*, p. 12.
116. *Ibid.*
117. R. T. Naylor, *Hot Money, op. cit.*, p. 302.
118. Damien Millet et Éric Toussaint, *60 questions, 60 réponses, Sur la dette, le FMI et la Banque mondiale*, Liège/Paris, Comité pour l'annulation de la dette du Tiers-Monde (CADTM)/Syllepse, 2008.
119. R. T. Naylor, *Hot Money, op. cit.*, p. 306.
120. William Brittain-Catlin, *Offshore, op. cit.*, p. 174.
121. *Ibid.*, p. 174-175.
122. R. T. Naylor, *Hot Money, op. cit.*, p. 304.
123. William Brittain-Catlin, *Offshore, op. cit.*, p. 174-175.
124. R. T. Naylor, *Hot Money, op. cit.*, p. 304.
125. Alan Markoff, «Cayman Develops as an Offshore Centre, Part 2 : The Freewheeling 1970s», *Cayman Financial Review*, 17 avril 2009.
126. *Ibid.* et William Brittain-Catlin, *Offshore, op. cit.*, p. 155.
127. Alan Markoff, «Cayman Develops as an Offshore Centre, Part 2 : The Freewheeling 1970s», *op. cit.*
128. William Brittain-Catlin, *Offshore, op. cit.*, p. 154.
129. Alan Markoff, «Cayman Develops as an Offshore Centre, Part 2 : The Freewheeling 1970s», *op. cit.*
130. *L'Appel de Genève*, signé par un collectif de magistrats d'Europe en 1996, souligne l'importance des logiciels dans l'accélération des échanges impliquant des paradis fiscaux. «À l'heure des réseaux informatiques d'Internet, du modem et du fax, l'argent d'origine frauduleuse peut circuler à grande vitesse d'un compte à l'autre, d'un paradis fiscal à l'autre, sous couvert de sociétés offshore, anonymes, contrôlées par de respectables fiduciaires généreusement appointées. Cet argent est ensuite placé ou investi hors de tout contrôle. L'impunité est aujourd'hui quasi assurée aux fraudeurs. Des années seront en effet nécessaires à la justice de chacun des pays européens pour retrouver la trace de cet argent, quand cela ne s'avérera pas impossible dans le cadre légal actuel hérité d'une époque où les

frontières avaient encore un sens pour les personnes, les biens et les capitaux.» L'ont signé : Bernard Bertossa, Edmondo Bruti Liberati, Gherardo Colombo, Benoît Dejemeppe, Baltasar Garzon Real, Carlos Jimenez Villarejo et Renaud Van Ruymbeke, <http://ge.ch/justice/appel-de-geneve>.

131. Alan Markoff, «Cayman Develops as an Offshore Centre, Part 2 : The Freewheeling 1970s», *op. cit.*

132. *Ibid.*

133. William Brittain-Catlin, *Offshore, op. cit.*, p. 154.

134. Alan Markoff, «Cayman Develops as an Offshore Centre, Part 2 : The Freewheeling 1970s», *op. cit.*

135. William Brittain-Catlin, *Offshore, op. cit.*, p. 155-156.

136. Alan Markoff, «Cayman Develops as an Offshore Centre, Part 2 : The Freewheeling 1970s», *op. cit.*

137. *Ibid.*

138. Carol Winker, «3 men built Maples foundation», Grand Cayman, *CayCompass*, 7 octobre 2010.

139. Stuart Fieldhouse, «Maplers and Calder, The Leading Offshore Law Firm», *The Hedgefund Journal*, avril 2011, p. 1.

140. *Ibid.*

141. C'est d'abord aux Îles Caïmans et aux Îles Vierges britanniques que la firme a pris ses aises, pour ensuite ouvrir un cabinet à Jersey, où elle se porte acquéreur en 2004 d'un fond de gestion, le Gartmore Fund Managers International Limited. Elle réussit deux ans plus tard une percée dans un paradis fiscal européen, l'Irlande, où elle attire en 2008 Barry McGrath et Nollaig Murphy, les «leading Irish lawyers» du pays. On la retrouve aussi à Hong Kong et à Dubaï. Cet éventail de législations favorise le développement de nouveaux types de fonds, comparativement aux concurrents européens qui s'en tiennent aux seuls instruments luxembourgeois. Le fonds d'investissement à risque tel que conçu dans les paradis fiscaux se conçoit comme un «conduit» aussi direct et léger que possible menant directement l'investissement à son objet : dégagé de questions sociales, écosystémiques, politiques et anthropologiques, plus rien dans ces arcades légales ne perturbe la finance dans la pure matérialisation de son fantasme : transformer de l'argent en plus d'argent dans l'ignorance radicale de ce qu'il en coûte pour échafauder les nécessaires opérations. Pour tous ces points, cf. Stuart Fieldhouse, «Maplers and Calder, The Leading Offshore Law Firm», *op. cit.* ; «Maples Finance acquires Gartmore's Jersey Fund Administration division», *Global Investor*, 10 juin 2004, <www.globalinvestormagazine.com/Article/2221069/Maples-Finance-acquires-Gartmores-Jersey-Fund-Administration-division.html>, et «Leading Irish Lawyers Join Maples and Calder», communiqué de presse, Maples, 2 juillet 2008, <www.businesswire.com/news/home/20080702005321/en/Leading-Irish-Lawyers-Join-Maples-Calder>.

142. Stuart Fieldhouse, «Maplers and Calder, The Leading Offshore Law Firm», *op. cit.*, p. 2.

143. Martin Keeley, «The Tax Haven That Jim MacDonald Built», *op. cit.*, p. 70.

144. Stuart Fieldhouse, «Maplers and Calder, The Leading Offshore Law Firm», *op. cit.*, p. 2.

145. «Cayman Islands Hedge Funds Group», Maples, <www.maplesandcalder.com/expertise/investment-funds/hedge-funds/cayman-islands-hedge-funds-group/>, page consultée le 13 août 2013, et Warren de Rajewicz, *Guide des nouveaux paradis fiscaux à l'usage des sociétés et des particuliers. Non, les paradis fiscaux ne sont pas morts!*, Lausanne, Favre, 2010, p. 126.

146. Cité dans «Offshore Bank Accounts», Toronto, Canadian Broadcasting Corporation (CBC), 16 août 2012, <www.cbc.ca/thecurrent/episode/2012/08/16/offshore-bank-accounts/>.

147. «Maples and Calder Announces New Head of Cayman Funds», communiqué de presse, Grand Cayman, Maples, 17 février 2010, <www.reuters.com/article/2010/02/17/idUS104212+17-Feb-2010+PRN20100217>.

148. Nicholas Shaxson, *Les Paradis fiscaux, op. cit.*, p. 38.

149. Guillaume Monarcha et Jérôme Teïletche, *Les hedge funds*, Paris, La Découverte, coll. «Repères», 2009 (réédition 2013), p. 8.

150. Frédéric Lelièvre et François Pilet, *Krach Machine. Comment les traders à haute fréquence menacent de faire sauter la bourse*, Paris, Calmann-Lévy, 2013, et [anonyme], 6, Bruxelles, Zones Sensibles (Z/S), 2013.

151. Jean de Maillard, *L'Arnaque. La finance au-dessus des lois et des règles*, Paris, Gallimard, coll. «Le débat», 2010, p. 68.

152. *Ibid.*

153. Déclaration de Berne (dir.), *Swiss trading SA. La Suisse, le négoce et la malédiction des matières premières*, Lausanne, Les Éditions d'en bas, 2011, p. 95-128, et Marc Roche, *Le capitalisme hors la loi, op. cit.*, p. 207.

154. Marc Roche, *Le capitalisme hors la loi, op. cit.*, p. 174.

155. François Morin, *Un monde sans Wall Street*, Paris, Seuil, coll. «Économie humaine», 2011, p. 48n.

156. Marc Roche, *Le capitalisme hors la loi, op. cit.*, p. 174.

157. François Morin, *Un monde sans Wall Street, op. cit.*, p. 47 et 48n.

158. *Ibid.*, p. 48n.

159. Guillaume Monarcha et Jérôme Teïletche, *Les* hedge funds, *op. cit.*, p. 11.

160. Stuart Fieldhouse, «Maplers and Calder, The Leading Offshore Law Firm», *op. cit.*, p. 1, 3ᵉ colonne.

161. *Ibid.*, p. 1, 2ᵉ colonne.

162. *Ibid.*

163. Linda McQuaig et Neil Brooks, *Les milliardaires. Comment les ultra-riches nuisent à l'économie*, Montréal, Lux Éditeur, 2013, p. 19-20. Goldman Sachs aurait mené 148 ententes de cette nature sur une période de sept ans, en lien avec des produits développés dans les Îles Caïmans, selon McClatchy's (Nicholas Shaxson, *Les Paradis fiscaux, op. cit.*, p. 234). L'autorité des Bourses aux États-Unis, la Securities and Exchange Commission (SEC), a enquêté sur les produits financiers des Caïmans que la toute-puissante banque commerciale Goldman Sachs vendait à ses clients tout en spéculant sur eux à la baisse. La banque a finalement dû dédommager à hauteur de 550 millions de dollars sa clientèle ainsi filoutée (François Morin, *Un monde sans Wall Street, op. cit.*, p. 31).

164. Stuart Fieldhouse, «Maplers and Calder, The Leading Offshore Law Firm», *op. cit.*, p. 1, 2ᵉ colonne.

165. Saskia Scholtes et Vanessa Houlder, «Ugland house, home to 18,857», Londres, *The Financial Times*, 4 mai 2009.

166. Nick Davis, «Tax spotlight worries Cayman Islands», British Broadcasting Corporation (BBC), 31 mars 2009.

167. Mélanie Delattre, «*L'argent caché des paradis fiscaux*», *op. cit.*, p. 60.

168. Jean-François Couvrat et Nicolas Plesse, *La Face cachée de l'économie mondiale, op. cit.*, p. 149.

169. Stuart Fieldhouse, «Maplers and Calder, The Leading Offshore Law Firm», *op. cit.*, p. 1, 1ʳᵉ colonne.

170. Timothy Ridley, «What Makes the Cayman Islands a Successful International Financial Services Centre?», Chairman Cayman Islands monetary Authority, Port-d'Espagne, Trinité-et-Tobago, Euromoney Caribbean Investment Forum, 11 et 12 juin 2008.

171. Stuart Fieldhouse, «Maplers and Calder, The Leading Offshore Law Firm», *op. cit.*, p. 1, 2ᵉ colonne.

172. *Ibid.*, p. 1, 3ᵉ colonne.

173. *Ibid.*

174. Nicholas Shaxson, *Les Paradis fiscaux, op. cit.*, p. 157.

175. *Ibid.*, p. 235.

176. Timothy Ridley, «What makes the Cayman Islands a successful international financial services centre?», Chairman of the Cayman Islands Monetary Authority, Montego Bay (Jamaïque), Caribbean Investment Forum, 12 et 13 juin 2007, et Timothy Ridley, «What Makes the Cayman Islands a Successful International Financial Services Centre?», Chairman Cayman Islands Monetary Authority, Port-d'Espagne, Trinité-et-Tobago, Euromoney Caribbean Investmen Forum, 11 et 12 juin 2008.

177. Grant Stein, « Cayman's Compliance With The OECD Standards on Tax Co-operation », St Helier (Île Jersey), *Hedgeweek*, 1er décembre 2010, p. 2.

178. Bernard Bertossa (avec Agathe Duparc), *La justice, les affaires, la corruption*, Paris, Fayard, coll. « Témoignages pour l'histoire », 2009, p. 135-136.

179. Jane G. Gravelle, « Tax Havens : International Tax Avoidance and Evasion », Congressional Research Service, Washington (DC), 2010

180. Gilles Favarel-Garrigues, Thierry Godefroy et Pierre Lascoumes, *Les sentinelles de l'argent sale, Les banques aux prises avec l'antiblanchiment*, Paris, La Découverte, 2009.

181. On n'est jamais trop prudent. Le fiscaliste pro-paradis fiscaux, Warren de Rajewicz, déconseille maintenant à ses clients de créer un trust aux Caïmans, « puisqu'on ne sait pas encore précisément de quelle façon vont se traduire les différentes mesures d' »ouverture » des îles dans le domaine de la communication d'informations aux autres États ». Cf. Warren de Rajewicz, *Guide des nouveaux paradis fiscaux à l'usage des sociétés et des particuliers, op. cit.*, p. 129.

182. Marc Roche, *Le capitalisme hors la loi, op. cit.*, p. 41 ; considérer aussi les p. 24 et 27. Lire aussi le témoignage de Rudolf Elmer, un comptable ayant travaillé aux Caïmans pour le compte d'une banque suisse, dans Nicholas Shaxson, *Les Paradis fiscaux, op. cit.*, p. 235-236.

183. Édouard Chambost, *Guide mondial des secrets bancaires, op. cit.*, p. 228.

184. Nicholas Shaxson, *Les Paradis fiscaux, op. cit.*, p. 157.

185. Marie-Christine Dupuis-Danon, *Finance criminelle, op. cit.*, p. 42

186. François Morin, *Un monde sans Wall Street, op. cit.*, p. 31, et Marc Roche, *Le capitalisme hors la loi, op. cit.*, p. 44 et 256.

187. Nicholas Shaxson, *Les Paradis fiscaux, op. cit.*, p. 235.

188. Marc Roche analyse en ce sens la faillite de la banque Lehman Brothers, dans *Le capitalisme hors la loi, op. cit.*, p. 44 et 256.

189. La société Enron prisait, avant sa retentissante faillite, les *special purpose vehicules* des Caïmans. Le directeur financier d'Enron, Andrew Fastow, travaillait à la fin des années 1990 à camoufler, dans les bilans comptables, les dettes et déficits gigantesques de ce géant du courtage en énergie. La firme connaissait alors un succès monstre auprès des marchés financiers en comptabilisant dans ses bilans annuels des profits anticipés à long terme. Elle déclarait ainsi des revenus de l'ordre de deux milliards de dollars entre 1996 et 2000. Elle ne produit alors rien, sinon des ententes à long terme et à prix fixés d'avance entre fournisseurs et clients (William Brittain-Catlin, *Offshore, op. cit.*, p. 59). Pour boucler illico dans ses comptes les profits anticipés sur ses placements en bourse, elle recourt alors aux *special purpose vehicules* (SPV) qu'on a inventés aux Caïmans dans la décennie 1990. Ceux-ci lui permettent de masquer des pertes éventuelles dans ses rapports financiers. Comment ? Par le fait que ces « véhicules à des fins particulières » représentent une entité commerciale réduite à sa plus simple expression, ou pour le dire autrement : ils hissent une simple transaction commerciale au rang d'entreprise. Le SPV (également nommé Cayman Island Limited Partnership) « présente tous les avantages d'une compagnie offshore des Caïmans (l'exonération fiscale, la confidentialité, la souplesse des exigences d'enregistrement et des obligations de déclaration) mais sous un aspect, il est très différent. [...] Le SPV se réduit à une simple transaction » (William Brittain-Catlin, *Offshore, op. cit.*, p. 64). Les partenaires de la transaction peuvent éventuellement changer, il reste que la transaction qui fonde l'entité demeure la même. Surtout, cette structure déresponsabilise complètement les partenaires. Rien ne leur échoit relativement à ce qu'il advient de l'opération commerciale. Littéralement : cette opération commerciale n'engage pas la responsabilité des partenaires, fussent-ils des banques, des grandes entreprises ou d'autres investisseurs. Lorsque le directeur financier d'Enron, Andrew Fastow, crée aux Caïmans le *Special purpose vehicule* LJM (ce dernier consiste en une transaction entre Enron et... Andrew Fastow lui-même, à titre personnel !), celui-ci ira jusqu'à s'octroyer en frais de gestion un montant équivalent à son placement... (Kurt Eichenwald, *Conspiracy of Fools, A True Story*, New York, Broadway Books [Random House], 2005, p. 261) Participent à l'opération incestueuse Credit Suisse First Boston et la britannique NatWest Bank. Fastow et ses partenaires s'engagent à acheter à Enron des actions à un prix surévalué, qu'Enron détient

dans une société fragile, la Rythms. En retour, pour la dédommager de ce « risque », Enron cède à ses partenaires 3,4 millions de ses propres actions (Bethany McLean et Peter Elkind, *The Smartest Guys in the Room, The Amazing Rise and Scandalous Fall of Enron*, New York, Penguin Books, 2003, p. 191). Bref, Enron garantit le rachat de ses investissements sur la base de sa propre valeur boursière, de façon à n'entacher en rien des états financiers reluisants, lesquels contribuent à la montée de son propre titre. Le conflit d'intérêts est énorme, mais pas davantage que l'acrobatie comptable permettant d'enregistrer comme gain une opération qui risque à tout moment de s'écrouler, sur la base de la valeur anticipée d'un titre que l'on détient, et qui continuera d'augmenter du fait de la manœuvre. Plus que jamais, le *capitalisme pur* que permettent les Caïmans est si éthéré qu'il ne repose littéralement sur rien. La machination consistant pour une entreprise à créer de toute pièce son propre partenaire d'affaires fut reléguée au secret que savent si bien refouler les paradis fiscaux.

Ces manœuvres incestueuses foisonneront. « Poussée par la volonté de l'emporter sur la réalité, Enron a mis en place des structures offshore encore plus élaborées, qui furent là l'origine de l'implosion de la compagnie » (William Brittain-Catlin, *Offshore, op. cit.*, p. 66). La banque canadienne CIBC participera à coup de dizaines de millions de dollars à des opérations du genre (Bethany McLean et Peter Elkind, *The Smartest Guys in the Room, op. cit.*, p. 293-294). En novembre 2001, semant la consternation générale, Enron fait état de pertes énormes, de l'ordre de 618 millions de dollars, et déclare faillite dans les semaines qui suivent. En tout, au tournant du siècle, ce sont des milliers de *special purpose vehicles* qu'Enron aura créés, notamment le LJM par les bons soins de Maples (William Brittain-Catlin, *Offshore, op. cit.*, p. 71). Un des avocats du cabinet, Henry Harford, « déclara qu'on lui en avait révélé bien peu sur la raison d'être de LJM » (William Brittain-Catlin, *Offshore, op. cit.*, p. 65). Les *special purpose vehicles* sont si spéciaux que leurs créateurs ne veulent pas s'en enquérir. Tout au plus la firme d'avocats offshore s'est-elle assurée qu'Enron acceptait que son comptable fasse personnellement affaire avec l'entreprise qui l'employait (William Brittain-Catlin, *Offshore, op. cit.*, p. 65), dans des montages qu'il orchestrait lui-même. Au moment de faire faillite, Enron comptera aux Caïmans entre 692 (William Brittain-Catlin, *Offshore, op. cit.*, p. 55) et 800 filiales (Bethany McLean et Peter Elkind, *The Smartest Guys in the Room, op. cit.*, p. 310), sans parler des 119 qu'elle comptait aux Îles Turques-et-Caïques et des dizaines d'autres ailleurs (William Brittain-Catlin, *Offshore, op. cit.*, p. 55).

Maples travaillera également à l'élaboration des structures d'une autre grande entreprise ayant fait faillite à la stupéfaction générale, soit Parmalat. Son fonds mutuel, Epicurum, curieusement spécialisé dans l'industrie des loisirs (« La Consob s'inquiète des placements de Parmalat », *Le Monde*, 13 novembre 2003), ou sa filiale Bonlat sont autant d'entités fantaisistes qui permettent à l'argent de disparaître offshore tout en apparaissant dans les rapports comptables (William Brittain-Catlin, *Offshore, op. cit.*, p. 184). « L'invraisemblable opacité » de l'institution financière affichant une factice trésorerie bénéficiaire s'expliquait par « des dizaines, voire des centaines de filiales, situées aux Îles Caïmans » (Marie-Noëlle Terisse, « L'affaire Parmalat ébranle le capitalisme italien », *Le Monde*, 23 décembre 2003). Ce sont finalement quelque 18 milliards d'euros en pertes qui auront été dissimulés dans des paradis fiscaux pendant des années par le groupe industriel. « Qu'ils aient été au courant ou pas, Maples and Calder, la firme d'avocats la plus importante aux Îles Caïmans [...] avait enregistré toutes les entités essentielles du portefeuille de Parmalat aux Caïmans » (William Brittain-Catlin, *Offshore, op. cit.*, p. 161).

190. Jean-François Couvrat et Nicolas Plesse, *La Face cachée de l'économie mondiale, op. cit.*, p. 156.
191. Mélanie Delattre, « *L'argent caché des paradis fiscaux* », *op. cit.*, p. 60.
192. *Ibid.*
193. Warren de Rajewicz, *Guide des nouveaux paradis fiscaux à l'usage des sociétés et des particuliers, op. cit.*, p. 36.
194. Christian Chavagneux, « Îles Caïmans: pas seulement un paradis "fiscal" », *L'économie politique* (blog de la revue *Alternatives économiques*), 4 avril 2013, <http://alternatives-

economiques.fr/blogs/chavagneux/2013/04/04/iles-caimans-pas-seulement-un-paradis-«-fiscal-»/>.

195. Édouard Chambost, *Guide Chambost des paradis fiscaux*, Lausanne, Fabre, 8ᵉ édition, 2005, p. 414n. Lire également sur le sujet : Bruce Livesey, *Thieves of Bay Street*, Toronto, Vintage Canada Edition, 2012, en particulier les pages 93-94.

196. *Ibid.*

197. François Desjardins, « Valeurs mobilières : L'industrie de la finance n'est toujours pas irréprochable. La Commission des valeurs mobilières de l'Ontario fait la recension des tendances négatives », *Le Devoir*, 13 novembre 2013.

198. Stephanie Kirchgaessne, « Fraud charge in Man-UBS case », *The Financial Times*, 10 novembre 2007, ainsi que Bruce Livesey, *Thieves of Bay Street, op. cit.*, p. 152-154.

199. James Ball, « IRS targets First Caribbean International Bank over tax evasion », *The Guardian*, 27 mai 2013, et James Ball, « US Tax Authorities Target Caribbean Bank », Washington, The International Consortium of Investigative Journalists, 28 mai 2013.

200. Thierry Godefroy et Pierre Lascoumes, *Le capitalisme clandestin, op. cit.*, p. 45.

201. Nicholas Shaxson, *Les Paradis fiscaux, op. cit.*, p. 156.

202. *Ibid.*

203. Timothy Ridley, « What makes the Cayman Islands a successful international financial services centre ? », Chairman of the Cayman Islands Monetary Authority, Montego Bay (Jamaïque), Caribbean Investment Forum, 12 et 13 juin 2007, p. 1-2, et R. T. Naylor, *Hot Money, op. cit.*, p. 304.

204. Timothy Ridley, « What makes the Cayman Islands a successful international financial services centre ? », Chairman of the Cayman Islands Monetary Authority, Montego Bay (Jamaïque), Caribbean Investment Forum, 12 et 13 juin 2007, p. 2.

205. *Ibid.*, et Grant Stein, « Cayman's Compliance With The OECD Standards on Tax Co-operation », *op. cit.*

206. David Servenay, « Bertossa : "La France n'est plus une démocratie parlementaire" », Paris, *Rue89*, 31 mai 2009, <www.rue89.com/2009/05/31/bertossa-la-france-nest-plus-une-democratie-parlementaire>.

207. *Mutual Evaluation/Detailed Assessment Report Anti-Money Laundering and Combating the Financing of Terrorism – Cayman Islands, Ministerial Report*, Port-d'Espagne (Trinité-et-Tobago), Caribbean Financial Action Task Force (CFATF, ou en français CGAFI), 2007.

208. Jean-Claude Grimal, *Drogue : l'autre mondialisation*, Paris, Gallimard, coll. « Folio », 2000.

209. Patrice Meyzonnier, *Trafics et crimes en Amérique centrale et dans les Caraïbes*, Paris, Presses universitaires de France, 1999, p. 94.

210. *Ibid.*

211. Édouard Chambost, *Guide Chambost des paradis fiscaux, op. cit.*, p. 384 et 410.

212. Bernard Bertossa (avec Agathe Duparc), *La justice, les affaires, la corruption, op. cit.*, p. 137.

213. Timothy Ridley, « What Makes the Cayman Islands a Successful International Financial Services Centre ? », Chaiman Cayman Islands monetary Authority, Port-d'Espagne, Trinité-et-Tobago, Euromoney Caribbean Investmen Forum, 11 et 12 juin 2008.

214. Timothy Ridley, « What Makes the Cayman Islands a Successful International Financial Services Centre ? », Chairman Cayman Islands Monetary Authority, Port-d'Espagne, Trinité-et-Tobago, Euromoney Caribbean Investmen Forum, 11 et 12 juin 2008.

215. Mélanie Delattre, « *L'argent caché des paradis fiscaux* », *op. cit.*, p. 59.

216. *Ibid.*

217. « Cayman Islands : Country and Foreign Investment Regime », *LowTax.net*, <www.lowtax.net/lowtax/html/jcacfir.html#business>, page mise à jour en août 2013.

218. « AERF du Canada : Statut au 7 juin 2011 », *Bulletin fiscal, Nouveautés en fiscalité canadienne*, PricewaterhouseCoopers Canada, juin 2011, <www.pwc.com/fr_CA/ca/tax-memo/publications/tiea-june-2011-status-2011-06-fr.pdf>

219. « Cayman Islands signs Tax Information Exchange Agreement with Canada », Maples, août 2010, <www.maplesandcalder.com/fileadmin/uploads/maples/Documents/PDFs/Cayman%20Islands%20signs%20Tax%20Information%20Exchange%20Agreement%20with%20Canada.pdf>.

220. « North America », Maples, <www.maplesandcalder.com/north-america/>, page consultée le 13 août 2013.
221. Maples, page professionnelle de l'intéressé, <www.maplesandcalder.com/people/profile/john-dykstra/>, consultée le 22 mai 2012.
222. Maples, « Cayman Islands signs Tax Information Exchange Agreement with Canada », *op. cit.*
223. William Brittain-Catlin, *Offshore, op. cit.*, p. 16 et 30.
224. La RBC Caribbean Investments, l'Investment Holdings (Cayman) et la Royal Bank of Canada Trust Company (Cayman). Cf. « Canadian banks operate offshore, Big 5 financial institutions have branches in locales from Switzerland to Singapore », carte interactive, Toronto, Canadian Broadcasting Corporation (CBC), 24 juin 2013.
225. Les Scotiabank & Trust (Cayman). Cf. « Canadian banks operate offshore », *op. cit.*
226. Le CIBC Holdings (Cayman), le CIBC Investments (Cayman), la CIBC Bank and Trust Company (Cayman) à hauteur de 91,7 % et la FirstCaribbean International Bank (Cayman) à hauteur également de 91,7 %. Cf. « Canadian banks operate offshore », *op. cit.*
227. « Banques canadiennes - Jamaïque, Bahamas, îles Caïmans, îles Turks et Caicos », Ottawa, Le Service des délégués commerciaux du Canada, Gouvernement du Canada, juin 2013.
228. La Presse canadienne, « Maples and Calder s'installe à Montréal », dépêche reproduite sur le site internet *Les Affaires.com*, le 13 mai 2009, <www.lesaffaires.com/secteurs-d-activite/aeronautique-et-aerospatiale/maples-and-calder-s-installe-etagrave-montreteacuteal/493259 >.
229. « Malaise sur la colline », Montréal, Radio-Canada, 8 juillet 2009, <www.radio-canada.ca/nouvelles/Economie-Affaires/2009/06/21/003-maples-calder-montreal.shtml>.
230. *Ibid.*
231. *Ibid.*
232. « Home » et « About Us », MaplesFS, <www.maplesfs.com> et <www.maplesfs.com/locations/montreal>, pages consultées le 14 août 2013.

CHAPITRE QUATRE
1974 – La Jamaïque
Zone franche industrielle

1. Bank of Nova Scotia, *Annual Report*, 1953, p. 33.
2. « History », *RBC Caribbean Banking*, <www.rbcroyalbank.com/caribbean/rb_hist.html>, page consultée le 11 décembre 2012.
3. Daniel Jay Baum, *The Banks of Canada in the Commonwealth Caribbean : Economic Nationalism and Multinational Enterprises of a Medium Power*, New York, Washington et Londres, Jay Praeger Publishers, 1974, p. 22. Dans les années 1920, la CIBC ouvrira des bureaux non seulement en Jamaïque, mais également à la Barbade, à Cuba et à Trinité-et-Tobago. Cf. « International expansion », site internet de la Canadian Imperial Bank of Commerce (CIBC), <www.cibc.com/ca/inside-cibc/history/story/international2.html>, page consultée le 16 août 2013.
4. Duncan McDowall, *Banque Royale : au cœur de l'action*, traduit de l'anglais par Gilles Gamas, Montréal, Éditions de l'Homme, 1993, p. 202, 206 et 214.
5. Selon les termes de son biographe, Douglas H. Fullerton, *Graham Towers and his Times*, Toronto, McClelland and Stuart, 1986, p. 286.
6. Daniel Jay Baum, *The Banks of Canada in the Commonwealth Caribbean, op. cit.*, p. 32. L'auteur renvoie en note à Ministry Paper, n° 6 (M.P. N° C2729/88), Gouvernement de la Jamaïque, 9 mars 1960.
7. Charles Victor Callender, *The Development of the Capital Market Institutions of Jamaica*, Kingston, Institute of Social and Economic Research, University of the West Indies, 1965, p. 148.
8. Graham F. Towers, *The Financial System and Institution of Jamaica*, Kingston, The Government Printer, 1958 [20 avril 1956]. Ce rapport daté de 1956 mentionne des rencontres que l'auteur a eues aux fins de rédaction durant l'année 1955.

9. *Ibid.*, § 67, p. 19.
10. *Ibid.*, § 27, p. 7.
11. *Ibid.*, p. 36. L'auteur fait ce lien en indiquant, plus loin dans son texte, à quel point les lois bancaires de la Barbade, qui s'inspirent de près de celles établies en Jamaïque, ressemblent aux dispositions canadiennes.
12. *Ibid.*, p. 32-35. Les lois de la Barbade (1963) et de Trinité-et-Tobago (1964), par exemple, reprennent mot à mot de nombreux passages des textes de loi jamaïcains.
13. Il s'agit de l'*Industrial Incentives Law* et de l'*Export Industry Encouragement Law* décrites par Wayne Thirsk, « Jamaican Tax Incentives », dans Roy Bahl (dir.), *The Jamaican Tax Reform*, Cambridge, Lincoln Institute of Land Policy, 1991, p. 702. Cet article reprend des éléments d'un autre texte du même auteur, intitulé « Jamaican Tax Incentives », paru dans *Jamaican Tax Structure Examination Project*, Staff Paper n° 9, Metropolitan Studies Program et le Board of Revenu, Gouvernement de la Jamaïque, The Maxwell School, Syracuse University, août 1984, <http://aysps.gsu.edu/isp/files/Jamaica_Tax_Structure_Project_Staff_Paper_No._9.pdf>.
14. Carlton E. Davis, *Bauxite Levy Negociations, Jamaica in the World Aluminium Industry*, volume II, Kingston, Jamaica Bauxite Institute, 1995, p. 3 et 15.
15. V. L. Arnett, « Ministry Paper n° 11, Assurance re-Amendment of International Business Companies (Exemption from Income Tax) Law, n° 36 of 1956 », 6 mars 1962. Le ministre cherche, par ce document, à rendre encore plus explicites ces dispositions de la loi.
16. André Beauchamp, *Guide mondial des paradis fiscaux*, Montréal, Éditions le Nordais, 1982 [Paris, Grasset et Fasquelle, 1981], p. 44.
17. Yves Engler, *The Black Book on Canadian Foreign Policy*, Black Point/Vancouver, Fernwood Publishing/RED Publishing, 2009, p. 9.
18. The Royal Bank of Canada, *Annual Report 1955*, Montréal, 1956, p. 20, et *Annual Report 1951*, Montréal, 1952, p. 17. Le keynésianisme vit ses belles heures en Occident et la guerre froide impose sa logique, de sorte que la banque reconnaît dans sa rhétorique que l'impôt contribue à l'égalité sociale et à la création d'une classe moyenne qui permet de s'éloigner des extrémités de gauche ou de droite du spectre politique.
19. Il y restera pour une période de plus de 15 ans. Earle McLaughlin, « présentation », Banque Royale du Canada, *Rapport annuel 1965*, Montréal, 1966 p. 10, et The Royal Bank of Canada, *Annual Report 1959*, 1960, p. 5, 6 et 12.
20. *Rapport annuel, 1963*, Montréal, 1964, p. 21.
21. *Rapport annuel, 1964*, Montréal, 1965, p. 20 et 51. On est loin des témoignages rendus dans les rapports annuels de la RBC précédant l'année 1956, dans lesquels il était essentiellement fait état de l'industrie du textile et de denrées alimentaires en insistant davantage sur le prix des cours que sur des avantages fiscaux (voir The Royal Bank of Canada, *Annual Report 1950*, Montréal, 1951, p. 42 et 43 ; *Annual Report 1952*, Montréal, 1953, p. 25, et *Annual Report 1955*, Montréal, 1956, p. 27).
22. Bank of Nova Scotia, *Annual Report 1961*, p. 28.
23. Banque de Nouvelle-Écosse, *Rapport annuel 1966*, p. 19 ; *Rapport annuel 1967*, p. 17 et 20 ; et *Rapport annuel 1968*, p. 22.
24. D'ailleurs, ces années-là, la politique de la Banque Scotia consiste résolument à ouvrir des bureaux là où surgissent de nouvelles législations offshore, par exemple à Beyrouth, à Rotterdam ou à Dublin (Banque de Nouvelle-Écosse, *Rapport annuel 1966*, p. 21).
25. Banque de Nouvelle-Écosse, *Rapport annuel 1966*, p. 20.
26. Aujourd'hui, la CIBC, la Scotia ainsi que la Banque commerciale nationale (NCB), dont l'actionnaire majoritaire est le groupe AIC, comptent parmi les banques canadiennes présentes en Jamaïque. Cf. « Banques canadiennes - Jamaïque, Bahamas, îles Caïmans, îles Turks et Caicos », Ottawa, Service des délégués commerciaux du Canada, Gouvernement du Canada, juin 2013.
27. Charles Victor Callender, *The Development of the Capital Market Institutions of Jamaica*, *op. cit.*, p. 160.
28. Kathleen E. A. Monteith, *Depression to Decolonization : Barclays Bank (DCO) in the West Indies, 1926-1962*, Kingston, University of West Indies Press, 2008, p. 126-127.

29. Charles Victor Callender, *The Development of the Capital Market Institutions of Jamaica*, *op. cit.*, p. 90-91.

30. Michael Kaufman, « The Internationalization of Canadian Bank Capital (with a Look at Bank Activity in the Caribbean and Central America) », *The Journal of Canadian Studies*, vol. 19, n° 4, 1984, p. 72.

31. Charles Victor Callender, *The Development of the Capital Market Institutions of Jamaica*, *op. cit.*, p. 90-91.

32. Neil C. Quigley, « The Bank of Nova Scotia in the Caribbean, 1889-1940, The Establishment of an International Branch Banking Network », Harvard, *Business History Review*, vol. 63, n° 4, 1989, p. 835-837. Dans la logique comptable de la banque, la Jamaïque n'était qu'un élément de son système international.

33. Les trois premiers premier ministre ont alors été Alexander Bustamante, de 1962 à 1967, Donald Sangster, durant moins de trois mois en 1967, et enfin Hugh Shearer, de 1967 à 1972.

34. Ces mesures produisent leur effet : entre 1971 et 1978, 58 nouvelles firmes se destinent au développement de l'économie réelle tandis que 15 seulement arrivent dans une optique strictement exportatrice. Cf. Wayne Thirsk, « Jamaican Tax Incentives », dans Roy Bahl (dir.), *The Jamaican Tax Reform*, *op. cit.*, p. 702, 706. Il s'agit dans le premier cas des entreprises ayant bénéficié du programme de l'*Industrial Incentives Law* et dans le second de celui de l'*Export Industry Encouragement Law*.

35. « Cinq ans après la sortie du rapport de Tomer, la Jamaïque a créé une banque centrale. Depuis, l'état économique de la Jamaïque, de même que l'inflation, le chômage et les troubles qu'ils ont générés suggèrent que les banques centrales nationales sont ou bien une pure bénédiction ou bien une panacée. » Cf. Douglas H. Fullerton, *Graham Towers and his Times*, *op. cit.*, p. 287.

36. Russell Banks, *Le livre de la Jamaïque*, Arles, Actes sud, 2012, p. 108.

37. Édouard Chambost, *Guide Chambost des paradis fiscaux*, Lausanne, Fabre, 8ᵉ édition, 2005, p. 556-557, de même que André Beauchamp, *Guide mondial des paradis fiscaux*, *op. cit.*, p. 44. Plus largement sur le thème de l'humour noir et du racisme ordinaire dans les guides des paradis fiscaux : Alain Deneault, « Esthétique coloniale, paradis fiscaux et vahinés… », dans Pascal Blanchard et Nicolas Bancel (dir.), *Culture post-coloniale 1961-2006*, Paris, Autrement, Coll. « Mémoires/Histoire », 2006, p. 134-143, et Alain Deneault, « Les symboles coloniaux au service de l'humour noir "offshore", L'île dans la "littérature" du fiscaliste Édouard Chambost », dans Catherine Coquio (dir.), *Retours du colonial ? Disculpation et réhabilitation de l'histoire coloniale*, Nantes, Éditions L'Atalante, 2008, p. 239-258.

38. Édouard Chambost, *Guide Chambost des paradis fiscaux*, *op. cit.*, p. 556-557.

39. André Beauchamp, *Guide mondial des paradis fiscaux*, *op. cit.*, p. 44.

40. *Ibid.*, p. 57.

41. Duncan Carlyle Campbell, *Mission mondiale : histoire d'Alcan*, vol. 2, Don Mills, Ontario Publishing Company, 1985, p. 252.

42. Cet impôt évolue à la hausse, parce que l'État estime le prix standard la tonne non plus à 0,60 dollar mais à 3,85 dollars US. La moitié de ce montant seulement était appelée à varier selon l'évolution des cours. Dans les faits, cela représentait globalement une évaluation à 2,30 dollars la tonne. Cf. Robert Conrad, *Bauxite Taxation in Jamaica*, Staff Paper n° 5, Metropolitan Studies Program, The Maxwell School, Syracuse University et Board of Revenu, Gouvernement de la Jamaïque, février 1984, p. 6-7.

43. Romain Cruse, « Politiques de la fragmentation urbaine et violence, l'exemple de Kingston, Jamaïque », *Cybergeo, Revue européenne de géographie*, n° 511, 2010, § 28.

44. Robert Conrad, *Bauxite Taxation in Jamaica*, *op. cit.*, p. 6.

45. Robert Conrad, *Bauxite Taxation in Jamaica*, *op. cit.*, p. 7.

46. Robert Conrad, *Bauxite Taxation in Jamaica*, *op. cit.*, p. 6-7.

47. Damien Millet et François Mauger, *La Jamaïque dans l'étau du FMI. La dette expliquée aux amateurs de reggae, aux fumeurs de joints et aux autres*, Paris, L'esprit frappeur/Comité pour l'annulation de la dette du tiers-monde (CADTM), 2004, p. 19.

48. Duncan Carlyle Campbell, *Mission mondiale*, *op. cit.*, p. 223.

49. *Ibid.*, p. 309.

50. *Ibid.*, p. 310.
51. *Ibid.*, p. 222 et 273.
52. *Ibid.*, p. 260.
53. Soit respectivement Marcus Garvey et Alexander Bustamante, cf. Duncan Carlyle Campbell, *Mission mondiale, op. cit.*, p. 273-274.
54. Duncan Carlyle Campbell, *Mission mondiale, op. cit.*, p. 239.
55. Entre autres critères, la loi élaborée par Alcan avec les autorités jamaïcaines favorise les sociétés de droit jamaïcain, même si les capitaux à l'origine de leur création sont étrangers. Cela explique qu'Alcan opère toujours dans le pays à partir de sociétés qu'elle y crée directement, par exemple la Jamaica Bauxites. Alcan maîtrise dès l'origine les subtilités de ce dispositif tandis que «les firmes américaines qui opèrent à la Jamaïque à titre de filiales se heurtent à des démêlés fiscaux et ne viennent à la formule Alcan [sic] que des années plus tard». Cf. Duncan Carlyle Campbell, *Mission mondiale, op. cit.*, p. 261.
56. *Ibid.*, p. 241-242.
57. *Ibid.*, p. 17-18.
58. *Ibid.*, p. 264 et suiv. Cette mesure ne s'appliquera plus à partir de 1957, cf. Carlton E. Davis, *Bauxite Levy Negociations, op. cit.*, p. 8.
59. Carlton E. Davis, *Bauxite Levy Negociations, op. cit.*, p. 2.
60. Duncan Carlyle Campbell, *Mission mondiale, op. cit.*, p. 260.
61. *Ibid.*, p. 261.
62. Cette politique entame la crédibilité du gouvernement, car les membres de la National Bauxite Commission et le groupe de négociateurs représentant les autorités jamaïcaines sont également des gens d'affaires intéressés à investir dans ce secteur d'activité, comme Mayer Matalon et Patrick Rousseau. Cf. Carlton E. Davis, *Bauxite Levy Negociations, op. cit.*, p. 13.
63. Duncan Carlyle Campbell, *Mission mondiale, op. cit.*, p. 261 et suiv., et Carlton E. Davis, *Bauxite Levy Negociations, op. cit.*, p. 102.
64. Duncan Carlyle Campbell, *Mission mondiale, op. cit.*, p. 257.
65. Vijay Prashad, *Les Nations obscures. Une histoire populaire du tiers monde*, Montréal, Écosociété, 2009, p. 9.
66. En sont membres fondateurs l'Australie, la Guinée, Guyana, la Jamaïque, la Sierra Leone, le Surinam et la Yougoslavie. Le Ghana, Haïti, l'Indonésie et la République dominicaine en feront partie quelques années plus tard. L'absence du Brésil fera défaut à ce collectif d'États. Les législations caribéennes fondent beaucoup d'organisations du même type durant cette période.
67. Duncan Carlyle Campbell, *Mission mondiale, op. cit.*, p. 275.
68. Il s'agit d'une taxe sur la bauxite extraite équivalant à 7,5 % du prix du lingot d'aluminium produit, ce qui revient à 11 dollars US par tonne de bauxite extraite, en plus des redevances qui s'élèvent à 50 cents jamaïcains la tonne. Cf. Duncan Carlyle Campbell, *Mission mondiale, op. cit.*, p. 278.
69. Marie-Claude Céleste, « La solidarité de l'Association des pays exportateurs de bauxite à l'épreuve », *Le Monde diplomatique*, novembre 1971, p. 8, cité dans Bonnie K. Campbell, *Les enjeux de la bauxite. La Guinée face aux multinationales de l'aluminium*, Montréal/Genève, Presse de l'Université de Montréal/Institut universitaire des hautes études internationales, 1983, p. 41.
70. La taxe fixée à 7,5 % en 1974 est appelée à passer à 8 % durant l'année fiscale 1975-76 et à 8,5 % l'année 1976-77. Cf. Duncan Carlyle Campbell, *Mission mondiale, op. cit.*, p. 278.
71. Damien Millet et François Mauger, *La Jamaïque dans l'étau du FMI, op. cit.*, p. 19-20. Célimène et Cruse parlent pour leur part d'un passage de rentrées fiscales de 25 millions à 164 millions de dollars US en 1974.
72. Daniel Jay Baum, *The Banks of Canada in the Commonwealth Caribbean, op. cit.*, p. 15 ; Banque de Nouvelle-Écosse, *Rapport annuel 1970*, p. 18 ; Duncan Carlyle Campbell, *Mission mondiale, op. cit.*, p. 282, et Vijay Prashad, *Les nations obscures, op. cit.*, p. 285.
73. Damien Millet et François Mauger, *La Jamaïque dans l'étau du FMI, op. cit.*, p. 24, et Duncan Carlyle Campbell, *Mission mondiale, op. cit.*, p. 283.

74. Elle revendique des réserves de 340 millions de tonnes de minerai et, selon une évaluation de 1974, extrait 2 430 000 tonnes par année. Cf. Carlton E. Davis, *Bauxite Levy Negociations*, *op. cit.*, p. 76, 96 et 111.
75. Carlton E. Davis, *Bauxite Levy Negociations*, *op. cit.*, p. 202.
76. Duncan Carlyle Campbell, *Mission mondiale*, *op. cit.*, p. 274.
77. *Ibid.*, p. 281.
78. *Ibid.*, p. 278.
79. *Ibid.*
80. *Ibid.*, p. 259, 278-279.
81. *Ibid.*, p. 276.
82. *Ibid.*, p. 281.
83. *Ibid.*, p. 278-279.
84. *Ibid.*, p. 281.
85. Damien Millet et François Mauger, *La Jamaïque dans l'étau du FMI*, *op. cit.*, p. 24.
86. Bonnie K. Campbell, *Les enjeux de la bauxite*, *op. cit.*, p. 41-42.
87. Carlton E. Davis, *Bauxite Levy Negociations*, *op. cit.*, p. 298.
88. Vijay Prashad, *Les Nations obscures*, *op. cit.*, p. 285. Lire également Damien Millet et François Mauger, *La Jamaïque dans l'étau du FMI*, *op. cit.*, p. 20; Robert Conrad, *Bauxite Taxation in Jamaica*, *op. cit.*, p. 7; et James Wozny, «The taxation of Corporate Source Income in Jamaica», dans Roy Bahl (dir.), *The Jamaican Tax Reform*, *op. cit.*, p. 265-323.
89. Carlton E. Davis, *Bauxite Levy Negociations*, *op. cit.*, p. 298.
90. Julien Arnoult, «Un vent républicain souffle en Jamaïque», dans Alexis Bautzmann, *Atlas géopolitique mondial*, Paris, Argos, 2013, p. 131.
91. Duncan Carlyle Campbell, *Mission mondiale*, *op. cit.*, p. 285.
92. Romain Cruse, «Politiques de la fragmentation urbaine et violence», *op. cit.*
93. Fred Célimène et Romain Cruse, *La Jamaïque, les raisons d'un naufrage*, Paris, Publibook [présenté sous la signature des Presses de l'Université des Antilles et de la Guyane], 2012, p. 144.
94. Russell Banks, *Le Livre de la Jamaïque*, *op. cit.*, p. 335-336.
95. Wayne Thirsk, «Jamaican Tax Incentives», *op. cit.*, p. 706, et M. L. Ayub, *Made in Jamaica*, Baltimore, John Hopkins University Press, 1981.
96. *Ibid.*
97. Wayne Thirsk, «Jamaican Tax Incentives», *op. cit.*, p. 704.
98. *Ibid.*, p. 706.
99. Damien Millet et François Mauger, *La Jamaïque dans l'étau du FMI*, *op. cit.*, p. 41-49.
100. *Ibid.*, p. 40-49.
101. *Ibid.*, p. 56.
102. *Ibid.*, p. 70.
103. «Conseil des Administrateurs», Washington (DC), Banque mondiale, <www.banquemondiale.org/fr/about/leadership/directors>, page consultée le 3 septembre 2013.
104. Damien Millet et François Mauger, *La Jamaïque dans l'étau du FMI*, *op. cit.*, p. 34.
105. Les traditionnelles remises de dettes ne sont d'ailleurs qu'une façon de sauver les États de la faillite complète, de façon à ce qu'ils puissent continuer régulièrement à payer leur dette. La machination de l'endettement au profit des détenteurs de capitaux est ainsi maintenue opératoire. Le Sud finance les institutions financières du Nord, et non l'inverse.
106. Alicia Dunkley, «It's not enough! Offshore business legislation passes despite Opposition warnings», *Jamaica Observer*, 6 mars 2011.
107. Damien Millet et François Mauger, *La Jamaïque dans l'étau du FMI*, *op. cit.*, p. 53.
108. *Ibid.*
109. Stéphanie Black, *Life & Debt*, États-Unis, Tuff Gong Pictures, 2001, de même que, sur l'endettement chronique de l'île, de William Karel, *Jamaïque/FMI: mourir à crédit*, France, Arte, 1996.
110. James Wozny, «The taxation of Corporate Source Income in Jamaica», *op. cit.*, p. 302.
111. *Ibid.*
112. *Ibid.*
113. Julien Arnoult, «Un vent républicain souffle en Jamaïque», *op. cit.*

CHAPITRE CINQ
1980 – La Barbade
Refuge des firmes canadiennes offshore

1. Les Canadiens ont investi exactement 59,3 milliards de dollars à la Barbade en 2012, cf. « Investissement direct étranger, 2012 » et « Positions d'investissement direct étranger en fin d'année », Ottawa, Statistique Canada, 9 mai 2013, <www.statcan.gc.ca/daily-quotidien/ 130509/dq130509a-fra.htm> et <www.statcan.gc.ca/daily-quotidien/130509/t130509a001- fra.htm>. Ils avaient « investi » 33,4 milliards de dollars en 2007, cf. Statistique Canada, « Positions d'investissement direct étranger en fin d'année », Ottawa, 19 avril 2012, <www. statcan.gc.ca/daily-quotidien/120419/t120419b001-fra.htm>.

2. Daniel Jay Baum, *The Banks of Canada in the Commonwealth Caribbean : Economic Nationalism and Multinational Enterprises of a Medium Power.* New York, Washington et Londres, Jay Praeger Publishers, 1974, p. 36. La Barbade n'avait pas de banque centrale en 1974, au moment où le livre a été publié ; elle avait annoncé en 1972 son intention d'en créer une (cf. *ibid.*, p. 37). Les liens entre le Canada et la Barbade sont très anciens. Au lendemain de la guerre d'Indépendance états-unienne, déjà ils se renforcent. « Le Canada subvient de plus en plus aux besoins des habitants », écrit quant à cette période Maurice Burac. D'autant plus qu'au xixe siècle, les saisons seront souvent mauvaises dans un domaine déterminant pour l'île, la canne à sucre (Maurice Burac, *Les mutations récentes d'une île sucrière*, Bordeaux-Talence, Centre de recherche des espaces tropicaux de l'Université Michel de Montaigne (Bordeaux III) et Centre d'études de géographie tropicale, 1993, p. 32-33). On connaît la chanson, les sucriers se sont endettés auprès des commerçants des ports et se sont vus aux abois pour financer leur remise de dette. Lire aussi la fiche consacrée à la Barbade du site *Lowtax.net* : « La Loi relative aux sociétés de 1982 légifère sur les compagnies à la Barbade. Elle s'est inspirée de la Loi canadienne sur les sociétés par actions. Les formes de société disponibles en vertu de la loi sont des sociétés anonymes, des sociétés sans capital- actions (sans but lucratif) et des sociétés d'assurance mutuelle », dans « Barbados : Types of Company », *LowTax.net*, mai 2013, <www.lowtax.net/lowtax/html/jbscos.html#llc>, page consultée le 25 août 2013.

3. Pedro L. V. Welch, « Structuring Independence : Foreign Relations Policy of the Barbados Government, 1966-1986 », dans Serge Mam Lam Fouck, Juan Gonzales Mendoza et Jacques Adélaïde-Merlande (dir.), *Regards sur l'histoire de la Caraïbe. Des Guyanes aux Grandes Antilles*, Cayenne, Association des historiens de la Caraïbe, 2001, p. 361. Depuis 1951 déjà, la Barbade s'est essayée à stimuler son économie agricole à coups d'incitations fiscales. Elle a dédouané l'importation de ressources premières ainsi que de machinerie, tout en pré- voyant des exemptions fiscales sur les revenus des entreprises pendant sept ans, puis dix ans à partir de 1963 (Maurice Burac, *Les mutations récentes d'une île sucrière, op. cit.*, p. 128). Les germes du paradis fiscal étaient alors semés. Elle développe également le tourisme sous une forme industrielle, en se tournant notamment vers la clientèle canadienne.

4. Pedro L. V. Welch, « Structuring Independence », *op. cit.*, p. 367.

5. Banque de Nouvelle-Écosse, *Rapport annuel 1967*, p. 20.

6. Banque de Nouvelle-Écosse, *Rapport annuel 1968*, p. 22.

7. Maurice Burac, *Les mutations récentes d'une île sucrière, op. cit.*, p. 129.

8. *Ibid.*, p. 128-129.

9. *Ibid.*, p. 136.

10. *Ibid.*, p. 136-137.

11. « Industrial Estates : Overview », The Barbados Investment and Development Corporation (BIDC), <www.bidc.com/index.php?option=com_content&view=article&id=87&Itemid= 131>, page consultée le 24 août 2013.

12. « Fiscal Incentives », chapitre 71A, *Fiscal Incentive Act*, Gouvernement de la Barbade, 2001, p. 18.

13. *Ibid.*, p. 10.

14. « Minimum wage is now $250 », *Caribbean Tracker*, 14 mars 2012, <www.caribbeantrakker. com/2012/03/minimum-wage-is-now-250-2/#.UhjH0j8lmdw>.

15. «Employee Rights», *Bermudas Business*, <http://businessbarbados.com/investor-guide/human-resources/employee-rights/>, page consultée le 24 août 2013.
16. «Export Partners», Bridgetown, The Barbados Investment and Development Corporation (BIDC), <www.bidc.com/index.php?option=com_content&view=article&id=133>, page consultée le 24 août 2013, et «BIDC Targeting Canada», Bridgetown, *Barbados Business Catalyst*, janvier-mars 2011, p. 12.
17. Maurice Burac, *Les mutations récentes d'une île sucrière, op. cit.*, p. 156.
18. «Relations Canada - Barbade», Ottawa, Gouvernement du Canada, janvier 2012, <www.canadainternational.gc.ca/barbados-barbade/bilateral_relations_bilaterales/canada_barbados-barbades.aspx?lang=fra&menu_id=25>.
19. André Beauchamp, *Guide mondial des paradis fiscaux*, Ville Mont-Royal, Éditions Le Nordais, 1982 [Paris, Grasset et Fasquelle, 1981], p. 149.
20. *Ibid.*
21. Pedro L. V. Welch, «Structuring Independence», *op. cit.*, p. 361. Ce sont vraisemblablement des étrangers qui façonnent la politique économique de ce gouvernement. «Un cadre a été développé pour les agents du service extérieur, qui superviseraient les détails techniques de politique étrangère en élaborant des documents et le reste. Quoiqu'il n'existe pas de preuve de l'existence d'un groupe formé d'économistes professionnels au sein du Service extérieur à cette époque, la création de la Banque centrale de la Barbade et l'embauche régulière d'un groupe d'économistes compétents au ministère des Finances signifiaient que les compétences nécessaires étaient disponibles pour les décideurs étrangers.» (Pedro L. V. Welch, «Structuring Independence», *op. cit.*, p. 366). Qui étaient ces «décideurs étrangers»? Il y a fort à parier qu'ils ne font pas partie des cercles de lecteurs de Marx de l'University of West Indies, qu'on accusera ces années-là de mettre en péril la sécurité régionale (Pedro L. V. Welch, «Structuring Independence», *op. cit.*, p. 368).
22. Maurice Burac, *Les mutations récentes d'une île sucrière, op. cit.*, p. 135.
23. *Accord entre le Canada et la Barbade tendant à éviter les doubles impositions et à prévenir l'évasion fiscale en matière d'impôts sur le revenu et sur la fortune*, Ottawa, Gouvernement du Canada, 22 janvier 1980, <www.treaty-accord.gc.ca/text-texte.aspx?lang=fra&id=102234>.
24. Entre mille sources, «Barbados Tax Treatment of Offshore Operations», *LowTax.net*, <www.lowtax.net/lowtax/html/jbsoltr.html>, page consultée le 24 août 2013, et «Tax Haven Barbados», *TaxHaven.biz*, <www.taxhavens.biz/caribbean_tax_havens/tax_haven_barbados/>, page consultée le 24 août 2013.
25. C'est donc à tort que l'ancien ministre des Finances et premier ministre québécois, Jacques Parizeau, écrit qu'au moment de conclure cette entente fiscale en 1980, les taux d'imposition à la Barbade et au Canada «étaient alors à peu près du même ordre». Cf. Jacques Parizeau, «Les sources d'injustice: les paradis fiscaux», *La souveraineté du Québec. Hier, aujourd'hui et demain*, Montréal, Michel Brûlé, 2009, p. 222.
26. «Barbados: Double Tax Treaties», *LowTax.net*, <www.lowtax.net/lowtax/html/jbs2tax.html>, page consultée le 24 août 2013.
27. Maurice Burac, *Les mutations récentes d'une île sucrière, op. cit.*, p. 136.
28. Hélène Buzzetti, «En 1994, Paul Martin a apporté des changements à la loi de l'impôt, La famille Martin au paradis», *Le Devoir*, 14 février 2004.
29. Ramesh Chaitoo et Ann Weston, «Canada and The Caribbean Community: Prospects For An Enhanced Trade Arrangement», présentation faite à la *Conference on Canada, Latin America and the Caribbean: Defining Re-engagement*, Ottawa, DFAIT, CFP, CTPL et FOCAL, 13 et 14 mars 2008, p. 19.
30. Édouard Chambost, *Guide Chambost des paradis fiscaux*, Lausanne, Fabre, 8ᵉ édition, 2005, p. 542.
31. *Ibid.*
32. Jean-Pierre Vidal, «La concurrence fiscale favorise-t-elle les planifications fiscales internationales agressives?», dans Jean-Luc Rossignol (dir.), *La gouvernance juridique et fiscale des organisations*, Paris, Lavoisier, 2010, p. 183.
33. *Ibid.*, p. 190.
34. «Investissement direct étranger, 2012», Ottawa, Statistique Canada, 9 mai 2013.

35. Jean-Pierre Vidal, « La concurrence fiscale favorise-t-elle les planifications fiscales internationales agressives ? », *op. cit.*, p. 191.
36. *Ibid.*, p. 190.
37. Brian J. Arnold, « Reforming Canada's International Tax System, Toward Coherence and Simplicity », Toronto, *Canadian Tax Paper*, n° 111, 2009, p. 14 et 48-61, et Donald J. S. Brean, « International issues in Taxation : The Canadian Perspective », Toronto, *Canadian Tax Paper*, n° 75, 1984, p. 11.
38. Brian J. Arnold, « Reforming Canada's International Tax System », *op. cit.*, p. 12, 143-146.
39. *Ibid.*, p. 90 et suiv., et p. 153.
40. *Ibid.*, p. 27-28.
41. *Ibid.*, p. 28.
42. *Ibid.*, p. 14.
43. Caroline Maxwell, « Outward Investment from Canada, The Offshore Perspective », Londres, *LowTax.net*, <www.lowtax.net/lowtax/html/offon/canada/can_outward.html #backtotop>, page consultée le 26 août 2013.
44. La législation barbadienne et le lien que le Canada entretient avec elle en font un pays taillé sur mesure pour l'évitement fiscal des sociétés. Encore aujourd'hui, parmi les législations où des entreprises canadiennes peuvent délocaliser des fonds, « avec l'objectif précis d'établir une filiale active, seulement la Barbade et (dans une moindre mesure maintenant) Chypre conviennent vraiment en matière d'infrastructures, de législation et de régime de fiscalité aux entreprises », selon Caroline Maxwell, « Outward Investment from Canada, The Offshore Perspective », *op. cit.*
45. Sheila Fraser, *Rapport de la vérificatrice générale du Canada*, Ottawa, Bureau de la vérificatrice générale du Canada, chapitre 11, décembre 2002, également cité dans Jean-Pierre Vidal, « La concurrence fiscale favorise-t-elle les planifications fiscales internationales agressives ? », *op. cit.*, p. 192.
46. « Nouvelle position de l'Agence du revenu du Canada concernant les compagnies d'assurance exemptées de la Barbade », *Osler.com*, 12 novembre 2010.
47. Maurice Burac, *Les mutations récentes d'une île sucrière, op. cit.*, p. 136.
48. *Ibid.*
49. Les Royal Bank of Canada Insurance Company, RBC (Barbados) Funding, Royal Bank of Canada (Caribbean) Corporation, RBC Capital Markets (Japan) Ltd., RBC Holdings (Barbados), Royal Bank of Canada Financial Corporation. Cf. « Canadian banks operate offshore, Big 5 financial institutions have branches in locales from Switzerland to Singapore », carte interactive, Toronto, Canadian Broadcasting Corporation (CBC), 24 juin 2013.
50. Les FirstCaribbean International Wealth Management Bank (Barbados) à hauteur de 91,7 %, la CIBC International (Barbados), CIBC Offshore Banking Services Corporation, CIBC Reinsurance Company Limited, FirstCaribbean International Bank à hauteur de 91,7 %, FirstCaribbean International Bank (Barbados) à hauteur de 91,7 %. Cf. « Canadian banks operate offshore », *op. cit.*
51. La BNS International (Barbados) et la Scotia Insurance (Barbados). Cf. « Canadian banks operate offshore », *op. cit.*
52. Les Canada Trustco International, TD Reinsurance (Barbados), Toronto Dominion International. Cf. « Canadian banks operate offshore », *op. cit.*
53. Il s'agit de la Bank of Montreal (Barbados) Ltd. Cf. « Bank of Montreal (Barbados) Ltd », *AAAdir*, <www.aaadir.com/banks/countries/all/detail.jsp?cont_id=0&banktype=group&type=1&country_id=16&bank_id=11388&la=1>, page consultée le 24 août 2013.
54. « Barbados banks », *Financial Portal*, <www.financial-portal.com/banks/barbados_banks.php>, page consultée le 24 août 2013.
55. Jadis dénommée la Barrick International Bank Corp, il s'agit maintenant de la Barrick International (Barbados). Cf. Barrick Gold Corp, *FORM 40-F Annual Report (foreign private issuer)*, formulaire produit le 28 mars 2012, p. 130, <www.barrick.com/files/doc_downloads/AGM/3185ea82-f4f8-4349-9caa-940065797d2b.pdf>, page consultée le 24 août 2013.
56. Entrevue d'Éric Bocquet avec Dominique Albertini, « Paradis fiscaux : "Un monde parallèle hyper-complexe" », *Libération*, 18 juillet 2012.

57. Dale Hill, Jamal Hejazi et Mark Kirkey, *Transfer Pricing - Are You Prepared?*, Gowlings Lafleur Henderson LLP, document non daté [les références du rapport datent au plus tard de 2010].

58. François Vincent (de la firme KPMG), *Transfert Pricing in Canada*, Toronto, Carswell (Thomson Reuters), 2009, p. 136.

59. Donald J. S. Brean, «International issues in Taxation», *op. cit.*, p. 114 et 117, de même que la p. iii.

60. Brian J. Arnold, «Reforming Canada's International Tax System», *op. cit.*, p. 15-16, et Donald J. S. Brean, «International issues in Taxation», *op. cit.*, p. 47.

61. Brian J. Arnold, «Reforming Canada's International Tax System», *op. cit.*, p. 41, 51-52, 65 et 73, ainsi que Donald J. S. Brean, «International issues in Taxation», *op. cit.*, p. 10-17.

62. Brian J. Arnold, «Reforming Canada's International Tax System», *op. cit.*, p. 73, et «Loi de l'impôt sur le revenu», Ottawa, Gouvernement du Canada, <http://laws-lois.justice.gc.ca/fra/lois/i-3.3/TexteComplet.html>, page consultée le 7 septembre 2013.

63. Brian J. Arnold, «Reforming Canada's International Tax System», *op. cit.*, p. 157-158.

64. Stéphanie Grammond, «Le Canada, paradis fiscal des entreprises», *La Presse*, 29 juillet 2008.

65. Sheila Fraser, *Rapport de la vérificatrice générale du Canada*, *op. cit.*, chapitre 11.

66. *Ibid.*, chapitre 11, § 86.

67. En d'autres termes, ce stratagème consiste pour la société canadienne à contracter un emprunt dont elle déduira bien entendu de sa déclaration de revenus les coûts en intérêts, à transférer ensuite cette dette à une entité offshore qu'elle contrôle à un taux nul, pour qu'ensuite cette société offshore *prête* à son tour à un taux élevé ce montant à la filiale étrangère, qui elle déduira de nouveau sur ce même prêt ses frais en intérêts dans son pays d'accueil.

68. Francis Vailles, «Paradis fiscaux : Ottawa abandonne une bataille» et «Comment fonctionne le stratagème des paradis fiscaux», *La Presse*, 5 février 2009.

69. Brian J. Arnold, «Reforming Canada's International Tax System», *op. cit.*, p. 160, § 9, ainsi que Donald J. S. Brean, «International issues in Taxation», *op. cit.*, p. 120.

70. «Le nouveau gouvernement du Canada améliore l'équité fiscale grâce à une initiative de lutte contre les paradis fiscaux», Ottawa, Ministère des Finances, 14 mai 2007, <www.fin.gc.ca/n07/07-041-fra.asp>.

71. Arthur J. Cockfield, «Tax Competitiveness Program. Finding Silver Linings in the Storm : An Evaluation of Recent Canada–US Crossborder Tax Developments», Toronto, C.D. Howe Institute, n° 272, septembre 2008, p. 10. Arnaud Mary, *Canada v. Recours aux paradis fiscaux/bancaires : dans quelle mesure la politique de lutte du Canada peut-elle être améliorée*, mémoire de maîtrise, Québec, Faculté de droit, Université Laval, 2011, p. 65.

72. Arnaud Mary, *Canada v. Recours aux paradis fiscaux/bancaires*, *op. cit.*, p. 66, et Lyne Gaulin, «Cross-Border Tax : Canadian Multinationals Allowed to Double-Dip», Toronto, Miller Thomson Avocats, mars 2010, <www.millerthomson.com/en/publications/newsletters/tax-notes/2010-archives/march-2010/cross-border-tax-canadian-multinationals>.

73. Lyne Gaulin, «Cross-Border Tax : Canadian Multinationals Allowed to Double-Dip», *op. cit.*, et Duanjie Chen et Jack M. Mintz, «Taxation of Canadian Inbound and Outbound Investments», recherche menée pour le compte de l'Advisory Panel on Canada's System of International Taxation, décembre 2008, p. 18.

74. Maria E. de Boyrie, Simon J. Pak et John S. Zdanowicz, «Estimating the magnitude of capital flight due to abnormal pricing in international trade : The Russia–USA case», *Accounting Forum*, Elsevier, n° 29, 2005, p 249-270.

75. Kerrie Sadiq, «Taxation of Multinational Financial Institutions, Using Formulary Apportionment to Reflect Economic Reality», Séminaire *Transfer Pricing : Alternative Methods of Taxation of Multinationals*, Helsinki, juin 2012, <http://taxjustice.blogspot.ch/2012/07/helsinki-transfer-pricing-presentations.html>. De la même auteure : «Arm's Length Pricing and Multinational Banks : An Old Fashioned Approach in a Modern World», Londres, *Tax Justice Focus – The newsletter of the tax justice network*, vol. 7, n° 3, p. 5.

76. Tatiana Falcão, «Giving Developing Countries a Sayin International Transfer Pricing Allocations», Londres, *Tax Justice Focus – The newsletter of the tax justice network*, vol. 7, n° 3, p. 3.

77. Organisation de coopération et de développement économiques (OCDE), *Principes de l'OCDE applicables en matière de prix de transfert à l'intention des entreprises multinationales et des administrations fiscales*, Paris, 1995.

78. Loi canadienne sur le Revenu de 1998, article 247. Cette loi fait suite au *bricolage* amorcé dans les années 1990 par le Technical Committee on Business Taxation qui a révisé certains aspects de son dispositif législatif, eu égard notamment à la question du prix de transfert (Brian J. Arnold, « Reforming Canada's International Tax System », *op. cit.*, p. 14). En 1984, de nouvelles dispositions sont introduites dans la loi pour contrer certains effets des paradis fiscaux, mais ces lois sont notoirement inefficaces selon le Technical Committee on Business Taxation de 1998 (Brian J. Arnold, « Reforming Canada's International Tax System », *op. cit.*, p. 171 et 172). Dale Hill, Jamal Hejazi et Mark Kirkey décortiquent la procédure pour tirer profit de la faiblesse de ce dispositif légal, dans leur rapport *Transfer Pricing - Are You Prepared ?*, *op. cit.*

79. Jeff Gray, « Supreme Court backs Glaxo in transfer-pricing dispute », *The Globe and Mail*, 18 octobre 2012.

80. « IRS Accepts Settlement Offer in Largest Transfer Pricing Dispute », communiqué classé IR-2006-142, Washington, Internal Revenue Service (IRS), 11 septembre 2006.

81. Philippe Dominati (président) et Éric Bocquet (rapporteur), *L'évasion fiscale internationale, et si on arrêtait ?*, Rapport d'information, Commission d'enquête sur l'évasion des capitaux et des actifs hors de France et ses incidences fiscales, Paris, Sénat, n° 673, deux tomes, juillet 2012.

82. *Ibid.*, t. 1, p. 67.

83. Jesse Drucker, « Google 2.4 % Rate Shows How $60 Billion Lost to Tax Loopholes », *Bloomberg.org*, 21 octobre 2010.

84. « Apple de nouveau montré du doigt pour détournement d'impôts », *Le Monde*, 1er juillet 2013.

85. Rob Lever, « Artifices fiscaux – Apple se pose en bon citoyen corporatif », Agence France-Presse, dépêche reprise dans *Le Devoir*, 22 mai 2013.

86. Xavier Harel, *La Grande Évasion. Le Vrai Scandale des paradis fiscaux*, Paris, Les liens qui libèrent (réédition Actes Sud, coll. « Babel »), 2010.

87. « Le fisc américain privé de 92 milliards », Agence France-Presse, dépêche reprise dans *Le Devoir*, 4 juin 2013.

88. Serge Truffaut, « Rapport de l'OCDE sur l'impôt, L'aversion », *Le Devoir*, 15 février 2013.

89. Éric Desrosiers, « Outrés », *Le Devoir*, 27 mai 2013.

90. *White Paper on Transfer Pricing Documentation*, Paris, Organisation de coopération et de développement économiques (OCDE), 30 juillet 2013, <www.oecd.org/fr/ctp/prix-de-transfert/LivreBlancDocumentationPrixTransfer.pdf>.

91. Dans un litige opposant l'Agence du revenu du Canada à la firme Indalex, dans les années 1980, le fisc accusait cette société canadienne de s'être procuré des lingots d'aluminium auprès d'Alcan en passant par une entité des Bermudes, Pilar. Cette dernière négociait pour plusieurs marchés et pouvait obtenir des réductions de prix auprès d'Alcan. L'astuce consistait pour Indalex à régler la transaction auprès de Pilar à un prix faisant fi de cette réduction. Un montant de 342 000 dollars de l'époque est en jeu. Ainsi, Indalex envoyait un maximum de capitaux aux Bermudes et parvenait à réduire ses revenus imposables d'autant au Canada. Or, la question est de savoir à quel prix Indalex aurait payé ces lingots si elle avait négocié directement avec Alcan. Là est le problème, car dans un tel contexte, Alcan se serait trouvée en situation de monopole et aurait établi elle-même le taux de cette matière. Si la Cour fédérale et la Cour fédérale d'appel s'étaient posé la question, cela leur aurait mis la puce à l'oreille. Elles auraient constaté qu'en maintes circonstances on est en présence d'un vide juridique, à savoir qu'on ne peut se référer à aucun prix objectif fixé par les marchés pour s'assurer qu'une transaction a bien lieu selon les cours standard. Cf. Lorraine Eden, « Transfer Pricing and the Tax Courts », dans *Taxing Multinationals : Transfer Pricing and Corporate Income Taxation in North America*, Toronto, University of Toronto Press, 1998, p. 537-538, 544.

92. « Chalandage fiscal – Le problème et les solutions possibles », Ottawa, Ministère des Finances, 2013, <www.fin.gc.ca/activty/consult/ts-cf-fra.asp#ftnref15>.

93. *Ibid.*
94. Jennifer Smith, « Les fiducies à l'étranger sous pression », Montréal, *CA Magazine*, janvier-février 2010.
95. « La Cour suprême du Canada se prononce sur la résidence des fiducies – St. Michael Trust Corp. c. La Reine (fiducie familiale Garron) », *Bulletin fiscal*, PricewaterhouseCoopers, mai 2012.
96. « Les règles de la fiscalité canadienne font en sorte que les résidents canadiens sont imposés sur leurs revenus mondiaux. Les contribuables qui utilisent des comptes de banque à l'étranger, qui ne sont pas illégaux en soi, déjouent généralement ces règles de deux manières : d'abord en ne déclarant souvent pas les revenus qui ont été déposés à l'étranger pour constituer le capital de départ du compte, et ensuite en ne déclarant pas les revenus de placement généré par le compte au fil des ans. » Cf. Paul Ryan, *Quand le fisc attaque, Acharnement ou nécessité ?*, Montréal, Éditions La Presse, 2012, p. 176.
97. Diane Francis, *Who Own Canada Now, Old Money, New Money and The Future of Canadian Business*, Toronto, HarperCollins, 2008, p. 439.
98. Sylvain Fleury, « L'évitement fiscal abusif : Problématique et contexte canadien », *Publication No. 2010-22F*, Division des affaires internationales, du commerce et des finances, Service d'information et de recherche parlementaires, Bibliothèque du Parlement, 2010.
99. Laura Figazzolo et Bob Harris, *Global Corporate Taxation And Resources For Quality Public Services*, Education International Research Institute, pour le compte du Council of Global Unions, Bruxelles, décembre 2011, p. 11, 18.
100. Donald J. S. Brean, « International issues in Taxation », *op. cit.*, p. 1.
101. Kerrie Sadiq, « Taxation of Multinational Financial Institutions, Using Formulary Apportionment to Reflect Economic Reality », *op. cit.*, et « Arm's Length Pricing and Multinational Banks : An Old Fashioned Approach in a Modern World », *op. cit.*
102. Jomo Kwame Sundaram, « Transfer Pricing Is a Financing for Development Issue », Berlin, Friedrich-Ebert Stiftung, février 2012.
103. *Tax Justice Network*, « UN versus OECD : Not a football match », 23 juin 2011, <http://taxjustice.blogspot.ca/2011/06/un-versus-oecd-not-football-match.html>.
104. « RBC Wealth Management And Taxchambers Cordially Invite You To An Exclusive Seminar On Transfer Pricing & Tax Planning For Barbados Subsidiaries Of Canadian Parent Companies With The Distinguished Canadian Tax Lawyer Jonathan Garbutt », <www.garbutt-taxlaw.com/files/articles_events/Barbados%20Tax%20Planning%20Event%5B1%5D.pdf>.
105. Deloitte, « Analyst – Transfer Pricing, New Graduate, Full Time », Calgary, 2011.
106. Steve Hurowitz et Shawn Brade, « Le budget de 2012 de la Barbade propose une réduction du taux d'imposition des sociétés », *Conseils fiscaux, Édition mondiale*, Calgary et Toronto, firme KPMG, 10 juillet 2012.
107. *Ibid.*
108. Dominique Sicot, « Mais que fait une filiale de PSA à la Barbade ? », *L'Humanité Dimanche*, 18 au 24 octobre 2012. La Barbade n'a eu de cesse d'améliorer son offre offshore, comme en témoigne Grégoire Duhamel dans la fiche technique qu'il lui consacre dans *Les paradis fiscaux*, Paris, Éditions Grancher, 2006, p. 400 et suiv.
109. « Relations Canada - Barbade », Ottawa, Gouvernement du Canada, *op. cit.*
110. Il est vrai que la Barbade ne prévoit pas le secret bancaire comme tel, mais la suite du raisonnement consiste à montrer que l'île donne accès aisément pour sa part à tout le réseau des paradis fiscaux tout en favorisant la défiscalisation des opérations canadiennes.
111. Philippe Dominati et Éric Bocquet, *L'évasion fiscale internationale, et si on arrêtait ?*, *op. cit.*, p. 12.
112. *Ibid.*, p. 17.
113. S'il est encore pertinent de distinguer techniquement les fuites fiscales (en principe légales) de l'évasion fiscale (illégale), c'est seulement pour distinguer les moyens pratiques par lesquels endiguer le double phénomène. « Cette différence ne doit pas être ignorée ; elle a des effets sur la précision des politiques à mettre en place ». *Ibid.*

114. Philippe Dominati et Éric Bocquet, *L'évasion fiscale internationale, et si on arrêtait ?*, *op. cit.*, p. 21. Lire aussi les p. 16 et 18.
115. *Ibid.*, p. 15.
116. *Ibid.*, p. 17.
117. *Ibid.*, p. 18.
118. *Ibid.*, p. 28.
119. *Ibid.*, p. 19.
120. *Ibid.*, p. 28.
121. *Ibid.*, p. 23.
122. *Ibid.*, p. 23-24.
123. Anne Michel, « La fraude fiscale coûte 2 000 milliards d'euros par an à l'Europe », *Le Monde*, 9 octobre 2013.
124. « Lancement de la campagne Levez le voile sur les paradis fiscaux ! », communiqué, Montréal, collectif d'associations Échec aux paradis fiscaux, 29 avril 2013, <http://echec-paradisfiscaux.ca/lancement-de-la-campagne-levez-le-voile-sur-les-paradis-fiscaux/>.
125. Philippe Dominati et Éric Bocquet, *L'évasion fiscale internationale, et si on arrêtait ?*, *op. cit.*, p. 28.
126. *Ibid.*, p. 29.
127. *Ibid.*, p. 28.
128. « Société Offshore au Canada », Paris, *France-Offshore*, <www.france-offshore.fr/societe-offshore-canada>, page consultée le 18 avril 2012.
129. Jean-François Couvrat et Nicolas Plesse, *La Face cachée de l'économie mondiale*, Paris, Hatier, coll. « Économie mondiale Actualité », 1988, p. 29.
130. *Ibid.*
131. *Ibid.*, p. 32.
132. André Noël, « La compagnie de Paul Martin confie la gestion de ses bateaux à une société des Bermudes », *La Presse*, 24 septembre 1999.
133. Alain Deneault, *Paul Martin et compagnies. Soixante thèses sur l'*alégalité *des paradis fiscaux*, Montréal, VLB Éditeur, 2004.
134. « Que représentent les pavillons de complaisance ? », Londres, Fédération internationale des ouvriers du transport (ITF). <www.itfglobal.org/flags-convenience/flags-convenien-184.cfm>, page consultée le 24 août 2013.
135. Jean-François Couvrat et Nicolas Plesse, *La Face cachée de l'économie mondiale*, *op. cit.*, p. 41.
136. *Ibid.*, p. 22.
137. Alex Doulis, *My Blue Haven*, Etobicoke (ON), Uphill Publishing, 1997 [réédité en 2001], p. 112.
138. *Ibid.*, p. 109.
139. Jean-Pierre Vidal, « La concurrence fiscale favorise-t-elle les planifications fiscales internationales agressives ? », *op. cit.*, p. 191.
140. Grégoire Duhamel, *Les paradis fiscaux*, *op. cit.*, p. 393.
141. *Ibid.*, p. 399-400.
142. Bruce Livesey, *Thieves of Bay Street*, Toronto, Vintage Canada Edition, 2012, p. 161.
143. « Améliorer l'échange d'information fiscale », dans « Fiscalité internationale », dans « Mesures visant l'impôt sur le revenu des sociétés », annexe 5 du *Budget de 2007*, Ottawa, Ministère des Finances, 19 mars 2007. Cette mesure entre en cohésion avec le règlement 5900 de la Loi de l'impôt du revenu du Canada, cf. « Partie LIX, sociétés Étrangères », Ottawa, Gouvernement du Canada.
144. « Accords d'échange de renseignements en matière fiscale », Ottawa, Ministère des Finances, 29 août 2009.
145. Cité dans Nicholas Shaxson, *Les Paradis fiscaux. Enquête sur les ravages de la finance néolibérale*, Bruxelles, André Versaille Éditeur, 2012, p. 43.
146. Vincent Peillon, *Les milliards noirs du blanchiment*, Paris, Hachette, coll. « Littératures », 2004, p. 55-56.
147. Gilles Larin et Alexandra Diebel, « Protocole Canada – Suisse du 22 octobre 2010 : le secret bancaire est-il menacé, eu égard aux recettes fiscales canadiennes », Chaire de recherche

en fiscalité et en finances publiques de l'Université de Sherbrooke, *Cahiers de recherche*, 2010, p. 20.
148. Colin Le Bachelet, «Confidentiality vs. secrecy – What's the difference?», RBC Trustees (Guernsey) Limited, dans *Trust and Fiduciary Services*, août 2011, p. 2.
149. Agence du Revenu du Canada, «Utiliser des paradis fiscaux pour ne pas payer d'impôt - Cela en vaut-il le risque?», Ottawa, <www.cra-arc.gc.ca/F/pub/tg/rc4507/rc4507-f.html>, page datée du 1er avril 2010.
150. «Barbados budget lowers minimum tax for investors», *The Guardian*, 9 juillet 2012.

CHAPITRE SIX
1985 – Le Québec
Minéralo-État

1. «Pauline Marois annonce 868 millions pour le "Nord pour tous"», Montréal, Société Radio-Canada, 7 mai 2013, <www.radio-canada.ca/.../001-nord-pour-tous-marois-868-millions.shtml>.
2. Actuellement, parmi les sociétés minières exploitatrices, on trouve notamment Agnico-Eagle Ltée, IamGold, Breakwater Resources, Mines Richmont inc., Mines d'or Wesdome Ltée, First Metals inc., Corporation minière Alexis, Century Mining Corporation, Ressources Campbell inc., Hecla Mining Company, Osisko et Xstrata. À l'exception du géant minier suisse Xstrata, inscrit à la Bourse de Londres, toutes ces sociétés étrangères au Québec sont inscrites à la Bourse de Toronto (TSX). C'est également le cas de la quasi-totalité des sociétés d'exploration actives au Québec.
3. Dans le secteur minier canadien, des compagnies comme Placer Dome, Noranda, Falconbridge, Inco, Dofasco, ont aussi disparu. Cf. Marie Tison, «Cambior accroche sa pelle», *La Presse*, 15 septembre 2006.
4. Léo-Paul Lauzon, «La recolonisation du Québec», Montréal, *L'Aut'Journal*, 25 avril 2007.
5. *Projet Optimisation Shipshaw, Avis de projet*, Montréal, Alcan métal primaire, Énergie électrique, juin 2007, <www.bape.gouv.qc.ca/sections/mandats/Shipshaw/documents/PR/PR1.pdf>.
6. «Commanditaires», Montréal, Sidex, <www.sidex.ca/DefaultSidex.asp?Lang=Fr>, page consultée le 20 juin 2012.
7. «Un réseau en action. Survol des activités», Montréal, Caisse de dépôt et placement du Québec, 1997, <www.lacaisse.com/fr/nouvelles-medias/Documents/RA1996_Survol_activites_FR.pdf>.
8. *Taxation Issues Relating to Exploration and the Restructuring of Resource Taxation*, Halifax, Intergovernmental Working Group on the Mineral Industry, septembre 2003, p. 23.
9. «Profil de la Société, Investissement Québec, au service...», Québec, Investissement Québec, <www.investquebec.com/fr/index.aspx?section=8>, page consultée le 2 septembre 2013.
10. Investissement Québec, <www.investquebec.com/en/index.aspx>, portail internet consulté le 20 juin 2012.
11. «Notre équipe de spécialistes peut vous aider à: Bien vous documenter sur le secteur d'activité qui vous intéresse; Nouer des alliances stratégiques et fructueuses avec des partenaires locaux et internationaux; Trouver un emplacement qui répond pleinement à vos besoins; Profiter d'incitatifs fiscaux avantageux; Trouver des solutions financières qui vous conviennent». Cf. «Les avantages d'investir au Québec. Choisir Investissement Québec», Québec, Investissement Québec, <www.investquebec.com/fr/index.aspx?page=353>, page consultée le 20 juin 2012.
12. «Raymond Bachand annonce que le gouvernement autorise Investissement Québec à octroyer un prêt au montant maximal de 50 M $ à Alcoa», communiqué, Québec, Investissement Québec, 24 avril 2009, <www.investquebec.com/fr/index.aspx?accueil=1&page=2377>.
13. «Québec prête 175 millions à Rio Tinto Alcan», dépêche de la Presse canadienne reprise dans *Le Devoir*, 8 mai 2009.

14. « Création de Ressources Québec », communiqué, Québec, Gouvernement du Québec, 18 avril 2012, <www2.gouv.qc.ca/entreprises/portail/quebec/actualites?lang=fr&x= actualites&e=1811131474>.

15. Au sein du ministère des Ressources naturelles et de la Faune, des services sont offerts à l'industrie minière en amont comme en aval, soit les campagnes d'exploration et les bases de données de Géologie Québec. Pas moins de 385 millions de dollars ont été dépensés en 2007 (cf. « Géologie », Québec, Ministère des Ressources naturelles et de la Faune, <www. mrnf.gouv.qc.ca/mines/geologie/index.jsp>, page consultée le 20 juin 2012). Ces placements permettent aux entreprises de préparer avantageusement le terrain. « Les cibles identifiées par Géologie Québec permettent d'orienter les sociétés d'exploration vers les territoires les plus prometteurs », écrit le gouvernement du Québec – cf. « Stratégie minérale, Créer de la richesse et préparer l'avenir du secteur minéral québécois », Québec, Ministère des Ressources naturelles et de la Faune, juin 2009, <www.quebecminier.gouv.qc.ca>). Il s'agit aussi de restaurer des sites miniers abandonnés aux frais de l'État. En 2007-2008, ce poste budgétaire représentait des dépenses de l'ordre de 54,3 millions de dollars.

16. William Amos et Anne Audoin, « Pour que le Québec ait meilleur mine, Réforme en profondeur de la loi sur les mines du Québec », Ottawa, Écojustice, octobre 2009, p. 3, <www. snapqc.org/files/RapportEcojustice_0.pdf>.

17. Laura Handal, « Le soutien à l'industrie minière : Quels bénéfices pour les contribuables ? », Montréal, Institut de recherche et d'informations socio-économiques (IRIS), avril 2010, p. 38.

18. William Amos et Anne Audoin, « Pour que le Québec ait meilleure mine », op. cit., p. 1.

19. « Le free-mining contre les régions », Québec 101, 7 avril 2009.

20. Laura Handal, « Le soutien à l'industrie minière », op. cit., p. 38.

21. William Amos et Anne Audoin, « Pour que le Québec ait meilleure mine », op. cit., p. 23.

22. Jean-Pierre Thomassin, « La vérité sur l'industrie minière québécoise », Le Devoir, 8 mai 2008.

23. « Fermeture "temporaire" de la mine Meston à Chibougamau, Le régime minier québécois doit être revu de fond en comble ! », communiqué, Montréal, Confédération des syndicats nationaux (CSN), 29 janvier 2008, <www.csn.qc.ca/web/csn/communique/-/ap/Comm29-01-08a.xml>.

24. Jessica Nadeau, « Loi sur les mines, Une tumultueuse adoption par bâillon », Le Devoir, 10 décembre 2013.

25. Un Nouveau Régime d'impôt minier équitable pour tous, Stimuler les investissements miniers, Québec, Gouvernement du Québec, mai 2013, « Malgré les imperfections de la loi, le Québec aura meilleure mine ! Bravo à la mobilisation citoyenne ! », communiqué, Pour que le Québec ait meilleure mine, 10 décembre 2013, et Paul Journet, « Redevances minières : moins que promis, les critiques fusent », La Presse, 7 mai 2013.

26. Alec Castonguay, « Dans les coulisses du Plan Nord, Voici comment est né ce grand projet, entre stratégie partisane, vision d'avenir, leçons du passé et pressions internationales », L'Actualité, 27 août 2012.

27. Page de Daniel Bernard, Québec, Assemblée nationale, op. cit.

28. Ibid., de même que « Ex-député libéral, Daniel Bernard retourne au privé », Montréal, TVA, 13 septembre 2012, <http://tvanouvelles.ca/lcn/infos/national/archives/2012/09/ 20120913-131003.html>, et « Un ancien député libéral devient lobbyiste pour le secteur minier », Rouyn, La Frontière, 3 décembre 2012.

29. « Historique », Société de développement de la Baie-James (SDBJ), <www.sdbj.gouv.qc.ca/ fr/societe/historique/>, page consultée le 2 septembre 2013.

30. Ibid.

31. Commission permanente de l'économie et du travail, Audition de la Société de développement de la Baie-James dans le cadre de l'examen de son rapport annuel 1991-1992, Journal des débats, Québec, Assemblée nationale, 21 septembre 1993.

32. Antoine Robitaille, « Rio Tinto propriétaire du lit du Saguenay », Le Devoir, 30 novembre 2007.

33. Gazette Officielle du Québec, Décret 198-2007, 21 février 2007 CONCERNANT la modification de certaines conditions du bail de forces hydrauliques et de terrains de la rivière

Péribonka conclu avec Aluminium du Canada Limitée, 14 mars 2007, 139ᵉ année, nᵒ 11, p. 1694 et 1696, <www2.publicationsduquebec.gouv.qc.ca/dynamicSearch/telecharge.php? type=1&file=47759.PDF> et <www2.publicationsduquebec.gouv.qc.ca/dynamicSearch/ telecharge.php?type=1&file=47760.PDF>, ainsi que Philip Raphals, *Les coûts de l'Entente Alcan*, Centre Hélios, pour le CLD Manicouagan, 21 septembre 2007, <www.aqcie.org/pdf/ Raphals_Entente_Alcan_2e_regard_21sept07.pdf>.

34. « 2012 Rankings of Canada's top 1 000 public companies by profit », *The Globe and Mail*, 28 juin 2012.

35. Françoise Bertrand, « Développer les régions minières du Québec », *Le Devoir*, 8 juillet 2009.

36. Laura Handal, « Le soutien à l'industrie minière », *op. cit.*

37. Vérificateur général du Québec à l'Assemblée nationale, *Rapport du vérificateur général du Québec pour l'année 2008-2009*, tome II, Québec, Bureau du vérificateur général du Québec à l'Assemblée nationale, 2009, § 2.5.

38. « L'évasion fiscale au Québec, source et ampleur », Études économiques, fiscales et budgétaires, Québec, Ministère des Finances, 22 avril 2005, p. 87.

39. Laura Handal, « Le soutien à l'industrie minière », *op. cit.*, p. 23.

40. « Actions Accréditives », Québec, Ministère des Ressources naturelles et de la Faune, <www. mrn.gouv.qc.ca/mines/fiscalite/fiscalite-miniere-actions.jsp>, page consultée le 20 juin 2012.

41. Vérificateur général du Québec à l'Assemblée nationale, *Rapport du vérificateur général du Québec pour l'année 2008-2009*, *op. cit.*, Tableau B.

42. Mark Winfield, Catherine Coumans, Joan Newman Kuyek, François Meloche et Amy Taylor, « Sous la surface : Une estimation de la valeur du soutien public aux mines de métaux au Canada », Pembina Institute/MiningWatch, octobre 2002, p. 21.

43. Le crédit d'impôt relatif aux salaires pour la recherche-développement, une bonification temporaire du crédit d'impôt relatif aux ressources minérales, les dépenses fiscales liées au remboursement de la taxe sur les carburants, les dépenses fiscales liées au régime d'imposition des sociétés (déduction d'un tiers du capital versé des sociétés minières), le crédit d'impôt pour la recherche (universitaire ou dans un centre public ou consortium de recherche), le crédit d'impôt pour la recherche précompétitive, le crédit d'impôt relatif aux cotisations et aux droits versés à un consortium de recherche, le crédit d'impôt additionnel pour la recherche scientifique et le développement expérimental, le crédit d'impôt pour la création d'emplois dans une région désignée. Cf. Laura Handal, « Le soutien à l'industrie minière », *op. cit.*, p. 23.

44. « Dépenses fiscales », Québec, Gouvernement du Québec, 2011, <www.finances.gouv.qc.ca/ documents/autres/fr/AUTFR_DepensesFiscales2011.pdf>.

45. Laura Handal, « Le soutien à l'industrie minière », *op. cit.*, p. 21.

46. *Mintportal*, <http://mintportal.bvdep.com/>, page consultée le 20 juin 2012.

47. « Actions Accréditives », Québec, Ministère des Ressources naturelles et de la Faune, *op. cit.*

48. Alexandre Shields, « Redevances minières. Qui paie, et combien ? », *Le Devoir*, 17 décembre 2012.

49. Alexandre Shields, « La transparence gagne les minières », *Le Devoir*, 16 janvier 2014.

50. « Le statu quo mine le Québec : 300 millions de litres déversés ces cinq dernières années », communiqué de presse, Québec meilleure mine, 16 septembre 2013.

51. *Ibid.*

52. *Ibid.*

53. « Loi sur les mines : la coalition Pour que le Québec ait meilleure mine presse Québec d'agir », Montréal, Société Radio-Canada, 19 octobre 2013, <www.radio-canada.ca/regions/ est-quebec/2013/10/19/001-coaltion-meilleur-mine-bape.shtml>.

54. « Évaluation environnementale et consultations publiques pour toute nouvelle mine au Québec », lettre ouverte à la première ministre Pauline Marois, Pour que le Québec ait meilleure mine, 17 octobre 2013, <www.quebecmeilleuremine.org/sites/default/files/2013- 10-17-LettrePremiereMinistreMarois-BAPEmines.pdf>.

55. Vérificateur général du Québec à l'Assemblée nationale, *Rapport du vérificateur général du Québec pour l'année 2008-2009*, *op. cit.*, § 2.38.

56. « Interventions gouvernementales dans le secteur minier », Vérificateur général du Québec à l'Assemblée nationale, *Rapport du vérificateur général du Québec à l'Assemblée nationale pour l'année 2012-2013*, Québec, Bureau du Vérificateur général, chapitre 7, p. 23.

57. « Importantes conséquences environnementales », Rouyn-Noranda, Société Radio-Canada Abitibi-Témiscamingue, 2 juillet 2008, <www.radio-canada.ca/regions/abitibi/2008/07/02/005-digue_chapais_n.shtml>.

58. Neil Diamond et Jean-Pierre Maher, *Heavy Metal : A Mining Disaster in Northern Quebec*, film documentaire, production ReZolution Pictures International, 2005.

59. *Entente sur la gouvernance dans le territoire d'Eeyou Istchee Baie-James entre les Cris d'Eeyou Istchee et le gouvernement du Québec*, Québec, Gouvernement du Québec, 24 juillet 2012, <www.autochtones.gouv.qc.ca/relations_autochtones/ententes/cris/entente-20120724.pdf>.

60. Sur la notion de « génocide industriel », cf. Alain Deneault, « Le "génocide involontaire". La négligence industrielle à caractère discriminatoire comme cause de l'extermination de peuples », dans Catalina Sagarra et Jacques Lemaire (dir.), dossier « Génocides : les figures de la victime », Bruxelles, *La pensée et les hommes*, nº 85, 2012, p. 199-211, repris dans Alain Deneault, *Faire l'économie de la haine. Douze essais pour une pensée critique*, Montréal, Écosociété, 2011.

61. Earle A. Ripley, Robert E. Redmann et Adèle A. Crowder, « Environmental effects of mining », CRC Press, 1995.

62. Vérificateur général du Québec à l'Assemblée nationale, *Rapport du vérificateur général du Québec pour l'année 2008-2009, op. cit.*, § 2.22 à 2.24

63. Alexandre Shields, « Sites miniers orphelins, Québec préfère décontaminer dans l'ombre », *Le Devoir*, 8 février 2013. Fin août 2013, la ministre des Ressources naturelles, Martine Ouellet, confirmait cette décision au quotidien *Le Devoir* : « La question des sites miniers orphelins fait déjà partie du passif environnemental du gouvernement. Les montants pour faire la restauration sont déjà réservés. » Cf. Alexandre Shields, « Restauration des sites miniers, Les Québécois devront payer la note, La facture s'élève à plus de 1,2 milliard », *Le Devoir*, 24 août 2013.

64. « Près de 10 000 sites miniers abandonnés au Canada », Montréal, Société Radio-Canada, 30 mai 2011, <www.radio-canada.ca/regions/abitibi/2011/05/30/001-mines-abandonnees-manitou.shtml>.

65. Alain Deneault, avec Delphine Abadie et William Sacher, *Noir Canada. Pillage, corruption et criminalité en Afrique*, Montréal, Écosociété, 2008, « Conclusion », p. 327-342.

66. Bureau d'audiences publiques sur l'environnement, « Organisme – Vision », <http://www.bape.gouv.qc.ca/sections/bape/organisme/>, page consultée le 10 novembre 2013. Le géographe Pierre André, qui est commissaire additionnel au BAPE depuis 2003, affirmait dans une conférence donnée à l'Université de Montréal en avril 2009 que l'existence du BAPE est importante pour valider le processus de décision. (Cf. Pierre André, « Les acteurs locaux et les projets de développement. Situation et défi de la participation citoyenne », acte du colloque *Les savoirs locaux, Défis pour la conservation des ressources naturelles*, Université de Montréal, 27 et 28 avril 2009.) Suivant cette logique, le BAPE serait un faire-valoir qui permet au gouvernement de légitimer les opérations d'une société privée en présentant la décision comme l'aboutissement d'un processus démocratique.

67. La mine à ciel ouvert creuse un cratère de 2 km de long sur 780 m de large et 350 m de profondeur en plein cœur de la petite ville. Il nécessite le « déplacement » (lire : la destruction) de 200 maisons et de 5 institutions publiques. Il utilisera quotidiennement 11 tonnes de cyanure, 25 millions de litres d'eau, 30 tonnes d'autres produits chimiques et générera près de 55 000 tonnes de déchets stériles. Chaque tonne de minerai utile traité donnera approximativement un gramme d'or.

68. « Les salaires démesurés offerts par les grandes industries font en sorte que tous les résidants veulent y travailler. 30, 40 $ de l'heure, sans compter les heures supplémentaires, les avantages sociaux et les bonus. Tout cela sans diplôme, sans expérience requise », cf. Nicolas Trudel, « Démesure nordique : La crise de Sept-Îles », Sherbrooke, *Le Collectif*, 21 mai 2013.

69. Alexandre Shields, « Des localités menacées par le Plan Nord », *Le Devoir*, 8 mai 2012.

70. Marc-Urbain Proulx et Pierre-Luc Vézina, « Travailleurs migrants et les impacts locaux et régionaux du nouveau front nordique actuel », Centre de recherche sur le développement territorial, Université du Québec à Chicoutimi, <www.forumplannord.com/sites/forum-plannord.com/files/marc-urbain_proulx_-_uqac_-_fr.pdf>, document consulté le 2 septembre 2012.

71. Daniel Roy, « Rio Tinto Alcan, L'hydroélectricité ne doit plus financer des conflits de travail », *Le Devoir*, 21 mai 2013.

72. « Après un processus de consultation qui s'est caractérisé par des critiques soutenues et une absence de consensus, le gouvernement du Québec a réduit les attentes dans les semaines précédant son annonce du 6 mai 2013, en laissant entendre que le nouveau régime serait le résultat d'un "compromis" entre les différents intervenants du secteur minier ayant des intérêts concurrents. Finalement, le nouveau régime met effectivement en œuvre des redevances nettement plus élevées que le régime actuel, mais nettement moins que ce qui était prévu au départ. » Cf. Ward Sellers, François Paradis et Hugo-Pierre Gagnon, *Plan Nord. Le nouveau régime de redevances minières du Québec*, Osler, 2013.

73. Institut du Nouveau Monde (INM), *L'avenir minier du Québec. Vers une nouvelle vision partagée du développement minier du Québec*, 2012, p. 7.

74. « Profil des retombées économiques des activités et des investissements du secteur minier au Québec », Québec, Ministère des Ressources naturelles et de la Faune, 2011, p. 6.

75. « Shawinigan - Rio Tinto Alcan fermera son aluminerie un an plus tôt », dépêche de la Presse canadienne reprise dans *Le Devoir*, 8 août 2013.

76. Marc-Urbain Proulx, « La dette de Rio Tinto Alcan et le Québec », *Le Devoir*, 3 et 4 janvier 2009.

77. Mark Winfield, Catherine Coumans, Joan Newman Kuyek, François Meloche et Amy Taylor, « Sous la surface », *op. cit.*, p. 16.

78. *Étude sur la restauration des mines de cuivre et de cobalt en République Démocratique du Congo*, SNC-Lavalin, avril 2003, p. 47.

79. Yves Chartrand, « Une nouvelle pelure de banane pour le gouvernement Charest », Montréal, *Rue Frontenac*, 3 avril 2009, <http://ruefrontenac.com/nouvelles-generales/politiqueprovinciale/3212-ychartrand-pelure-charest>.

80. Robert Dutrisac, « Marois entrouvre la porte au pétrole albertain », *Le Devoir*, 23 novembre 2012.

81. Andrew Nikiforuk, *Les sables bitumineux : la honte du Canada. Comment le pétrole sale détruit la planète*, Montréal, Écosociété, 2010, et Arnaud Mary, *Canada v. Recours aux paradis fiscaux/bancaires : dans quelle mesure la politique de lutte du Canada peut-elle être améliorée*, mémoire de maîtrise, Québec, Faculté de droit, Université Laval, 2011, p. 99-100.

82. Alexandre Shields, « Pétrole - Gisement de classe mondiale à Anticosti », *Le Devoir*, 15 décembre 2011.

83. Alexandre Shields, « Pétrolia lève le voile sur l'entente secrète », *Le Devoir*, 6 septembre 2013, et Vincent Brousseau-Pouliot et Paul Journet, « Hydro-Québec dévoile ses ententes avec Pétrolia », *La Presse*, 5 septembre 2013.

84. Hélène Choquette et Jean-Philippe Duval, *Les réfugiés de la planète bleue*, documentaire, Canada, 2007.

85. Andrew Nikiforuk, *Les sables bitumineux, op. cit.*, p. 179-180.

86. Ian Angus, « Le Canada, superpuissance énergétique ? », dans « La Question canadienne », Montréal, *Les Nouveaux Cahiers du socialisme*, n° 9, printemps 2013.

87. Michel Corbeil, « Le Plan Nord devient le "Nord pour tous" », *La Presse*, 31 octobre 2012.

88. Marie-Neige Besner, « Le "Nord pour tous" plutôt que le "Plan Nord" », Rimouski, *Le Mouton Noir*, 21 janvier 2013.

89. Cela s'inscrit dans la foulée du Plan d'action économique 2013 du gouvernement canadien, qui « prévoit des mesures destinées à réduire les formalités administratives, à diminuer les coûts, à améliorer l'accès aux programmes existants et à promouvoir l'avantage du Canada lié aux zones franches ». Cf. « Zones franches », Plan d'action économique du Canada, Ottawa, Gouvernement du Canada, <http://plandaction.gc.ca/fr/initiative/zones-franches #sthash.lWsDvq3w.dpuf>, page consultée le 2 septembre 2013.

90. «Québec investit 106 millions $ dans les aéroports du Nunavik et de la Côte-Nord», Québec, Ministère du Transport, 31 mars 2009.

91. Gérard Duhaime et Nick Bernard, «An inventory of abandoned mining exploration sites in Nunavik, Canada», *Le Géographe Canadien*, vol. 49, nᵒ 3, 2005, p. 260-271. «Québec investit 106 millions $ dans les aéroports du Nunavik et de la Côte-Nord», Québec, Ministère du Transport, *op. cit.*, et «Carte des secteurs chauds de l'exploration de l'Uranium», Québec, Ministère des Ressources naturelles et de la Faune, janvier 2009, <www.mrnf.gouv.qc.ca/mines/quebec-mines/2009-02/uranium3-g.jpg>.

92. «Stratégie minérale. Créer de la richesse et préparer l'avenir du secteur minéral québécois», Québec, Ministère des Ressources Naturelles et de la Faune, *op. cit.*, p. 15.

93. «Le Plan Nord et les Premières Nations: Quel est le plan de Jean Charest?», communiqué, Wendake (Québec), Assemblée des Premières Nations du Québec et du Labrador (APNQL), *Canada Newswire*, 11 mars 2009, <www.newswire.ca/en/story/493373/le-plan-nord-et-les-premieres-nations-quel-est-le-plan-de-jean-charest>.

94. «Efficacité Énergétique», Ottawa, Ministère des Ressources naturelles du Canada, 2007, <www.nrcan.gc.ca/eneene//effeff/induse-fra.php>.

95. Le projet de harnachement de la rivière Rupert entraînera inéluctablement une série de destructions aussi «durables» que le développement dont Hydro-Québec ne manque jamais de se réclamer. Les conséquences de telles infrastructures sur les écosystèmes, les êtres humains, la faune et la flore sont pourtant bien connues. Cf. «L'état de l'environnement au Canada», Ottawa, Ministère de l'Environnement du Canada, 1996, <www2.ec.gc.ca/soer-ree/Francais/SOER/1996report/Doc/1-7-3-6-6-2-1.cfm>. La production de méthylmercure suite à la formation des réservoirs des barrages, une substance hautement toxique qui empoisonne les poissons et ultimement les êtres humains, en est un exemple. Cf. «L'état de l'environnement au Canada», dans *Rapport sur l'état de l'environnement*, Ottawa, Ministère de l'Environnement du Canada, 1991.

96. Normand Mousseau, *Le défi des ressources minières*, Montréal, MultiMondes, 2012.

97. K. Storey, «Fly-in/Fly-out and Fly-over: mining and regional development in Western Australia», *Australian Geographer*, vol. 32, 2010, p. 133-148, dans H. Asselin, «Plan Nord: les Autochtones laissés en plan», *Recherches amérindiennes au Québec*, vol. 41, nᵒ 1, 2011, p. 37-46.

98. Diane Francis, «Quebec: world's smartest mining jurisdiction», Toronto, *Financial Post*, 18 juin 2008.

99. *Annual survey of Mining Companies 2008-2009*, Fraser Institute, 2009.

100. *Étude sur la restauration des mines de cuivre et de cobalt en République Démocratique du Congo*, SNC-Lavalin, avril 2003.

CHAPITRE SEPT

1986 - Les Îles Turques-et-Caïques
Onzième province canadienne en perspective

1. R. T. Naylor, *Hot Money, And the Politics of Debt*, Montréal et Kingston, McGill/Queen's University Press, 2004 [1987], p. 306.

2. Ivelaw L. Griffith, «Illicit Arms Trafficking, Corruption, and Governance in the Caribbean», *Dickinson Journal of International Law*, vol. 15, nᵒ 3, printemps 1997, p. 495-496.

3. «Turks and Caicos Update», circulaire du parlementaire Peter Goldring, nᵒ 73, mars 2009, p. 1.

4. «Max Saltsman», Hall of Fame, City Departments of Cambridge (ON), <www.cambridge.ca/cs_pubaccess/hall_of_fame.php?aid=41> et <www.cbc.ca/news/background/turksandcaicos/>, pages consultées le 31 mai 2013.

5. Gord Henderson, «Letting the Turks and Caicos Islands slip away», *The Windsor Star*, 6 avril 2013. Ces considérations xénophobes ressurgissent dès lors qu'on évoque de nouveau la possibilité de cette annexion, <www.theglobeandmail.com/news/politics/second-reading/the-11th-province/article789004/>.

6. Édouard Chambost, *Guide Chambost des paradis fiscaux*, Lausanne, Fabre, 8ᵉ édition, 2005, p. 440.
7. «Turks and Caicos Update», circulaire du parlementaire Peter Goldring, n° 73, *op. cit.*, p. 2. Le Canada établira toutefois en 1982 des relations diplomatiques avec la législation («Relations Canada - Les îles Turks et Caicos», Gouvernement du Canada, services consulaires de la Jamaïque, <www.canadainternational.gc.ca/jamaica-jamaique/bilateral_ relations_bilaterales/canada_turks-caicos.aspx?lang=fra>, page consultée le 29 mai 2013).
8. Steve Rennie, «A Place in the Sun? A formal association between the Turks & Caicos and Canada could be possible», Providenciales (Turques-et-Caïques), *Times of the Islands*, été 2004.
9. «Turks and Caicos Update», circulaire du parlementaire Peter Goldring, n° 73, *op. cit.*, p. 2.
10. «Turks and Caicos Update», circulaire du parlementaire Peter Goldring, n° 111, septembre 2011, p. 1-2.
11. Steve Rennie, «A Place in the Sun?», *op. cit.*
12. Une version du document est archivée: Dan McKenzie, *Report on practical measures which might be taken to increase trade, investment, and economic cooperation between Canada and the Turks*, Ottawa, Ministère des Affaires étrangères, 1989, <http://dfait-aeci.canadiana. ca/view/ooe.b2253045E/1?r=0&s=1>.
13. «Heaven Can Wait», émission *The Fifth Estate*, Toronto, Canadian Broadcasting Corporation (CBC), <www.cbc.ca/fifth/heavencanwait.html>, site consulté le 2 juin 2013.
14. Cet ancien militaire, député de la circonscription d'Edmonton-Est, a dû se retirer du caucus conservateur de 2011 à 2013 parce qu'il était accusé pendant cette période d'avoir refusé de subir un alcootest auprès de la police d'Edmonton. Drôle de justice, le magistrat de la Cour provinciale de l'Ontario, Larry Anderson, a confirmé son refus d'obtempérer, mais l'a quand même innocenté, en exceptant toutefois sa décision de la jurisprudence. «Il a néanmoins prévenu que son verdict ne devrait pas être utilisé comme précédent pour éviter de se soumettre à des sommations des policiers», a résumé la presse («Le député Goldring non coupable d'avoir refusé un test d'alcoolémie», Société Radio-Canada, 6 juin 2013. Pour la décision du juge Anderson: «Read the Peter Goldring decision by Judge Larry Anderson», *Edmonton Journal*, 7 juin 2013). Peter Goldring est un personnage controversé. Accumulant les méprises et les omissions historiques, il a diffusé un fascicule accusant Louis Riel d'avoir entravé en son temps la réalisation de la Confédération canadienne, en plus de déclarer qu'il a du «sang sur les mains» (cf. Chinta Puxley, «Calling Louis Riel a "villain" lands Conservative MP in hot water», dépêche de la Presse canadienne reproduite dans *The Globe and Mail*, 19 février 2010).
15. «Turks and Caicos Update», circulaire du parlementaire Peter Goldring, n° 73, *op. cit.*, p. 2.
16. *Ibid.*, p. 1.
17. *Ibid.*, p. 2.
18. «Turks and Caicos Update», circulaire du parlementaire Peter Goldring, n° 5, février 2004, p. 1, et Peter Goldring, Motion-474, «Affaires émanant des députés», Ottawa, Parlement du Canada, 12 novembre 2003, [publié le 17 novembre 2003], <www.parl.gc.ca/House Publications/Publication.aspx?Pub=NoticeOrder&Parl=37&Ses=2&File=8&Language=F>.
19. «N.S. votes to invite Turks and Caicos to join it», CBC, 22 avril 2004, <www.cbc.ca/news/ canada/story/2004/04/22/turkscaicos_040422.html>
20. «N.S. votes to invite Turks and Caicos to join it», *op. cit.*
21. Brad Sigouin, Robert Chaput et Leah Gregoire, *RBC Dominion Securities Inc.*, <http://dir. rbcinvestments.com/brad.sigouin>, page consultée le 26 août 2014.
22. *Ibid.*
23. Amanda Banks, «Idea Of A Canadian Place In The Sun Remains Alive», Londres, *Tax-News.com*, 24 mars 2004.
24. Chris Morris, «Business leaders and politicians resurrect idea of Canadian, Caribbean union», dépêche de la Presse canadienne, 15 mars 2004, et «Indepth: Turks and Caicos, Canada's Caribbean ambition», Canadian Broadcasting Corporation (CBC), 16 avril 2004, <www.cbc.ca/news/background/turksandcaicos/>.
25. «Turks and Caicos Update», circulaire du parlementaire Peter Goldring, n° 39, mai 2005, p. 1.

26. Jean-Michel Demetz, « Ma cabane sous les tropiques », *L'Express international*, semaine du 16 au 20 août 2004.

27. Matt Sandy, « Michael Misick : Turks and Caicos premier facing extradition from Brazil », *The Telegraph*, 28 avril 2013.

28. « Turks and Caicos Update », circulaire du parlementaire Peter Goldring, n° 111, *op. cit.*, p. 1, et Massimo Pacetti, présentation de la motion-409, « Affaires émanant des députés », 15 septembre 2009, Ottawa, Parlement du Canada.

29. « Turks and Caicos Update », circulaire du parlementaire Peter Goldring, n° 111, *op. cit.*, p. 1.

30. Damien McElroy, « Turks and Caicos : Britain suspends government in overseas territory. The Foreign Office suspended the constitution of the Turks and Caicos on Friday after an inquiry recommend root-and-branch reforms to tackle endemic corruption », *The Telegraph*, 14 août 2009.

31. « Turks and Caicos Update », circulaire du parlementaire Peter Goldring, n° 111, *op. cit.*, p. 1.

32. « Welcome to FortisTCI », <www.fortistci.com/>, page consultée le 26 août 2013.

33. « National Hospital, Turks and Caicos Islands », InterHealth Canada, <www.interhealth canada.com/projects/projects.asp?categorycode=ART00196&ID=ART00164&SubID=ART 00189>, page consultée le 26 août 2013.

34. « Caribbean cops want Mounties removed », Agence QMI, 28 novembre 2011, <http://cnews. canoe.ca/CNEWS/Canada/2011/11/28/19028706.html>.

35. Gord Henderson, « Letting the Turks and Caicos Islands slip away », *op. cit.*

36. Peter Kuitenbrouwer, « Islanders irked by RCMP raid on tropical tax haven Paradise Threatened », *The National Post*, 3 avril 1999.

37. Bruce Livesey, « The offshore banking nightmare », Toronto, *Canadian Lawyer*, février 2012.

38. Grégoire Duhamel, *Les paradis fiscaux*, Paris, Éditions Grancher, 2006, p. 560.

39. *Ibid.*, p. 559.

40. Édouard Chambost, *Guide Chambost des paradis fiscaux, op. cit.*, p. 447.

41. Thierry Godefroy et Pierre Lascoumes, *Le Capitalisme clandestin. L'illusoire régulation des places offshore*, Paris, La Découverte, 2004, p. 104. Lire aussi : « Turks & Caicos », *Can-Offshore.org*, <http://www.can-offshore.com/tax-havens/Turks-and-Caicos-isles-tax-haven.htm>.

42. Patrice Meyzonnier, *Trafics et crimes en Amérique centrale et dans les Caraïbes*, Paris, Presses universitaires de France, 1999, p. 93.

43. Édouard Chambost, *Guide Chambost des paradis fiscaux, op. cit.*, p. 445.

44. « Turks & Caicos », *Can-Offshore.org, op. cit.*

45. « Insurance sector captivating the financial services industry », Providenciales, *Turks & Caicos Free Press*, 12 novembre 2012.

46. « Captives : une solution souple et efficace pour le financement de vos risques », Aon, <www. aon.fr/france/produits-et-services/reassurance/captives.jsp>, page consultée le 2 juin 2013.

47. « Captives d'assurance et de réassurance », dans « Guide des paradis fiscaux », 8 avril 2013, *Slate.fr*, <www.slate.fr/story/70407/paradis-fiscal-guide-specialites>.

48. « Ceded reinsurance leverage », *InvestorWords.com*, <www.investorwords.com/15300/ ceded_reinsurance_leverage.html>, page consultée le 8 avil 2013.

49. « La BCE a participé aux travaux du Forum sur la stabilité financière qui a examiné, entre autres, l'adoption de normes internationales par les centres financiers extraterritoriaux, les progrès réalisés dans la mise en œuvre de ses recommandations concernant les institutions à fort effet de levier, et les pratiques de transparence dans le secteur de la réassurance. » Banque centrale européenne, *Rapport annuel*, Francfort-sur-le-Main, 2002, <www.ecb. europa.eu/pub/pdf/annrep/ar2002fr.pdf>, p. 118.

50. « Why domicile your captive in the Turks and Caicos Islands ? », *Captive.com*, <http:// captive.com/showcase/turks/>, page consultée le 26 août 2013.

51. « Turks and Caicos Update », circulaire du parlementaire Peter Goldring, n° 39, *op. cit.*, p. 3.

52. Grégoire Duhamel, *Les paradis fiscaux, op. cit.*, p. 555.

53. « Turks and Caicos Update », circulaire du parlementaire Peter Goldring, n° 73, *op. cit.*, p. 3.

54. « Turks and Caicos Update », circulaire du parlementaire Peter Goldring, n° 39, *op. cit.*, p. 3.

55. Steve Rennie, « A Place in the Sun ? », *op. cit.*

56. *Ibid.*

57. Chapitre « Delaware, USA : le paradis intérieur », dans Alain Deneault, *Faire l'économie de la haine. Douze essais pour une pensée critique*, Montréal, Écosociété, 2011.
58. « Turks and Caicos Update », circulaire du parlementaire Peter Goldring, n° 73, *op. cit.*, p. 3. « Je préconise qu'un accord de partenariat économique, sous une forme ou une autre, soit négocié entre le Canada et les îles Turques-et-Caïques. Cela pourrait signifier de s'associer avec ces îles en créant un accord de libre-échange, ou peut-être en établissant une union douanière. »
59. Peter Kuitenbrouwer, « Islanders irked by RCMP raid on tropical tax haven Paradise Threatened », *op. cit.*

CHAPITRE HUIT
1994 – L'Ontario
Pôle financier de l'industrie minière mondiale

1. Thierry Michel, *Katanga Business*, Les Films de la Passerelle, Les Films d'Ici et RTBF, Belgique, 2009.
2. Toronto Stock Exchange, « A Capital Opportunity – Mining », 2012, <www.tmx.com/en/pdf/Mining_Presentation.pdf>.
3. Alain Deneault, avec Delphine Abadie et William Sacher, *Noir Canada. Pillage, corruption et criminalité en Afrique*, Montréal, Écosociété, 2008 ; ainsi que Alain Deneault et William Sacher, *Paradis sous terre. Comment le Canada est devenu la plaque tournante de l'industrie minière mondiale*, Montréal/Paris, Écosociété/Rue de l'Échiquier, 2012 ; de même qu'un article rendant compte de ces travaux, Alain Deneault et William Sacher, « L'industrie minière reine du Canada. La Bourse de Toronto séduit les sociétés de prospection et d'extraction », Paris, *Le Monde diplomatique*, septembre 2013.
4. *Renforcer l'avantage canadien : Stratégie de responsabilité sociale des entreprises (RSE) pour les sociétés extractives canadiennes présentes à l'étranger*, Ottawa, Ministère des Affaires étrangères et du Commerce international (MAECI), mars 2009, <www.international.gc.ca/trade-agreements-accords-commerciaux/ds/csr-strategy-rse-stategie.aspx?lang=fra>.
5. Alain Deneault et William Sacher, « Prolégomènes », *Paradis sous terre*, *op. cit.*, p. 29-53 (Écosociété) et p. 33-61 (Rue de l'Échiquier).
6. Bruce Livesey, *Thieves of Bay Street*, Toronto, Vintage Canada, 2012, p. 226-227 et 233.
7. « Les crimes financiers sont ignorés au Canada, Claude Lamoureux estime que ce type de délit est traité avec légèreté », dépêche de La Presse canadienne reproduite dans *Le Devoir*, 12 septembre 2007.
8. William J. McNally et Brian F. Smith, « Do Insiders Play by the Rules ? », *Canadian Public Policies – Analyses de politiques*, vol. 29, n° 2, 2003, p. 137.
9. François Desjardins, « Régler sans avouer – La CVMO devra être prudente dans l'application de sa nouvelle politique, dit Fair Canada », *Le Devoir*, 25 octobre 2011.
10. Bruce Livesey, *Thieves of Bay Street*, *op. cit.*, p. 233.
11. « Kinross Gold and Katanga Mining : Part of the Pillage of the Democratic Republic of Congo ? », Ottawa, Mining Watch, 8 avril 2006, <www.miningwatch.ca/kinross-gold-and-katanga-mining-part-pillage-democratic-republic-congo>.
12. Christophe Lutundula (prés.). *Commission spéciale chargée de l'examen de la validité des conventions à caractère économique et financier conclues pendant les guerres de 1996-97 et de 1998*, Kinshasa, Parlement de la République démocratique du Congo, diffusé sur internet en 2006, p. 150 [selon la pagination interne au document].
13. Amnesty International, *République démocratique du Congo : Les flux d'armes à destination de l'est*, Londres, 5 juillet 2005, Index AI : AFR 62/006/2005, p. 47n69.
14. Gilles Labarthe, avec François-Xavier Verschave, *L'Or africain. Pillage, trafics & commerce international*, Marseille, Agone, coll. « Dossiers noirs », 2007, p. 56. Lire aussi : *Golden profits on Ghana's expense*, Copenhague, Dan Watch et Concord Danmark, mai 2010, p. 9.
15. Christophe Lutundula (prés.). *Commission spéciale chargée de l'examen de la validité des conventions à caractère économique et financier conclues pendant les guerres de 1996-97 et de 1998*, *op. cit.*, p. 122.

16. Raymond W. Baker, *Le talon d'Achille du capitalisme. L'argent sale et comment renouveler le système d'économie de marché*, Montréal, alTerre Éditions, 2007 [2005], p. 295.

17. « How big is the problem, and what is its nature ? », Oxford (UK), Globalisation for the Common Good Initiative, 8 août 2012, <www.gcgi.info/blog/277-neo-liberalisma-austerity-privatisation-of-profits-and-benefitsa-socialisation-of-costs-and-consequences->, à partir des données du Tax Justice Network, <www.taxjustice.net/cms/front_content.php?idcatart =2&lang=1>. Voir également le graphique produit par le *National Geographic*, mai 2010, reproduit par *Democratic Underground*, <www.democraticunderground.com/discuss/ duboard.php?az=view_all&address=439x413398>. Lire également: *Stolen Asset Recovery (StAR) Initiative: Challenges, Opportunities, and Action Plan*, New York, Office des Nations unies contre la drogue et le crime, et Washington, la Banque mondiale, juin 2007.

18. « Tax haven crackdown could deliver $120bn a year to fight poverty », Oxford (UK), Oxfam international, 13 mars 2009, <www.oxfam.org/fr/pressroom/pressrelease/2009-03-13/tax-haven-could-deliver-120bn-year-fight-poverty>.

19. Entrée « Canada », dans *Rapport annuel 2011*, Paris, Groupe de travail de l'OCDE sur la corruption, 2011, p. 54-57, et Éric Desrosiers, « Lutte contre la corruption : l'OCDE déplore la mollesse du Canada, Une seule entreprise a été poursuivie et condamnée depuis 1997 », *Le Devoir*, 29 mars 2011.

20. Agence QMI, « Corruption : le Canada peut mieux faire, dit l'OCDE », *Canoe.ca*, 28 mars 2011.

21. Organisation des Nations unies, *Rapport du Groupe d'experts sur l'exploitation illégale des ressources naturelles et autres formes de richesse de la République démocratique du Congo*, rapport S/2001/357, annexe I, 12 avril 2001, et *Rapport final du Groupe d'experts sur l'exploitation illégale des ressources naturelles et autres formes de richesse de la République démocratique du Congo*, rapport S/2002/1146, annexe III, 16 octobre 2002.

22. *Rapport final du Groupe d'experts sur l'exploitation illégale des ressources naturelles et autres formes de richesse de la République démocratique du Congo*, op. cit., 16 octobre 2002.

23. *Renforcer l'avantage Canadien*, op. cit.

24. La directive 51-102 du gouvernement fédéral étant citée dans Claire Woodside, « Lifting the Veil : Exploring the transparency of Canadian companies », Ottawa, Publish What You Pay – Canada, 2009, p. 14.

25. John Ruggie, « Obstacles to Justice and Redress for Victims of Corporate Human Rights Abuse », Oxford Pro Bono Publico, University of Oxford, 3 novembre 2008.

26. Bertrand Marotte, « Guatemalan mine claims against HudBay can be tried in Canada, judge says », *The Globe and Mail*, 23 juillet 2013.

27. Donald G. Rogich et Grecia R. Matos, *The global flows of metals and minerals: U.S. Geological Survey Open-File Report 2008–1355*, Reston (VA), U.S. Geological Survey (USGS), 2008.

28. Cf. chapitre VI d'Alain Deneault et William Sacher, *Paradis sous terre*, op. cit.

29. « Espionnage : le Brésil demande des explications au Canada », Société Radio-Canada, 7 octobre 2013, <http://m.radio-canada.ca/nouvelles/International/2013/10/06/012-canada-espionnage-bresil.shtml>.

30. Groupe d'étude sur les finances et la fiscalité, *Rapport final*, Initiative minière de Whitehorse, novembre 1994, p. 5.

31. Toronto Stock Exchange, « A Capital Opportunity – Mining », op. cit.

32. Voir Alain Deneault, « *Gouvernance* ». *Le management totalitaire*, Montréal, Lux, 2013.

33. Groupe d'étude sur les finances et la fiscalité, *Rapport final*, Initiative minière de Whitehorse, op. cit., p. 1.

34. « Initiative minière de Whitehorse », Ottawa, Ministère canadien des Ressources naturelles, version mise à jour le 14 juin 2011, <www.rncan.gc.ca/mineraux-metaux/politique/gouvernement-canada/3548>.

35. *Ibid.*

36. *Miner les forêts. La nécessité de contrôler les sociétés minières transnationales : une étude de cas sur le Canada*, le Forest Peoples Programme (Moreton-in-Marsh, Royaume-Uni), les Philippine Indigenous Peoples Links (Stanford-in-the-Vale, Royaume-Uni) et le World Rainforest Movement (Montevideo, Uruguay), janvier 2000, p. 18.

37. *The Northern Miner* du 26 septembre 1994, cité dans *ibid.*, p. 18 et 18n136.
38. Comité permanent de l'Environnement et du Développement durable, Ottawa, Parlement du Canada, 35ᵉ Législature, 1ᵉʳᵉ Session, 28 novembre 1995.
39. « Initiative minière de Whitehorse », *op. cit.*
40. Comité permanent de l'Environnement et du Développement durable, Ottawa, Parlement du Canada, 35ᵉ Législature, 1ᵉʳᵉ Session, 28 novembre 1995, *op. cit.*
41. « Actions accréditives », Ottawa, Agence du Revenu du Canada, 28 avril 2008, et Comité permanent de l'Environnement et du Développement durable, Ottawa, Parlement du Canada, 35ᵉ Législature, 1ᵉʳᵉ Session, 28 novembre 1995, *op. cit.*
42. Ceci implique qu'à l'heure actuelle, un investisseur qui achète pour 50 000 $ d'actions d'une minière canadienne peut déduire ce même montant de son revenu imposable annuel ainsi qu'un supplément de 15 % de ce montant au niveau fédéral (15 % * 50 000 $ = 7 500 $) et un autre pourcentage au niveau provincial (ex : 10 % en Saskatchewan, 10 % * 50 000 $ = 5 000 $). On parle donc d'une réduction d'impôt de 62 500 $ pour cet investisseur.
43. David Ndubuzor, Katelyn Johnson et Jan Pavel, « Using Flow-Through Shares to Stimulate Innovation Companies in Canada », The Greater Saskatoon Chamber of Commerce, 2009, p. 13.
44. Guy Taillefer, « Barrick Gold - Liste noire », Montréal, *Le Devoir*, 5 février 2009, et Jean-François Barbe, « Desjardins bénéficie de la popularité des fonds de fonds et de l'ISR », *Finance et investissement*, 5 septembre 2013.
45. Keith Schaefer, « Energy Income Trusts : A Comeback in the Making », *Oil and Gas Investment Bulletin*, 2011. Traduction libre : « Mais le marché a trouvé une faille qui pourrait permettre la création de nombreuses nouvelles fiducies – en particulier dans le secteur de l'énergie : ne pas utiliser d'actifs canadiens [...] L'année dernière, Eagle Energy Trust (EGL. UN) est entré au TSX, ce qui en faisait la première fiducie pétrolière et gazière canadienne cotée en bourse depuis la surprise d'Halloween de Flaherty en 2006. La société ne détient que des actifs pétroliers à l'étranger [...], une faille qui l'exclut du nouveau régime fiscal canadien. »

CHAPITRE NEUF

1998 – Le Canada
Paradis fiscal

1. Sylvain Fleury, « L'évitement fiscal abusif : Problématique et contexte canadien », *Publication No. 2010-22F*, Division des affaires internationales, du commerce et des finances, Service d'information et de recherche parlementaires, Bibliothèque du Parlement, 2010, p. 1.
2. « L'évitement fiscal international et les « paradis fiscaux » », Ottawa, Ministère des Finances, 2007, <www.fin.gc.ca/n07/data/07-041_2-fra.asp>.
3. Sylvain Fleury, « L'évitement fiscal abusif : Problématique et contexte canadien », *op. cit.*, p. 4.
4. « L'évitement fiscal international et les « paradis fiscaux » », *op. cit.*
5. « Rapport annuel de l'Agence du revenu du Canada au Parlement », Ottawa, Agence du revenu du Canada, 2008, p. 20, <www.cra-arc.gc.ca/gncy/nnnl/2007-2008/prfrmnc-f/rc4425-08fra.pdf>.
6. Sylvain Fleury, « L'évitement fiscal abusif », *op. cit.*, p. 1.
7. James Rajotte, *La fraude fiscale et le recours aux paradis fiscaux. Rapport du Comité permanent des finances*, Ottawa, Comité permanent des Finances, Parlement du Canada, mai 2013, <www.parl.gc.ca/HousePublications/Publication.aspx?Language=F&DocId =6085040>.
8. Rejetant les conclusions officielles du Comité, les membres des partis d'opposition y étant représentés ont choisi d'annexer leur propre analyse. Cf. Nouveau parti démocratique (NPD), « Opinion complémentaire du Nouveau parti démocratique », dans James Rajotte, *La fraude fiscale et le recours aux paradis fiscaux, op. cit.*, p. 43-45, et Parti libéral du Canada (PLC), « Opinion complémentaire du Parti libéral du Canada », dans James Rajotte, *La fraude fiscale et le recours aux paradis fiscaux, op. cit.*, p. 48-51.

9. Réponse à une question du sénateur Downe, dans James Rajotte, *La fraude fiscale et le recours aux paradis fiscaux, op. cit.*, p. 48.
10. Michel Munger, « Un sommet de popularité pour les paradis fiscaux », Montréal, *Canal Argent*, 17 mai 2013.
11. Nous en avons fait état auprès du Comité nous-même en juin 2013, cf. Alain Deneault, Ottawa, déposition auprès du Comité permanent des Finances, Parlement du Canada, 17 juin 2013, <http://rjfqc.org/2013/06/27/alain-deneault-a-la-chambre-des-communes/>.
12. James Rajotte, *La fraude fiscale et le recours aux paradis fiscaux, op. cit.*, p. 44.
13. *Ibid.*, p. 30
14. Le gouvernement fédéral injecte alors 15 millions de dollars dans le budget de fonctionnement de l'Agence du revenu du Canada (ARC), de façon à améliorer l'analyse des transferts financiers électroniques internationaux de plus de 10 000 $. Une autre tranche de 15 millions de dollars (déjà incluse dans le budget de l'ARC) devra être réaffectée pour l'observation, la vérification et le recouvrement des recettes à l'échelle internationale. Cf. « *Le gouvernement Harper annonce des nouvelles mesures pour lutter contre l'évasion fiscale et l'évitement fiscal abusif internationaux* », Ottawa, Ministère du Revenu national, communiqué, 8 mai 2013.
15. Marco Fortier, « Paradis fiscaux, Ottawa défend son offensive », *Le Devoir*, 6 avril 2013, et Denis-Martin Chabot, « Évasion fiscale : Ottawa ferme son centre montréalais de divulgation volontaire », Radio-Canada, 5 avril 2013, <www.radio-canada.ca/nouvelles/Politique/2013/04/05/003-arc-divulgation-evasion-fiscale.shtml>.
16. Dans la perspective de la firme, les États ont à faire comme les paradis fiscaux : utiliser tous les leviers à leur disposition pour favoriser à tout prix les investissements. « Competitive Alternatives 2012 : Special Report : Focus on Tax », *KPMG's Guide to International Business Location*, KPMG, 2012. « Competitive Alternatives 2012 : Special Report : Focus on Tax », *KPMG's Guide to International Business Location*, KPMG, 2012, <www.competitivealternatives.com/highlights/taxfocus.aspx>.
17. Dans l'ordre du plus compétitif au moins compétitif au niveau fiscal : (1) Inde, (2) Canada, (3) Chine, (4) Mexique, (5) Russie, (6) Royaume-Uni, (7) Pays-Bas, (8) États-Unis, (9) Allemagne, (10) Australie, (11) Brésil, (12) Japon, (13) Italie, (14) France. Cf. « Competitive Alternatives 2012 : Special Report : Focus on Tax », *op. cit.*
18. Le *Total Tax Index* (TTI) compile un agrégat de taxes nationales et locales : imposition sur le revenu des entreprises, taxe sur le capital, taxe de vente, taxe foncière, autres taxes corporatives municipales et provinciales, coûts de la main-d'œuvre.
19. *Paying Tax 2012 : Sommaire pour le Canada*, PricewaterhouseCoopers, avec la Banque mondiale, 2013, <www.pwc.com/ca/fr/tax/paying-taxes.jhtml>.
20. Ce classement tient compte également de trois facteurs hautement considérés par les entreprises : 1) le nombre de paiements (plus le nombre est bas plus l'entreprise est satisfaite) ; 2) le nombre d'heures consacrées à l'observation (plus le nombre est bas moins on a de chance de se faire prendre) ; et 3) le taux total d'imposition.
21. Claude-André Mayrand, « Laval intéresse les Chinois : un centre de commerce mondial et un "chinatown" de luxe dans l'ancien ciné-parc », *Le Journal de Montréal*, 27 novembre 2013.
22. « Société Offshore au Canada », Paris, France-Offshore, 2012, <www.france-offshore.fr/societe-offshore-canada>, page consultée le 18 avril 2012 ; et « Ouvrir un compte bancaire au Canada », Company-Creation, <www.company-creation.com/ouvrir-compte-Canada/>, page consultée le 18 avril 2012. Ces services sont loin d'être tous recommandables, moins parce qu'ils mentent sur les tactiques auxquels ils recourent, que parce qu'ils exposent leur clientèle à des fraudes (« Un patron d'un site offshore en examen », dépêche de l'Agence France-Presse publiée dans *Le Figaro*, 19 décembre 2012).
23. « Canada », France-Offshore, <www.france-offshore.fr/creation-societe-au-canada-pays22.htm>, page consultée le 20 décembre 2010.
24. Par *individus fortunés*, on ne se réfère pas simplement à ce 1 % de la population canadienne qui affiche des revenus annuels supérieurs à 250 000 $, mais plutôt à ceux dont la richesse est attribuable à des gains en capitaux, des retours d'investissement, des options d'achat ainsi qu'à la spéculation boursière, immobilière, monétaire, etc. Lorsque le revenu d'un individu n'est pas imposable à la source comme il l'est pour un salarié, il est plus facilement envisageable pour cet individu de pratiquer l'évitement fiscal.

25. Frédéric Rogenmoser, Martine Lauzon et Léo-Paul Lauzon, *Le réel taux d'imposition de grandes entreprises canadiennes : du mythe à la réalité. Analyse socio-économique de 2009 à 2011 des plus grandes entreprises*, Laboratoire d'études socio-économiques, Université du Québec à Montréal (UQAM), octobre 2012, p. 8-10.

26. Selon les propos rapportés par l'Agence QMI, dans « Ces riches qui ne paient toujours pas d'impôts », Montréal, *Canoë.ca*, 11 février 2011.

27. Ministère des Finances du Canada (2006), « Budget 2006 : Cibler les priorités », <www.fin. gc.ca/budget06/bp/bpa3a-fra.asp>, page consultée 23 avril 2012.

28. La titrisation des dettes est une stratégie financière qui consiste à morceler les dettes pour ensuite les revendre sur les marchés financiers. Cela permet entre autres au prêteur de se dégager du risque de non-remboursement des prêts.

29. Kathleen Penny, « Canadian Securitization Update – Capital Tax Elimination – Implications for Cross-Border Securitization », 2006, <http://blakes.com/english/view.asp?ID=338>, page consultée le 23 avril 2012.

30. Dean Beeby, « De "l'argent qui dort", vraiment », La Presse canadienne, dépêche reprise dans *Le Devoir*, 25 juin 2013.

31. Éric Pineault, « Baisse d'impôt aux entreprises. Une baisse d'impôt pour des milliards qui dorment », *Le Devoir*, 14 avril 2011.

32. Jim Stanford, « The Failure of Corporate Tax Cuts to Stimulate Business Investment Spending », dans Richard Swift (dir.), *The Great Revenue Robbery : How to Stop the Tax Cut Scam and Save Canada*, Toronto, Between the lines, 2013, p. 67.

33. Léo-Paul Lauzon, *Le recel des gains de capitaux*, Chaire d'études socio-économiques, Université du Québec à Montréal (UQAM), 2011.

34. *Ibid.*, p. 8.

35. Marc-André Séguin, « Sociétés écrans : Aveuglement volontaire », *National*, Ottawa, Association du Barreau canadien, juin 2013.

36. Jason C. Sharman, Michael Findley et Daniel Nielson, *Global Shell Games : Experiments in Transnational Relations*, Cambridge, Cambridge University Press, 2013.

37. « Évasion fiscale : les pratiques douteuses de professionnels canadiens », d'après un reportage de Marie-Maude Denis et Timothy Sawa, site internet, Montréal, Société Radio-Canada, 2 octobre 2013, <www.radio-canada.ca/nouvelles/societe/2013/10/02/008-evasion-fiscale-enquete-pratiques-douteuses-professionnels-canadiens.shtml>.

38. « La loi sur le blanchiment d'argent en Cour suprême », La Presse canadienne, dépêche reprise par *Droit-Inc.*, 10 octobre 2013, <www.droit-inc.com/article11127-La-loi-sur-le-blanchiment-d-argent-en-Cour-supreme>.

39. Chantal Cutajar *et coll.*, *L'avocat face au blanchiment d'argent*, Paris, Éditions Francis Lefebvre, coll. « Dossiers pratiques », 2013.

40. « Avantages en matière de taxes et de droits au Canada : Tirez profit des zones franches… partout au Canada ! », Ottawa, Ministère du Transport, 2009, <http://publications.gc.ca/collections/collection_2010/tc/T22-178-2009-fra.pdf>.

41. *Ibid.*, p. 1.

42. « Canada », France-Offshore, *op. cit.*

43. Ulysse Bergeron et Jean-François Nadeau, « Au Canada, une industrie comme chez elle », Paris, *Le Monde diplomatique*, décembre 2013, <http://www.monde-diplomatique.fr/2013/12/BERGERON/49921>.

44. Brigitte Alepin, *Ces riches qui ne paient pas d'impôts. Des faits vécus impliquant des gens du milieu des affaires, de la politique, du spectacle, des sociétés publiques et même des Églises*, Montréal, Éditions du méridien, 2004, p. 207.

45. Léo-Paul Lauzon, *44 milliards de dollars d'impôts reportés par vingt entreprises canadiennes en 2005*, Chaire d'études socio-économiques, Université du Québec à Montréal, 2008, p. 8.

46. *Ibid.*, p. 4.

47. Michel Bernard, Léo-Paul Lauzon et Martin Poirier, *La désinvolture des gouvernements face à l'évitement des impôts par les compagnies*, Département des sciences comptables, Université du Québec à Montréal, 1995.

48. Au courant des années 1990, l'engouement pour les nouvelles compagnies internet (Yahoo, Altavista, etc.) a mené à une *ruée vers l'or* à la bourse. Les firmes dites *dot com* on fait l'objet

d'investissements spéculatifs aveugles et le prix de leurs actions a gagné des hauteurs vertigineuses. Ces actions *dot com* offraient des taux de rendement impressionnants pour les investisseurs, pour ne pas dire, littéralement, incroyables. Comme pour toute bulle spéculative, au moment de son éclatement, les valeurs des actions ont chuté dramatiquement. Les investisseurs qui se sont retirés des *dot com* ont cherché d'autres lieux d'investissement aussi profitables. Les fiducies de revenu se sont alors présentées comme une solution.

49. Peter Beck et Simon Romano, *Canadian Income Funds: Your Complete Guide To Income Trusts, Royalty Trusts and Real Estate Investment Trusts*, Mississauga (ON), John Wiley & Sons Canada, 2004, p. 6.

50. « Ottawa rattrape les fiducies de revenu », site internet, Société Radio-Canada, 1er novembre 2006, <www.radio-canada.ca/nouvelles/Politique/2006/10/31/005-taxe-fiducies.shtml>.

51. « Taux d'impôt des sociétés », Agence du revenu du Canada, Ottawa, Ministère des Finances, 15 mars 2013, <www.cra-arc.gc.ca/tx/bsnss/tpcs/crprtns/rts-fra.html>.

52. Keith Schaefer, « Energy Income Trusts: A Comeback in the Making », *Oil and Gas Investment Bulletin*, 2011.

53. *Ibid.*, p. 2.

54. Le budget Flaherty de 2010 élimine « la nécessité de déclarer l'impôt en vertu de l'article 116 de la *Loi de l'impôt sur le revenu* sur de nombreux placements en resserrant la définition de "bien canadien imposable" », cf. « Le ministre des Finances dépose la Loi sur l'emploi et la croissance économique », Ottawa, Ministère des Finances, 29 mars 2010, <http://news.gc.ca/web/article-fra.do?m=/index&nid=521819>.

55. Brigitte Alepin, témoignage auprès du Comité permanent des finances, Ottawa, Parlement du Canada, 1er février 2011, <www.parl.gc.ca/HousePublications/Publication.aspx?DocId=4914078&Mode=1&Language=F>.

56. Une société par actions qui est incorporée en Suisse peut émettre des actions au porteur. Ces dernières se différencient des actions habituelles en ce sens que le nom du détenteur réel des actions de la compagnie n'est affiché sur aucun registre officiel, et il reste ainsi dans l'anonymat. Les actions sont données à l'investisseur sous la forme d'une *preuve d'achat* quelconque de laquelle il devient le porteur. La société par actions au porteur peut ensuite mettre en place un *président* qui deviendra le seul visage public de cette société autrement anonyme.

57. Selon François Lavoie, « un investisseur qui possède 10 % ou plus des titres avec droit de vote d'une entreprise est en relation d'investissement direct ». Cf. François Lavoie, « L'investissement direct canadien dans les centres financiers offshore », Ottawa, Statistique Canada, n° 21, 2005, <http://dsppsd.tpsgc.gc.ca/Collection/Statcan/11-621-M/11-621MIF 2005021.pdf>.

58. *Ibid.*, p. 1.

59. *Ibid.*, p. 3.

60. Carole Graveline, *Paradis fiscaux: l'évasion fiscale canadienne augmente*, Montréal, Société Radio-Canada, 15 octobre 2009, <www.radio-canada.ca/nouvelles/Economie/2009/10/15/016-paradis-fiscaux.shtml>.

61. François Lavoie, « L'investissement direct canadien dans les centres financiers offshore », *op. cit.*, p. 2.

62. Michel Munger, « Un sommet de popularité pour les paradis fiscaux », *op. cit.*

63. Jean-Pierre Vidal, « La concurrence fiscale favorise-t-elle les planifications fiscales internationales agressives ? », dans Jean-Luc Rossignol (dir.), *La gouvernance juridique et fiscale des organisations*, Paris, Lavoisier, 2010, p. 190.

64. Walid Hejazi, « Offshore Financial Centers and the Canadian Economy », Rotman School of Management, University of Toronto, 2007, p. 17, <www.rotman.utoronto.ca/facbios/file/Hejazi%20Barbados%20Study%20Rotman%20Website.pdf>.

65. François Lavoie, « L'investissement direct canadien dans les centres financiers offshore », *op. cit.*, p. 5-6.

66. Léo-Paul Lauzon et Marc Hasbani, *Les banques canadiennes et l'évasion fiscale dans les paradis fiscaux: 16 milliards de dollars d'impôts éludés*, Chaire d'études socio-économiques, Université du Québec à Montréal, 2008.

67. *Ibid.*, p. 18.

68. *Ibid.*, p. 5.
69. «Canadian banks operate offshore, Big 5 financial institutions have branches in locales from Switzerland to Singapore», Canadian Broadcasting Corporation, 24 juin 2013, <http://www.cbc.ca/news2/interactives/banks-canada/>.
70. «Paradis fiscaux, le rôle des banques canadiennes», Montréal, Société Radio-Canada, 25 juin 2013, <www.radio-canada.ca/nouvelles/International/2013/06/25/012-paradis-fiscaux-banques-canadiennes.shtml>.
71. *Supra*, chapitre 5.
72. *Modèle de convention sur l'échange efficace de renseignements en matière fiscale*, Paris, Organisation de coopération et de développement économiques (OCDE), 2002.
73. Dans le budget fédéral de janvier 2009, le gouvernement fait état des travaux de ce groupe. Celui-ci met en lumière l'importance que représentent les conventions fiscales et les AERF pour la compétitivité fiscale canadienne. Il est stipulé, p. 23, art. 4.12 du rapport, ceci : «Les dividendes versés à même les revenus tirés d'une entreprise exploitée activement par une société étrangère affiliée [à un individu canadien ou à une société canadienne] sont exonérés d'impôt au Canada dans la mesure où la société étrangère affiliée est résidente et exploite la dite entreprise dans un pays ayant signé une convention fiscale avec le Canada […]. Selon des modifications récemment promulguées applicables aux années d'imposition commençant après 2008, le même traitement s'appliquera aux dividendes versés à même les revenus tirés d'une entreprise exploitée activement par une société étrangère affiliée dans un pays ayant conclu avec le Canada un accord d'échange de renseignements à des fins fiscales ou AERF.» Cf. Accords d'échange de renseignements en matière fiscale», Ottawa, Ministère des Finances, 29 août 2009, <www.fin.gc.ca/n08/data/09-080_1-fra.asp>.
74. Groupe consultatif sur le régime canadien de fiscalité internationale, *Rapport final : Promouvoir l'avantage fiscal international du Canada*, Ottawa, Ministère des Finances, 2008, p. 27, art. 4.29, <www.apcsit-gcrcfi.ca/07/cp-dc/pdf/finalReport_fra.pdf>.
75. *Ibid.*, p. 31, art. 4.41.
76. Les membres en sont Peter C. Godsoe de la Banque Scotia, membre du Conseil d'administration de Barrick Gold, Ingersoll-Rand (depuis 1998), Lonmin PLC, Onex Corporation et Rogers Communications inc. (depuis 2003); Kevin J. Dancey, président-directeur général de l'Institut canadien des comptables agréés; James Barton Love du cabinet d'avocat Love & Whalen de Toronto; Nick Pantaleo, associé responsable des services de fiscalité internationale chez PricewaterhouseCoopers LLP; Finn Poschmann, directeur de recherche à l'Institut C.D. Howe; Guy Saint-Pierre, ex-président du conseil de la Banque Royale du Canada et ex-président et chef de la direction du Groupe SNC-Lavalin; et Cathy Williams, retraitée de la société Shell Canada. Cf. «Annexe D – Notes biographiques, Groupe consultatif sur le régime canadien de fiscalité internationale, *Rapport final : Promouvoir l'avantage fiscal international du Canada, op. cit.*, p. 134-137.
77. «Avis sur l'évolution des conventions fiscales», Ottawa, Ministère des Finances, 2012, <www.fin.gc.ca/treaties-conventions/treatystatus_-fra.asp>.
78. Paul Hickey, «Le Canada dépose trois nouveaux AERF», dans *Bulletin Conseils fiscaux*, firme KPMG, 2011.
79. Francis Vailles, «Budget Flaherty : les échappatoires des riches colmatées», *La Presse*, 4 avril 2013.
80. Brian J. Arnold, «Reforming Canada's International Tax System, Toward Coherence and Simplicity», Toronto, *Canadian Tax Paper*, nº 111, 2009, p. 14 et 48-61, et Donald J. S. Brean, «International issues in Taxation : The Canadian Perspective», *Canadian Tax Paper*, nº 75, Toronto, Canadian Tax Foundation/Association canadienne d'études fiscales, 1984, p. 74.
81. Sylvain Fleury, «L'évitement fiscal abusif», *op. cit.*, p. 4.
82. *Ibid.*, p. 5.
83. *Ibid.*, p. 3.
84. Il est à noter que depuis 2009 au Québec, une version provinciale de la RGAE prévoit que les fraudeurs remboursent 125 % de la somme soustraite au fisc. Cependant, on limite la pénalité à un maximum de 100 000 $, un montant relativement modeste pour les sociétés privées et les individus fortunés.
85. André Lareau, «L'amnistie fiscale à la rescousse des tricheurs», *Le Devoir*, 26 mai 2009.

86. « Chalandage fiscal – Le problème et les solutions possibles », Ottawa, Ministère des Finances, 2013, <www.fin.gc.ca/activty/consult/ts-cf-fra.asp#ftnref15>.

87. Témoignage de Dennis Howlett, Comité permanent des finances, Ottawa, Parlement du Canada, séance du 17 juin 2013, <www.parl.gc.ca/HousePublications/Publication.aspx?Do cId=6240123&Mode=1&Language=F>.

88. « Déclaration de Lough Erne », Ottawa, Gouvernement du Canada, 18 juin 2013, <www. international.gc.ca/g8/lough_erne-declaration.aspx?lang=fra>.

CHAPITRE DIX

2006 – Halifax

Arrière-boutique des Bermudes

1. « La densité de population est de 1 100 habitants au kilomètre carré. […] Il est très difficile d'obtenir un droit de résidence sur la base de l'emploi », dans Grégoire Duhamel, *Les paradis fiscaux*, Paris, Éditions Grancher, 2006, p. 433.

2. *More Than Ever*, rapport annuel 2008-09, Halifax, Nova Scotia Business Inc., 2009, p. 2, <http://nsbi.ca/more/files/nsbi_full_annualreport.PDF>.

3. « Janice Stairs », Halifax, McInnes Cooper, <www.mcinnescooper.com/people/janice-stairs/>, page consultée le 27 août 2013.

4. « Stairs new chairwoman of Nova Scotia Business Inc. », Halifax, *The Chronicle Herald*, 5 octobre 2012.

5. « How Payroll Rebates Work », Halifax, Nova Scotia Business Inc., <www.novascotiabusi-ness.com/en/home/locate/incentivesandtaxes/payrollrebates.aspx>, page consultée le 27 août 2013.

6. « Venture Capital », Halifax, Nova Scotia Business Inc., <www.novascotiabusiness.com/en/home/venturecapital/default.aspx>, page consultée le 27 août 2013.

7. « Incentives », Halifax, Nova Scotia Business Inc., <www.novascotiabusiness.com/en/home/locate/incentivesandtaxes/default.aspx>, page consultée le 27 août 2013.

8. « How Payroll Rebates Work », *op. cit.*

9. « Programs & Services », Nova Scotia Business Inc., <http://business.novascotia.ca/en/home/businessprograms_info/tradedevelopment/programsservices.aspx>.

10. « Les dépenses éligibles au [programme de recherche scientifique et développement expé-rimental] comprennent les salaires, les consommables, les prestations externes de recher-che, les frais généraux, etc. Certaines dépenses réalisées à l'étranger sont également admissibles. » Cf. « Le crédit d'impôt recherche canadien », *Lettre d'information*, Montréal, F. Initiativas, n° 35, juillet 2009.

11. « Incentives », *op. cit.*

12. « Locate Your Business in Nova Scotia », Halifax, Nova Scotia Business Inc., <www.novas-cotiabusiness.com/en/home/locate/default.aspx>, page consultée le 27 août 2013.

13. « Financial Services Sector in Halifax Adds Due Diligence », Halifax, Nova Scotia Business Inc., communiqué repris par le gouvernement de la Nouvelle-Écosse, *NovaScotia.ca*, 22 mars 2010, <www.gov.ns.ca/news/details.asp?id=20100322001>.

14. « Halifax Welcomes International Investment Management Firm Nova Scotia Business Inc. », Halifax, Gouvernement de la Nouvelle-Écosse, *NovaScotia.ca*, 6 décembre 2005, <http://novascotia.ca/news/release/?id=20051206002> et <www.novascotiabusiness.com/en/home/newsevents/FS-Sector-background/FS-Sector-background-timeline.aspx>.

15. « West End Capital Management (Bermuda) Ltd., Global Hedge Fund Looking To Hire Fixed Income Analysts & Financial Software Professionals », *CarrerAge.com*, 30 août 2005, <www.careerage.com/dispjob.php?file=/20050902/09c2c5e3aa13e729296f59b286c4eccb.html>.

16. « Mr. Patrick Boisvert », *Zoominfo.com*, <www.zoominfo.com/#!search/profile/person?per sonId=888244859&targetid=profile>, page consultée le 27 août 2013.

17. « Warren Buffet-Linked Bermuda Firm Taps First Marketer », *InstitutionalInvestorsAlpha. com*, 13 février 2004, <www.institutionalinvestorsalpha.com/Article/1950988/Warren-Buffett-Linked-Bermuda-Firm-Taps-First-Marketer.html?Print=true> ; et Niki Natarajan, « West End Capital beefs up team », Londres, *Financial News*, 1er octobre 2001.

18. Ben Stein, «In Class Warfare, Guess Which Class Is Winning», *The New York Times*, 26 novembre 2006.
19. «Halifax Welcomes International Investment Management Firm Nova Scotia Business Inc.», *op. cit.*
20. *Ibid.*
21. *Ibid.*
22. *Halifax's Finance and Insurance Industry: Our Opportunity*, Halifax, Shift Central et Greater Halifax Partnership, juin 2007, p. 5, <www.greaterhalifax.com/site-ghp2/media/greaterhalifax/Financial%20Services%20Report%20-%20July%2024.pdf>; Grant Surridge, «Hedge funds to set up shop in Halifax», Toronto, *Financial Post*, 29 novembre 2006, reproduit dans *CanadianHedgeWatch.com*, <www.canadianhedgewatch.com/content/news/general/?id=1146>.
23. «Financial Services», Halifax, Nova Scotia Business Inc., <www.novascotiabusiness.com/en/home/locate/sectorinfo/FinancialServices/default.aspx>, page consultée le 27 août 2013.
24. «Butterfield Fund Services to open in Halifax, Canada», Hamilton (Bermudes), Butterfield Fund, communiqué de presse repris dans *CanadianHedgeWatch.com*, 16 novembre 2006, <www.canadianhedgewatch.com/content/news/general/?id=1116>.
25. «Company Overview of Butterfield Fund Services (Bermuda) Ltd.», *BloombergBusinessweek*, <http://investing.businessweek.com/research/stocks/private/snapshot.asp?privcapId=3067 4470>, page consultée le 27 août 2013.
26. Simon Gray, «Hedge fund industry gathers momentum as Canada booms», dans dossier «Toronto Hedge Fund Services 2007», *Hedgeweek Special Report*, mai 2007, p. 3, <www.hedgeweek.com>.
27. «Butterfield Fund Services to open in Halifax, Canada», *op. cit.*
28. *Ibid.*
29. «Hedge Fund Linked to Olympus Accounting Scandal», New York, *Finalternatives.com*, 16 novembre 2011, <www.finalternatives.com/node/18761>.
30. «Halifax Welcomes Hedge Fund Administration Company», Halifax, Nova Scotia Business Inc., communiqué repris par le gouvernement de la Nouvelle-Écosse, *NovaScotia.ca*, 21 novembre 2006, <http://novascotia.ca/news/release/?id=20061121002>.
31. Tim Kelly et Kevin Gray, «Exclusive: Olympus accounting tricks queried back in 1990s», New York, Reuters, 15 novembre 2001, <www.reuters.com/article/2011/11/15/us-olympus-banker-idUSTRE7AE05Z20111115>.
32. Ce genre de manœuvre n'est pas rare aux Bermudes. «Hedge Fund Linked To Olympus Accounting Scandal», *op. cit.*
33. «Halifax Welcomes Hedge Fund Administration Company», *op. cit.*
34. «Nova Scotia Financial Services Sector – Timeline», Halifax, Nova Scotia Business Inc., <www.novascotiabusiness.com/en/home/newsevents/FS-Sector-background/FS-Sector-background-timeline.aspx>, page consultée le 27 août 2013.
35. «Meridian Fund Services», Hamilton, Meridian Fund Services, <www.meridianfundservices.com/offices.php>, page consultée le 27 août 2013.
36. *Ibid.*
37. *Ibid.*
38. Grant Surridge, «Hedge funds to set up shop in Halifax», *op. cit.*
39. «Nova Scotia Financial Services Sector – Timeline», *op. cit.*
40. «Admiral International Locations», Georgetown (Îles Caïmans), Admiral, <www.admiraladmin.com/%28S%28faeylfcvyzlkyiepzcupbmd%29%29/Locations.aspx?loctype=4>, page consultée le 27 août 2013.
41. Brett Bundale, «Fate of Flagston Reinsurance uncertain», Halifax, *The Chronicle Herald*, 11 septembre 2012.
42. Tim Bousquet, «Nova Scotia Business, Inc. drops $800,000 into Intelivote, What do we get for our $2.8 million investment in internet voting firm?», Halifax, *The Coast*, 6 juillet 2012.
43. Grant Surridge, «Hedge funds to set up shop in Halifax», *op. cit.*, et Marc Roche, «La controverse sur les impôts des grands groupes oblige Dublin à revoir sa fiscalité», *Le Monde*, 25 mai 2013.
44. «Nova Scotia Financial Services Sector – Timeline», *op. cit.*

45. *Ibid.*
46. *Ibid.*
47. Peter Moreira, « Halifax, a centre for international finance ? It's no fish tale », *The Globe and Mail*, 16 novembre 2006.
48. « Living and working in Canada », Hamilton Recruitment, <www.hamilton-recruitment. com/pages/content/index.asp?PageID=178>, page consultée le 19 avril 2010.
49. « Incentives », *op. cit.*
50. *Ibid.*
51. *Ibid.*
52. *Ibid.*
53. Suchita Nayar, « Canadian managers strive to repair hedge funds' reputation », dans dossier « Toronto Hedge Fund Services 2007 », *Hedgeweek Special Report, op. cit.*, p. 17-18.
54. « Certified Management Accountants of Nova Scotia, PEI, Bermuda », Halifax, Certified Management Accountants (CMA), <www.cma-ns.com/>, page consultée le 27 août 2013.
55. « About CMA », Halifax, Certified Management Accountants (CMA), <www.cma-ns.com/ index.cfm?ci_id=15947&la_id=1>, page consultée le 27 août 2013.
56. *Ibid.*
57. « Welcome, CMA Caribbean », Halifax, Certified Management Accountants (CMA), <www. cma-caribbean.com/>, et « How To Become a Certified Management Accountant in The Caribbean », Kingston, University of the West Indies, <www.open.uwi.edu/diploma-management-accounting>, pages consultées le 10 décembre 2012.
58. « Careers », Halifax, Certified Management Accountants (CMA), <www.cma-atlantic.com/ careers/>, page consultée le 10 décembre 2012.
59. « Job Details », TalentWorks, <http://clients.njoyn.com/CL/xweb/Xweb.asp?tbtoken=Z-VFaRVUSRRxxYndyQidJEyBId3ldB1ApbyRTWykRfxFaUDYeWUscdmR9PApQVhBRSz 5l&chk=dFlbQBJf&CLID=52532&page=jobdetails&JobID=J0513-0011&LANG=1>, page consultée le 10 décembre 2012.
60. « We see opportunities at every stage of your career », Halifax, Certified Management Accountants Regional Office for Nova Scotia, Bermuda, and the Caribbean, septembre 2012, <www.open.uwi.edu/sites/default/files/CMAbrochure.pdf>.
61. Brigitte Unger, Greg Rawlings, Melissa Siegel, Joras Ferwerda, Wouter de Kruijf, Madalina Busuioic et Kristen Wokke, *The Amounts and the Effects of Money Laundering, Report for the Ministry of Finance*, Hollande, 16 février 2006. Ils en sont venus à ce résultat en adaptant à l'enjeu du blanchiment les paramètres d'analyse du criminologue John Walker, à savoir le rapport entre le PIB et le nombre d'habitants, le degré d'opacité du secret bancaire, l'importance des dépôts bancaires et l'attitude du gouvernement quant aux enjeux de corruption. John Walker, « How Big is Global Money Laundering ? » Cambridge (UK), *Journal of Money Laundering Control*, vol. 3, n° 1, 1999.
62. Brigitte Unger et Gregory Rawlings, « Competing for criminal money », *Global Business and Economics Review*, vol. 10, n° 3, 2008, p. 349.
63. Thierry Fabre, « La colonie britannique devient un vrai centre financier international, Bermudes : le plus fréquentable des paradis fiscaux », Paris, *L'Express*, 20 novembre 1997.
64. Marc Roche, *Le capitalisme hors la loi*, Albin Michel, 2011, p. 44 et 256.
65. « Assurances en Suisse », Lugano, Miralux, <www.miralux.ch/assicur_fr.htm>, et « Comptes bancaires », Genève, *Firstbalticbancorp*, <www.firstbalticbancorp.com/category.jhtm? cid=46>, pages consultées le 27 août 2013.
66. Leur « objectif est d'assurer les compagnies d'assurance contre les pertes essuyées par leurs titres principaux, leur permettant d'élaborer davantage de contrats d'assurance qu'elles ne possèdent de capitaux à la banque […] Les compagnies ont mis en place des compagnies de réassurance (ou d'assurance secondaire) pour assurer leur couverture contre les pertes. Elles sont la version assurances des *swaps* sur défaillance, dans laquelle les compagnies trouvent d'autres compagnies qui achètent leurs risques. Il s'agit de verser une prime aux investisseurs, qui deviennent garants de vos pertes. Beaucoup de compagnies n'aiment pas l'idée de payer des primes à une autre, alors elles mettent sur pied leur propre compagnie de réassurance pour contrôler les risques de leurs succursales. Contrairement aux *swaps* sur défaillance, la réassurance fait l'objet d'une réglementation. Chaque État dispose d'une

réserve limite de liquidités que vous devez posséder pour avoir le droit de vendre des assurances. Si vous installez votre compagnie aux Bermudes, vous pouvez dépasser le plafond d'assurances associé à votre réserve limite de liquidités parce que vous n'êtes pas tenu de respecter les lois de votre État », dans « Understanding Reinsurance In Bermuda's Tax Haven », Missouri, *24thstate*, 7 mai 2009.

67. Rod McQueen, *Les banquiers canadiens. Une enquête dans l'univers secret des véritables maîtres du pouvoir*, Montréal, Libre Expression, coll. « Primeur », 1985, p. 202.

68. *Ibid.*, p. 203.

69. Cyrille Chausson, « Optimisation fiscale: Google a économisé 2 Md $ d'impôts en 2011 grâce à sa filiale aux Bermudes », 11 décembre 2012, *Lemagit.fr*, <www.lemagit.fr/economie/ business/2012/12/11/optimisation-fiscale-google-a-economise-2-md-dimpots-en-2011-grace-a-sa-filiale-aux-bermudes/>.

70. François Desjardins, « Deux milliards d'impôts éludés par Google en 2011 », *Le Devoir*, 11 décembre 2012.

71. Jesse Drucker, « Google 2.4 % Rate Shows How $60 Billion Lost to. Tax Loopholes », *Bloomberg.org*, 21 octobre 2010.

72. *Ibid.*

73. « Lexapro's Long, Strange Trip », *BloombergBusinessweek*, semaine du 17 au 23 mai 2010.

74. « Forest Laboratories' Globe-Trotting Profits », *ibid.*

75. Jemima Kiss, « Google, Amazon and Starbucks face questions on tax avoidance from MPs, Campaigners, MPs and Taxpayers' Alliance agree large companies are exploiting loopholes in international tax regimes », *The Guardian*, 12 novembre 2012.

76. Philippe Dominati (président) et Éric Bocquet (rapporteur), *L'évasion fiscale internationale, et si on arrêtait ?*, Rapport d'information, Commission d'enquête sur l'évasion des capitaux et des actifs hors de France et ses incidences fiscales, Paris, Sénat, n° 673, deux tomes, juillet 2012.

77. « Apple de nouveau montré du doigt pour détournement d'impôts », *Le Monde*, 1er juillet 2013.

78. « Le ministre des Finances fait la promotion de l'investissement, du commerce et de l'équité fiscale au cours d'une visite aux Bermudes », Ottawa, Ministère des Finances, communiqué de presse, 11 avril 2013.

79. Statistique Canada, « Positions d'investissement direct étranger en fin d'année », Ottawa, 19 avril 2012, <www.statcan.gc.ca/daily-quotidien/120419/t120419b001-fra.htm>.

80. Mario Possamai, *Le blanchiment d'argent au Canada, Duvalier, Ceausescu, Marcos, Carlos et les autres*, Laval, Guy Saint-Jean Éditeur, 1994, p. 143.

81. Diane Francis, *Who Own Canada Now, Old Money, New Money and The Future of Canadian Business*, Toronto, HarperCollins, 2008, p. 362.

82. « Lutte contre l'évasion fiscale: les Bermudes expriment leurs "réserves" », dépêche de l'Agence France-Presse reprise sur le site *Paradis fiscaux et judiciaires*, 13 juin 2013, <www. paradisfj.info/spip.php?article3272>.

83. Sophie Cousineau, « Le Canada, nouveau paradis bancaire ? », *La Presse*, 22 juin 2010.

84. « Le Groupe TMX investit dans la Bermuda Stock Exchange, La BSX et le Groupe TMX ouvriront aujourd'hui la séance à la Bourse de Toronto », Bourse de Toronto, communiqué de presse, 21 décembre 2011, <www.tmx.com/fr/news_events/news/news_releases/2011/ 12-21-2011_TMXGroup-BermudaInvest.html>.

85. *Ibid.*

86. Grégoire Duhamel, *op. cit.*, p. 437.

CHAPITRE ONZE

2009 – Le Canada, les Bahamas, la Barbade, le Belize, Saint-Kitts-et-Nevis *et al.*
Lobby offshore à la Banque mondiale et au FMI

1. Attac (France), *Les Paradis fiscaux*, Paris, Mille et une nuits, 2000 ; *All the President's Men*, Londres et Washington, Global Witness, décembre 1999 ; *Tax Havens, Releasing the Hidden Billions for poverty Eradication*, Oxford, Oxfam International, 2000.

2. François-Xavier Verschave, *Noir Silence*, Paris, Les arènes, 2000 ; Alain Labrousse et Michel Koutouzis, *Géopolitique et géostratégies des drogues*, Paris, Économica, 1996 ; Denis Robert et Ernest Backes, *Révélation \$*, Paris, Les arènes, 2001.

3. *Vers une coopération fiscale globale, Rapport pour la réunion du conseil au niveau des ministres de 2000 et recommandations du comité des affaires fiscales, Progrès dans l'identification et l'élimination des pratiques fiscales dommageables*, Paris, Comité des affaires fiscales, Organisation de coopération et de développement économiques (OCDE), 2000, p. 18-23.

4. *IMF Board Reviews Issues Surrounding Work on Offshore Financial Centers*, Washington (DC), Fonds monétaire international, 26 juillet 2000.

5. Thierry Godefroy et Pierre Lascoumes, *Le Capitalisme clandestin. L'illusoire régulation des places offshore*, Paris, La Découverte, 2004, p. 156 et suiv.

6. « Nouveau mécanisme d'évaluation du GAFI », Paris, Groupe d'action financière (GAFI), 22 février 2013, <www.fatf-gafi.org/fr/themes/recommandationsgafi/documents/nouveau-mecanismedevaluationdugafi.html>.

7. « Comédie de la "lutte contre les paradis fiscaux" : qui a peur des États de droit ? », Alain Deneault, *Offshore. Paradis fiscaux et souveraineté criminelle*, Montréal/Paris, Écosociété/ La Fabrique, 2010.

8. Grégoire Duhamel, *Les paradis fiscaux*, Paris, Éditions Grancher, 2006, p. 558.

9. Warren de Rajewicz, *Guide des nouveaux paradis fiscaux à l'usage des sociétés et des particuliers, Non, les paradis fiscaux ne sont pas morts !*, Lausanne, Favre, 2010, p. 15.

10. Gilles Favarel-Garrigues, Thierry Godefroy et Pierre Lascoumes, *Les sentinelles de l'argent sale. Les banques aux prises avec l'antiblanchiment*, Paris, La Découverte, 2009.

11. « Panama Bank Secrecy », *Panama Offshore Worldwide*, <http://panama.offshoreww.com/ panama-bank-account/panama-bank-secrecy.html>, page consultée le 29 août 2013. Les auteurs inscrivent eux-mêmes le passage en caractères gras.

12. « Les trois listes des paradis fiscaux établies par l'OCDE », *Le Figaro*, 2 avril 2009. L'OCDE a un temps réinscrit un certain nombre de pays dans une nouvelle liste de 2009, au moment du Sommet du G20, avant que celle-ci ne fonde à nouveau comme neige au soleil, du moment que les pays en question signaient douze accords d'échange d'informations fiscales, selon des modalités dont le sérieux a été mis en doute par des personnalités aussi informées en la matière que le juge suisse à la retraite, Bernard Bertossa (David Servenay, « Bertossa: "La France n'est plus une démocratie parlementaire" », Paris, *Rue89*, 31 mai 2009, <www.rue89.com/2009/05/31/bertossa-la-france-nest-plus-une-democratie-parlementaire>). On a par exemple été témoin de maintes occurrences où des paradis fiscaux signaient entre eux ce genre d'ententes. Les nouvelles listes de l'OCDE, cette fois « noire, gris foncé et gris clair », se déclinaient comme suit :

Noire	Gris foncé	Gris clair
Costa Rica	Andorre	Autriche
Malaisie (Labuan)	Anguilla	Belgique
Philippines	Antigua	Brunei
Uruguay	Barbade	Chili
	Aruba	Guatemala
	Bahamas	Luxembourg
	Bahreïn	Singapour
	Le Belize	Suisse
	Bermudes	

Îles vierges britanniques Îles Caïmans Îles Cook Dominique Gibraltar Grenade Liberia Liechtenstein Îles Marshall Monaco Montserrat Nauru Antilles néérlandaises Niue Panama Saint-Kitts-et-Nevis Sainte-Lucie Saint-Vincent-et-les-Grenadines Samoa San Marin Îles Turques-et-Caïques Vanuatu

13. Christian Chavagneux et Ronen Palan, *Les Paradis fiscaux*, Paris, La Découverte, 2006 [rééd. 2012], p. 91.

14. Sylvain Besson, *L'Argent secret des paradis fiscaux*, Paris, Seuil, coll. « L'Épreuve des faits », 2002, p. 229 et 250-255.

15. Thierry Godefroy et Pierre Lascoumes, *Le Capitalisme clandestin, op. cit.*, p. 145 ; Selçuk Altindag, *La concurrence fiscale dommageable : la coopération des États membres et des autorités communautaires*, Paris, L'Harmattan, 2009, p. 45 ; Sylvain Besson, *L'Argent secret des paradis fiscaux, op. cit.*, p. 251-252. L'ITIO comprend les pays suivants : Anguilla, Antigua-et-Barbuda, les Bahamas, la Barbade, le Belize, les Îles Vierges britanniques, les Îles Caïmans, les Îles Cook, la Malaisie, Saint-Kitts-et-Nevis, Sainte-Lucie, les Îles Turques-et-Caïques et le Vanuatu.

16. Christian Chavagneux et Ronen Palan, *Les Paradis fiscaux, op. cit.*, p. 90.

17. Thierry Godefroy et Pierre Lascoumes, *Le Capitalisme clandestin, op. cit.*, p. 145.

18. « Barbados rejects Sarkozy tax haven charge », Georgetown (Guyana), *Stabroek News*, 14 novembre 2011.

19. *Rapport sur les opérations effectuées en vertu de la Loi sur les accords de Bretton Woods et des accords connexes*, Ottawa, Gouvernement du Canada, 29 avril 2008, <www.fin.gc.ca/bretwood/bretwd99_1-fra.asp>, et « Office of the Executive Director – Antigua and Barbuda, The Bahamas, Barbados, Belize, Canada, Dominica, Grenada, Guyana, Ireland, Jamaica, St. Kitts and Nevis, St. Lucia, and St. Vincent and the Grenadines », Washington (DC), World Bank Group, <http://web.worldbank.org/WBSITE/EXTERNAL/COUNTRIES/CANADAEXTN/0,,contentMDK:20718286~menuPK:1879418~pagePK:1497618~piPK:217854~theSitePK:519567,00.html>, page consultée le 28 août 2013. Le Canada ne représente le Guyana qu'au sein de la Banque mondiale, et non au FMI.

20. « Samy H. Watson », *Strategy Interface*, <http://strategyinterface.com/about-us/samy-h-watson-phd-principal/>, page consultée le 28 août 2013. « Biography of Samy », *Katagogi*, <www.katagogi.com/Profile/Profile.aspx?l=EN&fid=60605&No=68c10b7c-7027-43cc-a6ad-90d57a97408f&PreveVal=7301|EIS1sp24mES/UJAWr2OKjd/HMg2cPNGuE6kx2ql08v0=|8TRCLCzM8zCIHMM4Vmauwg==1>, page consultée le 28 août 2013.

21. « Le Directeur général canadien est appuyé dans ses fonctions par un Directeur général adjoint de l'un des membres caribéens de la circonscription électorale. » Cf. « Caribbean Ambassadors Meet Over Election Of World Bank President », *Bahamas Spectator*, 6 avril 2012.

22. Il a déjà été mêlé à un charivari financier au Nigeria, ayant provoqué des pertes personnelles de 1,4 million de dollars. Il aurait avancé cet argent à un mystérieux diplomate répondant au nom de *Mustapha* (il s'agissait en réalité de Igwe Godwin Madu), dans une improbable

affaire de fraude par courrier électronique relativement à un projet d'investissement minier au Ghana («Cases: Mr. Ishmael Lightbourne - A 419 Case Victim», Global Society for Anti-Corruption, <http://globalanticorruption.com/LIGHTBOURNE.html>, page consultée le 28 août 2013, et Tony Udemba, «My 419 Story», *Online Nigeria*, 11 mai 2008). Dans une autre affaire, des investisseurs aux Bahamas, s'estimant victimes d'une fraude de 40 à 70 millions de dollars, ont intenté des démarches judiciaires à l'encontre de la firme M J Select Global dont il était *liquidateur désigné* devant des tribunaux bahamien et états-unien (*LegalMetric*, <www.legalmetric.com/cases/securities/ilnd/ilnd_103cv05293.html>, page consultée le 28 août·2013).

23. «Le ministre des Finances annonce des nominations au Fonds monétaire international et à la Banque mondiale», Ottawa, Ministère des Finances, 11 août 2006, <www.fin.gc.ca/n06/06-040-fra.asp>. Aujourd'hui, Marie-Lucie Morin, une diplomate versée dans les affaires économiques, représente ce collectif à la Banque mondiale («Marie-Lucie Morin, Ambassadrice 1998», Université de Sherbrooke, <www.usherbrooke.ca/lafondation-lereseau/evenements/galerie-des-ambassadrices-et-ambassadeurs/droit/marie-lucie-morin/>, page consultée le 28 août 2013), tandis que Thomas Hockin, ex-ministre du Commerce international et ancien conseiller stratégique à la firme Deloitte, agit de même au FMI («Le ministre des Finances propose un nouvel administrateur au FMI», Ottawa, Ministère des Finances, le 30 novembre 2009, <www.fin.gc.ca/n08/09-111-fra.asp>, et «Tom Hockin, Executive Director International Monetary Fund (IMF) representing Canada, Ireland and the Caribbean», Toronto, The Economic Club of Canada, <www.economicclub.ca/speakers/Tom_Hockin>, page consultée le 29 août 2013).

24. «Economic Crisis and Offshore», Londres, Tax Justice Network, <www.taxjustice.net/cms/front_content.php?idcat=136>, page consultée le 6 juin 2013.

25. *Ibid.*

26. «Identifying Tax havens and Offshore Finance centres», Londres, Tax Justice Network, juillet 2007, <www.taxjustice.net/cms/upload/pdf/Identifying_Tax_Havens_Jul_07.pdf>.

27. *Le Canada au FMI et à la Banque mondiale : Rapport sur les opérations effectuées en vertu de la Loi sur les accords de Bretton Woods et des accords connexes 2008*, Ottawa, Gouvernement du Canada, 2009, p. 94.

28. Ronald Sanders, «"Tax Haven" Jurisdictions – Sitting Ducks and Scapegoats», Georgetown (Guyana), *Kaieteur News*, 8 mars 2009.

29. Gaétan Supertino, avec Laurent Guimier, «Sarkozy, tombeur des paradis fiscaux?», *Europe 1*, 11 avril 2013.

30. «Déclaration du Sommet du G20 à Toronto», Ottawa, Gouvernement du Canada, 26 et 27 juin 2010, <www.canadainternational.gc.ca/g20/summit-sommet/2010/toronto-declaration-toronto.aspx?lang=fra>.

31. «Nous sommes déterminés à protéger nos finances publiques et le système financier international contre les risques posés par les paradis fiscaux et les juridictions non coopératives. Les dommages sont particulièrement importants pour les pays les moins avancés.» Cf. *Déclaration finale*, Cannes, G20, 4 novembre 2011, § 35.

32. «Déclaration de Lough Erne», Ottawa, Gouvernement du Canada, 18 juin 2013, <www.international.gc.ca/g8/lough_erne-declaration.aspx?lang=fra>.

33. Grégoire Duhamel, *Les paradis fiscaux, op. cit.*, p. 349.

34. Clifford Krauss, «Antigua's Leader Vows Cooperation With U.S. in Investigation of Its Banks», *The New York Times*, 23 février 2009.

35. Clifford Krauss, «Antigua's Leader Vows Cooperation With U.S. in Investigation of Its Banks», *op. cit.*, et Clifford Krauss, Julie Creswell et Charlie Savage, «Fraud Case Shakes a Billionaire's Caribbean Realm», *The New York Times*, 20 février 2009.

36. Drew Hasselback, «Canadian lawyer sues U.S. government over Allen Stanford ponzi scheme», *The National Post*, 7 mai 2013.

37. «Offshore Banks In Antigua & Barbuda - The Caribbean Tax Haven», *EscapeArtist.com*, <www.escapeartist.com/Offshore_Banks/Antigua_Barbuda/>, page consultée le 28 août 2013, et «Antigua and Barbuda Offshore Bank Accounts», *Offshore Index*, <www.offshore-index.com/offshore_index_antigua_and_barbuda.html>, page consultée le 28 août 2013.

38. David Santerre, «La nouvelle vie de Jean Lafleur», *Le Journal de Montréal*, 16 septembre 2008.

39. Brian Myles, «Le trésor convoité de Jean Lafleur, La Couronne demande cinq ans de pénitencier contre le fraudeur», *Le Devoir*, 2 juin 2007.

40. Grégoire Duhamel, *Les Paradis fiscaux*, *op. cit.*, p. 418-419.

41. «Belize Offshore Company», *Worldwide Incorporation Services*, <www.wis-international. com/belize_offshore_companies.html>, page consultée le 6 juin 2013.

42. «Banking», *Ambergriscaye.com*, <http://ambergriscaye.com/pages/goodscv/moneyAND-banking.html>, page consultée le 6 juin 2013.

43. Édouard Chambost, *Guide Chambost des paradis fiscaux*, Lausanne, Fabre, 8ᵉ édition, 2005, p. 521.

44. Marie-Christine Dupuis-Danon, *Finance criminelle. Comment le crime organisé blanchit l'argent sale*, Paris, Presses universitaires de France, coll. «Criminalité internationale», deuxième édition, 2004 [1998], p. 137-138.

45. «Les banques à la Dominique. Comptes à l'étranger à la Dominique», ICG-Offshore, <www.icg-offshore.com/fr/bank-offshore/offshore-banks-accounts/119-offshores-offshore-banks-dominica.html>, page consultée le 28 août 2013.

46. Édouard Chambost, *Guide Chambost des paradis fiscaux*, *op. cit.*, p. 556.

47. «Is Grenada's Offshore Banking Industry Re-Emerging? Grenada's offshore banking industry was rocked by catastrophic scandal, can it now rebuild and re-emerge?», *Shelter Offshore*, <www.shelteroffshore.com/index.php/offshore/more/grenada-offshore-banking-industry>, page consultée le 6 juin 2013.

48. «Scotiabank in Grenada», Banque Scotia, <www.scotiabank.com/gd/en/0,,5139,00.html>, page consultée le 6 juin 2013, et «Grenada FirstCaribbean International Bank (Barbados) Ltd.», CIBC FirstCaribbean International Bank, <www.cibcfcib.com/index.php?page= grenada>, page consultée le 6 juin 2013.

49. «Four Sentenced In Bank Of Grenada Ponzi Scheme», Oregon Public Broadcasting (OPB), 27 août 2007.

50. «The Michael Creft Testimony», Saint-Georges, *Grenada Today*, 13 octobre 2007.

51. «Anti-money laundering bill.», Georgetown, *Guyana Times*, 24 mai 2013.

52. «Groundstar Resources provides update on the Apoteri k-2 Exploration well in Guyana», Groundstar Resources Limited, Calgary, 7 mars 2011, <www.groundstarresources.com/ news/news.php?newsID=733>; «Groundstar Resources announces extension to petroleum prospecting licence in Guyana», Milton Keynes (Angleterre), *OilVoice.com*, 24 août 2012.

53. «Positioned for Success in the Guyana Atlantic Basin», CGX Energy Inc., <www.cgxenergy. com/Operations/Offshore-Concessions/Default.aspx>, page consultée le 28 août 2013.

54. «Guyana needs more prepping for oil find – Devine», Georgetown, *Guyana Times*, 1ᵉʳ mai 2013.

55. «Locations», Scotiabank, <www.scotiabank.com/gy/en/0,,3738,00.html>, page consultée le 28 août 2013.

56. Grégoire Duhamel, *Les paradis fiscaux*, *op. cit.*, p. 536.

57. Justin M. Rao et David H. Reiley, «The Economics of Spam». *Journal of Economic Perspectives* vol. 26, n° 3, 2012, p. 87-110, <http://pubs.aeaweb.org/doi/pdfplus/10.1257/jep.26.3.87>.

58. «St. Kitts: Offshore Business Sectors», *LowTax.net*, <www.lowtax.net/lowtax/html/ stkitts_nevis/jnvobs.html>, page consultée le 28 août 2013.

59. *2006 Economic and Social Review*, Castries, Ministry of Economic Affairs, Economic Planning & National Development, Government of St-Lucia, 2006; Pierre Lascoumes et Thierry Godefroy, «Émergence du problème des "places offshore" et mobilisation internationale», Mission de recherche Droit et Justice, Programme Grotius, Commission Européenne, 2002; «International Financial Services», Castries, Invest Saint-Lucia, <www.investstlucia. com/sectors/view/international-financial-services.html>, page consultée le 28 août 2013.

60. François Taglioni, *Géopolitique des Petites Antilles. Influences européenne et nord-américaine.* Paris, Karthala, 1995.

61. R.O. Orisatoki et O.O. Oguntibeju, «Knowledge and Attitudes of Students at a Caribbean Offshore Medical School Towards Sexually Transmitted Infections and Use of Condoms», *West Indian Medical Journal*, vol. 59, n° 2, 2010.

62. La CIBC a quatre succursales dans l'île, qu'elle gère depuis la Barbade. Cf. « Saint Lucia », CIBC First Caribbean, <www.cibcfcib.com/index.php?page=saint-lucia>, page consultée le 28 août 2013.

63. La RBC a été présente sur l'île de 1920 à 1932 avant d'ouvrir à nouveau des bureaux en 1980. Cf. « About St. Lucia », RBC Caribbean Banking, <www.rbcroyalbank.com/caribbean/ec/about/stlucia.html>, page consultée le 28 août 2013.

64. « Contact Us », Scotia Bank, <www.scotiabank.com/lc/en/0,,5790,00.html>, page consultée le 28 août 2013.

65. « Les banques de Sainte-Lucie. Comptes à l'étranger à Sainte-Lucie », ICG-Offshore, <http://icg-offshore.com/fr/bank-offshore/offshore-banks-accounts/125-offshores-offshore-banks-st-lucia.html>, page consultée le 28 août 2013.

66. <http://investorvoice.ca/Scandals/Portus/Portus37.htm>.

67. « St. Vincent and the Grenadines : Types of Company », *LowTax.net*, janvier 2013, <www.lowtax.net/lowtax/html/jvgcos.html#ibc>.

68. « Activities relating to the acquisition, disposal, licence, sub-licence and exploitation generally of intellectual property rights », *LowTax.net*, <www.lowtax.net/lowtax/html/jiroltr.html>, page consultée le 28 août 2013.

69. Bruce Livesey, *Thieves of Bay Street*, Toronto, Vintage Canada Edition, 2012, p. 88.

70. *Le Canada au FMI et à la Banque mondiale : Rapport sur les opérations effectuées en vertu de la Loi sur les accords de Bretton Woods et des accords connexes 2007*, Ottawa, Gouvernement du Canada, 2008, p. 54.

71. Patrice Meyzonnier, *Trafics et crimes en Amérique centrale et dans les Caraïbes*, Paris, Presses universitaires de France, 1999, p. 18.

72. *Ibid.*, p. 6.

73. *Ibid.*, p. 84.

74. *Ibid.*, p. 89.

75. *Ibid.*, p. 96.

76. *Ibid.*, p. 98.

77. *Ibid.*, p. 99.

78. *Ibid.*, p. 100.

79. Marie-Christine Dupuis-Danon, *Finance criminelle, op. cit.*, p. 215.

80. German Gutierrez, *Sociétés sous influence*, documentaire, Office national du film du Canada, 1997, 52 min 17 s.

81. « Caricom-Canada Free Trade Agreement », Port-d'Espagne, Trinidad and Tobago Coalition of Services Industries (TTCSI), <www.ttcsi.org/news/news_article.php?id=22>, page consultée le 28 août 2013.

82. « Relations Canada et Trinité-et-Tobago », Ottawa, Gouvernement du Canada, 16 juillet 2013, <www.canadainternational.gc.ca/trinidad_and_tobago-trinite_et_tobago/bilateral_relations_bilaterales/canada_trinidad_tobago-trinite_tobago.aspx?lang=fra>.

83. Ramesh Chaitoo et Ann Weston, « Canada and The Caribbean Community : Prospects For an Enhanced Trade Arrangement », *Canadian Foreign Policy Journal*, vol. 14, n° 3, 2008, p. 9.

84. *Ibid.*, p. 4.

85. « Notes pour une allocution du très honorable Stephen Harper, premier ministre du Canada, devant le Parlement de la Jamaïque », Ottawa, premier ministre du Canada, 20 avril 2009, <www.pm.gc.ca/fra/media.asp?id=2534>.

86. « Moratoire sur le gaz de schiste : une entreprise conteste », dépêche de la Presse canadienne reprise sur le site internet de la Société Radio-Canada, 24 novembre 2012, <www.radio-canada.ca/nouvelles/Economie/2012/11/24/001-poursuite-alena-moratoire.shtml>.

87. Gary Rivlin, « Gambling Dispute With a Tiny Country Puts U.S. in a Bind », *The New York Times*, 23 août 2007.

88. *Ibid.* Les États-Unis refusent toujours d'honorer toute compensation, eux qui se sont pourtant en d'autres occasions présentés comme les policiers de l'OMC quand venait le temps, dans d'autres contextes, de faire valoir l'autorité de ses décisions (Larry Josephson, « Inside straight : Gaming industry news update », *Covers*, 14 février 2011, <www.covers.com/articles/articles.aspx?theArt=223163>).

89. Norman Girvan, « The Caricom-Canada FTA : What's the hurry ? », *Caribbean Political Economy*, 23 mars 2009.
90. Ramesh Chaitoo et Ann Weston, « Canada and The Caribbean Community », *op. cit.*, p. 19n.
91. Norman Girvan, « The Caricom-Canada FTA : What's the hurry ? », *op. cit.*, p. 2.
92. « Relations Canada et Trinité-et-Tobago », Ottawa, Gouvernement du Canada, *op. cit.*
93. Kyle De Lima, « Can T&T Survive Extreme Extraction ? », *EarthWise Limited*, 22 avril 2012. Sur le rôle de la Banque Royale du Canada dans le financement de l'exploitation des sables bitumineux à Trinité-et-Tabago, voir Macdonald Stainsby, « Tar Sands in T&T ? A look at the world's dirtiest oil, from Canada to Trinidad and Tobago », *oilsandstruth.org*, automne 2012.
94. « T&T is a tax haven », Port-d'Espagne, *Trinidad & Tobago Guardian*, 12 novembre 2011.
95. « H.E. Philip Buxo, High Commissioner Remarks at Reception in honour of Prime Minister's Visit to Canada, April 24, 2013 », Ottawa, The High Commission for the Republic of Trinidad and Tobago, 24 avril 2013, <http://ttcgtoronto.gov.tt/index.php/our-country/biographies/95-high-commissioner1>.
96. « High Commission, Ottawa », Ottawa, The High Commission for the Republic of Trinidad and Tobago, <www.ttmissions.com/index.php?option=com_content&view=article&id=31&Itemid=35>, page consultée le 28 août 2013.
97. Afra Raymond, « An overview of the Uff Report », *Real Estate, Property Matters*, 8 avril 2010, <www.raymondandpierre.com/articles/article80.htm>.
98. Ewart S Williams, « Anti-money laundering and combating the financing of terrorism », Governor of the Central Bank of Trinidad and Tobago, 6th Annual Compliance Conference on Anti-Money Laundering and Combating the Financing of Terrorism, Port-d'Espagne, 14 janvier 2010, <www.bis.org/review/r100122e.pdf> ; Asha Javeed, « $1b in suspicious transaction reports », *Trinidad Express Newspaper*, 3 avril 2012.
99. Al Edwards, « Trinidad & Tobago plants its flag in corporate Jamaica », *Jamaica Observer*, 15 janvier 2010 ; « Is Trinidad The Hegemonist Of The Caribbean ? », *Barbados Underground*, 18 juin 2007 ; « Trinidad's cash cow », *Anglefire*, <www.angelfire.com/journal/executive-time/Corporateshopping.htm>, page consultée le 28 août 2013 ; « T&T 2006-2010 exports to Jamaica : $23 billion », Port-d'Espagne, *Trinidad & Tobago Guardian*, 12 janvier 2012 ; John Blackman, « Straight to the point : Trinidad – Benefiting from CARICOM », *The Barbados Advocate*, 7 janvier 2012 ; « Guyana looking to Trinidad to help develop its oilfields », Kingston (Jamaïque), *The Gleaner*, 19 janvier 2011.
100. « Scandalous Wheeling and Dealing at CL Financial », Port-d'Espagne, *Trinidad and Tobago News*, 21 septembre 2011 ; « CLICO : Trinidad Politicians Before Policy Holders ? », *Keltruthblog. com*, 8 juillet 2009, <http://keltruthblog.com/blog/?p=506> ; Afra Raymond, « CL Financial Bailout », *AfraRaymond.com*, série de textes de 2009 à 2013, <http://afraraymond.wordpress.com/cl-financial-bailout/>.
101. « Relations Canada et Trinité-et-Tobago », Ottawa, Gouvernement du Canada, 10 février 2012, <www.canadainternational.gc.ca/trinidad_and_tobago-trinite_et_tobago/bilateral_relations_bilaterales/canada_trinidad_tobago-trinite_tobago.aspx?lang=fra>.
102. Ron Fanfair, « C'dn scholarships open to Caribbean students », *Sharenews.com*, 20 avril 2010, <http://archive.sharenews.com/local-news/2010/04/28/cdn-scholarships-open-caribbean-students>.
103. Kejan Haynes, « Canada, T&T join forces in health, security », Port-d'Espagne, *Trinidad Express Newspaper*, 1er mai 2012 ; « Governor General Underlines 50 Years of Bilateral Relations with Trinidad and Tobago », Rideau Hall, gouverneur général du Canada, communiqué de presse repris par Reuters, 2 mai 2012.
104. *Ibid.*
105. Radhica Sookraj, « Roodal : Govt can veto Penal hospital contract », Port-d'Espagne, *Trinidad and Tobago Guardian*, 2 juillet 2013, et Radhica Sookraj, « SNC-Lavalin gets $2.2m to design hospital in Penal… despite ten-year World Bank ban », Port-d'Espagne, *Trinidad and Tobago Guardian*, 10 juillet 2013.
106. « Canadians leave top police posts in Trinidad and Tobago », Canadian Broadcasting Corporation (CBC), 31 juillet 2012, <www.cbc.ca/news/canada/manitoba/story/2012/07/31/mb-gibbs-ewatski-trinidad-tobago-police.html> ; Brian Kemp, « Canadian leads gang

crackdown in Trinidad and Tobago, Former Edmonton police officer running country's police force in state of emergency», Canadian Broadcasting Corporation (CBC), 20 septembre 2011, <www.cbc.ca/news/world/story/2011/09/14/gibbs-trinidad-tobago.html>.

107. Charlotte Ingham, «Crime And Punishment: State Of Emergency In Trinidad And Tobago», The Inkerman Group, 17 novembre 2011, <http://blog.inkerman.com/index. php/2011/11/17/crime-and-punishment-state-of-emergency-in-trinidad-and-tobago-drugs/>.

108. Robert Weissman, «Playing With Numbers, The IMF's Fraud in Trinidad and Tobago», *The Multinational Monitor*, vol. 11, n° 6, juin 1990.

109. «Relations Canada et Trinité-et-Tobago», Ottawa, Gouvernement du Canada, *op. cit.*

110. De source gouvernementale canadienne, «dans la dernière décennie, le Canada a dépensé au-delà de 1 million de dollars pour envoyer 60 officiers». Cf. «Relations Canada et Trinité-et-Tobago», Ottawa, Gouvernement du Canada, *op. cit.*

111. *Ibid.* Nous avons retraduit certains passages à partir de l'anglais, la proposition en français du gouvernement étant truffée de calques.

112. *Ibid.*

113. Sa ministre de tutelle en 2006, Camille Robinson-Regis, deviendra haute-commissaire de son pays au Canada un an avant que ne débute la commission d'enquête.

114. Afra Raymond, «Learning the Lessons of the UDeCOTT fiasco: Part 2», *AfraRaymond. com*, 22 avril 2010, <http://afraraymond.wordpress.com/category/uff-commission/page/2/>.

115. Andrew McIntosh et Kinia Adamczyk, «Enquête Genivar: "Je n'ai rien fait de mal"», Montréal, Agence QMI, 13 septembre 2012.

116. Afra Raymond, «Property Matters – Spending and Savings», *AfraRaymond.com*, 29 septembre 2011, <http://afraraymond.wordpress.com/tag/udecott/>.

117. Nalinee Seelal, «Sunway Director is Mrs Hart's brother», *Trinidad &Tobago Newsday*, 8 mai 2012.

118. Afra Raymond, «End-notes on the Uff Commission», *AfraRaymond.com*, 17 décembre 2009, <http://afraraymond.wordpress.com/2009/12/17/end-notes-on-the-uff-commission/>.

119. Afra Raymond, «Learning the Lessons of the UDeCOTT fiasco: Part 2», *op. cit.*

120. Citoyen trinidadien des plus engagés, Afra Raymond parvient en un clin d'œil à dépeindre l'état de corruption sur les deux îles ainsi que dans toute la Caraïbe. Cf. «Afra Raymond: Three myths about corruption», *TED*, février 2013, <www.ted.com/speakers/afra_raymond.html>.

121. «Budget Statement 2011, Turning The Economy Around, Partnering With All Our People, Facing The Issues», Government of The Republic of Trinidad & Tobago, 2010, <www.finance.gov.tt/content/Budget%20Statement%202011.pdf>.

122. «About Calder Hart», *Calderhart.com*, <www.calderhart.com/#!about>, page consultée le 28 août 2013.

123. Afra Raymond, «End-notes on the Uff Commission», *op. cit.*, <http://afraraymond.word press.com/2009/12/17/end-notes-on-the-uff-commission/>.

124. Après avoir été une abonnée aux contrats d'UdeCOTT, Genivar a poursuivi son ancien partenaire dans le cas de plusieurs chantiers laissés en plan. Elle a finalement obtenu satisfaction dans un règlement hors cour lui rapportant 20 millions de dollars (Derek Achong, «UDeCOTT Must Pay Can $20M», *Trinidad & Tobago Guardian*, 30 novembre 2013; Anika Gumbs-Sandiford, «Udecott quashes Genivar/DCAL contract», *Trinidad & Tobago Guardian*, 6 mai 2012; Andre Bagoo, «Possible Udecott/Genivar link», Port-d'Espagne, *Trinidad & Tobago Newsday*, 8 avril 2010; Andrew McIntosh et Kinia Adamczyk, «Enquête Genivar: "Je n'ai rien fait de mal"», *op. cit.*; Andre Bagoo, «Genivar sues UDeCOTT for $122M», *Trinidad &Tobago Newsday*, 2 décembre 2012).

125. La canadienne IBI-MAAK a également développé des projets de traitement d'eau au pays. «What's In A Name?», Port-d'Espagne, *Nasty Little Truths*, 26 mai 2008, <http://nasty-littletruths.wordpress.com/2008/05/26/whats-in-a-name/>.

126. «Canadians – Can There Be Any More? (Updated)», Port-d'Espagne, *Nasty Little Truths*, 9 avril 2009, <http://nastylittletruths.wordpress.com/2009/04/09/canadians-can-there-be-any-more/>; Afra Raymond, «Reforming UDeCOTT», *Real Estate, Property Matters*, 24 février 2011, <www.raymondandpierre.com/articles/article97.htm>; et «UDeCOTT:

Robinson-Regis Pleased with Progress of Waterfront», UdeCOTT Corporate Communications, 22 juin 2007, <www.udecott.com/index.php/cc/cc_news_item/udecott_robinson_ regis_pleased_with_progress_of_waterfront/>.

127. On les retrouve actifs dans le secteur pétrolier dès le début du xxᵉ siècle («The first oil well in the world», The Caribbean History Archives, 18 août 2011, <http://caribbeanhistory archives.blogspot.ca/2011/08/first-oil-well-in-world.html>) ou en 1900 dans le secteur électrique. Cf. Christopher Armstrong et H. V. Nelles, *Southern Exposure: Canadian Promoters in Latin America and the Caribbean 1896-1930*, Toronto, Buffalo et Londres, University of Toronto Press, 1998.

128. «Methanex in Trinidad and Tobago», *Methanex.com*, 4 janvier 2013, <www.methanex. com/ourcompany/locations_trinidad.html>.

129. «RBTT: Deal or no deal?», *Trinidad Express*, 3 mars 2008. La Banque Royale avait cessé l'essentiel de ses opérations sur l'île en 1988, cédant ses actifs à une banque de Trinité. Cf. Hugues Létourneau et Pablo Heidrich, «Canadian Banks Abroad, Expansion and Exposure to the 2008-2009 Financial Crisis», *The North-South Institute*, mai 2010, p. 6.

130. Sean Ng Wai, «Why do banks disappear?: A History of Bank Failures and Acquisitions in Trinidad, 1836-1992», *Journal of Business, Finance and Economics in Emerging Economies*, vol. 5, n° 1, 2010.

131. «Relations Canada et Trinité-et-Tobago», Ottawa, Gouvernement du Canada, *op. cit.* Pensons aux sociétés Atlas Methanol, Cleghorn & Associates Ltd. et EnEco Industries Ltd. Pour favoriser la mobilité des sociétés canadiennes sur l'île, le Canada a développé, trois ans après avoir signé une convention fiscale avec Trinité-et-Tobago, la «catégorie "jugée non-résidente" aux fins de l'impôt sur le revenu, qui permet à un résident de fait au Canada et dans un autre pays d'être considéré comme un non-résident au Canada».

132. «Large Audience for Guyana Day Forum at the PDAC 2013 in Toronto, Canada», Ministry of Natural Resources and The Environment, Government of Guyana, 4 mars 2013, <www. nre.gov.gy/Large%20Audience%20for%20Guyana%20Day%20Forum%20at%20the%20 PDAC%202013%20in%20Toronto,%20Canada.%20March%2005%202013.html>.

133. Andrew P. Rasiulis, «Le programme d'aide à l'instruction militaire (Paim): un instrument de diplomatie militaire», *Revue militaire canadienne*, automne 2001, p. 63-64.

134. «Déclaration conjointe du Canada et de Trinité-et-Tobago», Ottawa, premier ministre du Canada, 25 avril 2013.

135. *Ibid.*

136. «Relations Canada - Antigua-et-Barbuda», Ottawa, Gouvernement du Canada, juillet 2013, <www.canadainternational.gc.ca/barbados-barbade/bilateral_relations_bilaterales/ canada_antigua-barbuda.aspx?lang=fra>.

137. «Relations Canada – Barbade», Ottawa, Gouvernement du Canada, janvier 2012, <www. canadainternational.gc.ca/barbados-barbade/bilateral_relations_bilaterales/canada_ barbados-barbades.aspx?lang=fra&menu_id=25>.

138. Andrew P. Rasiulis, «Le programme d'aide à l'instruction militaire (paim): un instrument de diplomatie militaire», *op. cit.*

139. «Money Laundering & Financial Irregularity», *Antigua Investment Authority*, 2008, <www.antiguainvestmentauthority.com/moneylaundering.html>.

140. Yves Engler, *The Black Book on Canadian Foreign Policy*, Black Point (NS)/ Vancouver, Fernwood/RED Publishing, 2009, p. 13-16.

141. John Grisham, *La Firme*, Paris, Robert Laffont, 1992 [1991], p. 187, 275 et 289.

142. Courtney Tower et C. Alexander Brown, «O, Canada, He Stands on Guard for Thee», *Maclean's*, juillet 1970.

143. Sumiko Ogawa, Joonkyu Park, Diva Singh et Nita Thacker, «Financial Interconnectedness and Financial Sector Reforms in the Caribbean», IMF Working Paper, Western Hemisphere Department, juillet 2013, p. 5.

144. «Storm survivors», *The Economist*, 16 février 2013.

145. Hugues Létourneau et Pablo Heidrich, «Canadian Banks Abroad», *op. cit.*, p. 15.

146. À l'exception de Cuba au moment du changement de régime. Hugues Létourneau et Pablo Heidrich, «Canadian Banks Abroad», *op. cit.*, p. 15. La Banque Scotia a intensifié ses activités offshore aux Bermudes en 1969, en créant alors la Bermuda Nationale Bank

Limited, une société détenue par elle à hauteur de 40 % et de 60 % par des Bermudiens. Cf. Banque de Nouvelle-Écosse, *Rapport annuel 1969*, Toronto, 1970, p. 18.

147. Hugues Létourneau et Pablo Heidrich, « Canadian Banks Abroad », *op. cit.*, p. 15.

148. La Banque Royale compte aujourd'hui 125 succursales, 6 800 employés et 1,6 million de clients dans les 20 pays des Caraïbes où elle opère. Cf. Banque Royale du Canada, *Rapport annuel, 1965*, Montréal, 1966, p. 21.

149. « Le MEDAC s'en prend aux filiales des banques dans les paradis fiscaux », *Le Devoir*, 26 novembre 2010 ; « Paradis fiscaux : quel parti politique mettra fin au scandale ? », Montréal, *L'Aut' Journal*, 8 avril 2011.

150. « The Caribbean – The Canadian connection, Providing banking, business and policemen », *The Economist*, 27 mai 2008.

151. « Our History (1990's) », The Barbados Light and Power Company Limited, <www.blpc.com.bb/co_his.cfm#E>, page consultée le 3 septembre 2013 ; « Canadian utility acquires stake in St Lucia electricity company », *The CaribbeanNetNews*, 17 janvier 2007 ; « Fortis Inc., through a wholly owned subsidiary, acquired all of the outstanding shares of P.P.C. Limited (« PPC ») and Atlantic Equipment and Power (Turks and Caicos) Limited (« Atlantic ») », Fortis Turks and Caicos, 28 août 2006.

152. Nicholas Shaxson, *Les Paradis fiscaux. Enquête sur les ravages de la finance néolibérale*, Bruxelles, André Versaille Éditeur, 2012, p. 43.

153. Stuart Fieldhouse, « Maplers and Calder, The Leading Offshore Law Firm », *The Hedgefund Journal*, avril 2011, p. 2, 3ᵉ colonne.

154. *Ibid.*

155. *Ibid.*, p. 2, 1ʳᵉ colonne.

CHAPITRE DOUZE

2010 – Le Panama

Plaque tournante du narcotrafic

1. « Panama Banks - Complete List », *Panama Forum*, <www.panamaforum.com/panama-banks/9372-panama-banks-complete-list.html>, page consultée le 4 juin 2013. L'agence de la Zone franche de Colon estime pour sa part à plus de 120 institutions le nombre de banques au pays. Cf. « The Colon free trade zone, Panama. Republic of Panama », *The Colon Free Trade Zone.com*, <www.colonfreetradezone.com/freezone-colon.html>, site consulté le 4 juin 2013.

2. « List of Informal Finance Companies in Panama Grows. The number of companies or individuals raising money from investors without authorization from the Superintendency of Banks now totals 73 », *Central America Data*, 17 janvier 2013, <http://en.centralamerica-data.com/en/article/home/List_of_Informal_Finance_Companies_in_Panama_Grows>.

3. « Banks, Banks and More Banks in Obarrio, Panama », *Panama Banking List*, <www.panamabanklist.com/real-estate/banks-banks-and-more-banks-in-obario-panama/>, page consultée le 4 juin 2013.

4. Michel Planque *et al.*, *Panama, L'essentiel d'un marché*, Paris, Éditions UbiFrance, coll. « Comprendre · Exporter · Vivre », 2010, p. 39.

5. Édouard Chambost, *Guide Chambost des paradis fiscaux*, Lausanne, Fabre, 8ᵉ édition, 2005, p. 359.

6. *Ibid.*

7. Grégoire Duhamel, *Les Paradis fiscaux*, Paris, Éditions Grancher, 2006, p. 523.

8. Édouard Chambost, *Guide Chambost des paradis fiscaux*, *op. cit.*, p. 358.

9. Grégoire Duhamel, *Les Paradis fiscaux*, *op. cit.*, p. 527.

10. « Panama Bank Secrecy », *Panama Offshore*, <http://panama.offshoreww.com/panama-bank-account/panama-bank-secrecy.html>, page consultée le 4 juin 2013.

11. Michel Planque *et al.*, *Panama*, *op. cit.*, p. 78.

12. *Ibid.*

13. *Ibid.*, p. 192.

14. Grégoire Duhamel, *Les Paradis fiscaux*, *op. cit.*, p. 526.

15. *Ibid.*, p. 514.
16. Patrice Meyzonnier, *Trafics et crimes en Amérique centrale et dans les Caraïbes*, Paris, Presses universitaires de France, 2000, p. 56.
17. *Ibid.*
18. Alain Delpirou et Eduardo Mackenzie, *Les cartels criminels. Cocaïnes et héroïne: une industrie lourde en Amérique latine*, Paris, Presses universitaires de France, coll. « Criminalité internationale », 2000, p. 112. Lire aussi Thierry Cretin, *Mafias du monde. Organisations criminelles transnationales. Actualités et perspectives*, Paris, Presses universitaires de France, coll. « Criminalité internationale », 3ᵉ édition, 2002 ; l'auteur, ancien juge d'instruction en France, a signé ce livre alors qu'il était détaché à l'Office de lutte antifraude de la Commission européenne. Il fait également état de la présence de la mafia russe au Canada, p. 53-54 et 56, ainsi que de la mafia jamaïcaine, p. 220. Patrice Meyzonnier, dans *Trafics et crimes en Amérique centrale et dans les Caraïbes, op. cit.*, insiste pour sa part sur la présence de la mafia guyanaise, p. 120, et sicilienne p. 177, au Canada.
19. Service canadien de renseignements criminels (SCRC), *Rapport sur le crime organisé*, Ottawa, Gouvernement du Canada, 2010 ; Thierry Cretin, *Mafias du monde, op. cit.*, p. 48.
20. Antonio Nicaso cité dans « Canada Mob Haven - Experts », *Halifax Daily News*, 9 novembre 1994.
21. « The Colon free trade zone », *op. cit.*
22. « Companies established in the area », Zona libre de Colón, <www.zolicol.gob.pa/imagenes/imagen/op_171.jpg>, page consultée le 3 septembre 2013.
23. Michel Planque *et al.*, *Panama, op. cit.*, p. 81.
24. *Ibid.*, p. 167.
25. Grégoire Duhamel, *Les Paradis fiscaux, op. cit.*, p. 525.
26. Michel Planque *et al.*, *Panama, op. cit.*, p. 63.
27. Grégoire Duhamel, *Les Paradis fiscaux, op. cit.*
28. Patrice Meyzonnier, *Trafics et crimes en Amérique centrale et dans les Caraïbes, op. cit.*, p. 58.
29. *Ibid.*, p. 56. Le Canada est ainsi deux fois exposé aux trafics et blanchiment de capitaux colombiens puisqu'il a aussi signé un traité de libre-échange avec la Colombie en 2008. Il est entré en vigueur en 2011. Cf. Étienne Roy Grégoire, « Le traité de libre-échange Canada-Colombie et les droits de la personne : Les défis de la cohérence dans la politique étrangère canadienne », Centre d'études sur l'intégration et la mondialisation, Université du Québec à Montréal, juin 2009.
30. Michel Planque *et al.*, *Panama, op. cit.*, p. 26.
31. *Ibid.*, p. 81.
32. *Ibid.*, p. 27, 33-38, 60, 64 et 81.
33. Patrice Meyzonnier, *Trafics et crimes en Amérique centrale et dans les Caraïbes, op. cit.*, p. 57.
34. Michel Planque *et al.*, *Panama, op. cit.*, p. 81.
35. *Ibid.*, p. 30.
36. *Ibid.*, p. 33 ou 81. Le livre de Planque comprend deux données différentes.
37. *Ibid.*, p. 33.
38. *Ibid.*, p. 41.
39. Cité dans Marie-Christine Dupuis-Danon, *Finance criminelle. Comment le crime organisé blanchit l'argent sale*, Paris, Presses universitaires de France, coll. « Criminalité internationale », deuxième édition, 2004 [1998], p. 80.
40. Patrice Meyzonnier, *Trafics et crimes en Amérique centrale et dans les Caraïbes, op. cit.*, p. 57.
41. Marie-Christine Dupuis, *Stupéfiants, prix, profits*, Paris, Gallimard, coll. « Criminalité internationale », 1996, p. 111.
42. Marie-Christine Dupuis-Danon, *Finance criminelle, op. cit.*, p. 77.
43. Cité dans *ibid.*, p. 89.
44. Cité dans *ibid.*, p. 202.
45. Jean-Claude Grimal, *Drogue: l'autre mondialisation*, Paris, Gallimard, coll. « Folio *Le Monde* Actuel », 2000, p. 165.
46. Cité dans Marie-Christine Dupuis-Danon, *Finance criminelle, op. cit.*, p. 84.
47. Jean-Claude Grimal, *Drogue: l'autre mondialisation, op. cit.*, p. 168.

48. *Ibid.*, p. 173.
49. Cité dans Marie-Christine Dupuis-Danon, *Finance criminelle, op. cit.*, p. 122.
50. *Ibid.*, p. 140.
51. R. T. Naylor, *Hot Money, And the Politics of Debt*, Montréal et Kingston, McGill/Queen's University Press, 2004 [1987], p. 194.
52. Jean-Claude Grimal, *Drogue : l'autre mondialisation, op. cit.*, p. 186.
53. *Ibid.*
54. Jean de Maillard, « La criminalité financière. Face noire de la mondialisation », dans Dominique Plihon (dir.), *Les Désordres de la finance. Crises boursières, corruption, mondialisation*, Paris, Encyclopædia Universalis, 2004, p. 186.
55. Une occurrence de blanchiment dans le domaine immobilier au Panama concernant la ville de Laval a fait l'objet d'un traitement médiatique : Andrew McIntosh et Annie-Laure Favereaux, « Une revente très payante, Une société enregistrée au Panama fait 190 000 $ en une journée sur des lots de la ville », *Le Journal de Montréal*, 15 janvier 2013.
56. Article 7 de la loi C-24.
57. Marie-Christine Dupuis-Danon, *Stupéfiants, prix, profits, op. cit.*, p. 112, et Alain Delpirou et Eduardo Mackenzie, *Les cartels criminels, op. cit.*, vont dans le même sens, p. 149.
58. Marie-Christine Dupuis-Danon, *Stupéfiants, prix, profits, op. cit.*, p. 56.
59. Alain Delpirou et Eduardo Mackenzie, *Les cartels criminels, op. cit.*, p. 148.
60. *Ibid.*
61. Michel Planque *et al., Panama, op. cit.*, p. 42.
62. Jean-Claude Grimal, *Drogue : l'autre mondialisation, op. cit.*, p. 10-11.
63. Michel Planque *et al., Panama, op. cit.*, p. 43.
64. Jamie Kneen, « Alert to Investors re : Petaquilla Minerals and the Molejón Gold Mine in Panama », Ottawa, Mining Watch, 28 novembre 2008.
65. « Délibérations du Comité sénatorial permanent des Affaires étrangères et du commerce international », Fascicule 19, témoignages du 6 décembre 2012, Ottawa, Sénat, Parlement du Canada, 6 décembre 2012.
66. Grégoire Duhamel, *Les Paradis fiscaux, op. cit.*, p. 520.
67. Simon Black, « 5 Factors To Consider Before Moving To Panama », *Business Insider*, 13 mars 2012.

CONCLUSION
État de siège social

1. « L'évasion fiscale au Québec. Sources et ampleur », dans *Études économiques, fiscales et budgétaires*, Ministère des Finances du Québec, vol. 1, n° 1, 22 avril 2005.
2. Dans son document « L'évasion fiscale au Québec, Sources et ampleur », *op. cit.*, le ministère des Finances du Québec cite dans sa bibliographie : Seymour Berger, « The Unrecorded Economy, Concepts, Approach and Preliminary Estimates for Canada, 1981 », dans *Canadian Statistical Review*, Ottawa, Statistics Canada, CANSIM Division, vol. 61, n° 4, avril 1986 ; Don Drummond, Mireille Éthier, Maxime Fougère, Brian Girard et Jeremy Rudin, « The Underground Economy : Moving the Myth Closer to Reality », dans *Canadian Business Economics*, Ottawa, Canadian Association for Business Economics (CABE), été 1994 ; Bernard Fortin, Gaétan Garneau, Guy Lacroix, Thomas Lemieux et Claude Montmarquette, *L'économie souterraine au Québec. Mythe et réalité*, Québec, Presses de l'Université Laval, 1996 ; Gylliane Gervais, *La dimension de l'économie souterraine au Canada*, Ottawa, Statistique Canada, juin 1994 ; David E. A. Giles et Lindsay Tedds, *Taxes and the Canadian Underground Economy*, dans *Canadian Tax Paper* n° 106, Toronto, Canadian Tax Foundation, 2002 ; Rolf Mirus, Roger S. Smith et Vladimir Karoleff, « Canada's Underground Economy Revisited : Update and Critique », *Canadian Public Policy*, vol. 20, n° 3, 1994 ; Dominique Pinard, *Un regard sur la taille de l'économie souterraine : une méthode d'estimation pour le Québec*, mémoire de maîtrise effectué sous la supervision de Bernard Fortin, Département d'économie, Université Laval, 2005 ; Friedrich Schneider et Dominik H. Enste, « Shadow Economies : Size, Causes, and Consequences », *Journal of Economic Literature*, Pittsburgh, American Economic Association Publications, vol. 38, n° 1, 2000 ;

Peter S. Spiro, «Estimating the Underground Economy: A Critical Evaluation of the Monetary Approach», *Canadian Tax Journal*, Toronto, Canadian Tax Foundation, vol. 42, n° 4, 1994.

3. Même parmi les titres retenus par le ministère, un ouvrage très documenté, *L'économie souterraine au Québec*, procède à cette mise en garde. En introduction, son collectif d'auteurs prévient que l'expression *économie souterraine* est aussi limitée dans sa définition que dans ses méthodes. «Il importe d'abord de bien définir ce qu'on entend par économie souterraine. Il existe, en effet, beaucoup de confusion sur les concepts tels que l'économie souterraine, les activités non marchandes, les activités criminelles et la fraude fiscale.» La première notion exclut les autres; l'économie souterraine se distingue de bien des fraudes fiscales ou d'autres formes de méfaits liés à l'évitement du fisc, du fait, précisent les auteurs, d'être strictement «une composante de l'économie marchande». Cf. Bernard Fortin *et al.*, *L'économie souterraine au Québec, op. cit.*, p. 6-7.

4. *Ibid.*, p. 7.

5. Seymour Berger, «The Unrecorded Economy», *op. cit.*, p. IX. L'auteur indique préférer l'expression «économie non déclarée» (*unrecorded economy*) à celle de souterraine (*underground*), parce qu'elle lui permet précisément de restreindre explicitement son étude aux seules données commerciales qui ne se trouvent pas comptabilisées dans les données relatives au produit intérieur brut.

6. Gylliane Gervais, *La dimension de l'économie souterraine au Canada, op. cit.*, p. 1.

7. Quand on s'y réfère néanmoins, on peut tenter d'estimer l'importance de l'économie au noir en mesurant l'écart qui subsiste entre les transactions commerciales effectivement comptabilisées au titre du PIB et celles qui *auraient dû* l'être, mais sont passées inaperçues. Cet écart s'établit, dans un premier temps, en fonction d'incompatibilités entre des données de différentes sources censées se recouper, soit par exemple les recettes engendrées dans l'économie de production, la somme des montants en cause dans le secteur des ventes ainsi que la valeur brute de la production dans chaque secteur d'activité. Cette démarche consiste également, dans un second temps, à prendre en considération un certain type de transactions qui ne peuvent pas se trouver comptabilisées parce qu'elles participent d'activités illégales (contrebande, narcotrafic, prostitution...). Le souci de Gervais reste souvent de statuer si les sommes soustraites au calcul du PIB par un biais ne se trouvent pas autrement – indirectement – comptabilisées au titre de l'indice, dans des transactions ultérieures d'autres natures impliquant les mêmes fonds. Le blanchiment d'argent consiste par exemple à intégrer facticement à l'économie réelle les fruits de transactions au demeurant non comptabilisées parce qu'effectuées au noir, et à terme inscrites dans les données relatives au PIB. Cf. Gylliane Gervais, *La dimension de l'économie souterraine au Canada, op. cit.*, p. 29.

8. *Ibid.*, p. 2. L'auteur précise ensuite que des transactions telles que les héritages, les transactions foncières et les intérêts sur les prêts entre particuliers échappent également à l'établissement du PIB.

9. *Ibid.*, p. 42.

10. *Ibid.*, p. 3.

11. *Ibid.*, p. 4.

12. «Le système des comptes nationaux s'intéresse avant tout à la production économique. C'est pourquoi, en ce qui touche les questions de mesure, la préoccupation première est la production souterraine, plutôt que les transactions non taxées.» L'accent sera mis forcément sur les transactions marchandes intérieures. On insistera donc sur des enjeux afférents, tels que l'évitement par les marchands de taxes à la consommation. Cf. Gylliane Gervais, *La dimension de l'économie souterraine au Canada, op. cit.*, p. 1 et 4, de même que Rolf Mirus *et al.*, «Canada's Underground Economy Revisited», *op. cit.*, p. 237.

13. Gylliane Gervais, *La dimension de l'économie souterraine au Canada, op. cit.*, p. 4. Schneider et Enste évoquent eux aussi le fossé qui existe entre évasion fiscale et économie souterraine en citant l'économiste Feinstein, dans «Shadow Economies: Size, Causes, and Consequences», *op. cit.*, p. 79.

14. Don Drummond, avec des pairs du ministère fédéral des Finances, considère par exemple que «les secteurs de l'économie susceptibles d'être vulnérables aux activités souterraines ne représentent qu'une partie relativement petite du PIB» (Don Drummond *et al.*, «The

Underground Economy : Moving the Myth Closer to Reality », *op. cit.*, p. 4). David Giles et Lindsay Tedds déplorent, pour leur part, que l'approche du phénomène par les données du PIB omette plusieurs variables, par exemple les gains en capitaux et les successions, sans parler du produit criminel que l'agence gouvernementale sous-évaluerait (David E. A. Giles et Lindsay Tedds, *Taxes and the Canadian Underground Economy*, *op. cit.*, p. 92). Peter Spiro regrette enfin que l'agence ne compte pas sur des sondages aléatoires, à l'instar de son pendant états-unien, l'Internal Revenue Service (IRS), pour mieux saisir le profil des contribuables ne se conformant pas aux exigences fiscales. Selon lui, la méthodologie de l'agence ne permet pas de postuler l'existence d'un plafond de l'économie souterraine. Le problème de l'évasion fiscale reste si méconnu qu'on risque, à prétendre en circonscrire les limites, de considérablement le sous-estimer (*there is a risk of seriously understating the problem of tax evasion*, Peter S. Spiro, « Estimating the Underground Economy », *op. cit.*, p. 1075).

15. Seymour Berger, un des auteurs cités par le ministère, affirme que l'économie non déclarée se trouve cernée dans la mesure seule où ceux qui y participent peuvent eux-mêmes être *cernables*. Cf. Seymour Berger, « The Unrecorded Economy », *op. cit.*, p. VI. L'auteur écrit « *sizeable* » en ajoutant lui-même des guillemets. Le profilage social amène les autorités à des déclarations étonnantes, comme celle du président de l'Agence du revenu du Québec affirmant qu'« il faut éduquer les contribuables » en visant essentiellement en cela les petites gens, cf. Patrice Bergeron, « Le Québec n'est pas la Grèce, mais… », *Le Devoir*, 17 avril 2012.

16. Les ennemis du fisc seront désormais « les petits entrepreneurs et les artisans indépendants » ou encore « les propriétaires de petits magasins et de restaurants », selon le genre de formule que l'on retrouve dans ces traités, par exemple dans Seymour Berger, « The Unrecorded Economy », *op. cit.*, p. XV. Argument repris pas Gylliane Gervais, *La dimension de l'économie souterraine au Canada*, *op. cit.*, notamment à la page 43.

17. David E. A. Giles et Lindsay Tedds, *Taxes and the Canadian Underground Economy*, *op. cit.*, p. 36.

18. *Ibid.*

19. Gylliane Gervais, *La dimension de l'économie souterraine au Canada*, *op. cit.*, p. 43.

20. Dans Bernard Fortin *et al.*, *L'économie souterraine au Québec*, *op. cit.*, p. 18, on admet que les entreprises arrivent à dissimuler indûment des profits, mais on préfère simplement exclure cette donnée de l'objet d'étude. C'est ce que prévoit par exemple la méthode d'évaluation par enquête préconisée par le collectif à l'origine de l'ouvrage *L'économie souterraine au Québec. Mythes et réalités*. Il néglige ouvertement les opérations d'évitement des entreprises : « Il faudrait aussi inclure les profits non déclarés des entreprises. De toute évidence, cette composante n'est pas très bien mesurée dans une enquête auprès des ménages. » Une note accompagnant cette assertion propose d'éliminer le rôle des grandes entreprises au nom d'une hypothèse : « Sous l'hypothèse que l'économie souterraine est inexistante dans le secteur financier et les grandes entreprises, la valeur de la production souterraine devrait donc être la somme des salaires non déclarés et des profits non déclarés des petites entreprises » (*Ibid.*, p. 18n).

21. Gylliane Gervais, *La dimension de l'économie souterraine au Canada*, *op. cit.*, p. 20.

22. *Ibid.*, p. 21.

23. *Ibid.*

24. *Ibid.*, p. 54 et suiv.

25. « L'évasion fiscale au Québec. Sources et ampleur », *op. cit.*, p. 3.

26. *Ibid.*

27. Les économistes albertains Rolf Mirus, Roger S. Smith et Vladimir Karoleff, également cités par le ministère, confirment l'importance des placements financiers extraterritoriaux au nombre des critères d'évaluation de l'évasion fiscale. Ils prennent appui sur des travaux du Fonds monétaire international. « De plus, l'avènement de l'économie mondialisée a créé des occasions pour le développement d'une économie souterraine, parce que la collecte de données a du mal à suivre les flux financiers internationaux. Le Fonds monétaire international (FMI) a par exemple découvert que les revenus sur les investissements de portefeuille sont les écarts individuels les plus importants et ceux qui croissent le plus rapidement. En

d'autres termes, les intérêts et dividendes payés à l'étranger rapportés par les compagnies sont plus importants que le montant déclaré comme revenu par les bénéficiaires.» En 1991 déjà, on évaluait à 90 milliards de dollars les sommes engagées mondialement dans ces jeux de transferts. On comprend implicitement que les bénéficiaires qui dissimulent au fisc ces dividendes sont des investisseurs qu'on peut très bien reconnaître en des «personnes morales», par exemple des banques ou des investisseurs institutionnels, et pas seulement des particuliers. La conclusion des trois auteurs porte également sur des problèmes d'envergure internationale. «La nécessité grandit de resserrer la coopération internationale en matière d'impôt sur le revenu. Des Canadiens bénéficient de sources grandissantes de revenus de placement provenant d'investissements à l'étranger, mais Revenu Canada ne peut pas suivre la trace des investissements faits par des Canadiens aux États-Unis ou dans d'autres pays.» Le lexique change subitement; on n'a plus affaire à de petits filous, mais à des *holdings* gérant à l'étranger des *revenus de placements* détenus par des *Canadiens* dont on n'ose rien dire de plus à ce stade. On s'en tiendra à cette ligne de fuite. Cf. Rolf Mirus *et al., op. cit.*, p. 237 et 248. (Les auteurs citent du Fonds monétaire international le rapport *Report on the World Current Account Discrepancy*, Washington (DC), septembre 1987.)

28. Ministère des Finances du Québec, «Lutte contre les planifications fiscales agressives», *Bulletin d'information 2009*, n° 5, 15 octobre 2009, et Ministère des Finances du Québec, «Planifications fiscales agressives: assouplissement relatif à certains engagements de confidentialité», *Bulletin d'information 2010*, n° 4, 26 février 2010.

29. Ministère des Finances du Québec, «Lutte contre les planifications fiscales agressives», *op. cit.*, p. 3.

30. *Ibid.*, p. 10.

31. *Ibid.*

32. *Ibid.*, p. 7.

33. La moitié des gains qui découlent de la détention de capitaux n'étant pas imposée, Léo-Paul Lauzon s'explique ainsi le fait que «plus de 60% de la rémunération annuelle des dirigeants est payée en actions. Cela constitue de l'évasion fiscale pure et simple». Léo-Paul Lauzon, «Le scandale des gains de capitaux», *Comptes et contes*, juillet 2003, <www.cese.uqam.ca/pdf/chr_03_juil.pdf>. Aujourd'hui encore, seuls 50% des gains en capital sont imposables au Canada.

34. Ministère des Finances du Québec, «Lutte contre les planifications fiscales agressives», *op. cit.*, p. 22.

35. «Section F - Lutte à l'évasion fiscale», dans *Plan budgétaire, Budget 2013-2014*, Québec, Ministère de l'Économie et des Finances, 2013, p. 5.

36. Jocelyne Richer, «La lutte contre l'évasion fiscale progresse à petits pas», *Le Devoir*, 7 mars 2012.

37. Jean-Luc Lavallée, «3,5 G $ de plus dans les coffres», *Le Journal de Montréal*, 6 septembre 2013.

38. Ministère des Finances du Québec, «Lutte contre les planifications fiscales agressives», *op. cit.*, p. 6.

39. «Le nouveau gouvernement du Canada renforce le régime de l'impôt sur le revenu», communiqué, Ottawa, Ministère des Finances, 9 novembre 2006, et «Ottawa rattrape les fiducies de revenu», Société Radio-Canada, 1er novembre 2006, <www.radio-canada.ca/nouvelles/Politique/2006/10/31/005-taxe-fiducies.shtml>.

40. «Évasion fiscale - Revenu Québec lance le deuxième volet de sa campagne de sensibilisation sur la lutte contre l'évasion fiscale», communiqué de presse, Québec, Revenu Québec, 29 mars 2013, <www.newswire.ca/fr/story/1138263/evasion-fiscale-revenu-quebec-lance-le-deuxieme-volet-de-sa-campagne-de-sensibilisation-sur-la-lutte-contre-l-evasion-fiscale>, et Alain Deneault, «Que penser de la campagne publicitaire de l'Agence du revenu du Québec contre les Paradis fiscaux?», Montréal, Réseau pour la justice fiscale, 13 octobre 2013, <http://rjfqc.org/2013/03/30/que-penser-de-la-campagne-publicitaire-de-lagence-du-revenu-du-quebec-contre-les-paradis-fiscaux/>.

41. Jean-François Cloutier, «Six familles ciblées par le fisc», *Le Journal de Montréal*, 24 septembre 2013, et Andrew McIntosh et Adamczyk Kinia, «Enquête sur un client douteux», *Le Journal de Montréal*, 4 janvier 2011.

42. Jean-François Cloutier, « Un premier Québécois rattrapé par le fisc », *Le Journal de Montréal*, 4 octobre 2013.
43. Rolf Mirus *et al.*, « Canada's Underground Economy Revisited : Update and Critique », *op. cit.*, p. 235-252.
44. *Ibid.*, p. 247.
45. Friedrich Schneider et Dominik H. Enste, « Shadow Economies : Size, Causes, and Consequences », *op. cit.*, p. 77.
46. « *Overburdened* », dans *ibid.*, p. 77.
47. *Ibid.*, p. 82 et suiv.
48. *Ibid.*, p. 78.
49. *Ibid.*, p. 91.
50. Ministère des Finances du Québec, *L'économie souterraine, le travail au noir et l'évasion fiscale*, Sainte-Foy, Les publications du Québec, 1996. Ce document cite déjà en notes de bas de page plusieurs documents qui seront repris dans la bibliographie de la publication ministérielle de 2005, « L'évasion fiscale au Québec. Sources et ampleur », *op. cit.*
51. Ministère des Finances du Québec, *L'économie souterraine, le travail au noir et l'évasion fiscale*, *op. cit.*, p. 17-22.
52. *Ibid.*, p. IV.
53. *Ibid.*, p. 29.
54. *Ibid.*, p. 1.
55. *Ibid.*, p. 23-24.
56. *Ibid.*, p. 24.
57. *Ibid.*, p. 23.
58. *Ibid.*, p. 24.
59. « L'autocotisation » à laquelle il est fait référence : *ibid.*, p. V et 25.
60. *Ibid.*, p. 25.
61. On peut légitimement se demander si les autorités publiques ne font pas preuve d'une telle restriction mentale du fait de rapports d'influence indus. Elles ne sont pas incorruptibles. Le public en a eu une idée en ce qui regarde la corruption à petite échelle. Il devenait de notoriété publique au tournant de la décennie 2010 que l'Agence du revenu du Canada menait une enquête interne sur des fonctionnaires ayant reçu des pots-de-vin, pour abandonner ou presque un certain nombre d'enquêtes sur des cas particuliers de fraude. Ce type d'interrogations requiert évidemment beaucoup de doigté si on ne veut ni céder au simplisme des « théories du complot » ni faire preuve d'irresponsabilité en les délaissant complètement.
62. Brigitte Alepin, *Ces riches qui ne paient pas d'impôts. Des faits vécus impliquant des gens du milieu des affaires, de la politique, du spectacle, des sociétés publiques et même des Églises*, Montréal, Éditions du méridien, 2004.
63. On peut supposer que les agents de l'État aient jugé le ton et la facture de l'ouvrage de Brigitte Alepin par trop sulfureux pour l'inclure dans une bibliographie officielle. Dès lors, la question subsiste à savoir pourquoi pas un seul penseur hétérodoxe de la question n'a été ne serait-ce qu'évoqué dans leur production. Pensons par exemple au criminologue de renommée internationale de l'Université McGill, le Montréalais Robert T. Naylor, qui a signé un essai volumineux sur les liens entre la finance criminelle internationale et les trafiquants du marché informel intérieur, dans un livre dont le titre annonce le thème de l'« économie au noir » : R. T. Naylor, *Wages of crime, Black Markets, Illegal Finance, and the Underworld Economy*, Montréal et Kingston, McGill-Queen's University Press, 2004 [2002].
64. Brigitte Alepin, *Ces riches qui ne paient pas d'impôts*, *op. cit.*, p. 30.
65. *Ibid.*, p. 38.
66. *Ibid.*, p. 65.
67. *Ibid.*, p. 152.
68. Jean-François Cloutier, « Amir Khadir et le prof Lauzon visés par Transcontinental », Montréal, *Canal Argent*, 18 mai 2012. L'article porte sur la stratégie fiscale qui consiste pour une entreprise à réduire sa facture fiscale en reportant les pertes d'une autre entité qui dépend d'elle.
69. R. T. Naylor, *Wages of crime*, *op. cit.*

70. Alain Deneault, *Paul Martin et compagnies. Soixante thèses sur l'*alégalité *des paradis fiscaux*, Montréal, VLB Éditeur, 2004.

71. «Revenu Canada: corruption de fonctionnaires?», Montréal, Agence QMI, 4 novembre 2011.

72. «Enquête administrative sur neuf employés», Montréal, Société Radio-Canada, 10 décembre 2010, <www.radio-canada.ca/nouvelles/societe/2010/12/10/001-revenu-canada-enquete.shtml>, et «L'Agence du revenu du Canada suspend quatre fonctionnaires», Montréal, Société Radio-Canada, 8 avril 2009, <www.radio-canada.ca/nouvelles/National/2009/04/08/002-fraude_Agence_revenu_Accurso.shtml>.

73. «Infiltration mafieuse à l'Agence du revenu du Canada?», à partir d'un reportage d'Alain Gravel, Montréal, Société Radio-Canada, 26 septembre 2013, <www.radio-canada.ca/nouvelles/societe/2013/09/25/004-agence-revenu-canada-infiltration-mafia-nick-rizzuto.shtml>. Après enquête, l'Agence du revenu du Canada a conclu qu'il n'y avait «aucune preuve à l'appui des allégations selon lesquelles le chèque aurait été émis au contribuable avec la complicité d'employés de l'ARC qui se seraient livrés à de la fraude, de la collusion ou de la corruption», cf. «Chèque à Rizzuto: le fisc ne constate ni fraude ni corruption», dépêche de la Presse Canadienne reprise sur le site de Radio-Canada, le 13 décembre 2013, <http://www.radio-canada.ca/nouvelles/societe/2013/12/13/006-cheque-rizzuto-pas-de-corruption.shtml>.

74. Brian Myles, «Allégations de corruption à l'Agence du revenu du Canada - BT Céramique a fait des travaux à la résidence du vérificateur Nick Iammarrone», *Le Devoir*, 28 avril 2011.

75. «Trois ex-fonctionnaires de l'Agence du revenu du Canada sont arrêtés», La Presse canadienne, dépêche reprise dans le *Huffington Post*, 1er mai 2012.

76. «Évasion fiscale: seulement 44 tricheurs ont été pincés depuis 2006», La Presse canadienne, dépêche reprise dans le *Huffington Post*, 10 mai 2013.

77. Caroline Touzin, «Revenu Québec renvoie Benoît Roberge», *La Presse*, 10 octobre 2013.

78. André Dubuc, «Un ex-policier devient directeur des enquêtes à Revenu Québec», *La Presse*, 12 octobre 2011.

79. «M. Florent Gagné, Président du conseil d'administration», Québec, Agence du revenu du Québec, <www.revenuquebec.ca/fr/a-propos/organisation/conseil-administration/membres/florent-gagne.aspx>, page mise à jour le 8 juin 2011.

80. Caroline d'Astous, «De vives tensions chez Revenu Québec, dénonce le syndicat des employés», *Huffington Post*, 13 septembre 2012.

81. Caroline d'Astous, «Après les bonis, des compressions de postes chez Revenu Québec», *Huffington Post*, 24 septembre 2012.

82. Léo-Paul Lauzon, «Les banques donnent le ton et mènent le bal», Montréal, *L'Aut'Journal*, n° 295, décembre 2010 – Janvier 2011.

83. *Ibid.*

84. Les membres de ce comité sont Peter C. Godsoe de la Banque Scotia, membre des conseils d'administration de Barrick Gold, Ingersoll-Rand, Lonmin PLC, Onex Corporation et Rogers Communications inc.; Kevin J. Dancey, président-directeur général de l'Institut Canadien des comptables agréés; James Barton Love du cabinet d'avocat Love & Whalen de Toronto; Nick Pantaleo, associé responsable des services de fiscalité internationale chez PricewaterhouseCoopers LLP; Finn Poschmann, directeur de recherche à l'Institut C.D. Howe; Guy Saint-Pierre, ex-président du conseil de la Banque Royale du Canada et ex-président et chef de la direction du Groupe SNC-Lavalin; et Cathy Williams retraitée de la société Shell Canada. Cf. «Annexe D – Notes biographiques, Groupe consultatif sur le régime canadien de fiscalité internationale, *Rapport final: Promouvoir l'avantage fiscal international du Canada*, Ottawa, Ministère des Finances, 2008, <www.apcsit-gcrcfi.ca/07/cp-dc/pdf/finalReport_fra.pdf>, p. 134-137.

85. Arnaud Mary, *Canada v. Recours aux paradis fiscaux/bancaires: dans quelle mesure la politique de lutte du Canada peut-elle être améliorée*, mémoire de maîtrise, Québec, Faculté de droit, Université Laval, 2011, p. 99-100.

86. R. T. Naylor, *Hot Money, And the Politics of Debt*, Montréal et Kingston, McGill/Queen's University Press, 2004 [1987], p. 304.

87. Banque de Nouvelle-Écosse, *Rapport annuel 1956*, Toronto, p. 6.

88. « Création d'un centre d'expertise dans la lutte contre la criminalité financière : une importante avancée, selon le ministre Alain Paquet », communiqué de presse, Longueuil, Ministère des Finances du Québec, le 23 mars 2012.

89. « L'Université de Sherbrooke crée un Centre d'expertise en lutte contre la criminalité financière », communiqué de presse, Longueuil, Université de Sherbrooke, 22 mars 2012.

90. Thierry Godefroy et Pierre Lascoumes, *Le capitalisme clandestin. L'illusoire régulation des places offshore*, Paris, La Découverte, 2004, p 64 n19.

91. François-Xavier Verschave, *L'envers de la dette. Criminalité politique et économique au Congo-Brazza et en Angola*, Marseille, Agone, coll. « Dossiers noirs », 2001.

92. *La Lettre du continent*, Africa Intelligence, livraisons des 15 septembre 1994, 10 novembre 1994, 6 mai 1995 et 11 juillet 1996, citées dans François-Xavier Verschave, *L'envers de la dette, op. cit.*

93. Thierry Godefroy et Pierre Lascoumes, *Le capitalisme clandestin, op. cit.*, p. 64 n19.

94. Alan Block, *Masters of Paradise : Organized Crime and the Internal Revenue Service in The Bahamas*, New Brunswick (NJ) et Londres, Transaction Publishers, 1991, p. 176.

95. *Ibid.*, p. 13, 166 et 173.

96. *Ibid.*, p. 175.

97. *Ibid.*, p. 176. Ne se sentant toujours pas suffisamment en sécurité aux Bahamas et aux Caïmans, la Castle a trouvé sa forteresse adéquate au Panama (R. T. Naylor, *Hot Money, op. cit.*, p. 315).

98. Alan Block, *Masters of Paradise, op. cit.*, p. 287.

99. *Ibid.*, p. 289.

100. *Ibid.*

101. Jim Drinkhall « IRS vs. CIA : Big Tax Investigation Was Quietly Scuttled By Intelligence Agency », *The Wall Street Journal*, 18 avril 1980, cité dans Peter Dale Scott, « Deep Events and the CIA's Global Drug Connection », Montréal, *Global Research*, 6 septembre 2008, <www.globalresearch.ca/deep-events-and-the-cia-s-global-drug-connection>.

102. « Charles Sirois cautionne l'utilisation de filiales étrangères », Montréal, *TVA Nouvelles*, 28 mai 2012.

103. « L'Université de Sherbrooke crée un Centre d'expertise en lutte contre la criminalité financière », communiqué de presse, Longueuil, Université de Sherbrooke, 22 mars 2012.

104. Le « Quatrième colloque annuel de la prévention de la fraude », organisé le 23 mars 2012 par la Faculté d'administration de l'Université de Sherbrooke, témoigne des relations incestueuses en vigueur aujourd'hui dans les universités au nom de *l'économie du savoir*. C'est un colloque d'un type particulier, auquel participent principalement ceux qui l'ont commandité : deux professeurs du Programme de lutte contre la criminalité financière de l'Université de Sherbrooke et des représentants formels des Autorités des marchés financiers, des Comptables agréés du Canada, de l'Ordre des Comptables accrédités du Québec ainsi que de la Commission de la construction du Québec. Autrement dit, un colloque universitaire sans universitaire. Tous défileront sur la tribune pour vanter leur institution et présenter ni plus ni moins que leur site internet. Il n'y aura en tout et pour tout aucune période de questions. Le but de l'opération relève davantage du marketing que de la recherche : les gestionnaires du programme ont réuni pour l'occasion la clientèle cible du « Diplôme de 2ᵉ cycle en lutte contre la criminalité financière » qu'ils viennent de créer. Il s'agit également d'une tribune politique. Le ministre délégué aux Finances, Alain Paquet, inaugure ce *colloque annuel* d'une journée par une annonce publique : le ministère québécois des Finances subventionne à hauteur de 350 000 $ la création à l'Université de Sherbrooke du Centre d'expertise dans la lutte contre la criminalité financière, et ce, en pleine grève étudiante visant à contester les dérives du système universitaire, dont le colloque était ce jour-là l'illustration.

105. Analys6, <www.analys6.com/fr-ca/services.aspx>, page consultée le 24 juin 2013.

106. Le criminologue montréalais R. T. Naylor conçoit lui aussi que les flux financiers offshore reviennent souvent à leur point de départ, sans que cela ne l'amène à occulter les mille et une façons problématiques dont ces fonds peuvent être également mobilisés dans les paradis fiscaux. Cf. R. T. Naylor, *Wages of crime, op. cit.*, p. 192-195.

107. Éric Pineault, « Baisse d'impôt aux entreprises, Une baisse d'impôt pour des milliards qui dorment ? », *Le Devoir*, 14 avril 2011.

108. Dean Beeby, « De "l'argent qui dort", vraiment », La Presse canadienne, dépêche reprise dans *Le Devoir*, 25 juin 2013.

109. Échange avec nous lors de la journée d'étude « Paradis fiscaux, Une injustice fiscale », Montréal, 18 février 2012.

110. Comité consultatif sur l'économie et les finances publiques, *Le Québec face à ses défis, Fascicule 2. Des pistes de solution. Mieux dépenser et mieux financer nos services publics*, Québec, 2010, p. iii.

111. Luc Godbout et Suzie Saint-Cerny, *Le Québec un paradis pour les familles ? Regards sur la famille et la fiscalité*, Québec, Presses de l'Université Laval, 2009.

112. Comité consultatif sur l'économie et les finances publiques, *Le Québec face à ses défis, Fascicule 2, op. cit.*, p. iii.

113. Francis Fortier, Guillaume Hébert et Philippe Hurteau, *La révolution tarifaire au Québec*, rapport de recherche, Montréal, Institut de recherche et d'informations socio-économiques, 5 octobre 2010.

114. Éric Desrosiers, « L'art de "taxer intelligemment" », *Le Devoir*, 30 janvier 2012.

115. Sur son site, la Chaire fait allusion au social quant il est question des retombées probables, <www.usherbrooke.ca/chairefiscalite/fr/chaire/retombees/>, page consultée le 12 janvier 2013.

116. Pourtant pas soupçonné de penchants gauchistes radicaux, le chroniqueur économique Gérard Bérubé du *Devoir* s'en étonnera. Cf. Gérard Bérubé, « Trop noir », *Le Devoir*, 17 décembre 2009.

117. La Chaire de recherche en fiscalité et en finances publiques de l'Université de Sherbrooke (CFFP) fut créée en 2003 grâce à une subvention de 3 millions de dollars du gouvernement du Québec – subvention qualifiée d'*inconditionnelle* (N. Gilles Larin, Duong Robert, *Des réponses efficaces aux planifications fiscales agressives. Leçons à retenir des autres juridictions. Fascicule 4: Royaume-Uni -Règles de divulgation*, Université de Sherbrooke, Chaire de recherche en fiscalité et en finances publiques, de Sherbrooke, juillet 2009, p. 1). La Chaire reçoit également d'autres subventions du ministère des Finances dans la catégorie *subventions d'organismes non accrédités*. Quels en sont les montants ? Un portrait précis est difficile à établir, car les rapports susceptibles de nous informer ne ventilent pas les montants versés par l'organisme et ne sont pas produits chaque année (les rapports sur la recherche de la Faculté d'administration concernent les années 2000-2001, 2001-2003, 2003-2005 et 2008-2009, <www.usherbrooke.ca/adm/recherche/rapports-recherche/>). En 2002-2003, le financement global de la recherche à la Faculté d'administration passe de 1,5 million à 4,3 millions de dollars, une progression soi-disant *extraordinaire* qui s'explique par l'obtention et le financement de la Chaire ; celle-ci *assurera le financement des activités de recherche des cinq prochaines années* (Université de Sherbrooke, Faculté d'administration, *Rapport sur la recherche 2001-2003*, octobre 2003 p. 3). Ainsi en 2003-2004, est-on en droit de déduire que les fonds obtenus par la Chaire, soit 1 086 412 $, proviennent du ministère des Finances. En 2004-2005, ces fonds se maintiennent sensiblement au même niveau (Université de Sherbrooke, Faculté d'administration, *Rapport sur la recherche 2003-2005*, p. 16). L'absence de rapports pour les deux années subséquentes nous porte à 2008-2009, où il est fait mention d'une subvention annuelle de 1 million de dollars à la Chaire depuis 2005 sans en préciser la source (Université de Sherbrooke, Faculté d'administration, *Rapport sur la recherche 2008-2009*, p. 5). Outre les apports financiers, deux sièges du Comité consultatif sont réservés à des représentants du ministère des Finances du Québec (<www.usherbrooke.ca/chaire-fiscalite/fr/comite-consultatif-cffp/>, site de la Chaire consulté le 12 janvier 2013). Échange de bons procédés, au Comité consultatif sur l'économie et les finances publiques, mis en place par le ministre des Finances en préparation du budget 2010-2011, Luc Godbout y siège en compagnie de Pierre Fortin et de Claude Montmarquette comme conseillers, et le ministre des Finances copréside avec Robert Gagné (Comité consultatif sur l'économie et les finances publiques, *op. cit.*, p. iii). Il ne s'agit pas ici de postuler que les liens politiques de la chaire la disqualifient d'emblée

quant à ce qu'elle avance, mais de situer à quelle enseigne idéologique et institutionnelle logent ses animateurs.

118. Philippe Faucher, « Le cartel des taxes », *La Presse*, 3 septembre 2013.

119. Paul Ryan, *Quand le fisc attaque. Acharnement ou nécessité ?*, Montréal, Éditions La Presse, 2012.

120. *Ibid.*, p. 162 et 164.

121. Jim Stanford, « The Failure of Corporate Tax Cuts to Stimulate Business Investment Spending », dans Richard Swift (dir.), *The Great Revenue Robbery : How to Stop the tax Cut Scam and Save Canada*, Toronto, Between the lines, 2013, p. 72-73.

122. Luc Godbout, Pierre Fortin et Suzie Saint-Cerny, *La défiscalisation des entreprises au Québec est un mythe. Pour aller au-delà de la croyance populaire*, Chaire de recherche en fiscalité et en finances publiques, Université de Sherbrooke, 5 octobre 2006, <www.usherbrooke.ca/chaire-fiscalite/fileadmin/sites/chaire-fiscalite/documents/Cahiers-de-recherche/La_defiscalisation_des_entreprises_au_Quebec_est_un_mythe_Pour_aller_au_dela_de_la_croyance_populaire.pdf>.

123. Marco Van Hess, *Les riches aussi ont le droit de payer des impôts*, Bruxelles, Éditions Aden, 2013.

124. *Ibid.*, p. 119.

125. Gérard Bérubé. « Imposer les riches », *Le Devoir*, 30 août 2012.

126. Léo-Paul Lauzon, « La propagande fiscale patronale expliquée aux nuls », Montréal, *L'Aut'Journal*, 25 février 2013.

127. « Taxing Times », *Fiscal monitor*, Washington (DC), Fonds monétaire international (FMI), octobre 2013, <www.imf.org/external/pubs/ft/fm/2013/02/pdf/fm1302.pdf >, cité dans Éric Desrosiers, « Taxez les riches, dit le FMI, Les pays ont fait un effort pour réduire leurs dépenses, il est temps d'augmenter les revenus, précise l'organisation », *Le Devoir*, 10 octobre 2013.

128. Jean-François Cloutier, « Marceau surpris qu'il soit si facile d'ouvrir un compte offshore », *Le Journal de Montréal*, 22 novembre 2013.

129. « IBC Belize Benefits », Canada-Offshore, <http://www.can-offshore.com/belize-ibc/ibc-belize-benefits.htm>, page consultée le 19 décembre 2013.

130. Bruce Livesey, *Thieves of Bay Street*, Toronto, Vintage Canada, 2012, p. 151.

131. « Chalandage fiscal – Le problème et les solutions possibles », Ottawa, Ministère des Finances, 2013, <www.fin.gc.ca/activty/consult/ts-cf-fra.asp#ftnref15>.

132. *Ibid.*

133. *Ibid.*

134. Osler, « Le Canada envisage une nouvelle règle antichalandage fiscal », 14 août 2013.

135. Patrick McCay, « Le point sur le chalandage fiscal », McCarthy Tétrault, 28 août 2009, <http://mccarthy.ca/fr/article_detail.aspx?id=4628>.

136. À leurs yeux, le Canada subissait la colonisation des États-Unis depuis la fin de la Seconde Guerre mondiale. Cf. *For an Independent Socialist Canada*, Toronto, manifeste, 1969, <www.socialisthistory.ca/Docs/Waffle/WaffleManifesto.htm>.

137. Kari Levitt, *Silent Surrender : The Multinational Corporation in Canada*, Montréal et Kingston, McGill-Queen's University Press, 2002 [1970]. En français, *La Capitulation tranquille. La mainmise américaine sur le Canada*, Réédition-Québec, 1972.

138. Kari Levitt, *Silent Surrender, op. cit.*, p. 29-32. L'ouvrage de Levitt sera bien reçu dans les cercles nationalistes et indépendantistes québécois. André d'Allemagne le traduit et Jacques Parizeau en signe la préface. Dans cette dernière, le futur premier ministre québécois dresse un constat différent de celui de l'auteure, prétextant que la « succursalisation » de l'économie canadienne et le morcellement politique du Canada ouvrent la possibilité pour le Québec de négocier directement avec les multinationales américaines les termes de leur présence et de leurs investissements au Québec. Cf. Kari Levitt, *Silent Surrender, op. cit.*, p. XI.

139. Elle conseillera de nouveau le gouvernement de ce pays en 1987, lorsque le FMI fera état d'irrégularités statistiques et conditionnera son aide à leur correction. Elle se montrera alors favorable à certains des ajustements demandés. Cf. Kari Levitt, *Reclaiming Deve-*

lopment, Independant Thought and Caribbean Community, Kingtson et Miami, Ian Randle Publishers, 2005, p. xvii.

140. Kari Levitt, Discours de remise du prix John Kenneth Galbraith par le Progressive Economics Forum (Canada), *The Great Financialization*, 2008, <www.karipolanyilevitt. com/wp-content/uploads/2011/01/The-Great-Financialization.pdf>.

141. Ces différents *modèles* sont en fait une série de quatre étapes censées jalonner le chemin par lequel ces pays, traditionnellement exportateurs de matières premières et dépendant des investissements et marchés étrangers, pourraient graduellement regagner le contrôle sur leurs ressources, les marchandises produites et l'utilisation de la richesse nationale. Ainsi, la première étape est celle de la « pure économie de plantation » esclavagiste, qui est celle du régime mercantile où un marchand engagé dans le commerce outremer agit sous la protection d'un monarque. La seconde étape voit la dissolution des systèmes de commerce exclusif et l'émergence d'une protoproduction locale agricole, artisanale et d'exploitation de nouvelles denrées pour l'exportation (ex. le cacao ou la banane). Elle ne marque pas de rupture définitive avec la première, facilitant de fait l'apparition éventuelle au milieu du xxᵉ siècle de la troisième étape, dite du « néo-mercantilisme des corporations transnationales ». Et finalement, la quatrième étape, que les auteurs appellent de leurs vœux, marquerait un degré d'évolution et de souveraineté nationale qui verrait le pays désormais exploiter ses ressources non plus pour le profit de compagnies étrangères, mais au bénéfice de sa population. Cf. « The Plantation Economy Models : My collaboration with Lloyd Best », *Reclaiming Development, op. cit.*, p. 36-39.

142. « "Capitalism and Slavery" : Institutional Foundations of Caribbean Economy », dans *Reclaiming Development, op. cit.*, p. 9.

143. *For an Independent Socialist Canada, op. cit.*, § 5 à 11.

144. Kari Levitt, « The Plantation Economy Models », dans *Reclaiming Development, op. cit.*, p. 41. Sans jamais aller jusqu'à affirmer positivement cette similitude, Levitt a donné quelques indications à l'effet que son analyse des Caraïbes découle en ligne droite de celle qu'elle a développée pour le Canada. Ainsi, le tout premier recueil de textes inspiré de « l'économie de plantation » (en fait un rapport préliminaire sur un vaste programme de recherches que les auteurs se proposaient d'entreprendre) comprenait trois chapitres sur sept rédigés par Kari Levitt. Elle y reprenait, de son propre aveu, en les adaptant pour les Caraïbes, l'architecture et certaines données de l'analyse qu'elle développait alors pour le Canada. Les titres de ces chapitres – « le nouveau mercantilisme », « l'économie de l'hinterland », « la balance des paiements à la métropole » – sont repris quasi sans changement dans *La Capitulation tranquille*. Levitt semblait du reste convaincue que ses analyses sur la dépendance économique du Canada étaient pertinentes pour les cercles anticoloniaux des Caraïbes, puisqu'elle publia dans le *New World Quarterly* caribéen l'article initial qui, rapidement augmenté, deviendra le livre (Kari Levitt, *La capitulation tranquille, op. cit.*, p. xiii).

145. « The Plantation Economy Models », *op. cit.*, p. 54. La théorie des principales ressources, développée par Harold Innis dans les années 1920, avance que l'histoire économique du Canada repose sur l'exportation massive de certaines matières premières à bas prix (successivement fourrure, bois, grain, pétrole), mode de développement économique qui a maintenu le Canada dans un état de dépendance à l'égard des pays acheteurs et explique en partie ses difficultés politiques. Cette école de théorie économique proprement canadienne influencera directement les thèses de Levitt sur les multinationales 50 ans plus tard (Kari Levitt, *La capitulation tranquille, op. cit.*, p. xiv).

146. Le premier chapitre de *La capitulation tranquille* traite de « La recolonisation du Canada » par les multinationales états-uniennes, terme qu'elle réutilisera pour parler du même phénomène dans les Caraïbes (« "Capitalism and Slavery" : Institutional Foundations of Caribbean Economy », *op. cit.*, p. 7). Les économistes radicaux des années 1960, Mel Watkins en tête, considéraient que le modèle pouvait aider à comprendre le développement économique d'autres pays, par exemple l'Australie. Cf. « Staple Thesis », Mel Watkins, *The Canadian Encyclopedia*, <www.thecanadianencyclopedia.com/articles/staple-thesis>, page consultée le 1ᵉʳ septembre 2013.

147. Le fait que le Canada s'en tire bien mieux économiquement que les Caraïbes n'invalide pas la comparaison. Au contraire, premier bénéficiaire des investissements directs états-uniens, le Canada devient sous la plume de Levitt l'archétype de l'économie sous l'ordre des multinationales états-uniennes. Cf. les données chiffrées en annexe de *La capitulation tranquille, op. cit.* Dans une entrevue accordée en 2012, Levitt insiste sur la persistance de cette domination états-unienne, qui voit par exemple plus de 50 % de l'industrie manufacturière dans les mains de sociétés états-uniennes et étrangères (« Interview with Kari Levitt – "Bring the State Back in!" », *Revue Interventions économiques / Papers in Political Economy*, n° 45, 2012, <http://interventionseconomiques.revues.org/1686>.

148. Levitt a eu le mérite de critiquer, souvent à chaud, la nature et les conséquences de ces plans dans la région, principalement en Jamaïque et à Trinité-et-Tobago, tout en soutenant le « contre-exemple » d'un pays comme la Barbade, qui refusa l'aide du FMI. Elle est parvenue à démontrer rapidement les conséquences « ravageuses » des plans dits d'ajustements structurels du Fonds monétaire international, soit l'accroissement des inégalités et de l'exclusion, l'effritement de la cohésion sociale et l'accentuation des tensions entre classes sociales. Cf. Kari Levitt, « The Origins and Consequences of Jamaica's Debt Crisis, 1970-1990 », p. 132-180 ; « Debt, Adjustment and Development : A Perspective on the 1990s », dans *Reclaiming Development, op. cit.*, ainsi que « "Capitalism and Slavery" : Institutional Foundations of Caribbean Economy », *op. cit.*, p. 26-27, 32.

149. « "Capitalism and Slavery" : Institutional Foundations of Caribbean Economy », *op. cit.*, p. 7.

150. Elle écrira alors : « Ce mélange de dérégulation, privatisation, libéralisation des échanges, marchés de l'emploi "flexibles" et de démantèlement des politiques sociales a également été nommé le "Consensus de Washington". Le terme est approprié parce que les États-Unis sont l'épicentre de la diffusion du programme de la mondialisation. » Cf. *ibid.*, p. 5.

151. Les plans d'ajustement plongent leurs racines dans ce revirement américain quant au paiement des dettes, revirement occasionné par les chocs pétroliers des années 1970, eux-mêmes causés par la décision des États-Unis au début de cette décennie de mettre fin à la convertibilité du dollar en or. Cf. Kari Levitt, « "Capitalism and Slavery" : Institutional Foundations of Caribbean Economy », *op. cit.*, p. 95-97.

152. Kari Levitt, « Debt, Adjustment and Development : A Perspective on the 1990s », *op. cit.*, p. 183-185.

153. *Ibid.*, p. 182.

154. Kari Levitt, « The Origins and Consequences of Jamaica's Debt Crisis, 1970-1990 », *op. cit.*, p. 110.

155. Kari Levitt, *La Capitulation tranquille, op. cit.*, p. 122.

156. Kari Levitt, « The Plantation Economy Models : My collaboration with Lloyd Best », *op. cit.*, p. 31.

157. « Interview with Kari Levitt – "Bring the State Back in!" », *op. cit.*

158. Daniel Jay Baum, *The Banks of Canada in the Commonwealth Caribbean : Economic Nationalism and Multinational Enterprises of a Medium Power*, New York, Washington et Londres, Jay Praeger Publishers, 1974.

159. Pour Levitt, les multinationales canadiennes présentes dans les Caraïbes, notamment dans le secteur minier, sont de petite taille, elles ne contrôlent d'aucune façon les conditions de vente des matières premières et demeurent marginales. Elles se plient par conséquent aux positions des grands groupes américains. Cf. *La capitulation tranquille, op. cit.*, p. 122-123.

160. Notamment Jean-Pierre Vidal de HEC Montréal, cité dans Stéphane Desjardins, « Des institutions québécoises investissent massivement dans un paradis fiscal », Montréal, *Québec inc.*, mai 2005, ou encore Franck Jovanovic de la Télé-Université de l'Université du Québec (Teluq), qui préfère parler pudiquement de « centres financiers extraterritoriaux » en lien avec des enjeux de « développement » dans les pays pauvres, <http://benhur.teluq.uquebec.ca/SPIP/fjovanovic/spip.php?article8&racine=en>.

161. On parle plutôt volontiers aujourd'hui d'une malédiction de la transformation offshore des petits États, cf. Nicholas Shaxson et John Christensen, *The Finance Curse : How over-sized financial centres attack democracy and corrupt economies*, Londres, Tax Justice Network, 2013. Également sur la question : Nicolas Ressler, « Le Belize : la "Grèce des

Caraïbes"», dans Alexis Bautzmann, *Atlas géopolitique mondial*, Paris, Éditions Argos, 2013, p. 124 ; Olivier Cyran, «Chronique des jours ordinaires à Jersey. La tourmente financière vue d'un paradis fiscal», Paris, *Le Monde diplomatique*, décembre 2008 ; Alain Vernay, *Les Paradis fiscaux*, Paris, Seuil, 1968, p. 262-267, 283 ; Fred Celimène et François Velas, *La Caraïbe et la Martinique*, Paris, Economica, coll. «Caraïbe - Amérique latine», 1990 ; William Brittain-Catlin, *Offshore : The Dark Side of the Black Economy*, New York, Farrar, Straus and Giroux, 2005, p. 19.

162. Cité dans Stéphane Desjardins, «Des institutions québécoises investissent massivement dans un paradis fiscal», Montréal, *Québec inc.*, mai 2005.

163. Brian J. Arnold, «Reforming Canada's International Tax System, Toward Coherence and Simplicity», *Canadian Tax Paper*, Toronto, Canadian Tax Foundation | L'Association canadienne d'études fiscales, n° 111, 2009, p. 371.

164. Brian J. Arnold, «Unlinking Tax Treaties and the Foreign Affiliate Rules : A Modest Proposal», *Canadian Tax Journal / Revue fiscale canadienne*, vol. 50, n° 2, 2002, p. 607.

165. Brian J. Arnold, «Reforming Canada's International Tax System», *op. cit.*, p. 73-74.

166. «Il est trop tard pour mettre en œuvre efficacement cette politique» : la conclusion de l'auteur soulève clairement un doute, étant donné la frénésie dans laquelle le gouvernement fédéral a signé des conventions fiscales avec des paradis fiscaux. Brian J. Arnold, *ibid.*, p. 374.

167. *Ibid.*, p. 71.

168. *Ibid.*, p. 72. Dans une perspective beaucoup plus étroite, l'avocat-fiscaliste Paul Ryan se demande pourquoi le gouvernement du Québec n'a pas imité le gouvernement fédéral lorsque celui-ci a exigé des contribuables, en 1998, qu'ils informant le fisc d'actifs excédant la valeur de 100 000 dollars à l'étranger, en prévoyant des pénalités pour les revenus non déclarés. Cf. Paul Ryan, *Quand le fisc attaque, op. cit.*, p. 177.

169. Donald J. S. Brean, «International issues in Taxation : The Canadian Perspective», *Canadian Tax Paper*, n° 75, Toronto, Canadian Tax Foundation | L'Association canadienne d'études fiscales, 1984, p. 118.

170. *Ibid.*

171. *Ibid.*, p. 111.

172. *Ibid.*, p. 117, 199 et 121.

173. *Ibid.*, p. 122.

174. Georges Lebel, «La loi Forget inc.», Montréal, *Relations*, n° 739, mars 2010.

175. André Lareau, «Réflexions sur la passivité du législateur en matière de fiscalité internationale», vol. 41, n° 3, *Les Cahiers de droit*, septembre 2000, p. 614, cité dans Arnaud Mary, *Canada v. Recours aux paradis fiscaux/bancaires, op. cit.*, p. 115.

176. Jean-Pierre Vidal, «La concurrence fiscale favorise-t-elle les planifications fiscales agressives», dans Jean-Luc Rossignol (dir.), *La gouvernance juridique et fiscale des organisations*, Paris, Éditions Tec & Doc, 2010.

177. *Ibid.*, p. 172.

178. Vidal semble toutefois incapable de conduire à son terme la critique qu'il initie lui-même. Comme s'il fallait à mi-chemin de la réflexion s'arrêter sans plus de raison pour éviter de se rendre là où on remet en cause par nécessité logique le système ultralibéral et concurrentiel qui se trouve à l'origine des paradis fiscaux. «Le seul commentaire logique qui pourrait s'imposer dans ce dossier, c'est que les investissements des caisses de retraite dans les paradis fiscaux sont scandaleux. En pratique, ce n'est pas aussi clair et net.» C'est évidemment plus compliqué, toujours trop compliqué, si compliqué qu'on ne saurait conclure quoi que ce soit, quitte à mobiliser des arguments simplistes pour justifier cette *épochè* philosophique. Par exemple l'idée reçue voulant que les pays pauvres puissent se développer grâce aux paradis fiscaux. «Dans la lutte pour obtenir du capital, les ressources fiscales et les emplois qui viennent avec, tous les pays ont leur recette. Chez les pays riches, on offre des dons d'électricité, des crédits d'impôt sur le revenu, des congés de taxes municipales de cinq ans et autres avantages. On n'y trouve rien à redire. Mais quand les pays pauvres brandissent le seul avantage qu'ils ont face aux pays développés, une fiscalité plus généreuse, ça devient immoral…» (Cité dans Stéphane Desjardins, «Des institutions québé-

coises investissent massivement dans un paradis fiscal », Montréal, *Québec inc.*, mai 2005). Ce poncif ne repose pourtant sur rien. Cf. *ibid.*, note 129.

179. Gilles Larin et de Robert Duong, « Des réponses efficaces aux planifications fiscales agressives, Leçons à retenir des autres juridictions » | « Effective Responses To Aggressive Tax Planning, What Canada Can Learn From Other Jurisdiction », *Canadian Tax Paper*, n° 112, Toronto, Canadian Tax Foundation | L'Association canadienne d'études fiscales, 2009. Les auteurs situent néanmoins les politiques à établir dans une perspective de concurrence à courte vue avec les autres régimes fiscaux mondiaux, notamment celui des États-Unis.

180. Brigitte Alepin, *La crise fiscale qui vient*, Montréal, VLB Éditeur, 2011, p. 81-130.

181. Entrevue de Paul Ryan accordée à Anne-Marie Dussault, émission *24 heures en 60 minutes*, Montréal, Société Radio-Canada, 5 avril 2013.

182. Stephen Kibsey, de Risk Management, justifiant même l'évasion fiscale dans la mesure où une entreprise « fait des bonnes choses pour la communauté ». Cf. Colloque québécois sur l'investissement responsable, table ronde n° 1 : Stephen Kibsey, Claude Normandin, Rosalie Vendette, 19 février 2013, 38ᵉ minute, <www.inm.qc.ca/colloques/colloque-quebecois-sur-linvestissement-responsable>.

183. Diane Francis, *Who Own Canada Now, Old Money, New Money and The Future of Canadian Business*, Toronto, HarperCollins, 2008, p. 362.

184. Diane Francis, *Le Monopole, 32 familles et 5 conglomérats contrôlent le tiers des richesses canadiennes*, Montréal, Éditions de l'Homme, 1987 [1986], p. 318.

185. *Ibid.*, p. 257.

186. *Ibid.*, p. 326.

187. *Ibid.*, p. 305.

188. *Ibid.*, p. 354.

189. *Ibid.*, p. 349.

190. *Ibid.*, p. 193.

191. « Même si elle ne possède pas de ressources naturelles, la Suisse est le pays le plus prospère au monde », cité dans *ibid.*, p. 196.

192. Earle McLaughlin, « Allocution du chairman et président », Banque Royale du Canada, *Rapport annuel 1963*, Montréal, 1964, p. 14.

193. *Ibid.*

194. *Ibid.*

195. *Ibid.*, p. 15.

196. Diane Francis, *Who Own Canada Now, op. cit.*, p. 436-437.

197. Diane Francis, *Le Monopole, op. cit.*, p. 318.

198. Marco Bélair-Cirino, « Le Québec sera encore plus généreux avec les entreprises du multi-média », *Le Devoir*, 1ᵉʳ octobre 2013, et « Lassonde investit 19 millions dans ses installations de Rougemont », La Presse canadienne, dépêche reprise dans *Le Devoir*, 12 octobre 2013, et « Les gens d'affaires entendent (enfin) parler d'économie », La Presse canadienne, dépêche reprise dans *Le Devoir*, 8 octobre 2013.

199. Jean de Maillard, « La criminalité financière. Face noire de la mondialisation », dans Dominique Plihon (dir.), *Les désordres de la finance. Crises boursières, corruption, mondialisation*, Paris, Éditions Universalis, 2004, p. 88.

200. François Desjardins, « L'impôt joue-t-il bien son rôle ? », *Le Devoir*, 28 et 29 avril 2012.

201. Entre plusieurs sources, voir le documentaire télévisuel de Valentine Oberti et Wandrille Lanos, « Ces milliards de l'évasion fiscale », émission *Cash Investigation*, Paris, France 2, 11 juin 2013.

202. « L'enquête fiscale en Allemagne devient internationale », *Le Nouvel Observateur*, 26 février 2008 (réédité le 23 juin 2008), « Scandale fiscal : l'Allemagne n'est pas seule », *L'Express.fr*, 25 février 2008.

203. Benoît Aubin, « Enfin : congé de taxes ! », *Le Journal de Montréal*, 17 juin 2013.

Bibliographie sélective

Monographies

Alepin, Brigitte. *Ces Riches qui ne paient pas d'impôts, Des faits vécus impliquant des gens du milieu des affaires, de la politique, du spectacle, des sociétés publiques et même des Églises*, Montréal, Éditions du méridien, 2004.

Alepin, Brigitte. *La Crise fiscale qui vient*, Montréal, VLB Éditeur, 2011.

Altindag, Selçuk. *La Concurrence fiscale dommageable : la coopération des États membres et des autorités communautaires*, Paris, L'Harmattan, 2009.

Armstrong, Christopher et H. V. Nelles. *Southern Exposure : Canadian Promoters in Latin America and the Caribbean 1896-1930*, Toronto, Buffalo et Londres, University of Toronto Press, 1988.

Baster, A. S. J. *The Imperial Banks*, Londres, P. S. King and Son Ltd, 1929.

Baker, Raymond W. *Le Talon d'Achille du capitalisme, L'argent sale et comment renouveler le système d'économie de marché*, Montréal, alTerre Éditions, 2007 [2005].

Baum, Daniel Jay. *The Banks of Canada in the Commonwealth Caribbean : Economic Nationalism and Multinational Enterprises of a Medium Power*, New York, Washington et Londres, Jay Praeger Publishers, 1974.

Beauchamp, André. *Guide mondial des paradis fi$caux*, Ville Mont-Royal, Éditions Le Nordais, 1982 [Paris, Grasset et Fasquelle, 1981].

Bertossa, Bernard (avec Agathe Duparc). *La Justice, les affaires, la corruption*, Paris, Fayard, coll. « Témoignages pour l'histoire », Fayard, 2009.

Besson, Sylvain. *L'Argent secret des paradis fiscaux*, Paris, Seuil, coll. « L'Épreuve des faits », 2002.

Blakey, Robert, Goldstock, Ronald et Charles Rogovin. *Rackets Bureaux : Investigation and Prosecution of Organized Crime*, Government Printing Office, mars 1978.

Block, Alan. *Master of Paradise, Organized Crime and the Internal Revenue Service in The Bahamas*, New Brunswick (NJ) et Londres, Transaction Publishers, 1991.

Brittain-Catlin, William. *Offshore, The Dark Side of the Black Economy*, New York, Farrar, Straus and Giroux, 2005.

Campbell, Duncan Carlyle. *Mission mondiale, Histoire d'Alcan*, Montréal, publication privée au compte de la société, vol. I, 1985, vol. II et III, 1989.

Cassis, Youssef. *Les Capitales du capital. Histoire des places financières internationales, 1780-2005*, Paris, Honoré Champion Éditeur, 2008.

Chambost, Édouard. *Guide mondial des secrets bancaires*, Paris, Seuil, 1980.

Chambost, Édouard. *Guide Chambost des paradis fiscaux*, Lausanne, Fabre, 8ᵉ édition, 2005.

Chavagneux, Christian et Ronen Palan. *Les Paradis fiscaux*, Paris, La Découverte, 2012 [2006].

Cirules, Enrique. *The Mafia in Havana, A Caribbean Mob Story*, Melbourne et New York, Ocean Press, 2004.

Conrad, Robert. *Bauxite Taxation in Jamaica*, Staff Paper nᵒ 5, Metropolitan Studies Program, The Maxwell School, Syracuse University et le Board of Revenue, Government of Jamaica, février 1984.

Couvrat, Jean-François et Nicolas Pless. *La Face cachée de l'économie mondiale*, Paris, Hatier, coll. « Économie mondiale Actualité », 1988.

Cretin, Thierry. *Mafias du monde, Organisations criminelles transnationales. Actualités et perspectives*, Paris, Presses universitaires de France, coll. « Criminalité internationale », 3ᵉ édition, 2002.

Cutajar, Chantal *et al. L'Avocat face au blanchiment d'argent*, Paris, Éditions Francis Lefebvre, coll. « Dossiers pratiques », 2013.

Darroch, James. *Canadian Banks and Global Competitiveness*, Montréal et Kingston, McGill-Queen's University Press, 1994.

Davis, Carlton E. *Jamaica in the World Aluminium Industry*, Volume I, *1938-1973*, Volume II, *Bauxite Levy Negotiations, 1974-1988*, Volume III, *The Partnership and Joint Venture Agreements*, Kingston, The Jamaica Bauxite Institute, 1989.

Davis, Carlton E. *Bauxite Levy Negociations, Jamaica in the World Aluminium Industry*, volume II, Kingston : Jamaica Bauxite Institute, 1995.

Déclaration de Berne (Éd.). *Swiss trading SA, La Suisse, le négoce et la malédiction des matières premières*, Lausanne, Les éditions d'en bas, 2011.

Delpirou, Alain et Eduardo Mackenzie. *Les cartels criminels. Cocaïne et héroïne : une industrie lourde en Amérique latine*, Paris, Presses universitaires de France, coll. « Criminalité internationale », 2000.

Demaris, Ovid. *Dirty Business, The Corporate-Political Money-Power Game*, New York, Harper's Magazine Press, 1974.

Deneault, Alain. *Paul Martin et compagnies. Soixante thèses sur l'*alégalité *des paradis fiscaux*, Montréal, VLB Éditeur, 2004.

Deneault, Alain (avec Delphine Abadie et William Sacher). *Noir Canada. Pillage, corruption et criminalité en Afrique*, Montréal, Écosociété, 2008.

Deneault, Alain. *Offshore. Paradis fiscaux et souveraineté criminelle*, Montréal/Paris, Écosociété/La Fabrique, 2010.

Deneault, Alain et William Sacher. *Paradis sous terre. Comment le Canada est devenu la plaque tournante de l'industrie minière mondiale*, Montréal/Paris, Écosociété/ Rue de l'Échiquier, 2012.

Deneault, Alain. *« Gouvernance ». Le management totalitaire*, Montréal, Lux, 2013.

Denison, Merrill. *La Première Banque au Canada. L'histoire de la Banque de Montréal*, Traduit de l'anglais par Paul A. Horguelin avec la collaboration de Jean Paul Vinay, 2 vol., Montréal et Toronto, McLelland and Stewart, 1967.

Dilley, Andrew. *Australia, Canada, and the City of London, c. 1896-1914*, Houndmills (GB) et New York, Palgrave Macmillan, 2012.

Dominati, Philippe (président) et Éric Bocquet (rapporteur). *L'évasion fiscale internationale, et si on arrêtait ?*, Rapport d'information, Commission d'enquête sur l'évasion des capitaux et des actifs hors de France et ses incidences fiscales, Paris, Sénat, n° 673, deux tomes, juillet 2012.

Doulis, Alex. *My Blue Haven*, Etobicoke (ON), Uphill Publishing, 1997 [réed. 2001].

Duhamel, Grégoire. *Les Paradis fiscaux*, Paris, Éditions Grancher, 2006.

Dupuis-Danon, Marie-Christine. *Stupéfiants, prix, profits*, Paris, Gallimard, coll. « Criminalité internationale », 1996.

Dupuis-Danon, Marie-Christine. *Finance criminelle. Comment le crime organisé blanchit l'argent sale*, Paris, Presses universitaires de France, coll. « Criminalité internationale », deuxième édition, 2004 [1998].

Eden, Lorraine. *Taxing Multinationals: Transfer Pricing and Corporate Income Taxation in North America*, Toronto, University of Toronto Press, 1998.

Élie, Bernard. *L'Internationalisation des banques et autonomie nationale au Canada*, Thèse pour le doctorat d'État ès sciences économiques, Université de Paris I Panthéon – Sorbonne, 1986.

Élie, Bernard. *Le Régime monétaire canadien, Institutions, théories et politiques*, Montréal, Presses de l'Université de Montréal, 2002 [1998].

Engler, Yves. *The Black Book on Canadian Foreign Policy*, Black Point/Vancouver, Fernwood Publishing/RED Publishing, 2009.

Favarel-Garrigues, Gilles, Godefroy, Thierry et Pierre Lascoumes. *Les Sentinelles de l'argent sale. Les banques aux prises avec l'antiblanchiment*, Paris, La Découverte, 2009.

Fleming, Donald. *So Very Near, The Political Memoirs of the Honourable Donald M. Fleming*, Vol. II, « The Summit Years », Toronto, McClelland and Steward, 1985.

Francis, Diane. *Le Monopole. 32 familles et 5 conglomérats contrôlent le tiers des richesses canadiennes*, Montréal, Les Éditions de l'Homme, 1987 [1986].

Francis, Diane. *Who Own Canada Now, Old Money, New Money and The Future of Canadian Business*, Toronto, HarperCollins, 2008.

Frost, James D. *Merchant Princes, Halifax's First Family of Finance, Ships and Steel.* Toronto, James Lorimer & Co, 2003.

Fullerton, Douglas H. *Graham Towers and His Times: A Biography*, Toronto, McClelland and Stewart, 1986.

Giles, David E. A. et Lindsay Tedds. *Taxes and the Canadian Underground Economy*, dans *Canadian Tax Paper*, n° 106, Toronto, Canadian Tax Foundation, 2002.

Godefroy, Thierry et Pierre Lascoumes. *Le Capitalisme clandestin, L'illusoire régulation des places offshore*, Paris, La Découverte, 2004.

Grimal, Jean-Claude. *Drogue: l'autre mondialisation*, Paris, Gallimard, coll. « Folio », 2000.

Harel, Xavier. *La Grande Évasion. Le Vrai Scandale des paradis fiscaux*, Paris, Les liens qui libèrent [réed. Actes Sud, coll. « Babel », 2010].

F. Cyril, James. *The Growth of Chicago Banks*, 2 vol., New York et Londres, Harper Brothers, 1938.

Jones, Geoffrey. *British Multinational Banking, 1830-1990*, Oxford, Clarendon Press, 1993.

Karp, Ervin. *6*, Bruxelles, Zones Sensibles (Z/S), 2013.

Klebaner, Benjamin J. *American Commercial Banking: A History*, Boston, Twayne Publishers, 1990.

Knowles, Valerie. *From Telegrapher to Titan, The Life of William C. Van Horne*, Toronto, The Dundurn Group, 2004.

Labarthe, Gilles (avec François-Xavier Verschave). *L'Or africain, Pillage, trafics & commerce international*, Marseille, Agone, coll. « Dossiers noirs », 2007.

Labrousse Alain et Michel Koutouzis. *Géopolitique et géostratégies des drogues*, Paris, Économica, 1996.

Lelièvre, Frédéric et François Pilet. *Krach Machine. Comment les traders à haute fréquence menacent de faire sauter la bourse*, Paris, Calmann-Lévy, 2013.

Levitt, Kari. *La Capitulation tranquille. La mainmise américaine sur le Canada*, Montréal, Réédition Québec, 1972 [1970].

Levitt, Kari. *Reclaiming Development, Independant Thought and Caribbean Community*, Kingston et Miami, Ian Randle Publishers, 2005.

Livesey, Bruce. *Thieves of Bay Street*, Toronto, Vintage Canada, 2012.

Maillard, Jean de. *Un Monde sans loi, La criminalité financière en images*, illustrations de Pierre-Xavier Grézeau avec les préfaces de Eva Joly et Laurence Vichnievsky et les collaborations de Bernard Bertossa, Antonio Gialanella, Benoît Dejemeppe, Renaud Van Ruymbeke, Paris, Stock, 1998.

Maillard, Jean de. *L'Arnaque. La finance au-dessus des lois et des règles*, Paris, Gallimard, coll. « Le débat », 2010.

Mallaby, Sebastian. *More Money than God, Hedge Funds and the making of a New Elite*, New York, Penguin Books, 2010.

Marchildon, Gregory P. *Profits and Politics, Beaverbrook and the Gilded Age of Canadian Finance*, Toronto, University of Toronto Press, 1996.

Mary, Arnaud. *Canada v. Recours aux paradis fiscaux/bancaires : dans quelle mesure la politique de lutte du Canada peut-elle être améliorée*, mémoire de maîtrise, Québec, Faculté de droit, Université Laval, 2011.

McClintick, David. *Indecent Exposure : A True Story of Hollywood and Wall Street*, New York, Dell Publishing, 1983.

McDowall, Duncan. *The Light : Brazilian Traction, Light and Power Company Limited, 1899-1945*, Toronto, University of Toronto Press, 1988.

McDowall, Duncan. *Banque Royale : Au cœur de l'action*, traduit de l'anglais par Gilles Gamas, Montréal, Éditions de l'Homme, 1993.

McLean, Bethany et Peter Elkind. *The Smartest Guys in the Room, The Amazing Rise and Scandalous Fall of Enron*, New York, Penguin Books, 2003.

McQuaig, Linda et Neil Brooks. *Les milliardaires. Comment les ultra-riches nuisent à l'économie*, Montréal, Lux Éditeur, 2013.

McQueen, Rod. *Les Banquiers canadiens. Une enquête dans l'univers secret des véritables maîtres du pouvoir*, Montréal, Libre Expression, coll. « Primeur », 1985.

Meyzonnier, Patrice. *Trafics et crimes en Amérique centrale et dans les Caraïbes*, Paris, Presses universitaires de France, 1999.

Millet, Damien et François Mauger. *La Jamaïque dans l'étau du FMI, La dette expliquée aux amateurs de reggae, aux fumeurs de joints et aux autres*, Paris, L'esprit frappeur et le Comité pour l'Annulation de la dette du tiers-monde/France, 2004.

Monarcha, Guillaume et Jérôme Teïletche. *Les Hedge funds*, Paris, La Découverte, coll. « Repères », 2009, rééd. 2013.

Monteith, Kathleen E. A. *Depression to Decolonization : Barclays Bank (DCO) in the West Indies, 1926-1962*, Kingston, University of West Indies Press, 2008.

Morin, François. *Un Monde sans Wall Street*, Paris, Seuil, coll. « Économie humaine », 2011.

Mousseau, Normand. *Le Défi des ressources minières*, Sainte-Foy, MultiMondes, 2012.

Naylor, R. T. *The History of Canadian Business, 1867-1914*, Montréal, New York et Londres, Black Rose Books, 1997 [1975].

Naylor, R. T. *Hot Money, And the Politics of Debt*, Montréal et Kingston, McGill/ Queen's University Press, 2004 [1987].

Naylor, R. T. *Wages of crime, Black Markets, Illegal Finance, and the Underworld Economy*, Montréal et Kingston, McGill/Queens University Press, 2004 [2002].

Naylor, R. T. *Canada in the European Age, 1453-1919*, Montréal et Kingston, McGill/ Queen's University Press, 2006 [1987].

Neufeld, E. P. (dir.). *Money and Banking in Canada, Historical Documents and Commentary*, Toronto, McLelland and Stewart, 1964.

Neufeld, E. P. *The Financial System of Canada, Its Growth and Development*, Toronto, Macmillan of Canada, 1972.

Odle, Maurice. *Multinational Banks and Underdevelopment*, New York, Pergamon Press, 1981.

Ogelsby, J. C. M. *Gringos from the Far North, Essays in the History of Canadian-Latin American Relations, 1866-1968*, Toronto, Macmillan of Canada, 1976.

Parker, Henry Willis et B. H. Beckhart (dir.). *Foreign Banking Systems*, New York, Henry Holt and Company, 1929.

Pinard, Dominique. *Un Regard sur la taille de l'économie souterraine : une méthode d'estimation pour le Québec*, mémoire de maîtrise effectué sous la supervision de Bernard Fortin, Département d'économie, Université Laval, 2005.

Planque, Michel *et al. Panama, L'essentiel d'un marché*, Paris, Éditions UbiFrance, coll. « Comprendre · Exporter · Vivre », 2010.

Possamai, Mario. *Le Blanchiment d'argent au Canada : Duvalier, Ceausescu, Marcos, Carlos et les autres*, Laval, Guy Saint-Jean Éditeur, 1994.

Prashad, Vijay. *Les Nations obscures. Une histoire populaire du tiers monde*, Montréal, Écosociété, 2009.

Rajewicz, Warren de. *Guide des nouveaux paradis fiscaux à l'usage des sociétés et des particuliers. Non, les paradis fiscaux ne sont pas morts !*, Lausanne, Favre, 2010.

Randall, Stephen J. et Graeme S. Mount. *The Caribbean Basin, An International History*, Londres et New York, Routledge, 1998.

Reid, Ed. *The Anatomy of Organized Crime : The Grim Reapers*, Washington (DC), Henry Regnery Company, 1969.

Robert, Denis et Ernest Backes. *Révélation$*, Paris, Les arènes, 2001.

Roche, Marc. *Le Capitalisme hors la loi*, Paris, Albin Michel, 2011.

Rosenmoser, Frédéric, Lauzon, Martine et Léo-Paul Lauzon. *Le réel taux d'imposition de grandes entreprises canadiennes : du mythe à la réalité. Analyse socio-économique de 2009 à 2011 des plus grandes entreprises*, Laboratoire d'études socio-économiques de l'UQAM, octobre 2012.

Ross, Victor. *A History of the Canadian Bank of Commerce*, Vol. I, Toronto, Oxford University Press, 1920.

Ruffini, Pierre-Bruno. *Les Banques multinationales. De la multinationalisation des banques au système bancaire transnational*, Paris, Presses universitaires de France, 1983.

Ryan, Paul. *Quand le fisc attaque. Acharnement ou nécessité ?*, Montréal, Éditions La Presse, 2012.

Sarpkaya, S. *Le Banquier et la société*, Montréal, Institut des banquiers canadiens, 1968.

Schull, Joseph et J. Douglas Gibson. *The Scotiabank Story: A History of the Bank of Nova Scotia, 1832-1982*, Toronto, Macmillan of Canada, 1982.

Sharman, Jason C., Findley, Michael et Daniel Nielson. *Global Shell Games: Experiments in Transnational Relations*, Cambridge, Cambridge University Press, 2013.

Shaxson, Nicholas. *Les Paradis fiscaux, Enquête sur les ravages de la finance néolibérale*, Bruxelles, André Versaille Éditeur, 2012.

Shaxson, Nicholas et John Christensen. *The Finance Curse, How oversized financial centres attack democracy and corrupt economies*, Londres, Tax Justice Network, 2013.

Sellers, Ward, Paradis, François et Hugo-Pierre Gagnon. *Plan Nord. Le nouveau régime de redevances minières du Québec*, Osler, 2013.

Swift, Richard (dir.). *The Great Revenue Robbery, How to Stop the tax Cut Scam and Save Canada*, Toronto, Between the lines, 2013.

Taglioni, François. *Géopolitique des Petites Antilles. Influences européenne et nord-américaine*, Paris, Karthala, 1995.

Towers, Graham F. *The Financial System and Institution of Jamaica*, Kingston (Jamaïque), The Government Printer, 1958 [20 avril 1956].

Trigge, A. St. L. *A History of the Canadian Bank of Commerce, 1919-1930*, Vol. III, Toronto, Banque Canadienne de Commerce, 1934.

Unger, Brigitte, Rawlings, Greg, Siegel, Melissa, Ferwerda, Joras, de Kruijf, Wouter, Busuioc, Madalina et Kristen Wokke. *The Amounts and the Effects of Money Laundering, Report for the Ministry of Finance*, Hollande, Ministère des Finances, 16 février 2006.

van der Pijl, Kees. *The Making of an Atlantic Ruling Class*, Londres et New York, Verso, 2012 [1984].

Van Hess, Marco. *Les Riches aussi ont le droit de payer des impôts*, Bruxelles, Éditions Aden, 2013.

Vernay, Alain. *Les Paradis fiscaux*, Paris, Seuil, 1968.

Verschave, François-Xavier. *Noir Silence*, Paris, Les arènes, 2000.

Verschave, François-Xavier. *L'Envers de la dette. Criminalité politique et économique au Congo-Brazza et en Angola*, Marseille, Agone, coll. « Dossiers noirs », 2001.

Viner, Jacob. *Canada's Balance of International Indebtedness, 1900-1913*, Toronto, McLelland and Stewart, 1975 [1924].

Wilkins, Mira. *The History of Foreign Investment in the United States to 1914*, Cambridge, Harvard University Press, 1989.

Wilkins, Mira. *The History of Foreign Investment in the United States, 1914-1945*, Cambridge, Harvard University Press, 2004.

Woodside, Claire. *Lifting the Veil: Exploring the transparency of Canadian companies*, Ottawa, Publish What You Pay – Canada, 2009.

Zinn, Howard. *Une Histoire populaire des États-Unis d'Amérique de 1492 à nos jours*, Marseille/Montréal, Agone/Lux, 2002.

Articles

Armstrong, Christopher et H. V. Nelles. « A Curious Capital Flow: Canadian Investment in Mexico, 1902-1910 », *Business History Review*, vol. 58, n° 2, 1984.

Arnold, Brian J. « Unlinking Tax Treaties and the Foreign Affiliate Rules: A Modest Proposal », *Canadian Tax Journal / Revue fiscale canadienne*, vol. 50, n° 2, 2002.

Arnold, Brian J. « Reforming Canada's International Tax System, Toward Coherence and Simplicity », Toronto, *Canadian Tax Paper*, n° 111, Canadian Tax Foundation | L'Association canadienne d'études fiscales, 2009.

Brean, Donald J. S. « International issues in Taxation: The Canadian Perspective », Toronto, *Canadian Tax Paper*, n° 75, Canadian Tax Foundation | L'Association canadienne d'études fiscales, 1984.

Burn, Gary. « The State, the City and the Euromarket », *Review of International Political Economy*, vol. 6, n° 2, 1999.

Chaitoo, Ramesh et Ann Weston. « Canada and The Caribbean Community: Prospects For an Enhanced Trade Arrangement », *Canadian Foreign Policy Journal*, vol. 14, n° 3, 2008.

Chen, Duanjie et Jack M. Mintz. « Taxation of Canadian Inbound and Outbound Investments », recherche menée pour le compte de l'Advisory Panel on Canada's System of International Taxation, décembre 2008.

Cockfield, Arthur J. « Tax Competitiveness Program. Finding Silver Linings in the Storm: An Evaluation of Recent Canada–US Crossborder Tax Developments », Toronto, C.D. Howe Institute, n° 272, septembre 2008.

Deneault, Alain (avec la collaboration d'Aline Tremblay). « Un Québec offshore? La tentation du paradis fiscal », dans Miriam Fahmy (dir.), *L'État du Québec 2011*, Montréal, Boréal, 2011.

Fleury, Sylvain. « L'Évitement fiscal abusif: Problématique et contexte canadien », *Publication No. 2010-22F*, Division des affaires internationales, du commerce et des finances, Service d'information et de recherche parlementaires, Bibliothèque du Parlement, 2010.

Frost, James D. « The 'Nationalisation' of the Bank of Nova Scotia, 1880-1910 ». University of New Brunswick, *Acadiensis*, vol. 12, n° 11, 1982.

Frost, James D. « Max Aitken and Maritime Finance ». University of New Brunswick, *Acadiensis*, vol. 30, n° 2, 2001.

Galles, D. L. C. « The Bank of Nova Scotia in Minneapolis, 1885-1892 », *Minnesota History*, vol. 42, n° 7, 1971.

Griffith, Ivelaw L. « Illicit Arms Trafficking, Corruption, and Governance in the Caribbean », *Dickinson Journal of International Law*, vol. 15, n° 3, printemps 1997.

Hejazi, Walid. « Offshore Financial Centers and the Canadian Economy », Rotman School of Management, University of Toronto, 2007.

Hertner, Peter et H. V. Nelles. « Contrasting Styles of Foreign Investment, A Comparison of the Entrepreneurship, Technology and Finance of German and Canadian Enterprises in Barcelona Electrification », Paris, *Revue économique*, vol. 58, n° 1, 2007.

Hudson, Peter James. « Imperial Designs, The Royal Bank of Canada in the Caribbean », Londres, *Race & Class*, n° 52, juillet 2010.

Kaufman, Michael. « The Internationalization of Canadian Bank Capital (with a Look at Bank Activity in the Caribbean and Central America) », Toronto, *Journal of Canadian Studies*, vol. 19, n° 4, 1984.

Kwame Sundaram, Jomo. « Transfer Pricing Is a Financing for Development Issue », Berlin, Friedrich-Ebert Stiftung, février 2012.

Lareau, André. « Réflexions sur la passivité du législateur en matière de fiscalité internationale », *Les Cahiers de droit*, vol. 41, n° 3, septembre 2000.

Larin, Gilles et Robert Duong. « Des Réponses efficaces aux planifications fiscales agressives, Leçons à retenir des autres juridictions » | « Effective Responses To Aggressive Tax Planning, What Canada Can Learn From Other Jurisdiction », Toronto, *Canadian Tax Paper*, n° 112, Canadian Tax Foundation | L'Association canadienne d'études fiscales, 2009.

Lascoumes, Pierre et Thierry Godefroy. « Émergence du problème des "places offshore" et mobilisation internationale », Mission de recherche Droit et Justice, Programme Grotius, Commission Européenne, 2002.

Létourneau, Hugues et Pablo Heidrich. « Canadian Banks Abroad, Expansion and Exposure to the 2008-2009 Financial Crisis », *The North-South Institute*, mai 2010.

Maillard, Jean de. « La Criminalité financière, Face noire de la mondialisation », dans Dominique Plihon (dir.), *Les Désordres de la finance, Crises boursières, corruption, mondialisation*, Paris, Encyclopædia Universalis, 2004.

Marchildon, Gregory P. « A New View of Canadian Business History », *Business History*, vol. 32, n° 3, juillet 1990.

Marchildon, Gregory P. « International Corporate Law from a Maritime Base, The Halifax Firm of Harris, Henry, and Cahan », dans Carol Wilton (dir.), *Beyond the Law, Lawyers and Business in Canada, 1830 to 1930 : Essays in the History of Canadian Law*, Vol. IV, Toronto et Vancouver, The Osgoode Society / Butterworths, 1990.

Marchildon, Gregory P. « The Role of Lawyers in Corporate Promotion and Management : A Canadian Case Study and Theoretical Speculations », *Business and Economic History*, 2ᵉ série, n° 19, 1990.

Marchildon, Gregory P. « British Investment Banking and Industrial Decline before the Great War : A Case Study of Capital Outflow to Canadian Industry », *Business History*, vol. 33, n° 3, juillet 1991.

Marchildon, Gregory P. « Canadian Multinationals and International Finance, Past and Present », *Business History*, vol. 34, n° 3, juillet 1992.

Marchildon, Gregory P. « "Hands Across the Water", Canadian Industrial Financiers in the City of London, 1905-1920 », *Business History*, vol. 34, n° 3, juillet 1992.

Marchildon, Gregory P. « John F. Stairs, Max Aitken and the Scotia Group, Finance Capitalism and Industrial Decline in the Maritimes, 1890-1914 », dans Kris Inwood (dir.), *Farm, Factory and Fortune : New Studies in the Economic History of the Maritime Provinces*, Fredericton, Acadiensis Press, 1993.

Marchildon, Gregory P. « Pearson, Benjamin Franklin », dans *Dictionnaire biographique du Canada*, Vol. XIV *(1911-1920)*, Université Laval et University of Toronto, 1998, <www.biographi.ca/fr/bio/pearson_benjamin_franklin_14F.html>.

Marchildon, Gregory P. « Corporate Lawyers and the Second Industrial Revolution in Canada », *Saskatchewan Law Review*, vol. 64, n° 1, 2001.

Michie, Ranald C. « Dunn, Fischer and Company in the City of London, 1906-14 », *Business History*, vol. 30, n° 2, 1988.

Michie, Ranald C. « The Canadian Securities Market, 1850-1914 », *Business History Review*, vol. 62, n° 1, 1988.

Mirus, Rolf, Smith, Roger S. et Vladimir Karoleff. « Canada's Underground Economy Revisited : Update and Critique », *Canadian Public Policy*, vol. 20, n° 3, 1994.

Morgenthau, Henry. « Note du Trésor sur la fraude et l'évasion fiscales », *L'Économie politique*, n° 19, mars 2003.

Ndubuzor, David, Johnson, Katelyn et Jan Pavel. « Using Flow-Through Shares to Stimulate Innovation Companies in Canada », *The Greater Saskatoon Chamber of Commerce*, 2009.

Palan, Ronen. « International Financial Centers, The British-Empire, City-States and Commercially Oriented Politics », Tel Aviv, *Theoretical Inquiries in Law*, vol. 11, n° 1, janvier 2010.

Palan, Ronen et Jamie Stern-Weiner. « Britain's Second Empire », *New Left Project*, n° 17, août 2012.

Quigley, Neil C. « The Bank of Nova Scotia in the Caribbean, 1889-1940, The Establishment of an International Branch Banking Network », *Business History Review*, vol. 63, n° 4, 1989.

Quigley, Neil C., Drummond, Ian M. et Lewis T. Evans. « Regional Transfers of Funds through the Canadian Banking System and Maritime Economic Development, 1895-1935 », dans Kris Inwood (dir.), *Farm, Factory and Fortune : New Studies in the Economic History of the Maritime Provinces*, Fredericton, Acadiensis Press, 1993.

Ruggie, John. « Obstacles to Justice and Redress for Victims of Corporate Human Rights Abuse », Oxford Pro Bono Publico, University of Oxford, 3 novembre 2008.

Sadiq, Kerrie. « Arm's Length Pricing and Multinational Banks : An Old Fashioned Approach in a Modern World », Londres, *Tax Justice Focus – The newsletter of the tax justice network*, vol. 7, n° 3.

Santamarina, Juan C. « The Cuba Company and the Expansion of American Business in Cuba, 1898-1915 », *Business History Review*, vol. 74, n° 1, 2000.

Schaefer, Keith. « Energy Income Trusts : A Comeback in the Making », *Oil and Gas Investment Bulletin*, 2011.

Schneider, Friedrich et Dominik H. Enste. « Shadow Economies : Size, Causes, and Consequences », *Journal of Economic Literature*, Pittsburgh, American Economic Association Publications, vol. 38, n° 1, 2000.

Scott, Peter Dale. « Deep Events and the CIA's Global Drug Connection », Montréal, *Global Research*, 6 septembre 2008.

Séguin, Marc-André. « Sociétés écrans : Aveuglement volontaire », *National*, Ottawa, Association du Barreau canadien, juin 2013.

Spiro, Peter S. « Estimating the Underground Economy : A Critical Evaluation of the Monetary Approach », Toronto, *Canadian Tax Journal*, Canadian Tax Foundation, vol. 42, n° 4.

Stanford, Jim. « The Failure of Corporate Tax Cuts to Stimulate Business Investment Spending », dans Richard Swift (dir.), *The Great Revenue Robbery, How to Stop the tax Cut Scam and Save Canada*, Toronto, Between the lines, 2013.

Storey, K. « Fly-in/Fly-out and Fly-over : mining and regional development in Western Australia », *Australian Geographer*, vol. 32, 2010.

Sweeny, Robert C. H. « Banking as Class Action : Social and National Struggles in the History of Canadian Banking », dans Alice Teichova, Ginette Kurgan-Van

Hentenryk et Dieter Ziegler (dir.), *Banking, Trade and Industry: Europe, America and Asia from the Thirteenth to the Twentieth Century*, Cambridge, Cambridge University Press, 1997.

Thirsk, Wayne. «Jamaican Tax Incentives», dans Roy Bahl (dir.), *The Jamaican Tax Reform*, Cambridge, Lincoln Institute of Land Policy, 1991.

Unger, Brigitte et Gregory Rawlings. «Competing for criminal money», *Global Business and Economics Review*, vol. 10, n° 3, 2008.

Vidal, Jean-Pierre. «La Concurrence fiscale favorise-t-elle les planifications fiscales internationales agressives?», dans Jean-Luc Rossignol (dir.), *La gouvernance juridique et fiscale des organisations*, Paris, Lavoisier, 2010.

Wai, Sean Ng. «Why do banks disappear?: A History of Bank Failures and Acquisitions in Trinidad, 1836-1992», *Journal of Business, Finance and Economics in Emerging Economies*, vol. 5, n° 1, 2010.

Wilkins, Mira. «Banks over Borders: Some Evidence from Their Pre-1914 History», dans Geoffrey Jones (dir.), *Banks as Multinationals*, Londres et New York, Routledge, 1990.

Williams, Ewart S. «Anti-money laundering and combating the financing of terrorism», Governor of the Central Bank of Trinidad and Tobago, 6th Annual Compliance Conference on Anti-Money Laundering and Combating the Financing of Terrorism, Port-d'Espagne, 14 janvier 2010.

Wilton, Carol (dir.). *Beyond the Law, Lawyers and Business in Canada, 1830 to 1930: Essays in the History of Canadian Law*, Vol. IV, Toronto et Vancouver, The Osgoode Society / Butterworths, 1990.

Wozny, James. «The taxation of Corporate Source Income in Jamaica», dans Roy Bahl (dir.), *The Jamaican Tax Reform*, Cambridge, Lincoln Institute of Land Policy, 1991.

Glossaire

Accord de non double imposition (ou convention fiscale) : Entente entre deux législations visant à coordonner les systèmes d'imposition de façon à ce qu'un contribuable économiquement actif dans les deux entités ne paie qu'une fois des impôts sur les revenus déclarés.

Banques à charte : Institution financière canadienne autorisée par le ministère fédéral des Finances en vertu de la Loi sur les banques et les opérations bancaires.

Centre financier international ou **Centre financier offshore** (ou paradis bancaire) : Pôle d'inscription d'entités financières non résidentes, autorisé par une législation traditionnelle, qui prévoit des règles semblables à celles des paradis fiscaux, notamment le secret bancaire.

Convention fiscale : voir « Accord de non double imposition ».

Eurodollars : Dépôts en dollar US dans une banque hors des États-Unis, initialement en Europe, par un titulaire qui n'est pas résident du pays où se trouve cette institution.

Évasion fiscale : Stratégie comptable et opérations financières visant à détourner illégalement des fonds dus à l'impôt.

Évitement fiscal : Stratégie comptable et opérations financières visant à détourner des fonds dus à l'impôt, sans que la manœuvre soit au demeurant illégale.

Fiducie : Outil d'évitement fiscal, jadis réservé à l'usage des familles et maintenant aussi accessible aux entreprises, qui permet d'isoler les bénéfices sous la forme d'un flux de revenu autonome et de les fractionner entre les ayants droit.

Fondation : Entité de droit privé à but non lucratif créée par des entreprises ou des particuliers, en principe pour accomplir une œuvre d'intérêt général, mais fréquemment utilisée à d'autres fins dans les législations de complaisance.

Hedge Fund : Fonds d'investissement spéculatif généralement fondé dans les législations de complaisance afin de contourner la réglementation financière en vigueur ailleurs.

Holding : Société responsable de la gestion d'une ou de plusieurs sociétés, dont elle détient des parts.

Législation de complaisance : Terme générique désignant les territoires et États permettant sciemment à des acteurs contraints par la loi, le fisc ou la réglementation à l'étranger de bénéficier chez eux de mesures permissives telles que les paradis fiscaux, les centres financiers internationaux, les paradis réglementaires, les ports francs et les zones franches.

Opacité financière : Voir « Secret bancaire ».

Optimisation fiscale : Voir « Planification fiscale abusive ».

Paradis bancaire : Voir « Centre financier offshore ».

Paradis fiscal : Législation prévoyant le secret bancaire ainsi qu'un taux d'imposition nul ou quasi nul sur des revenus déclarés par des catégories d'acteurs ou des entités particulières.

Paradis réglementaire : Législation autorisant le laisser-faire dans des secteurs d'activité donnés.

Pavillon de complaisance : Voir « Port franc ».

Planification fiscale abusive ou **planification fiscale agressive** (ou optimisation fiscale) : Euphémisme désignant des stratégies comptables visant à détourner des fonds dus à l'impôt par l'interprétation abusive de termes et dispositions techniques prévues par la loi.

Port franc : Paradis réglementaire permettant spécifiquement l'immatriculation de navires (véhicules de plaisance, bateaux de transport, pétroliers… battant alors « pavillon de complaisance ») et de plateformes d'exploitations de ressources en mer indépendamment de toute forme attendue de réglementation sur des enjeux tels que l'entretien des navires, le traitement des déchets en mer, la sécurité au travail, les normes du travail et l'impôt.

Prêt à vue : Prêt dont le montant en jeu peut être réclamé à tout moment par le créancier, ou remboursé à tout moment par le débiteur.

Prix de transfert : Opérations financières qui consiste, pour la filiale qu'une entreprise a créée dans un paradis fiscal, à facturer à ladite entreprise des services et des biens divers, sur un mode factice, de façon à concentrer le plus de capitaux possibles dans les comptes ouverts là où elle est inscrite, un paradis fiscal ou un centre financier offshore où le taux d'imposition est dérisoire ou nul.

Secret bancaire (ou opacité financière) : Ensemble de mesures législatives et réglementaires adoptées par une législation de complaisance pour empêcher ou décourager les enquêtes initiées par des instances étrangères (enquêteurs fiscaux, juges d'instruction, etc.).

Special purpose vehicle : Structure créée dans une législation de complaisance, souvent pour une opération unique, visant à dégager du bilan des entreprises des éléments de son passif.

Société-écran : Entité servant d'alibi dans des paradis fiscaux pour permettre à des entreprises ou à des détenteurs de fortune de contourner les lois, règlements et services fiscaux des législations où ils opèrent.

Société exemptée (*exempted company*) : Société permettant de faire fi de toute imposition et de toute réglementation, créée par des entreprises ou des détenteurs de capitaux dans les législations de complaisance qui les autorisent.

Trust : Structure de gestion responsable des actifs qu'y a inscrits son fondateur (le mandataire ou *trustee*) au bénéfice d'un tiers (le bénéficiaire), tous maintenus anonymes en raison du secret bancaire qui prévaut dans les législations de complaisance.

Zone franche : Paradis réglementaire permettant spécifiquement la création dans des aires déterminées d'usines ou de manufactures ne tenant pas compte de lois du travail et de normes écologiques ou bénéficiant de normes et règlements permissifs.

L'équipe

Aaron Barcant étudie au baccalauréat à l'Université Concordia dans le programme interdisciplinaire de géographie. Il a mené des recherches sur Trinité-et-Tobago ainsi que sur la Caricom.

Catherine Browne est titulaire d'une licence d'histoire de l'Université de Provence et a suivi les cours du programme de maîtrise en sociologie à l'UQAM. Après avoir été longtemps traductrice, elle a travaillé comme animatrice-recherchiste pour l'organisme L'Autre Montréal et poursuit ce travail aujourd'hui pour le collectif Montréal Explorations. Dans le présent ouvrage, elle a contribué au chapitre sur l'histoire des banques canadiennes dans la Caraïbe britannique.

Mathieu Denis est titulaire d'un doctorat d'histoire de l'Université Humboldt de Berlin. Il occupe les fonctions de responsable scientifique principal au Conseil international des sciences sociales. Son apport dans ce livre porte sur le Dominion du Canada et l'histoire des institutions canadiennes dans la Caraïbe britannique.

Normand Doutre est un militant syndical retraité du secteur de la santé (services auxiliaires). Il a participé pendant 40 ans aux luttes pour les droits des travailleurs. Dans le cadre de ce livre, il a mené des recherches documentaires sur le rôle de politiciens, banquiers et juristes canadiens dans le développement des Bahamas et des Îles Caïmans.

Chantal Gailloux est titulaire d'une maîtrise en sciences de l'environnement et elle poursuit ses études au doctorat en sociologie politique. Elle s'intéresse à la transition écologique, aux enjeux sociopolitiques relatifs à la gestion des «ressources naturelles» ainsi qu'à l'aménagement du territoire. Pour cet ouvrage, elle a collaboré au chapitre sur le Québec comme «minéralo-État».

Gabriel Monette est titulaire d'une maîtrise en philosophie de l'Université du Québec à Montréal (UQAM) et est candidat à la maîtrise en administration publique à l'École nationale d'administration publique (ENAP). Dans le cadre de cet ouvrage, il a fait des recherches sur la filière des *hedge funds* et sur la législation des Îles Caïmans.

Stéphane Plourde, docteur en histoire contemporaine de l'Université de la Sorbonne (Paris-I), s'intéresse aux relations Nord-Sud. Ses écrits portent notamment sur le Plan d'ajustement structurel que les institutions de Bretton Woods ont imposé à la Côte d'Ivoire. Dans le cadre de ce livre, il a fait des recherches documentaires sur le cas des Bahamas.

Ghislaine Raymond, titulaire d'une maîtrise en science politique de l'Université du Québec à Montréal et syndicaliste retraitée du milieu de l'enseignement, a rédigé l'essai Le *«partenariat social», Sommet socio-économique de 1996, syndicats et groupes populaires* (Montréal, M éditeur, 2012). Active sur les dossiers de la mondialisation, de la justice sociale et des paradis fiscaux, elle milite présentement au sein du Réseau justice fiscale/Québec. Elle a activement travaillé à l'élaboration du chapitre sur le Québec comme «minéralo-État» en plus de s'être consacrée à des recherches documentaires sur la Banque mondiale et le Fonds monétaire international ainsi que sur les institutions financières présentes dans certains paradis fiscaux de la Caraïbe britannique.

Pierre Roy, assistant comptable, a mené des recherches sur les Îles Caïmans et les Îles Turques-et-Caïques.

William Sacher est titulaire d'un doctorat en sciences atmosphériques et océaniques de l'Université McGill et est actuellement doctorant en économie du développement à la Faculté latino-américaine de sciences sociales. Il a coécrit avec Alain Deneault *Paradis sous terre, Comment le Canada est devenu la plaque tournante de l'industrie minière mondiale* (Montréal/Paris, Écosociété/Rue de l'échiquier, 2012) et collaboré à *Noir Canada, Pillage, corruption et criminalité en Afrique* (Montréal, Écosociété 2008). Sa contribution porte, dans ce livre-ci, sur le statut du Québec comme «minéralo-État» ainsi que sur le paradis réglementaire canadien du secteur extractif mondial.

Alexandre Sheldon est cinéaste, chercheur et journaliste. Il est titulaire d'une maîtrise en économie politique internationale de l'Université McMaster. Il a réalisé plusieurs courts métrages traitant d'urbanisme durable, d'économie et de problématiques régionales. Il a aussi fait paraître des articles dans la revue *L'Inter*, le *Journal Ensemble* et le *Quebec-Chronicle-Telegraph*. Dans ce livre, il a activement participé à la recherche et à la rédaction du chapitre «Le Canada – Paradis fiscal».

Aline Tremblay a mené des études de deuxième cycle en développement cognitif puis en psychosynthèse personnelle et organisationnelle. Après une carrière d'enseignante au niveau collégial en éducation physique, elle a agi comme conseillère à la Centrale des syndicats du Québec (CSQ). Retraitée, elle a œuvré à la promotion du commerce équitable pour Équita d'OXFAM-Québec, avant de cofonder le Réseau pour la justice fiscale. Dans le cadre de cet ouvrage, elle a notamment travaillé à la recherche et à la rédaction du chapitre «Le Canada – Paradis fiscal» ainsi qu'à l'élaboration de l'index.

Index

Sites géographiques

Domaine privé

Domaine public

Faites circuler nos livres.
Discutez-en avec d'autres personnes.

Si vous avez des commentaires, faites-les nous parvenir ;
nous les communiquerons avec plaisir aux auteur.e.s
et à notre comité éditorial.

écosociété

LES ÉDITIONS ÉCOSOCIÉTÉ
C.P. 32 052, comptoir Saint-André
Montréal (Québec) H2L 4Y5
ecosociete@ecosociete.org
www.ecosociete.org

NOS DIFFUSEURS

CANADA
Diffusion Dimedia inc.
Tél. : (514) 336-3941
general@dimedia.qc.ca

FRANCE ET BELGIQUE
DG Diffusion
Tél. : 05 61 000 999
adv@dgdiffusion.com

SUISSE
Servidis S.A
Tél. : 022 960 95 25
commandes@servidis.ch

RECYCLÉ
Papier fait à partir
de matériaux recyclés
FSC® C100212
FSC
www.fsc.org

Achevé d'imprimer
en août deux mille seize, sur les presses
de l'imprimerie Gauvin, Gatineau, Québec